DOM QUIXOTE DE LA MANCHA

MIGUEL DE CERVANTES SAAVEDRA, filho de um cirurgião espanhol pobre, nasceu muito provavelmente em 1547. Prestou serviço militar na Itália em 1570 e, como soldado profissional, participou da batalha naval de Lepanto e de outros combates até ser capturado por piratas, quando retornava à Espanha em 1575, tornando-se escravo de um renegado grego em Argel; tentou fugir várias vezes, sem sucesso, e enfim foi resgatado em 1580. Passou o resto da vida às voltas com dificuldades financeiras e esteve preso em duas ocasiões. Já tinha escrito algumas peças e um romance pastoral, *A Galateia*, quando, em 1592, se ofereceu para escrever seis peças por cinquenta ducados cada. Só conheceu o sucesso em 1605 com a publicação da primeira parte de *Dom Quixote*, que lhe deu popularidade imediata. As *Novelas exemplares* foram publicadas como coletânea em 1613, e em 1615 veio à luz a prometida continuação de *Dom Quixote*. Cervantes morreu em 1616.

ERNANI SSÓ nasceu em 1953, em Bom Jesus (RS). Mudou-se para Porto Alegre em 1972. Começou a cursar jornalismo na PUC, em 1973. Trancou a matrícula no segundo semestre de 1974. Foi repórter por um mês, em 1975. Daí para a frente se dedicou à literatura em tempo integral.

Escreve resenhas e crônicas de humor para a imprensa. Mantém uma coluna semanal na revista eletrônica *Coletiva.net*, onde comenta de literatura a política. É autor da novela de humor negro *O sempre lembrado* (1989), do romance policial *O emblema da sombra* (prêmio Cyro Martins de 1996) e da novela de fantasia *O edifício — viagem ao último andar* (1999, Prêmio Rodolfo Aisen, Categoria Jovem Leitor). Escreveu também livros infantis, entre eles, *A aula da bruxa*, *Contos de morte morrida*, *Contos de gigantes* e *Com mil diabos!*.

Sua primeira tradução é de 1987: *Borges por Borges*, de Emir Rodríguez Monegal. Desde então traduziu mais de cinquenta livros, entre eles, *O assassinato de García Lorca*, de Ian Gibson; *Cultura escrita e educação*, de Emilia Ferreiro; *A gula do beija-flor*, de Juan Claudio Lechín; e *Heróis demais*, de Laura Restrepo.

JOHN RUTHERFORD é membro do conselho diretor do Queen's College, Oxford, onde dá aulas de espanhol e de língua e literatura hispano-americanas e galegas. Também traduziu *La Regenta*, de Leopoldo Alas, para a Penguin Classics, e (com outros) *"Eles" e outras histórias*, de Xosé Luís Méndez Ferrín, para a Planet Books. A edição de *Dom Quixote* para a Penguin Classics ganhou o prêmio Valle Inclán de tradução do espanhol.

JORGE FRANCISCO ISIDORO LUIS BORGES ACEVEDO nasceu em Buenos Aires, em 24 de agosto de 1899, e faleceu em Genebra, em 14 de junho de 1986. Antes de falar espanhol, aprendeu com a avó paterna a língua inglesa, idioma em que fez suas primeiras leituras. Em 1914 foi com a família para a Suíça, onde completou os estudos secundários. Em 1919, nova mudança — agora para a Espanha. Lá, ligou-se ao movimento de vanguarda literária do ultraísmo. De volta à Argentina, publicou três livros de poesia na década de 1920 e, a partir da década seguinte, os contos que lhe dariam fama universal, quase sempre na revista *Sur*, que também editaria seus livros de ficção. Funcionário da Biblioteca Municipal Miguel Cané a partir de 1937, dela foi afastado em 1946 por Perón. Em 1955, seria nomeado diretor da Biblioteca Nacional. Em 1956, quando passou a lecionar literatura inglesa e americana na Universidade de Buenos Aires, os oftalmologistas já o tinham proibido de ler e escrever. Era a cegueira, que se instalava como um lento crepúsculo. Seu imenso reconhecimento internacional começou em 1961, quando recebeu, junto com Samuel Beckett, o prêmio Formentor dos International Publishers — o primeiro de uma longa série.

RICARDO PIGLIA nasceu em Adrogué, província de Buenos Aires, em 1940. Crítico literário e ficcionista, é professor da Universidade de Buenos Aires e leciona habitualmente na Universidade de Princeton, nos Estados Unidos. Escreveu o roteiro original de *Coração iluminado*, em colaboração com o diretor do filme, Hector Babenco.

MIGUEL DE CERVANTES

Dom Quixote de la Mancha

Tradução e notas de
ERNANI SSÓ

VOLUME I
Introdução de
JOHN RUTHERFORD

VOLUME 2
Posfácios de
JORGE LUIS BORGES
RICARDO PIGLIA

12ª reimpressão

COMPANHIA DAS LETRAS

Copyright © 2012 by Penguin-Companhia
Copyright da introdução © 2000, 2001, 2003 by John Rutherford
Copyright do posfácio de Jorge Luis Borges © 1995 by Maria Kodama
Copyright do posfácio de Ricardo Piglia © 2012 by Guillermo Schavelzon
& Associados, Agencia literaria www.schavelzon.com
Copyright da tradução de "Notas sobre a máquina voadora"
© 2012 by Alexandre Rodrigues Guimarães
Copyright da tradução de "Magias parciais do Quixote"
© 2007 by Davi Arrigucci Jr.

*Grafia atualizada segundo o Acordo Ortográfico da Língua
Portuguesa de 1990, que entrou em vigor no Brasil em 2009.*

Penguin and the associated logo and trade dress are registered
and/or unregistered trademarks of Penguin Books Limited and/or
Penguin Group (USA) Inc. Used with permission.
Published by Companhia das Letras in association with
Penguin Group (USA) Inc.

TÍTULO ORIGINAL
Don Quijote de la Mancha
PROJETO GRÁFICO PENGUIN-COMPANHIA
Raul Loureiro, Claudia Warrak
CAPA
Alceu Chiesorin Nunes
PREPARAÇÃO
Silvia Massimini Felix
REVISÃO
Huendel Viana
Jane Pessoa

Dados Internacionais de Catalogação na Publicação (CIP)
(Câmara Brasileira do Livro, SP, Brasil)

Cervantes Saavedra, Miguel de, 1547-1616.
  Dom Quixote de la Mancha/ Miguel de Cervantes; tradução e notas de Ernani Ssó; introdução de John Rutherford;
posfácios de Jorge Luis Borges, Ricardo Piglia. — 1ª ed — São
Paulo: Penguin Classics Companhia das Letras, 2012.

  Título original: Don Quijote de la Mancha.
  ISBN 978-85-63560-55-1

  1.Romance espanhol I. Borges, Jorge Luis. II. Piglia, Ricardo. III. Ssó, Ernani. IV. Rutherford, John. V. Título.

12-11362   CDD-863

Índice para catálogo sistemático:
1. Romances: Literatura espanhola 863

Todos os direitos desta edição reservados à
EDITORA SCHWARCZ S.A.
Rua Bandeira Paulista, 702, cj. 32
04532-002 — São Paulo — SP
Telefone: (11) 3707-3500
www.penguincompanhia.com.br
www.companhiadasletras.com.br
www.blogdacompanhia.com.br

Sumário

VOLUME 1

Nota sobre o texto	9
Reflexões de um escudeiro de Cervantes	
— Ernani Ssó	11
Agradecimentos	25
Introdução — John Rutherford	27

O ENGENHOSO FIDALGO	
DOM QUIXOTE DE LA MANCHA	37

Prólogo	41
Versos preliminares	49
Notas	631

VOLUME 2

SEGUNDA PARTE DO ENGENHOSO CAVALEIRO	
DOM QUIXOTE DE LA MANCHA	5

Prólogo ao leitor	7

Magias parciais do Quixote — Jorge Luis Borges	637
Notas sobre a máquina voadora — Ricardo Piglia	641
Notas	649

Nota sobre o texto

Esta tradução seguiu a edição do IV Centenário, feita pela Real Academia Espanhola e pela Associação de Academias da Língua Espanhola, aos cuidados de Francisco Rico (2004, Alfaguara), e a edição de John Jay Allen (1998, Cátedra). As diferenças entre elas são mínimas, mas importantes, como opiniões distintas sobre o sentido de determinadas frases ou expressões. Allen também corrige alguns erros de revisão da edição *princeps* mantidos por Rico. Para esses erros, consultei também a edição de R. M. Flores, de 1988, para The University of British Columbia Press, que traz uma lista dos inumeráveis problemas rastreados nas edições originais. Pelo menos num caso preferi a indicação de Flores à interpretação tradicional, no capítulo XLIV da segunda parte: ele pensa que *dar pentalia a los zapatos* não é lustrá-los com azeite misturado com fuligem, mas *dar puntada*, quer dizer, dar pontos, remendar.

Preferi manter "dom Quixote de la Mancha" e "Dulcineia del Toboso", em vez de "da Mancha" e "do Toboso", porque esses nomes já atravessaram as fronteiras há muito tempo, assim como "Cavaleiro da Triste Figura", embora, no caso, a figura se refira ao rosto do cavaleiro. Seguindo a tendência das edições modernas, abri mais parágrafos, coisa que pelo visto não preocupava Cervantes. Quanto aos tratamentos, a não ser em algumas situações mais complicadas, segui Cervantes, que passa de "tu" para "vossa mercê" ou para "vós" de um parágrafo a outro, ou no mesmo parágrafo. Essas mudanças acontecem de acordo com o respeito que se deve a quem se fala, mas às vezes Cervantes simplesmente parece ter se esquecido. Por falar em esquecimento, há o famoso sumiço e a reaparição do burro de Sancho. Nesse caso, preferi seguir a edição de John Jay Allen, inserindo os trechos entre colchetes, com as devidas explicações em notas, por me parecer mais prático.

Como John Rutherford, na tradução para a Penguin, preferi não incluir aqueles textos burocráticos, como as taxas pagas e a licença do rei para a publicação, que acompanham tradicionalmente as edições modernas e que são geralmente pulados pelos leitores. Também não incluí as dedicatórias. Como diz Rutherford, há dúvidas de que a primeira tenha sido escrita por Cervantes e a segunda é puramente convencional.

As notas com informações históricas, literárias e geográficas procedem em sua maioria das edições de Rico e Allen. Elas se repetem quase em sua totalidade em todas as edições com muito poucas alterações. Umas poucas que são minhas referem-se a situações mais complicadas ou curiosas de tradução.

Reflexões de um escudeiro
de Cervantes

ERNANI SSÓ

[...] me parece que traduzir de uma língua para outra, desde que não seja das rainhas das línguas, a grega e a latina, é como olhar os tapetes flamengos pelo avesso: embora se vejam as figuras, estão cheias de fios que as obscurecem, não se podendo ver com a clareza e a cor do lado direito; e traduzir de línguas fáceis nem prova talento nem bom estilo, como não o prova quem transcreve ou copia um texto de um papel para outro. Mas disso não quero inferir que o exercício da tradução não seja louvável, porque o homem poderia se ocupar de coisas piores, que lhe trouxessem menos proveito. Deixo fora dessa conta dois tradutores famosos: o doutor Cristóbal de Figueroa, em seu *Pastor Fido*, e dom Juan de Jáuregui, em seu *Aminta*, que, com felicidade, nos deixam em dúvida sobre qual é a tradução e qual é o original.

Dom Quixote, II, LXII

Ao contrário de muitos tradutores, não sofri a tentação de ser Pierre Menard, deixando Cervantes igual a Cervantes até a última vírgula. Nem sofri a tentação oposta, ser Jorge Luis Borges e reescrever tudo. Depois de anos de ofício, eu sabia que me tocava ser Sancho Pança apenas, quer dizer, um escudeiro de Cervantes, ajudando-o a travar suas batalhas em português. Como Sancho Pança, fui um criado submisso e fiel, sem deixar de ser ladino quando precisei escapar de algum aperto. Vamos ver se me explico.

A tentação menardiana é compreensível, mas não se aguenta em pé: as palavras não têm a consistência dos números. O número sete vale sete numa conta tanto em Trombudo do Norte como em Cuernavaca ou na Cochinchina. Mas sete não vale sete num texto. A palavra "sete", para nós, evoca sorte, mentira, esoterismo. Vá saber o que evoca na Cochinchina. A cultura e o lugar alteram, ou colorem, o significado de uma palavra. O tempo, então, nem se fala. No caso do *Quixote* o tempo talvez seja o fator mais hostil.

Outra coisa: cada língua tem seus ritmos e seus modos de dizer. Daí que uma tradução literal pode ser o avesso da fidelidade, tornando o texto todo desconjuntado e cheio de ecos incômodos. Claro que isso que digo é óbvio — talvez não ululante, mas assim mesmo bastante constrangedor. O problema é que grande parte das traduções brasileiras de livros em espanhol não parece se dar conta dessa obviedade e cai direto no portunhol, língua muito usada por turistas e nas fronteiras do sul. Um exemplo banal é o *yo creo* traduzido por "eu creio", quando o *yo creo* é o "eu acho" dos latinos, porque entre nós a palavra "crer" não se descolou inteiramente da religião. A semelhança entre o espanhol e o português tem causado enganos divertidos, para não dizer estúpidos, como a tradução de *oso* (urso) por osso (*hueso*), como vi num conto de Julio Cortázar.

A tentação borgeana também é compreensível. Talvez mais compreensível ainda diante de Cervantes, famoso pelo estilo desleixado. Ao contrário de muitos amantes de Cervantes, não vejo seus defeitos como virtudes, numa transformação digna dos magos que Quixote pensava que o perseguiam. Como Borges, penso que Francisco de Quevedo poderia corrigir qualquer página de Cervantes. Mas isso não salva Quevedo nem condena

Cervantes: trata-se apenas de uma constatação. Queve-do, grande estilista, foi incapaz de criar o Cavaleiro da Triste Figura. O cavaleiro e sua história valem muito mais que as belas palavras de Quevedo.

Paul Groussac, na *Segunda conferência sobre Cervantes e o Quixote*, fez uma observação que se tornou famo-sa: "esse admirável primeiro capítulo, o melhor do livro, e cujo esmero nos traz involuntariamente à memória (apenas a lembrança parece uma crueldade) o tempo e o vagar de que gozava o preso para cuidar seu estilo". Acho isso ótimo, mas é preciso dizer que Cervantes, apesar do des-leixo, é fluente. Mais: é cheio de energia e de graça.

Enfim, mesmo que eu tivesse o cacife de Borges, não me meteria a copidescar Cervantes. Não copidesco nem romances populares. Não é por ser bonzinho ou mui-to humilde. É mais simples: uma tradução é meio como andar na corda bamba. Pode-se fazer uma ou outra pi-rueta, mas saltar da corda, mesmo para cair de pé com a elegância devida, é outro espetáculo. Se me passei numa ou noutra frase ou palavra, foi em nome da clareza e do vigor. Na hora do aperto, prefiro ser mais fiel ao Qui-xote que a Cervantes. Se essa distinção parece obscura, paciência, logo chegaremos aos exemplos.

Diante disso tudo, minha primeira preocupação foi com os fiapos, digamos, para ficarmos com a metáfo-ra de dom Quixote. Preocupação que todo tradutor re-moeu: não basta dar uma noção da figura e de sua cor, ou, para sermos diretos, não basta dar somente o sen-tido. Manter o sentido, com todas as ambiguidades do original, não é tarefa fácil, sabe-se, mas o resto é mais difícil. O resto é canto e dança. Se Cervantes não cantar nem dançar em português, melhor seguir o exemplo de Freud: aprender espanhol e ler no original.

Cabe então a perguntinha: como recuperar em portu-guês a fluência, a energia e a graça do texto de Cervan-tes? É provável que eu não saiba responder muito bem.

Mas acho que a resposta, ou uma das respostas possíveis, está embutida na recusa da tentação de ser Pierre Menard. Se vamos pôr Cervantes em português, em algum momento temos de pensar no texto como se fosse escrito em português, com as exigências e as manias do português. Cervantes não pode desafinar em português nem tropeçar nos próprios calcanhares. Se, para termos em português a eficácia que ele tem em espanhol, é preciso alterar a ordem da frase, cortar uma palavra ou acrescentar outra, altere-se, corte-se, acrescente-se, com pulso firme e coração leve. Em minha opinião, se a frase não ficou bem em português, tem fiapos obscurecendo-a. Se podemos ver o original sob o português, ela não está em português, como não está em português a fala que se ouve com frequência nas dublagens: "Maldito, dê o seu melhor!".

Como uma discussão sem exemplos práticos não serve para grande coisa, vamos a um, pego ao acaso. No capítulo XXVI da segunda parte, depois que dom Quixote destroça a espadadas o teatro de marionetes, mestre Pedro diz: "*Con que me pagase el señor don Quijote alguna parte de* las hechuras que me ha deshecho, *quedaría contento y su merced aseguraría su conciencia*". Atenção ao grifo. Segundo os dicionários, o equivalente em português é "as feituras que me desfez". Quantos de nós entendemos a piada sem consultá-los?

Como a tradução dos viscondes de Castilho e Azevedo é a mais reeditada no Brasil — sem que se dê o crédito a M. Pinheiro Chagas, que traduziu a maior parte depois da morte dos nobres portugueses —, vejamos como ficou a frase: "Se o senhor dom Quixote me pagasse uma parte *das coisas que me desfez*, já eu ficaria satisfeito e Sua Mercê sossegaria a sua consciência". Bem, até para os viscondes, que não esmorecem diante da maior parte dos arcaísmos, quando não os substituem por outros mais arcaicos ainda, traduzir *hechuras* por "feituras" pareceu demais, mas optaram por ficar apenas no sentido, ignorando o jogo de palavras.

Minha versão: "Se o senhor dom Quixote me pagasse uma parte *do que seu feito desfez*, eu ficaria contente e sua mercê resguardaria sua consciência". Traí Cervantes? Eu avisei: como Sancho na hora do aperto ou quando vislumbra alguma vantagem, não fui nada cerimonioso, mas me parece que por uma boa causa, porque não deixei a frase achatada como os nobres portugueses. Ernesto Sábato, numa conversa com Borges, diz que talvez seja melhor que os tradutores sejam escritores de estilo mais apagado, para não interferirem no estilo do original. Está aí, parece-me, mais um desvão da tentação de ser Pierre Menard. Basta folhearmos a maior parte das traduções em português para ver no que dá o estilo apagado: textos num português que se encontra apenas em tradução, sem açúcar e sem afeto. Ou muito me engano, ou um escritor com estilo mais vivo tem mais recursos para tentar reproduzir texturas, sabores, perfumes, ritmos. Não usei "feituras" porque, em primeiro lugar, seu sentido é um tanto misterioso hoje e, em segundo, porque a palavra se tornou ridícula. A mim pareceu melhor recriar a piada dentro do mesmo clima do original. Quanto ao fato de ter optado por traduzir "assegurar" por "resguardar" foi por me parecer que assim ficava um tiquinho mais claro. A opção dos viscondes, "sossegar", soa bem, soa corrente, mas está dizendo outra coisa, não? Uma consciência sossegada não é o mesmo que uma consciência garantida.

Como estamos num romance de mais de mil páginas, eu poderia dar dezenas e dezenas de exemplos semelhantes. Mas fiquemos com mais um (ou dois ou três), em que o humor depende de uma palavrinha. No capítulo IV da primeira parte, dom Quixote encontra um camponês espancando um criado. Depois das ameaças do cavaleiro, o camponês convida o criado a ir com ele e diz que pagará sua dívida: *"hacedme placer de veniros conmigo, que yo juro por todas las órdenes que de caballerías hay en el mundo de pagaros, como tengo dicho, un real sobre otro, y aun* sahumados".

As edições comentadas trazem notas explicando que *sahumado* quer dizer perfumado com a fumaça de ervas aromáticas, mas aqui significa que o camponês paga de boa vontade, ou que assim os reais foram melhorados. Muito bem, os viscondes e M. Pinheiro Chagas traduziram assim: "dá-me o gosto de vir comigo, que eu juro por quantas castas de cavalaria haja no mundo, de pagar, como tenho dito, até a última, e em moedinha *defumada*". Antes de mais nada, é preciso notar que foram introduzidas modificações dificilmente justificáveis e que lemos como se estivéssemos com soluço, por causa da pontuação. E *los reales sahumados*? É provável que o leitor do século XIX matasse num segundo a charada da fumigação da grana, como os leitores do tempo de Cervantes.

Mas hoje? Talvez um leitor, em quinhentos ou em mil, em vez de pensar num arenque, como eu, se desse conta de que também se defuma para afugentar os maus espíritos, purificar e dar boa sorte, que é justamente o que o camponês propõe. Como passar esse sentido de modo que até gente lerda como eu entenda de estalo? O gozado é que na hora de driblar minha lerdeza fui rápido: "Dai-me o prazer de vir comigo que eu juro, por todas as ordens de cavalaria que há no mundo, de vos pagar, como já disse, um real sobre o outro, *benzidos* ainda por cima".

Minha solução não é a única, claro. Todos os tradutores brasileiros acharam outras. Isso é interessante. Se cotejarmos as traduções, veremos muitas coincidências, coisa que me parece natural dada a semelhança entre as línguas. Mas veremos muito mais diferenças, mesmo em situações em que, como diria Sancho, poderíamos jurar de pés juntos que não havia espaço para grandes manobras. Como uma parte enorme de nossas decisões depende de fatores subjetivos, fica fácil criticar qualquer

REFLEXÕES DE UM ESCUDEIRO DE CERVANTES

tradução, por melhor que seja. Sem falar que os tradutores são capazes de se matar por causa de detalhes.

Voltando à frase e à fumaça, note-se que não mexi em quase nada, que mantive a mesma estrutura, dando apenas um toque de mão em alguns pontos, para que entrasse no ritmo e no tom do português brasileiro. Foi quase sempre assim. Se há uma expressão no original, tratei de achar uma expressão equivalente em português, não transcrever a explicação ou, o que seria meio esquisito, manter a expressão e botar a explicação em nota de rodapé.

Os inumeráveis ditados de Sancho deram um trabalho à parte. Gastei horas e horas atrás de ditados equivalentes, quando eles perdiam agilidade e harmonia em português, ou eram de compreensão duvidosa, ou tinham sua graça ameaçada. Os rimados foram os piores. Por exemplo, o que fazer com "não importa com quem nasces, mas com quem pasces"? Uma piada evidente no tempo de Cervantes, mas você tem de ser um leitor inveterado de dicionários para saber o que é "pasces". Então? Então parti para o tudo ou nada: reinventei o ditado. "Não importa a casta, mas com quem se pasta."

Isso nos leva a minha outra grande preocupação. Numa cena da segunda parte, dom Quixote acha que a história que escreveram sobre ele, quer dizer, a primeira parte do romance, deve ser muito ruim, que "para ser entendida vai precisar de comentários". O bacharel Sansão Carrasco responde com veemência: "Isso não, porque a clareza dela é tanta que não há coisa que não se entenda: as crianças a manuseiam, os moços a leem, os homens a entendem e os velhos a celebram, enfim, é tão folheada e tão lida e tão conhecida por todo tipo de gente que, mal se vê um pangaré magro, se diz: 'Ali vai Rocinante'". Sabe-se que o bacharel não está exagerando. Cervantes foi best-seller em seu tempo.

Mas hoje? Parece-me que traduzir Cervantes apenas para especialistas não faz muito sentido, porque se você entende de português arcaico terá pouca dificuldade para ler o original. Vamos deixar os leigos fora da festa, achando, ainda por cima, como já me disseram, que o *Quixote* é uma chatice? Uma chatice, o maior livro de humor de todos os tempos, ao lado de *Gargântua*, de Rabelais? Puxa, que pecado!

Uma solução seria modernizar a linguagem. Mas eu resisto a uma modernização, pelo menos uma modernização a ferro e fogo, porque fiquei traumatizado numa cena extremamente dramática do *Império da paixão*, de Nagisa Oshima. Para quem não lembra, o filme conta uma história de adultério e assassinato no Japão de 1895. Lá pelas tantas o amante grita para a viúva — apavorada com o fantasma que aparece no poço —, nas legendas brasileiras: "Deixe de ser Amélia!".

Como manter a atmosfera de antiguidade e ao mesmo tempo ser legível? Aí está uma boa dor de cabeça, que John Rutherford driblou em sua tradução para a Penguin. Mas nem tudo o que fica bem em inglês fica bem em português. Não tenho coragem de pôr Sancho chamando dom Quixote de "você", em vez de "vossa mercê". De modo que fui bem mais conservador que Rutherford.

Usei preferencialmente palavras da época de Cervantes ou anteriores, mas há também algumas do século XVIII e uma pequena porção do século XIX. Do século XX? Nenhuma (espero), mesmo que eu tenha sofrido por abrir mão de "encrenca", datada de 1913. Mas, para falar a verdade, não confio nas datas que constam nos dicionários. As palavras circulam muito de boca em boca antes de ir parar no papel. Por exemplo, *voleo* é usada por Cervantes com a maior naturalidade, mas, segundo o Houaiss, a palavra aparece escrita em português apenas no século XX. Não dá para acreditar que os portugueses não a tivessem usado. Convenhamos, trezentos anos é tempo pra chuchu.

Enfim, embora eu tenha prestado atenção às datas, foi meio como o supersticioso que não passa embaixo de uma escada. Minhas escolhas dependeram, na maioria dos casos, da ambiguidade da palavra e um tanto — que Deus me ajude — do meu ouvido. Ambiguidade: o que Cervantes diz quando descreve dom Quixote se armando e pegando a lança? Sei, ele é pródigo em redundâncias, mas uma espiada no dicionário me diz que "se armar" também é vestir a armadura, pois ela é parte das armas de um cavaleiro. Mesmo com os coletes à prova de bala na moda, quantos de nós pensamos que vestir um deles é se armar? Pode-se considerar que um detalhe desses não faz muita diferença, na conta geral. O diabo é que detalhes desses aparecem quase em todos os parágrafos, quando não dois ou três por parágrafo. Somando-os, é bem provável que a média dos leitores se sinta desorientada. Ouvido: "porqueiro" ou "porcariço"? É provável que muitos leitores entendam num segundo do que estamos falando. Mas eu prefiro o modesto "guardador de porcos", porque não soa ridículo, como "porqueiro" não soava (suponho) nos tempos de Cervantes. E "lavrador"? Traduzi por "camponês". É que os lavradores de Cervantes não plantam apenas — têm vacas, cabras, ovelhas. E "encantadores"? Como, em muitas frases, a palavra se presta à confusão, preferi "magos", termo que por sinal faz parte da tradição.

Se o escudo e o elmo que dom Quixote usa são um escudo e um elmo específicos — adarga, morrião —, eu digo amém. Mas e as burlas que fazem ao cavaleiro? Comigo fazem brincadeiras ou pregam peças. Burla, hoje, quer dizer muito mais logro, trapaça, que gozação, mesmo que as gozações no caso sejam logros e trapaças. E o "discreto"? A todo momento aparece alguém discreto, no sentido de ser sensato e arguto, atilado, inteligente. Para economizar uma ida ao dicionário, eu poderia inserir uma nota de rodapé avisando: onde se lê "discreto", leia-se "sensato" ou "inteligente". Seria meio como pedir ao leitor que traduzisse minha tradução. Como acho que se deve apelar para as notas apenas em último caso, economizei todas as que pude.

Poderia ainda ter traduzido "discreto" por "esperto" em muitas situações. "Esperto" é uma palavra antiguinha: é do século XIII. Mas o peso que ela tem em português me impediu. Cervantes fala de gente de inteligência viva, não de estelionatários, digamos.

Talvez fique mais claro o que tento mostrar se dermos um exemplo um pouco mais longo. Escolhi um trecho do capítulo IX da primeira parte, não para deixar os viscondes e M. Pinheiro Chagas mal na parada, mas por ser típico da prosa de Cervantes e conter uma expressão idiomática que foi atropelada (atenção aos grifos), mais uma vez, devido à semelhança entre o espanhol e o português. Essa semelhança, somada à falta de desconfiômetro e à preguiça de consultar o dicionário, ou de ler os verbetes até o fim, tem causado estragos demoníacos.

Cervantes: *"Estaba en el primero cartapacio pintada muy al natural la batalla de don Quijote con el vizcaíno, puestos en la misma postura que la historia cuenta, levantadas las espadas, el uno cubierto de su rodela, el otro de la almohada, y la mula del vizcaíno tan al vivo, que estaba mostrado ser de alquiler a tiro de ballestra. Tenía a los pies escrito el vizcaíno un título que decía 'Don Sancho de Azpetia', que, sin duda, debía de ser su nombre, y a los pies de Rocinante estaba otro que decía 'Don Quijote'. Estaba Rocinante maravillosamente pintado, tan largo y tendido, tan atenuado y flaco, con tanto espinazo, tan hético confirmado, que mostraba bien al descubierto con cuánta advertencia y propiedad se le había puesto el nombre de 'Rocinante'".*

A versão portuguesa: "Estava no primeiro cartapácio debuxada mui ao natural a batalha de dom Quixote com o biscainho, na mesma postura em que os descreve

REFLEXÕES DE UM ESCUDEIRO DE CERVANTES · 21

a história, de espadas altas, um coberto da sua rodela, o outro da almofada, e a mula do biscainho tão ao vivo, que a distância de tiro de besta se conhecia ser de aluguer. Tinha o biscainho por baixo uma inscrição que dizia: 'Dom Sancho de Azpeitia', que sem dúvida devia ser seu nome, e aos pés do Rocinante estava outra que dizia: 'Dom Quixote'. Vinha Rocinante maravilhosamente pintado, tão *delgado e comprido*, tão descarnado e fraco, com arcabouço tão ressaído, e tão desenganado hético, que bem mostrava quanto à própria se lhe tinha posto o nome de 'Rocinante'".

A minha: "No primeiro caderno estava pintada com todo o realismo a batalha de dom Quixote com o basco, na mesma postura que a história conta, as espadas no alto, um protegido pela rodela, o outro pela almofada, e a mula do basco tão vividamente que a tiro de balestra se via que era de aluguel. O basco tinha escrito aos pés a legenda: 'Dom Sancho de Azpeitia', que, sem dúvida, devia ser seu nome, e aos pés de Rocinante estava outra que dizia: 'Dom Quixote'. Rocinante estava pintado maravilhosamente, *tintim por tintim*, tão fraco e magro, puro espinhaço, tísico confirmado, que mostrava muito bem com que tino e propriedade fora chamado de Rocinante".

Há ainda outro problema relacionado à antiguidade. Os personagens às vezes se atiram a longos discursos, com frases intrincadas e palavras luxuosas. Facilmente esses discursos podem se tornar pomposos em português, vide as trocas de cortesia, tão exageradas que beiram o absurdo. A verdade é que Cervantes brinca com a linguagem, parodiando estilos, mas nem sempre de modo escancarado. Às vezes ele, autor, parece compartilhar a seriedade do personagem. Mais uma vez, então, a graça e a ironia dependem de pequenos detalhes. Dependem também da aceitação do jogo por parte do leitor — se ele aceita a atmosfera proposta por Cervantes, à medida que a história avança vai ficando cada vez mais deliciosa.

Em todo caso, não podemos confundir esses discursos com os elogios ao rei, à Igreja católica e às demais autoridades introduzidos por Cervantes para deleite dos censores que deviam aprovar o livro. Esses discursos sobressaem no texto e quase sempre são desmentidos pela história contada. Sobre eles, Macedonio Fernández tinha uma tirada que se tornou proverbial na Argentina: "Deve ser assim, mas isso Cervantes escreveu para ficar de bem com o comissário".

Outro assunto delicado são os poemas, uns escritos a sério, outros na gozação. Mas, sérios ou não, lembrei das palavras do padre amigo de dom Quixote ao comentar a tradução do *Orlando furioso*, de Ludovico Ariosto, que "lhe tirou muito de seu valor original; e o mesmo farão todos aqueles que quiserem transpor livros de verso para outra língua: por mais cuidado que tenham e habilidade que mostrem, jamais chegarão ao ponto que os versos alcançaram no primeiro parto". Além disso, quase todos os poemas têm rima e métrica, para mim um mistério mais profundo que a Trindade. De modo que não me arrisquei, optando pela saída mais rasteira: uma tradução apenas informativa, com o original em nota para benefício dos curiosos.

Foram quase dois anos de trabalho, com pequenos períodos de descanso. É muito tempo, mas não me queixo porque, como muitos já notaram, em poucas páginas a gente se sente um velho amigo de Cervantes e de suas criaturas. Isso tornou a tradução uma espécie de conspiração, como se eu estivesse tomando uns tragos com Cervantes numa taberna e combinando a melhor forma de sacanear os cavaleiros para poder ferir mortalmente os leitores que acreditam neles. O tempero especial disso é que todos nós, começando por Cervantes, fomos esses leitores em algum momento e temos uma saudade desgraçada dele.

Segundo dom Quixote, traduzir de uma língua fácil não prova nem talento nem bom estilo, "como não o prova quem transcreve ou copia um texto de um papel para outro". Para nós, que falamos português, o espanhol está entre as línguas fáceis, bem mais acessível que o francês e o italiano. Talvez só perca para o galego. Bem, tenha ou não tenha razão o velho fidalgo, uma coisa é certa: não tive a felicidade do doutor Cristóbal de Figueroa nem a de dom Juan de Jáuregui. Assim, devo me contentar por não ter empregado meu tempo em coisas piores e torcer para, nos embates com as semelhanças enganosas, não ter feito uma triste figura, como nosso cavaleiro ao apanhar de um moinho.

Agradecimentos

Gostaria de agradecer — com o coração na mão, como certamente diria Sancho Pança — a Matinas Suzuki Jr., que embarcou com entusiasmo nessa aventura e me deixou trabalhar sem pressão de nenhum tipo; a Vanessa Ferrari, pela paciência e objetividade; a Silvia Massimini Felix, pela leitura e sugestões inteligentes; a meu filho, Lúcio Hoppe da Rosa, que socorreu meu inglês escolar; a Mário Goulart, Sérgio Fantini e Guaraci Fraga, que me apoiaram de longe e de perto e leram minha introdução, dando dicas preciosas; a Mário Goulart de novo, porque ainda leu umas duzentas páginas da primeira parte da tradução, com as observações certeiras de sempre; a Rosemery Alves, que me emprestou a tradução de Carlos Nougué e José Luis Sánchez, que não encontrei em livraria nenhuma; a dezenas de abnegados que mantêm páginas na internet com ditados populares, armas, tecidos e trajes antigos, fotos de árvores e flores, desenhos de cada parte de uma galé ou qualquer outra coisa que possa deixar um tradutor em apuros; a Silvia Cobelo, da Universidade de São Paulo, que disponibilizou na internet sua *Historiografia das traduções do* Quixote *publicadas no Brasil — Provérbios do Sancho Pança*; e, por fim, a Laura Mota Hoppe, que reclamou muito pouco do samba de duas notas só, Sancho e Quixote, que toquei para ela todo santo dia, por quase dois anos.

Introdução

JOHN RUTHERFORD

— Então tenho de dizer — disse dom Quixote — que o autor de minha história não foi um sábio, mas algum camponês ignorante, que às cegas e sem nenhum critério se pôs a escrevê-la, saia o que sair, como fazia Orbaneja, o pintor de Úbeda, que respondeu quando lhe perguntaram o que pintava: "O que sair".

Dom Quixote, II, III

No prólogo à primeira parte de *Dom Quixote*, Cervantes conta que a ideia do livro lhe ocorreu na prisão. É provável que se refira a sua reclusão em Sevilha (1597-8) por imperícia na função de coletor de impostos. Não se sabe se começou a escrever ainda no cárcere ou depois. Mas está claro que a obra que tinha em mente era muito diferente da que acabou produzindo. Ele pensava numa ficção breve parecida com as *Novelas exemplares*, publicadas em 1613. Indicam-no o ritmo acelerado e a curta duração da primeira incursão do cavaleiro, que a empreende sozinho e não vai além dos primeiros cinco capítulos, assim como o fato de, na sétima frase do texto, o narrador se referir à obra como *cuento*, um conto, coisa que volta a fazer só mais uma vez. Quando a ficção deslancha plenamente, Cervantes passa a chamar o texto de *libro* e *historia*, reservando *cuento* para os contos nele contidos. Ao chegar ao fim da primeira incursão, começa a perceber que precisa explorar mais o mundo ficcional fascinante em que tropeçou. De modo que, aquela que talvez tenha se iniciado como uma fábula mais ou menos moral, recorrendo à paródia para atacar os livros de cavalaria devido ao efeito pernicioso que tinham sobre os leitores, se transformou, à medida que ia sendo escrita, no primeiro romance moderno. Recorrendo à anedota de Orbaneja, Cervantes, com característica autoironia, conta como criou sua grande obra.

No entanto, o conteúdo moral mesmo da primeira concepção de *Dom Quixote* é duvidoso. O herói se mostra tão obcecado pelas baladas espanholas tradicionais e seus protagonistas quanto pelos livros de cavalaria: histórias de cavaleiros enamorados, todos de armadura reluzente, a percorrerem países exóticos, matando gigantes e o dragão ocasional e salvando donzelas em perigo a fim de provar sua grande habilidade de guerreiros e sua perfeição de amantes, apesar das terríveis maquinações dos magos. Os livros de cavalaria gozaram de grande popularidade e foram criticados pelos moralistas por desviar da religião o pensamento dos leitores, principalmente das jovens leitoras, voltando-o para as coisas mundanas. Mas tudo isso tinha acontecido nos primeiros setenta anos do século XVI. Daí em diante, os livros de cavalaria foram superados pelo florescimento da literatura que ficou conhecido como a Idade de Ouro espanhola, e, no tempo de Cervantes, ninguém mais os considerava uma ameaça. A nova ameaça moral literária era o teatro. Mas, numa época em que, conforme o figurino clássico, a literatura ficcional devia não só agradar como instruir e na qual as autoridades podiam censurar ou proibir livros, nada era mais sensato que atribuir um propósito moral ortodoxo ao que se escrevia, particularmente quando a ironia irreverente do texto sugeria ideias críticas com relação a certos aspectos da prática católica, como o julgamento e a queima de hereges, o

INTRODUÇÃO   29

uso do rosário e a repetição dos credos e ave-marias.
Mas tudo indica que Cervantes se interessava mais pelo
prazer que pela instrução. O que o entusiasmava era a
alegria da narração, a graça da paródia, o humor como
algo bom em si em virtude de seu valor terapêutico. A
alegação de um propósito moral inconvincente e anacrô-
nico talvez faça parte da graça: uma paródia a mais. E
a piada provoca riso até hoje, porque a obra que afirma
destruir os livros de cavalaria é justamente o que manteve viva sua lembrança.

Ler este romance adorável é acompanhar o autor numa
aventura excitante à medida que ele improvisa a história
e a vê crescer entre suas mãos. Naturalmente, seria um
erro esperar que o livro fosse rigorosamente estruturado.
Apesar do grande esforço dos críticos acadêmicos, *Dom
Quixote* é uma obra episódica, tanto quanto os livros
de cavalaria, que consistem numa sucessão de encontros
fortuitos.

O primeiro desenvolvimento depois da breve incursão inicial é prover dom Quixote de um escudeiro, Sancho Pança, que abre caminho para as conversas que se
alternam com a ação. A possibilidade de recrutar um
escudeiro foi sugerida, mas não posta em prática, durante a primeira incursão. As longas conversas entre cavaleiro e escudeiro não são uma característica dos livros
de cavalaria, mas sua contribuição para *Dom Quixote*
é vital, permitindo que este romance de aventuras cômicas também seja uma comédia de caráter. Primeiro, dom
Quixote e Sancho aparecem como figuras bidimensio-
nais da diversão burlesca, ambas derivadas da literatura
espanhola recente. Dom Quixote é um velho maluco que
se julga um cavaleiro andante e sofre risíveis desastres
provocados por ele mesmo; e Sancho, o bufão rústico,
egoísta e materialista, um personagem típico das comédias espanholas do século XVI. Os dois são absurdamen-
te inadequados a seus papéis: nos livros de cavalaria, os

cavaleiros e os escudeiros eram jovens de berço nobre, sendo que os últimos estavam fazendo o aprendizado para depois também vir a ser cavaleiros.

Mas estes dois palhaços logo passam a se desenvolver, tal como se desenvolve a relação entre eles. Cada qual começa a mostrar características contraditórias: dom Quixote tem direito a intervalos lúcidos, derivados das teorias médicas contemporâneas acerca da natureza da loucura, e Sancho obtém a astúcia e certa sagacidade da figura do camponês dos contos populares. Os dois ganham profundidade e complexidade — um louco lúcido e um bobo sábio — e o humor se torna mais sutil, embora nunca se afaste do burlesco. Acima de tudo, tanto dom Quixote quanto Sancho adquirem a capacidade de nos pasmar, se bem que sempre de modo convincente. Aqui são relevantes dois princípios da teoria literária da Idade de Ouro: a crença em que *admiratio* (admiração) e verossimilhança são qualidades essenciais à literatura ficcional subjaz à maravilhosa combinação de imprevisibilidade e credibilidade de nossos dois heróis. *Dom Quixote* é uma obra experimental muito adiante de seu tempo, no entanto está profundamente enraizada em seu tempo. A determinação do protagonista de transformar a vida numa obra de arte, que chegará ao clímax em sua penitência na Sierra Morena, é a consequência da aplicação insana de outro princípio literário do Renascimento, o da *imitatio*, a importância da imitação dos modelos literários.

A julgar pelo que Cervantes diz no fim do prólogo, ele se orgulhava muito de haver criado Sancho Pança. E, logo que este aparece, Cervantes relata o incidente que viria a ser o mais famoso do livro, a aventura dos moinhos de vento. Os leitores se perguntam por que ele é narrado tão sucintamente, mas o motivo é bem claro: a história mal estava começando a se expandir, ainda não evoluíra de *cuento* para *historia*. É possível que os leitores também indaguem por que se tornou o episódio

INTRODUÇÃO 31

mais famoso: simplesmente por ser a primeira aventura que cavaleiro e escudeiro vivem juntos?

A segunda etapa desse desenvolvimento espontâneo para um romance é a invenção dos narradores. Durante toda a primeira incursão, a história é contada por um narrador anônimo ao qual não se dá a menor importância. Uma vez mais, vemos indícios do que está por vir quando somos informados das opiniões divergentes sobre questões factuais entre os diversos autores que escreveram a respeito de dom Quixote, e à medida que ele próprio prenuncia como o sábio que fará a crônica de suas aventuras há de descrever essa primeira. Dom Quixote acaba de sair de casa novamente quando Cervantes começa a pensar num modo de explorar essa ideia de diversos narradores para que o chiste continue: num ponto altamente inconveniente, afirma que é ali que o material da fonte, e portanto a própria história, chega subitamente ao fim. O enigmático segundo autor, agora apresentado como o mentiroso historiador mouro Cide Hamete Benengeli, e seu nada confiável tradutor mourisco, juntos, conseguem resolver o problema, fazer com que a história prossiga e criar oportunidades de jogar jogos literários no transcorrer do romance. Tudo isso é mais uma paródia dos livros de cavalaria, geralmente apresentados como traduções espanholas de documentos antigos.

É justamente nesse ponto, o início do capítulo IX, que *Dom Quixote* é chamado de *cuento* pela última vez. A história escapa tortuosamente das mãos de Miguel de Cervantes Saavedra para cair nas de Cide Hamete Benengeli. Cervantes também marca essa transição avisando que a segunda parte começa ali e referindo-se ao "muito que em minha opinião faltava de história tão deliciosa". "Pareceu-me coisa impossível e fora de todo bom costume que houvesse faltado a esse excelente cavaleiro algum mago que se encarregasse de escrever suas façanhas nunca vistas", prossegue Cervantes ao perceber o potencial desse *cuento* e ao incluir na própria história o ato de percebê-lo. A partir daí, já não se pode conferir a evolução de *Dom Quixote* de conto para romance.

De modo que agora Sancho e o bando de narradores são incorporados, e Cervantes continua escrevendo, depressa, sem parar para examinar as incoerências internas. Depois de vários outros capítulos, ocorre-lhe que a jocosidade aumentaria se a linguagem de Sancho se caracterizasse por um acúmulo de provérbios, e, a partir de então, é assim que passa a ser a famosa fala do escudeiro. É possível que a ideia tenha saído da *Comedia o tragicomedia de Calisto y Melibea* (1499 e 1502), de Fernando de Rojas, geralmente conhecida como *La Celestina*, uma narrativa ficcional dramática repleta de provérbios, a maior parte dos quais reutilizada em *Dom Quixote*. Não seria difícil revisar os capítulos anteriores e pôr alguns provérbios na boca de Sancho, em prol da coerência, mas Cervantes não se detém por conta de semelhante trivialidade. Está escrevendo um romance cômico efêmero de consumo popular, não uma obra clássica erudita para o estudo minucioso e a análise das futuras gerações de críticos doutos. No entanto, ele também começa a se dar conta de toda a importância desse seu achado e faz com que um dos personagens o felicite: "não sei se alguém, querendo inventá-la e vivê-la fantasiosamente, teria imaginação tão afiada que pudesse topar com ela", diz Cardênio no capítulo xxx.

Mas, duvidando de sua capacidade de transformar um tema simples como o relacionamento de dois amigos excêntricos e nômades num volumoso romance de sucesso, Cervantes trata de interpolar alguns contos que têm frágeis vínculos com a história principal, não participam de seu tom cômico, e os quais o leitor pode pular se os achar enfadonhos, ainda que não lhes faltem interessantes qualidades próprias. E, tendo escrito suas duzentas mil e tantas palavras, Cervantes leva dom Quixote de

INTRODUÇÃO   33

volta para casa e termina a história. Esse fim tanto encerra o romance, aludindo à morte do cavaleiro, quanto o deixa aberto para uma possível continuação, mencionando aventuras subsequentes, particularmente sua participação em certas justas em Zaragoza e incluindo uma citação do *Orlando furioso* de Ariosto para sugerir que outra pessoa talvez queira dar seguimento à história, como costumava acontecer com os livros de cavalaria.

El ingenioso hidalgo Don Quijote de la Mancha foi publicado em Madri, numa edição açodada, malfeita, entre o fim de dezembro de 1604 e o começo de janeiro de 1605. O livro foi um sucesso popular imediato. Nascido em 1547, Cervantes já era velho, mas, mesmo assim, instigado pelo florescimento extraordinário da literatura na Espanha do início do século XVII, estava no auge da produtividade criativa. Incapaz de resistir ao estímulo dado pela popularidade de *Dom Quixote*, ele retoma a versão aberta do fim e decide levar seu cavaleiro a Zaragoza, como prometeu. Reagindo à crítica, diz que os contos interpolados na segunda parte serão mais breves e mais integrados à história principal, desenvolvendo-se a partir das experiências dos dois heróis.

Sua imaginação não tarda a se valer de uma circunstância nova e repleta de possibilidades de enriquecer ainda mais o romance: a publicação e a popularidade da primeira parte. Assim, agora dom Quixote descobre que é o herói que ele tão improvavelmente almejava ser, e Sancho também goza de uma fama inesperada. Nenhum dos dois conhece a triste verdade da maneira como foram descritos, de modo que sua autoconfiança e autoimportância aumentam, assim como sua complexidade. Dom Quixote atrai nossa simpatia e piedade, assim como nosso escárnio, já que é alvo de uma série de sofisticadas piadas práticas: mas rir à sua custa agora é mais desconfortável. A evolução de Sancho Pança de simplório para um homem de talento se acelera à medi-

DOM QUIXOTE DE LA MANCHA

da que ele cria confiança para enganar e manipular seu senhor, algo que já começou a fazer na primeira parte: as relações entre superiores e inferiores mostram-se mais complexas do que talvez pareçam. E agora Cervantes concebe um meio para que Sancho venha a ser, espantosa mas credivelmente, governador da ilha que lhe é prometida logo em sua primeira aparição; e o escudeiro torna a nos impressionar com a rara combinação de sabedoria e burrice que mostra tanto no governo quanto ao se afastar dele.

No outono de 1614, quando o fatigado Cervantes está escrevendo o capítulo LIX, já perto do fim da segunda parte, eis que estoura uma bomba: a publicação, em Tarragona, do *Segundo volume do engenhoso cavaleiro dom Quixote da Mancha*, de Alonso Fernández de Avellaneda, pseudônimo de um escritor não identificado que, tendo aceitado o convite fajuto do fim da primeira parte, produzira uma imitação inferior, que narrava a viagem a Zaragoza e os fatos lá ocorridos. Cervantes expressa sua irritação no prólogo da segunda parte (naturalmente, a última seção que escreveu). Mas é artista demais para deixar que a raiva o cegue para as possibilidades cômicas abertas pelo surgimento inesperado de outro dom Quixote e outro Sancho Pança; e trata de incluí-los em sua história. E dom Quixote, ainda a caminho de Zaragoza, muda de planos de uma hora para outra e decide ir a Barcelona: para demonstrar a espuriedade do relato de Avellaneda. Tudo isso impele Cervantes a conduzi-lo ao fim de sua história, o qual já vinha se anunciando no crescimento de dúvidas e desilusão na mente dos dois personagens. Cervantes tem o cuidado de concluir a segunda parte com um desfecho definitivo e categórico. Aliás, não lhe restavam muitos meses de vida.

Nesta reconstrução da escrita de *Dom Quixote*, frisei seu caráter de livro engraçado porque tudo indica que era essa a intenção do autor. É possível que o lei-

INTRODUÇÃO   35

tor moderno tenha dificuldade para apreciar parte dessa
graça, já que ela nos parece tão cruel. Para enfrentar esse
problema, é útil recordar que, até uma época compa-
rativamente recente, o riso era a reação autodefensiva
contra a descoberta de flagrantes desvios da beleza e da
harmonia da natureza divina. O riso nos distancia daquilo que é feio e, portanto, potencialmente angustiante,
permitindo-nos, de fato, dele extrair prazer e benefício
terapêutico paradoxais. Nos últimos dois séculos, o espaço de experiências angustiantes com as quais se podia
lidar com o auxílio do riso encolheu, e, hoje em dia, está
em voga preferir o eufemismo desprovido de humor e
politicamente correto, coisa que pode ser menos eficaz
ainda; mas, no tempo de Cervantes, a loucura e a violência figuravam entre as muitas manifestações da feiura
que se podiam enfrentar com o riso.

E, no entanto, é comum as obras de literatura ficcional desenvolverem, tanto na escrita quanto depois, qualidades diferentes das pretendidas pelo autor, e em *Dom
Quixote* são muitas as que nos levam a pensar seriamen-
te. Rimos das palhaçadas de dom Quixote e Sancho;
mas, quando descobrimos que o fazemos em companhia
do tolo duque e da tola duquesa, pode ser que não nos
sintamos tão à vontade com nosso riso; nesse caso, o
romance passa a ser não só um livro engraçado sobre
malucos como uma exploração da ética da graça e da in-
certa linha divisória entre loucura e lucidez. É claro que,
para tomar outro exemplo, Cervantes fez da própria ficção um tema central de sua obra de ficção por causa das
possibilidades cômicas que isso lhe oferecia. Mas nada
impede os leitores de avançar para uma consideração de
sérias implicações sobre as relações entre fato e ficção e
sobre os paralelos entre a reação de dom Quixote aos
livros de cavalaria e as reações atuais às telenovelas ou à
violência televisada. Tudo isso pode até levar à percep-
ção de que a ficção afetada ou autorreferente não é uma

descoberta do século xx, como parecem acreditar certos críticos e teóricos contemporâneos em seu provincianismo pós-modernista.

Com sua graça e toda a seriedade e todas as surpresas, *Dom Quixote* oferece aos leitores uma gloriosa viagem de descoberta na excelente companhia de Sancho Pança, Dom Quixote de la Mancha e Miguel de Cervantes Saavedra. *¡Buen viaje a todos!*

O engenhoso fidalgo dom Quixote de la Mancha

PRIMEIRA PARTE

Prólogo

Desocupado leitor: podes crer, sem juramento, que eu gostaria que este livro, como filho da inteligência, fosse o mais formoso, o mais galhardo e o mais arguto que se pudesse imaginar. Mas não consegui contrariar a ordem da natureza, em que cada coisa gera seu semelhante. Então o que poderia criar meu árido e mal cultivado engenho a não ser a história de um filho seco, murcho, caprichoso e cheio de pensamentos desencontrados que não passaram pela imaginação de nenhum outro, exatamente como alguém que foi concebido num cárcere, onde todo incômodo tem seu assento e onde toda triste discórdia faz sua moradia?[1] O sossego, o lugar agradável, a amenidade dos campos, a placidez dos céus, o murmúrio das fontes e a tranquilidade do espírito são de grande ajuda para que as musas mais estéreis se mostrem fecundas e ofereçam ao mundo partos que o encham de maravilha e alegria.

Acontece de um pai ter um filho feio e sem graça alguma, e o amor que tem por ele venda-lhe os olhos para que não veja seus defeitos, tomando-os antes por sagacidades e belezas, e fala deles aos amigos como de exemplos de espírito e elegância. Mas eu — que, embora pareça pai, sou padrasto de dom Quixote — não quero seguir a corrente costumeira, nem te suplicar quase em lágrimas, como outros fazem, caríssimo leitor, que me perdoes ou toleres os defeitos que vires neste meu filho, pois não és parente nem amigo dele, tens tua alma em teu corpo e teu livre-arbítrio como o melhor entre os melhores, e estás em tua casa, onde és senhor, como o rei de seus tributos, e sabes que cada um pensa o que bem quer, ou não se costuma dizer que "embaixo de meu manto, ao rei mato"? Tudo isso te isenta e te deixa livre de todo respeito e obrigação, de modo que podes dizer tudo aquilo que pensares da história, sem medo de que te caluniem pelo mal ou te premiem pelo bem que disseres dela.

Gostaria somente de te dar esta história nua e crua, sem o ornamento de um prólogo nem do inumerável catálogo dos habituais sonetos, epigramas e elogios que se costuma pôr no começo dos livros. Porque posso te garantir que, embora tenha me custado algum trabalho escrevê-la, nenhum foi maior do que fazer esta introdução que vais lendo. Muitas vezes peguei a pena para escrevê-la e muitas a deixei, por não saber o que escreveria; e estando numa delas empacado, com o papel na frente, a pena atrás da orelha, o cotovelo na mesa e a mão no queixo, pensando no que diria, lá pelas tantas entrou um amigo meu, espirituoso e inteligente, que, vendo-me tão meditativo, me perguntou a causa. Não a ocultando, eu disse que pensava no prólogo que tinha de fazer para a história de dom Quixote e me achava num estado em que nem queria fazê-lo, nem muito menos publicar as façanhas de tão nobre cavaleiro sem ele.

— Pois como quereis vós que não me deixe confuso o que dirá o antigo legislador que chamam povo quando vir que, ao cabo de tantos anos como estes em que durmo no silêncio do esquecimento, saio agora, com o peso da idade nas costas,[2] com um livro seco como palha, longe da invenção, franzino de estilo, pobre de conceitos e carente de toda erudição e doutrina, sem notas nas margens e sem comentários no fim, como vejo em outros

DOM QUIXOTE DE LA MANCHA 43

livros, ainda que sejam de ficção e profanos, tão cheios
de frases de Aristóteles, de Platão e de um bando todo
de filósofos, que deixam os leitores admirados e os levam a pensar que os autores são homens lidos, eruditos
e eloquentes? E quando citam a Sagrada Escritura, meu
caro? Dizem no mínimo que são uns Santos Tomases e
outros tantos doutores da Igreja, adequando o estilo de
modo tão engenhoso que numa linha pintam um amante devasso e em outra fazem um sermãozinho cristão,
que é uma alegria e uma dádiva ouvi-lo ou lê-lo. Disso
tudo há de carecer meu livro, porque não tenho o que
anotar nas margens nem comentar no fim, muito menos sei que autores sigo nele para nomeá-los no começo,
como fazem todos, na ordem do ABC, começando em
Aristóteles e acabando em Xenofonte e Zoilo ou Zêuxis,
mesmo que um fosse maledicente e o outro, pintor. Meu
livro também há de carecer de sonetos no princípio, pelo
menos de sonetos cujos autores sejam duques, marque-
ses, condes, bispos, damas ou poetas célebres, embora,
se eu os pedisse a dois ou três amigos do ofício, sei que
seria atendido, e os fariam sem que os igualassem os
versos daqueles que têm mais nome em nossa Espanha.
Enfim, meu senhor e amigo — continuei —, resolvi que
o senhor dom Quixote fique sepultado em seus arquivos
na Mancha até que o céu apresente quem o adorne com
todas essas coisas que lhe faltam, porque eu me acho incapaz de supri-las devido a minha insuficiência e poucas
letras, e também porque sou acomodado e preguiçoso
por natureza para andar procurando autores que digam
o que eu sei dizer sem eles. Daí nasce o embaraço e a
indecisão em que me achastes: causa suficiente para me
pôr assim como vos falei.

Ao ouvir isso, meu amigo me disse, dando uma palmada na testa e disparando uma salva de risos:

— Por Deus, meu irmão, acabo de perceber um engano em que acreditei há muito tempo, desde que vos co-

nheço: sempre vos julguei inteligente e sensato em todas as ações. Mas agora vejo que estais tão longe disso como o céu da terra. Como é possível que coisas de tão pouca monta e tão fáceis de remediar possam ter forças para meter nesse embaraço e alheamento um engenho tão maduro como o vosso, sempre pronto a atropelar e demolir outras dificuldades maiores? Com certeza, isso não nasce por falta de habilidade, mas por excesso de preguiça e penúria mental. Quereis ver se é verdade o que digo? Prestai-me atenção e vereis como, num piscar de olhos, abato todas as vossas dificuldades e corrijo todas as deficiências que dizeis que vos embaraçam e acovardam, impedindo-vos de apresentar ao mundo a história do famoso dom Quixote, luz e espelho de toda a cavalaria andante.

— Dizei: de que modo pensais preencher o vazio de meu temor e levar a claridade ao caos de minha confusão? — repliquei, ouvindo o que me dizia.

A isso, ele me disse:

— O reparo que fazeis sobre os sonetos, epigramas ou elogios que vos faltam para o princípio, que devem ser de personagens sérios detentores de títulos, pode se remediar desde que vós mesmo queirais ter o trabalho de fazê-los e depois batizá-los, pondo-lhes o nome que quiserdes, atribuindo-os até ao Preste João das Índias ou ao imperador da Trebizonda, que foram poetas dignos de fama, pelo que se diz. Mas, se por acaso não o tenham sido e houver alguns pedantes e tagarelas que pelas costas vos detratem e cochichem sobre essa verdade, não vos deis por achado, porque, ainda que investiguem a mentira, não vos cortarão a mão com que a escrevestes.

"Quanto a citar nas margens os livros e autores de onde tirastes as frases e ditos que inseristes em vossa história, não tendes mais a fazer que encaixar algumas sentenças ou latins que saibais de memória, ou pelo menos que vos deem pouco trabalho achar, como será dizer, tratando-se de liberdade e escravidão:

Non bene pro toto libertas venditur auro.[3]

"E depois, na margem, citar Horácio, ou quem a disse. Se tratardes do poder da morte, atacai logo com

Pallida mors æquo pulsat pede pauperum tabernas, regumque turres.[4]

"Se for da amizade e amor que Deus manda que se tenha pelo inimigo, entrai logo no assunto pela Sagrada Escritura, o que podeis fazer com um tiquinho de cuidado, dizendo no mínimo as palavras do próprio Deus: *Ego autem dico vobis: diligite inimicos vestros.*[5]

"Se tratardes de maus pensamentos, vinde com o Evangelho: *De corde exeunt cogitationes malæ.*[6] Se for da inconstância dos amigos, aí está Catão, que vos dará seu dístico:

Donec eris felix, multos numerabis amicos.
Tempora si fuerint nubila, solus eris.[7]

"E com esses e outros latinzinhos vos terão até por gramático, o que não é de pouca honra e proveito nos dias de hoje.

"No que toca a anotações no final do livro, sem temor podeis fazer desta maneira: se mencionardes algum gigante em vosso livro, fazei com que seja o gigante Golias. Apenas com isso, que vos custará quase nada, tereis um bom comentário, pois podeis dizer: 'O gigante Golias ou Goliat foi o filisteu a quem o pastor Davi matou com uma boa pedrada, no vale do Terebinto, conforme se conta no Livro dos Reis', no capítulo que vós achardes que está escrito.

"Em seguida, para vos mostrardes cosmógrafo e erudito em humanidades, fazei com que em vossa história se mencione o rio Tejo e tereis logo outra famosa anotação, escrevendo: 'O rio Tejo foi assim chamado por causa de um rei das Espanhas; nasce em tal lugar e morre no mar Oceano, beijando os muros da famosa cidade de Lisboa, e se diz que tem as areias de ouro' etc. Se tratardes de ladrões, eu vos darei a história de Caco, que sei de cor; se de mulheres lascivas, aí está o bispo de Mondoñedo, que vos emprestará Lâmia, Laida e Flora, cuja anotação vos dará grande reputação; se de mulheres cruéis, Ovídio vos entregará Medeia; se de magas e feiticeiras, Homero tem Calipso e Virgílio, Circe; se de capitães valentes, o próprio Júlio César vos emprestará a si mesmo em seus *Comentários*, e Plutarco vos dará mil Alexandres. Se tratardes de amores, com duas pitadas que saibais da língua toscana topareis com Leão Hebreu, que vos encherá as medidas. E, se não quereis andar por terras estranhas, em casa tendes Fonseca, *Del amor de Dios*, onde se anota tudo o que vós e o mais engenhoso escritor poderiam desejar em tal matéria. Enfim, nada mais tendes a fazer que procurar dizer esses nomes, ou aludir na vossa essas histórias de que falei, deixando a meu cargo escrever as anotações e os comentários, que vos juro encher as margens e gastar uma resma de papel no fim do livro.

"Vamos agora à citação dos autores que os outros livros têm, mas que falta ao vosso. O remédio para isso é muito fácil, porque não haveis de fazer outra coisa que achar um livro que os aponte todos, desde o A até o Z, como dissestes. Poreis então esse mesmo abecedário em vosso livro; e, ainda que se veja claramente a mentira, pela falta de necessidade que tínheis de vos servir de tantos autores, pouco importa, sem falar que talvez haja alguém tão simplório que acredite que todos eles tenham sido utilizados em vossa simples e singela história; e, se o longo catálogo não servir para nada, servirá pelo menos para dar um imprevisto ar de autoridade ao livro. Além do mais, não haverá quem se dê ao trabalho de averiguar se os seguistes ou não, não lucrando nada

DOM QUIXOTE DE LA MANCHA

com isso. Depois, se entendi direito, vosso livro não tem necessidade de nenhuma daquelas coisas que dizeis que lhe faltam, porque todo ele é uma invectiva contra os livros de cavalaria, de que nunca se lembrou Aristóteles, nem disse nada São Basílio, nem pensou Cícero; também não entram na conta de seus disparates fantasiosos as minúcias da verdade, nem as observações da astrologia; nem lhe importam as medidas geométricas, nem a refutação dos argumentos de quem se serve da retórica, nem tem motivo para fazer sermão a ninguém, misturando o humano com o divino, combinação de água e óleo que nenhum espírito cristão deve experimentar.

"Tendes de vos aproveitar da imitação apenas no que fordes escrevendo, pois, quanto mais perfeita ela for, tanto melhor será vosso livro. E, como essa vossa escrita não deseja mais que desbancar a autoridade e a aceitação que os livros de cavalaria têm no mundo e no gosto do povo, não careceis de andar mendigando frases de filósofos, conselhos da Sagrada Escritura, fábulas de poetas, orações de retóricos, milagres de santos, mas sim procurar que, sem pompa, com palavras expressivas, honestas e bem colocadas, vossas sentenças e proposições saiam sonoras e festivas, pintando vossa intenção em tudo que alcançardes e for possível, dando a entender vossos conceitos sem emaranhá-los e obscurecê-los. Procurai também que, lendo vossa história, o melancólico se ria, o risonho gargalhe, o tolo não se aborreça, o inteligente se admire da invenção, o circunspecto não a despreze nem o ponderado deixe de louvá-la. Enfim, levai a mira posta na destruição dos descosidos enredos desses livros de cavalaria, desdenhados por tantos e enaltecidos por muitos mais. Se alcançardes isso, não tereis alcançado pouco."

Em total silêncio escutei o que meu amigo dizia, e de tal maneira me impressionaram as palavras dele que sem discussão as aceitei por boas e delas mesmas quis fazer este prólogo, onde verás, caro leitor, o tino de meu amigo, minha boa sorte em achar em tempo conselheiro de que eu necessitava tanto, e o alívio que sentirás ao encontrar a história tão sincera e sem rodeios do famoso dom Quixote de la Mancha, de quem todos os habitantes do campo de Montiel dizem ter sido o mais casto apaixonado e o mais valente cavaleiro que desde muitos anos até hoje se viu naquelas paragens. E não quero encarecer o serviço que te presto ao te apresentar tão nobre e honrado cavaleiro, mas quero que me agradeças o conhecimento que terás do famoso Sancho Pança, seu escudeiro, em quem, me parece, te dou a síntese de todas as graças escudeiris que se encontram espalhadas na enxurrada dos inúteis livros de cavalaria. E, com isto, Deus te dê saúde e não se esqueça de mim. *Vale*.[8]

Versos preliminares

AO LIVRO DE DOM QUIXOTE DE LA MANCHA,
URGANDA,[1] A DESCONHECIDA

Se ao te aproximares dos bons,
livro, fores com cuida[do],[2]
não te dirá o boquirro[to]
que metes os pés pelas mãos.
Mas se o pão não te abatu[mas]
por ir às mãos de idio[tas],
verás, num piscar de o[lhos],
que não acertam uma no al[vo],
embora roam as u[nhas]
para mostrar que são sá[bios].

Pois a experiência ensi[na]
que, o que à boa árvore se che[ga],
boa sombra o abri[ga].
Em Béjar tua boa estre[la]
uma árvore real te ofere[ce],
que dá príncipes por fru[tas],
na qual floresceu um du[que]
que é novo Alexandre Ma[gno]:
chega a sua sombra, que a ousa[dos]
favorece a fortu[na].

De um nobre fidalgo manche[go]
contarás as aventu[ras],
a quem ociosas leitu[ras]

transtornaram a cabe[ça];
damas, armas, cavalei[ros],
lhe provocaram de mo[do]
que, como Orlando furio[so],
afinado pelo amor,
alcançou à força de bra[ço]
Dulcineia del Tobo[so].

Impertinentes hieró[glifos]
não estampes no escu[do],
pois quando tudo é figu[ra],
com más cartas se apos[ta].
Se na dedicatória és humil[de],
não dirá trocista algum:
— Como dom Álvaro de Lu[na],
como Aníbal, o de Carta[go],
como rei Francisco na Espa[nha]
se queixa da fortu[na]!

Pois ao céu não agradou
que saísses tão ladi[no]
como o negro Juan Lati[no],
falar latins recu[sa].
Não te faças de argu[to],
nem me venhas com filó[sofos];
porque, torcendo a bo[ca],
dirá quem entende o tru[que],
te puxando as ore[lhas]:
— Para que comigo trapacear?

Não te metas em confusão,
nem em saber vidas alhei[as];
se o que vem não te to[ca],
passar ao largo é prudên[cia],
pois costumam dar o tro[co]
aos que grace[jam];

mas tu queimas as pesta[nas]
só para ganhar boa fa[ma];
pois quem publica toli[ces]
as dá para todo o sem[pre].

Vejas que é desati[no],
sendo de vidro o telha[do],
apanhar pedras nas mãos
para atirar no vizi[nho].
Deixa que o homem de juí[zo],
nas obras que compõe
vá com pés de chum[bo],
pois quem dá à luz seus tex[tos]
para entreter donze[las]
escreve às tontas e às lou[cas].*

* *Al libro de don Quijote de la Mancha, Urganda la desconocida — Si de llegarte a los bue-,/ libro, fueres con lectu-,/ no te dirá el boquirru-/ que no pones bien los de-/ Mas si el pan no se te cue-/ por ir a manos de idio-,/ verás de manos a bo-/ aun no dar una en el cla-,/ si bien se comen las ma-/ por mostrar que son curio-.// Y pues la experiencia ense-/ que el que a buen árbol se arri-/ buena sombra le cobi-,/ en Béjar tu buena estre-/ un árbol real te ofre-/ que da príncipes por fru-,/ en el cual floreció un du-/ que es nuevo Alejandro Ma-:/ llega a su sombra, que a osa-/ favorece la fortu-.// De un noble hidalgo manche-/ contarás las aventu-,/ a quien ociosas lectu-/ trastornaron la cabe-;/ damas, armas, caballe-,/ le provocaron de mo-/ que, cual Orlando furio-,/ templado a lo enamora-,/ alcanzó a fuerza de bra-/ a Dulcinea del Tobo-.// No indiscretos hierogli-/ estampes en el escu-,/ que, cuando es todo figu-,/ con ruines puntos se envi-./ Si en la dirección te humi-,/ no dirá mofante algu-:/ "¡Qué don Álvaro de Lu-,/ qué Anibal el de Carta-,/ qué rey Francisco en Espa-/ se queja de la fortu-!".// Pues al cielo no le plu-/ que salieses tan ladi-,/ como el negro Juan Lati-,/ hablar latines rehú-./ No me despuntes de agu-,/ ni me alegues con filó-,/ porque, torciendo la bo-,/ dirá*

AMADIS DE GAULA
A DOM QUIXOTE DE LA MANCHA

SONETO

Tu, que imitaste a chorosa vida
que tive, ausente e desdenhado, sobre
a grande ribanceira da Peña Pobre,
de alegre a penitência reduzida;

tu, a quem os olhos deram de beber
do abundante licor, embora salobre,
e tirando-te os serviços de prata, estanho ou cobre,
te deu a comida em pratos de barro,

vive certo de que eternamente,
enquanto, ao menos, pela quarta esfera
o louro Apolo esporeie seus cavalos,

terás brilhante renome de valente;
tua pátria será entre todas a primeira;
teu sábio autor, neste mundo único e só.*

---

el que entiende la le-,/ no un palmo de las ore-:/ "¿Para qué con-migo flo-?".// No te metas en dibu-,/ ni en saber vidas aje-,/ que en lo que no va ni vie-/ pasar de largo es cordu-,/ que suelen en caperu-/ darles a los que grace-;/ mas tú quémate las ce-/ sólo en cobrar buena fa-,/ que el que imprime neceda-/ dalas a censo perpe-.// Advierte que es desati-,/ siendo de vidrio el teja-,/ tomar piedras en las ma-/ para tirar al veci-./ Deja que el hombre de jui-/ en las obras que compo-/ se vaya con pies de plo-,/ que el que saca a luz pape-/ para entretener donce-/ escribe a tontas y a lo-.

* Amadís de Gaula a don Quijote de la Mancha — Soneto — Tú, que imitaste la llorosa vida/ que tuve, ausente y des-deñado, sobre/ el gran ribazo de la Peña Pobre,/ de alegre a penitencia reducida;// tú, a quien los ojos dieron la bebida/ de

DOM BELIANIS DA GRÉCIA
A DOM QUIXOTE DE LA MANCHA

SONETO

Quebrei, cortei, amassei e disse e fiz
mais que qualquer cavaleiro andante;
fui destro, fui valente, fui arrogante;
mil agravos vinguei, cem mil desfiz.

Façanhas dei à Fama que eternize;
fui cortês e agradável amante;
foi anão para mim todo gigante
e em duelo todos os pontos satisfiz.

Tive a meus pés prostrada a Fortuna
e minha prudência trouxe pelo topete
a calva Oportunidade sem dó nem pena.

Mas, ainda que sobre os cornos da lua
sempre se viu posta minha ventura,
tuas proezas invejo, oh, grande Quixote!*

---

abundante licor, aunque salobre,/ y alzándote la plata, estaño y cobre,/ te dio la tierra en tierra la comida,// vive seguro de que eternamente,/ en tanto, al menos, que en la cuarta esfera/ sus caballos aguije el rubio Apolo,// tendrás claro renombre de valiente;/ tu patria será en todas la primera;/ tu sabio autor, al mundo único y solo.

* *Don Belianís de Grecia a don Quijote de la Mancha — Soneto — Rompí, corté, abollé y dije y hice/ más que en el orbe caballero andante;/ fui diestro, fui valiente, fui arrogante;/ mil agravios vengué, cien mil deshice.// Hazañas di a la Fama que eternice;/ fui comedido y regalado amante;/ fue enano para mí todo gigante,/ y al duelo en cualquier punto satisfice.// Tuve a mis pies postrada la Fortuna,/ y trajo del copete mi cordura/ a la calva Ocasión al estricote.// Mas, aunque*

A SENHORA ORIANA[3]
A DULCINEIA DEL TOBOSO

SONETO

Oh, quem tivesse, formosa Dulcineia,
para mais comodidade e mais repouso,
posto Miraflores em Toboso,
e trocasse sua Londres por tua aldeia!

Oh, quem com teus desejos e trajes
alma e corpo adornasse, e do famoso
cavaleiro que fizeste venturoso
assistisse alguma desigual peleja!

Oh, quem tão castamente escapasse
do senhor Amadis como tu fizeste
do comedido fidalgo dom Quixote!

Que assim invejada fosse, e não invejasse,
e fosse alegre o tempo que foi triste,
de graça os prazeres desfrutasse.*

---

sobre el cuerno de la luna/ siempre se vio encumbrada mi ventura,/ tus proezas envidio, ¡oh gran Quijote!
* La señora Oriana a Dulcinea del Toboso — Soneto — ¡Oh, quién tuviera, hermosa Dulcinea,/ por más comodidad y más reposo,/ a Miraflores puesto en el Toboso,/ y trocara sus Londres con tu aldea!// ¡Oh, quién de tus deseos y librea/ alma y cuerpo adornara, y del famoso/ caballero que hiciste venturoso/ mirara alguna desigual pelea!// ¡Oh, quién tan castamente se escapara/ del señor Amadís como tú hiciste/ del comedido hidalgo don Quijote!// Que así envidiada fuera y no envidiara,/ y fuera alegre el tiempo que fue triste,/ y gozara los gustos sin escote.

GANDALIN, ESCUDEIRO DE AMADIS DE GAULA,
A SANCHO PANÇA, ESCUDEIRO DE DOM QUIXOTE

SONETO

Salve, varão famoso, a quem a Fortuna,
quando no ofício escudeiril te pôs,
tão branda e pacatamente o dispôs,
que desempenhaste sem desgraça alguma.

Já a enxada ou a foice pouco repugna
ao andante exercício; já está em uso
a singeleza escudeira, com que acuso
ao soberbo que tenta pisar a lua.

Invejo teu jumento e teu nome,
e a teus alforjes igualmente invejo,
pois mostraram tua sensata precaução.

Salve outra vez, oh, Sancho!, tão bom homem,
pois apenas a ti nosso Ovídio espanhol,
com um cascudo, faz reverência.*

---

* Gandalín, escudero de Amadís de Gaula, a Sancho Panza, escudero de don Quijote — Soneto — Salve, varón famoso, a quien Fortuna,/ cuando en el trato escuderil te puso,/ tan blanda y cuerdamente lo dispuso,/ que lo pasaste sin desgracia alguna.// Ya la azada o la hoz poco repugna/ al andante ejercicio; ya está en uso/ la llaneza escudera, con que acuso/ al soberbio que intenta hollar la luna.// Envidio a tu jumento y a tu nombre,/ y a tus alforjas igualmente envidio,/ que mostraron tu cuerda providencia.// Salve otra vez, ¡oh Sancho!, tan buen hombre,/ que a solo tú nuestro español Ovidio/ con buzcorona te hace reverencia.

DO DONOSO, POETA MISTURADO,[4]
A SANCHO PANÇA E ROCINANTE

Sou Sancho Pança, escudei[ro]
do manchego dom Quixo[te];
pus pés em polvoro[sa],
por viver à [toa];
pois o tácito Vila-Dio[go]
toda a sua razão de esta[do]
cifrou numa retira[da],
conforme sente *Celesti*[*na*],[5]
livro, em minha opinião, divi[no],
se encobrisse mais o huma[no].

A Rocinante
Sou Rocinante, o famo[so]
bisneto do grande Babie[ca];
por pecados de magre[za]
fui parar com um dom Quixo[te].
Carreiras corri sem for[ças];
mas por um fio de cabe[lo]
não me escapou a ceva[da],
que isto aprendi de Lazari[lho][6]
quando, para furtar o vi[nho]
do cego, lhe dei a pa[lha].*

---

* *Del Donoso, poeta entreverado, a Sancho Panza y Rocinante — Soy Sancho Panza, escude-/ del manchego don Quijo-;/ puse pies en polvoro-,/ por vivir a lo discre-,/ que el tácito Villadie-/ toda su razón de esta-/ cifró en una retira-,/ según siente Celesti-,/ libro, en mi opinión, divi-,/ si encubriera más lo huma-. // A Rocinante/ Soy Rocinante, el famo-,/ bisnieto del gran Babie-:/ por pecados de flaque-,/ fui a poder de un don Quijo-;/ parejas corrí a lo flo-,/ mas por uña de caba-/ no se me escapó ceba-,/ que esto saqué a Lazari-,/ cuando, para hurtar el vi-/ al ciego, le di la pa-.*

ORLANDO FURIOSO
A DOM QUIXOTE DE LA MANCHA

SONETO

Se não és par, tampouco o tiveste:
que par poderias ser entre mil pares,
nem pode havê-lo onde te achares,
invicto vencedor, jamais vencido.

Quixote, eu sou Orlando, que, perdido
por Angélica, vi remotos mares,
oferecendo à Fama em seus altares
minha coragem, que respeitou o olvido.

Não posso ser teu igual, para ser justo
com tuas proezas e tua fama,
embora como eu perdeste o juízo.

Mas poderás ser de mim, se ao soberbo mouro
e ao cita feroz domares, que hoje nos chama
iguais a má sorte no amor.*

---

* *Orlando furioso a don Quijote de la Mancha — Soneto
— Si no eres par, tampoco le has tenido:/ que par pudieras
ser entre mil pares,/ ni puede haberle donde tú te hallares,/
invicto vencedor, jamás vencido.// Orlando soy, Quijote,
que, perdido/ por Angélica, vi remotos mares,/ ofreciendo a
la Fama en sus altares/ aquel valor que respetó el olvido.// No
puedo ser tu igual, que este decoro/ se debe a tus proezas y
a tu fama,/ puesto que, como yo, perdiste el seso;// mas serlo
has mío, si al soberbio moro/ y cita fiero domas, que hoy nos
llama/ iguales en amor con mal suceso.*

O CAVALEIRO DO FEBO[7]
A DOM QUIXOTE DE LA MANCHA

SONETO

A vossa espada não igualou a minha,
Febo espanhol, diligente cortesão,
nem à alta glória de coragem minha mão,
que foi raio onde nasce e morre o dia.

Impérios desprezei; a monarquia
que me ofereceu em vão o Oriente vermelho
deixei, para ver o rosto soberano
de Claridiana, minha formosa aurora.

Amei-a por milagre único e raro,
e, ausente em sua desgraça, o próprio inferno
temeu meu braço, que domou sua raiva.

Mas vós, nobre Quixote, ilustre e puro,
por Dulcineia sois para o mundo eterno,
e ela, por vós, famosa, honesta e sábia.*

---

* *El Caballero del Febo a don Quijote de la Mancha — Soneto — A vuestra espada no igualó la mía,/ Febo español, curioso cortesano,/ ni a la alta gloria de valor mi mano,/ que rayo fue do nace y muere el día.// Imperios desprecié; la monarquía/ que me ofreció el Oriente rojo en vano/ dejé, por ver el rostro soberano/ de Claridiana, aurora hermosa mía.// Amela por milagro único y raro,/ y, ausente en su desgracia, el propio infierno/ temió mi brazo, que domó su rabia.// Mas vos, godo Quijote, ilustre y claro,/ por Dulcinea sois al mundo eterno,/ y ella, por vos, famosa, honesta y sabia.*

DE SOLISDÁN A DOM QUIXOTE DE LA MANCHA

SONETO

Senhor Quixote, ainda que loucuras
vos tenham o cérebro derrubado,
nunca sereis por alguém censurado
como homem de obras vis e vulgares.

Serão vossas façanhas os juízes,
pois desfazendo injúrias haveis andado,
sendo mil vezes espancado
por bandidos traidores e vis.

E se a vossa linda Dulcineia
injustiças contra vós comete,
nem de vossas penas se compadece,

em tal desmando vosso consolo seja
que Sancho Pança foi mau alcoviteiro,
néscio ele, dura ela, e vós não amante.*

---

* *De Solisdán a don Quijote de la Mancha — Soneto — Maguer, señor Quijote, que sandeces/ vos tengan el cerbelo derrumbado,/ nunca seréis de alguno reprochado/ por home de obras viles y soeces.// Serán vuesas fazañas los joeces,/ pues tuertos desfaciendo habéis andado,/ siendo vegadas mil apaleado/ por follones cautivos y raheces.// Y si la vuesa linda Dulcinea/ desaguisado contra vos comete,/ ni a vuesas cuitas muestra buen talante,// en tal desmán vueso conhorte sea/ que Sancho Panza fue mal alcagüete,/ necio él, dura ella y vos no amante.*

DIÁLOGO ENTRE BABIECA E ROCINANTE

SONETO

B. Como estás, Rocinante, tão delgado?
R. Porque nunca se come, e se trabalha.
B. Mas o que é da cevada e da palha?
R. Não me deixa meu amo nem um bocado.

B. Ora, senhor, que estais muito mal-educado,
pois vossa língua de asno ao amo ultraja.
R. Asno se é do berço à mortalha.
Quereis ver? Olhai o apaixonado.

B. É burrice amar?
R.   Cadê a prudência?
B. Metafísico estais.
R.   É que não como.
B. Queixai-vos do escudeiro.
R.   Não é o bastante.

Como hei de me queixar de minha dolência,
se amo e escudeiro ou mordomo
são tão rocins como Rocinante?*

---

* *Diálogo entre Babieca y Rocinante — Soneto —* B. ¿Cómo
estáis, Rocinante, tan delgado?/ R. Porque nunca se come, y se
trabaja./ B. Pues ¿qué es de la cebada y de la paja?/ R. No me
deja mi amo ni un bocado.// B. Andá, señor, que estáis muy mal
criado,/ pues vuestra lengua de asno al amo ultraja./ R. Asno se
es de la cuna a la mortaja./ ¿Quereislo ver? Miraldo enamorado.// B. ¿Es necedad amar?/ R. No es gran prudencia./ B. Metafísico estáis./ R. Es que no como./ B. Quejaos del escudero./ R.
No es bastante.// ¿Cómo me he de quejar en mi dolencia,/ si el
amo y escudero o mayordomo/ son tan rocines como Rocinante?

I*

QUE TRATA DA CONDIÇÃO DO FAMOSO
E VALENTE FIDALGO DOM QUIXOTE
DE LA MANCHA E DE COMO A EXERCITA

Numa aldeia da Mancha, de cujo nome não quero me lembrar, não faz muito tempo vivia um fidalgo desses de lança no cabide, adarga antiga, pangaré magro e galgo corredor. Um cozido com mais carne de vaca que de carneiro, salpicão na maioria das noites, ovos fritos com torresmo aos sábados, lentilhas às sextas, algum pombinho de quebra aos domingos, consumiam três partes de sua renda. O resto dela gastava com um saio de lã cardada, calções de veludo para as festas e chinelos do mesmo tecido, e nos dias de semana se honrava com a melhor das burelinas. Tinha em casa uma criada que passava dos quarenta, uma sobrinha que não chegava aos vinte e um rapaz pau para toda obra, que tanto encilhava o pangaré como empunhava o podão. Nosso fidalgo beirava os cinquenta anos. Era de compleição rija, seco de carnes, rosto enxuto, grande madrugador e amigo da caça. Dizem que tinha por sobrenome Queixada, ou Queijada, que nisso há desacordo entre os autores que

---

* O *Quixote* foi publicado em dois volumes: o primeiro, de 1605, com o título *O engenhoso fidalgo dom Quixote de la Mancha*, foi subdividido em quatro partes (capítulos I-VIII, IX-XIV, XV-XXVII e XXVIII-LII). O segundo volume, intitulado *Segunda parte do engenhoso cavaleiro dom Quixote de la Mancha*, foi publicado em 1615, sem subdivisões. (N. E.)

escrevem sobre o caso, embora por conjecturas verossímeis se entenda que se chamava Quixana. Mas isso pouco importa para nossa história: basta que em sua narração não se saia um ponto da verdade.

Deve-se saber, então, que o aludido fidalgo, nos momentos em que estava ocioso — que constituíam a maior parte do ano —, deu para ler livros de cavalaria com tanta paixão e prazer que esqueceu quase por completo o exercício da caça, e até mesmo a administração de seus bens; e a tanto chegaram sua curiosidade e desatino que vendeu muitos pedaços de terra de plantio para comprar livros de cavalaria, levando assim para casa quantos havia deles; e, entre todos, nada lhe parecia melhor que os escritos pelo famoso Feliciano de Silva,[1] porque a clareza de sua prosa e aqueles raciocínios intrincados lhe pareciam pérolas, principalmente quando lia os galanteios e as cartas de desafios, onde em muitas partes achava escrito: "A razão da sem-razão que a minha razão se faz, de tal maneira debilita minha razão, que com razão me queixo de vossa formosura". E também quando lia: "Os altos céus que de vossa divindade divinamente com as estrelas vos fortificam e vos fazem merecedora do merecimento que merece vossa grandeza".

Com essas palavras o pobre cavaleiro perdia o juízo e desvelava-se por entendê-las e arrancar-lhes o sentido, que nem o próprio Aristóteles o conseguiria nem as entenderia, se ressuscitasse apenas para isso. Não ficava muito convencido com os ferimentos de dom Belianis, porque imaginava que, por grandes que fossem os cirurgiões que o tivessem curado, não deixaria de ter o rosto e o corpo cheios de marcas e cicatrizes. Mas louvava no autor o fato de concluir o livro com a promessa de acabar aquela interminável aventura, ainda que muitas vezes tivesse vontade de tomar da pena e ele mesmo lhe dar fim ao pé da letra, como ali se assegura; e sem dúvida alguma o faria, e até o publicaria, se pensamentos maiores e contínuos não o estorvassem. Muitas vezes teve discussões com o padre do lugar — que era homem culto, formado em Sigüenza[2] — sobre quem tinha sido melhor cavaleiro: Palmeirim da Inglaterra ou Amadis de Gaula; mas mestre Nicolás, barbeiro do mesmo povoado, dizia que nenhum emparelhava com o Cavaleiro do Febo e que se algum podia ser comparado a ele era dom Galaor, irmão de Amadis de Gaula, porque tinha as melhores condições para tudo e não era cavaleiro melindroso nem tão choramingas como seu irmão, e que em matéria de valentia não ficava atrás dele.

Enfim, ele se embrenhou tanto na leitura que passava as noites lendo até clarear e os dias até escurecer; e assim, por dormir pouco e ler muito, secou-lhe o cérebro de maneira que veio a perder o juízo. Sua imaginação se encheu de tudo aquilo que lia nos livros, tanto de encantamentos como de duelos, batalhas, desafios, feridas, galanteios, amores, tempestades e disparates impossíveis; e se assentou de tal modo em sua mente que todo aquele amontoado de invenções fantasiosas parecia verdadeiro: para ele não havia outra história mais certa no mundo. Dizia que Cid Ruy Díaz tinha sido muito bom cavaleiro, mas que não se igualava ao Cavaleiro da Espada Ardente,[3] que de um só golpe tinha partido ao meio dois gigantes ferozes e descomunais. Sentia-se melhor com Bernardo del Carpio porque em Roncesvalles matara Roland, o Encantado, valendo-se da artimanha de Hércules, quando sufocou Anteu, o filho da Terra, entre os braços, e falava muito bem do gigante Morgante porque, apesar de ser daquela linhagem gigantesca de soberbos e descomedidos, era afável e bem-educado. Mas, acima de todos, admirava Reinaldos de Montalbán, principalmente quando o via sair de seu castelo e roubar todos com quem topava e quando, além-mar, carregou aquele ídolo de Maomé que era todo de ouro, conforme conta sua história. Para dar uns bons pontapés no traidor Ganelon, daria a criada que tinha e até sua sobrinha de quebra.

Enfim, acabado seu juízo, foi dar no mais estranho pensamento em que jamais caiu louco algum: pareceu-lhe conveniente e necessário, tanto para o engrandecimento de sua honra como para o proveito de sua pátria, se fazer cavaleiro andante e ir pelo mundo com suas armas e cavalo em busca de aventuras e para se exercitar em tudo aquilo que havia lido que os cavaleiros andantes se exercitavam, desfazendo todo tipo de afrontas e se pondo em situações e perigos pelos quais, superando-os, ganhasse nome eterno e fama. O pobre já se imaginava coroado pelo valor de seu braço com pelo menos o império de Trebizonda; e assim, com pensamentos tão agradáveis, levado pelo singular prazer que neles sentia, se apressou em realizar o que desejava.

E a primeira coisa que fez foi limpar uma armadura que tinha sido de seus bisavós, que, tomada de ferrugem e cheia de mofo, havia longos séculos estava atirada e esquecida num canto. Limpou-a e ajeitou-a o melhor que pôde, mas viu que havia um grande problema: não tinha elmo com viseira e sim morrião simples. Mas isso seu engenho supriu, porque fez com uma massa de papelão e cola uma espécie de meia viseira que, encaixada com o morrião, dava a ilusão de elmo completo. Para provar que era forte e podia correr o risco de uma cutilada, sacou a espada e lhe deu dois golpes, desfazendo num instante o trabalho de uma semana. A facilidade disso não deixou de lhe parecer má e, para se precaver contra esse perigo, tornou a fazer tudo de novo, pondo-lhe umas barras de ferro por dentro, de tal maneira que ficou satisfeito com sua fortaleza, mas, sem querer fazer nova experiência, tomou-o por finíssimo elmo com viseira.

Em seguida foi ver o pangaré e, embora tivesse os cascos mais rachados que os calcanhares de um camponês e mais defeitos que o cavalo de Gonela, que *tantum pellis et ossa fuit*,[4] achou que nem o Bucéfalo de Alexandre nem o Babieca do Cid se igualavam a ele. Passou quatro dias imaginando que nome lhe daria, porque — conforme dizia a si mesmo — não havia motivo para que cavalo tão bom e de cavaleiro tão famoso ficasse sem nome; procurava então um que revelasse quem havia sido antes de ser de cavaleiro andante e o que era agora, pois achava muito razoável que, mudando seu senhor de estado, mudasse ele também de nome e o ganhasse célebre e aparatoso, como convinha à nova ordem e ao novo exercício que professava. Assim, depois de muitos nomes que criou, apagou e trocou, sobrepôs, desfez e tornou a fazer em sua memória e imaginação, finalmente veio a chamá-lo "Rocinante", nome, em sua opinião, superior, sonoro e significativo do que tinha sido quando não passava de um rocim e o que era agora, o primeiro entre todos os rocins do mundo.

Batizado o cavalo com tanto acerto, quis dar um nome a si mesmo, e nesse pensamento gastou mais oito dias. No fim veio a se chamar "dom Quixote", de onde, como foi dito, os autores desta história verídica puderam concluir que, sem dúvida, devia se chamar Queixada e não Queijada, como outros disseram. Mas, lembrando-se de que o corajoso Amadis não havia se contentado em se chamar apenas Amadis e acrescentara o nome de seu reino e pátria, para fazê-la famosa, chamando-se então Amadis de Gaula, quis assim, como bom cavaleiro, acrescentar ao seu o nome de sua pátria e se chamar "dom Quixote de la Mancha", com o que, em sua opinião, declarava de forma viva sua linhagem e pátria, e a honrava ao tomar dela o sobrenome.

Assim, com a armadura limpa, o morrião feito elmo com viseira, batizado o pangaré e crismado a si mesmo, deu-se conta de que só faltava achar uma dama por quem se apaixonar: porque o cavaleiro andante sem amores era árvore sem folhas e sem fruto e corpo sem alma. Dizia a si mesmo:

— Se eu, por mal de meus pecados, ou por minha boa sorte, me encontro por aí com algum gigante, como acontece sempre com os cavaleiros andantes, e o derrubo com um golpe ou lhe parto o corpo pela metade ou, enfim, o venço e o rendo, não será bom ter a quem mandá-lo de presente? Que vá e se prostre de joelhos diante de minha doce senhora e diga com voz humilde e submissa: "Eu, senhora, sou o gigante Caradeculiambro, senhor da ilha Malvadrânia, a quem venceu em singular batalha o jamais louvado como se deve cavaleiro dom Quixote de la Mancha, que mandou que me apresentasse a vossa mercê, para que vossa grandeza disponha de mim como bem quiser".

Oh, como se alegrou nosso bom cavaleiro quando fez esse discurso, principalmente quando atinou a quem chamar sua dama! É que havia numa aldeia perto da sua, pelo que se pensa, uma camponesa de muito boa aparência por quem ele andou apaixonado um tempo, embora se acredite que ela jamais tenha sabido disso nem o tenha deixado provar de sua formosura. Chamava-se Aldonza Lorenzo, e ele achou bom lhe dar o título de senhora de seus pensamentos; e, procurando um nome que não destoasse muito do seu e insinuasse ou parecesse nome de princesa e grande senhora, veio a chamá-la "Dulcineia del Toboso", porque era natural de El Toboso: nome, em sua opinião, musical e raro e significativo, como todos os demais que ele tinha posto em si e em suas coisas.

II

QUE TRATA DA PRIMEIRA
SAÍDA QUE O ENGENHOSO DOM QUIXOTE
FEZ DE SUA TERRA

Tomadas essas providências, não quis esperar mais tempo para pôr seus planos em prática, incitando-o a falta que pensava que fazia no mundo com sua demora, por causa das afrontas que queria reparar, erros que corrigir, injustiças que emendar, abusos que sanar e dívidas que cobrar. Assim, sem avisar pessoa alguma de sua intenção e sem que ninguém o visse, bem cedinho, antes que nascesse um dos dias mais quentes do mês de julho, vestiu a armadura e montou em Rocinante; posto o mal composto elmo, enfiou o braço na adarga, empunhou a lança e saiu para o campo pela porta dos fundos do quintal, com enorme contentamento e alvoroço por ver com que facilidade havia começado seu bom desejo. Contudo, mal se viu no campo, assaltou-lhe um pensamento terrível, que por pouco não o fez abandonar a empresa: veio-lhe à memória que não era armado cavaleiro e que, conforme a lei da cavalaria, nem podia nem devia pegar em armas contra nenhum cavaleiro; e, mesmo que o fosse, tinha de levar armas brancas,[1] como cavaleiro estreante, sem divisa no escudo, até que com sua coragem a ganhasse. Esses pensamentos o fizeram vacilar em seu propósito, mas, podendo mais sua loucura que qualquer outra razão, lembrou de se fazer armar cavaleiro pelo primeiro com que topasse, como muitos outros que assim fizeram, conforme havia lido nos livros que o deixaram nesse estado. Quanto às armas, pensava limpá-las de tal maneira, tendo oportunidade, que ficariam mais brancas que um arminho. Com isso se tranquilizou e prosseguiu seu caminho, sem ir por outro que não aquele que seu cavalo queria, achando que nisso consistia a força das aventuras.

Enquanto caminhava, nosso flamante aventureiro dizia consigo mesmo:[2]

— Quem duvida que, nos tempos futuros, quando sair à luz a história verídica de meus famosos feitos, o mago que os escrever não o faça desta maneira, quando contar esta minha primeira saída tão cedo?: "Mal o rubicundo Apolo havia estendido pela face da ampla e vasta terra as douradas madeixas de seus formosos cabelos, e mal os pequenos e coloridos passarinhos com suas línguas afinadas haviam saudado com doce e melíflua harmonia a vinda da rosada aurora, que, deixando a macia cama do ciumento marido, pelas portas e varandas do horizonte da Mancha aos mortais se mostrava, quando o famoso cavaleiro dom Quixote de la Mancha, abandonando seu ocioso colchão de penas, montou em seu famoso cavalo Rocinante e começou a andar pelo antigo e conhecido campo de Montiel".

E era verdade que caminhava por ele. E continuou dizendo:

— Afortunada época e século afortunado aquele em que sairão à luz minhas famosas façanhas, dignas de se moldar em bronze, de se esculpir em mármores e se pintar em telas, para lembrança no futuro. Oh, tu, velho mago, quem quer que sejas, a quem há de tocar ser o cronista desta incrível história, rogo-te que não te esqueças de meu bom Rocinante, companheiro eterno em todos os meus caminhos e carreiras!

Depois continuava dizendo, como se realmente estivesse apaixonado:

— Oh, princesa Dulcineia, senhora deste cativo coração! Muito me ultrajastes ao despedir-me e reprovar-me com a rigorosa obstinação de mandar-me não aparecer diante de vossa formosura. Comprazei-vos, senhora, recordar deste vosso subjugado coração, que tantas penas padece por vosso amor.

Com esses ia alinhavando outros disparates, todos da maneira que seus livros haviam lhe ensinado, imitando sua linguagem o quanto podia. Por isso caminhava devagar — e o sol subia tão rápido e tão ardente que poderia derreter os miolos dele, se tivesse alguns.

Andou quase todo aquele dia sem que acontecesse coisa alguma digna de se contar, o que o desesperava, porque gostaria de topar de uma vez com alguém que lhe permitisse experimentar o valor e a força de seu braço. Há autores que dizem que sua primeira aventura foi a de Puerto Lápice, outros dizem que a dos moinhos de vento, mas o que pude averiguar nesse caso e encontrei escrito nos anais da Mancha é que andou todo aquele dia até a noite, quando ele e seu pangaré se encontraram cansados e mortos de fome. Olhando para todos os lados para ver se descobria algum castelo ou refúgio de pastores onde se recolher e remediar suas grandes necessidades, o cavaleiro viu uma estalagem, não longe da estrada por onde ia, e foi como se visse uma estrela que o encaminhasse, não aos portais, mas aos palácios de sua redenção. Apressou-se, então, chegando a ela ao anoitecer.

Por acaso estavam à porta duas mulheres jovens, dessas que chamam da vida, que iam a Sevilha com uns tropeiros que naquela noite combinaram pousar na estalagem; e como ao nosso aventureiro tudo quanto pensava, via ou imaginava parecia ser feito e acontecer da maneira como havia lido, logo que avistou a estalagem pensou que era um castelo com suas quatro torres de telhados cônicos de prata cintilante, sem faltar a ponte levadiça e o fosso profundo, com todos aqueles acessórios que se pintam em semelhantes construções. Foi se aproximando da estalagem que a ele parecia castelo e, quando estava perto, puxou as rédeas de Rocinante, à espera de que algum anão se pusesse entre as ameias para anunciar com uma trombeta que chegava um cavaleiro. Mas, como viu que demorava e que Rocinante se apressava para chegar à estrebaria, foi até a porta da estalagem e viu as duas jovens cortesãs, que a ele pareceram duas formosas donzelas ou duas graciosas damas que se entretinham diante da porta do castelo. Por acaso aconteceu que um guardador de porcos (que, sem perdão, assim se chamam) que andava recolhendo seus animais de uns restolhos tocou uma trompa, a cujo sinal eles obedeciam. No mesmo instante pareceu a dom Quixote o que desejava: que algum anão o anunciava. E assim, com singular contentamento, chegou à estalagem e às damas, que, ao verem se aproximar um homem daquele tipo, de armadura, lança e adarga, cheias de medo iam entrar; mas dom Quixote, percebendo pela fuga o medo delas, levantou a viseira de papelão e, descobrindo o rosto seco e empoeirado, com tom gentil e voz calma disse:

— Não se esquivem vossas mercês nem temam algum desaguisado, cá à ordem de cavalaria que professo não pertence nem tange agravar ninguém, muito menos a tão nobres donzelas como vossos feitios demonstram.

As moças olhavam-no, buscando o rosto que a péssima viseira encobria; mas, como ouviram ser chamadas de donzelas, coisa tão alheia a sua profissão, não puderam conter o riso, que foi tanto que dom Quixote chegou a se irritar e lhes dizer:

— Bem parece a mesura nas fermosas e, ademais, é sandice o riso que procede de causa acanhada. Mas não vos profiro isso para que vos acabrunheis nem mostreis mau talante, que o meu não é outro que vos servir.

A linguagem, não entendida pelas senhoras, e o mau porte de nosso cavaleiro aumentavam nelas o riso, o que aumentava nele a irritação, e a coisa teria ido adiante se naquele ponto não saísse o estalajadeiro, homem que, por ser muito gordo, era muito pacífico, e que vendo aquela figura despropositada, munida de armas tão desiguais como eram a brida, a lança, a adarga e o corselete, não esteve longe de acompanhar as donzelas nas mostras de sua alegria. Mas, na verdade, com medo de todos aqueles apetrechos, resolveu falar comedidamente, dizendo então:

— Se vossa mercê, senhor cavaleiro, procura pousada, tudo achará nesta estalagem em grande abundância, exceto o leito, porque não há nenhum.

Dom Quixote, vendo a humildade do alcaide da fortaleza, que isso lhe pareceu o estalajadeiro e a estalagem, respondeu:

— Para mim, senhor castelão, qualquer coisa serve, "porque meus adornos são as armas, meu descanso, lutar" etc.[3]

O hospedeiro achou que fora chamado de castelão porque dom Quixote pensou que ele era de Castela, embora fosse andaluz, e daqueles da praia de Sanlúcar, não menos ladrão que Caco nem menos meliante que um pajem experiente, e respondeu:

— Então, "as camas de vossa mercê serão duras rochas, e seu dormir, sempre velar". Assim sendo, pode apear, com a certeza de achar nesta choça muitas oportunidades para não dormir um ano todo, quanto mais uma noite.

E, dizendo isso, foi segurar o estribo para dom Quixote, que apeou com muita dificuldade e trabalho, porque não tinha comido nada durante todo aquele dia.

Em seguida, disse ao hospedeiro que tivesse muito cuidado com seu cavalo, porque era a melhor joia que pastava no mundo. O estalajadeiro olhou para ele e não o achou tão bom como dom Quixote dizia, nem mesmo a metade, mas, acomodando-o na estrebaria, voltou para ver o que o hóspede ordenava. As donzelas, que já haviam se reconciliado com ele, estavam lhe tirando a armadura. Embora houvessem sacado o peitilho e as costas do corselete, jamais souberam nem puderam lhe desencaixar o gorjal nem lhe tirar o elmo mal-ajambrado, preso com umas fitas verdes, que era preciso cortar por causa dos nós, coisa que dom Quixote não consentiu de jeito nenhum, ficando assim toda aquela noite com o elmo posto — a mais engraçada e estranha figura que se podia imaginar. E, enquanto o ajudavam, como ele pensava que aquelas pobres que passaram de mão em mão eram algumas das grandes senhoras e damas do castelo, disse com muita elegância:

— *Nunca fora cavaleiro*
de damas tão bem servido
como fora dom Quixote
quando de sua aldeia veio:
donzelas tratavam dele;
princesas, de seu pangaré,[4]

ou Rocinante, que esse é o nome de meu cavalo, minhas senhoras, e dom Quixote de la Mancha, o meu. Embora eu não quisesse me apresentar até que as façanhas feitas a vosso serviço e proveito me revelassem, a necessidade de adaptar ao propósito presente esse velho romance de Lancelot foi a causa de que viésseis a saber meu nome antes do tempo. Mas dia virá em que vossas senhorias me ordenem e eu obedeça, e o valor de meu braço mostre o desejo que tenho de vos servir.

As moças, que não tinham sido feitas para ouvir semelhantes retóricas, não diziam uma palavra; só perguntaram se ele queria comer alguma coisa.

— Qualquer coisa seria um manjar — respondeu dom Quixote —, porque, pelo visto, qualquer uma me calharia bem.

Casualmente aquele dia era uma sexta-feira e em toda a estalagem só havia um pouco de um peixe que em Castela chamam badejo, bacalhau na Andaluzia e peixe seco, ou *truchuela*, em outros lugares. Perguntaram ao cavaleiro se por acaso sua mercê comeria *truchuela*, já que não havia outro peixe para lhe oferecer.

— Se houver muitas trutinhas — respondeu dom Quixote —, poderão valer uma truta, porque para mim tanto faz se me dão oito reais inteiros ou trocados. Sem falar que pode ser que essas trutinhas sejam como a vitela, que é melhor que a vaca, ou o cabrito, que é melhor que o bode. Mas, seja lá o que for, venha logo, porque não se pode levar o trabalho e o peso das armas sem o governo das tripas.

Puseram-lhe a mesa à porta da estalagem, por ser mais fresco, e o hospedeiro trouxe uma porção do bacalhau que mal tinha ficado de molho e fora mais mal cozido ainda, e um pão tão negro e imundo como sua armadura. Agora, era coisa muito engraçada vê-lo comer, porque, como tinha o elmo posto e a viseira erguida com as mãos, não podia pôr nada na boca se outro não o fizesse, o que levou uma daquelas senhoras a fazer esse trabalho. Mas dar de beber a ele não foi possível, nem o seria, se o estalajadeiro não houvesse furado uma taquara e posto uma ponta em sua boca, derramando vinho pela outra. Dom Quixote aceitava tudo com paciência, em troca de não arrebentar as fitas do elmo. Então chegou um castrador de porcos que, mal entrou, soprou sua flauta de taquaras quatro ou cinco vezes, o que acabou de confirmar a dom Quixote que estava em algum famoso castelo e que lhe serviam com música, que o peixe seco eram trutas, o pão do melhor, as meretrizes damas, o estalajadeiro castelão — e assim dava por bem empregada sua decisão e saída. Mas o que mais o incomodava era não se ver armado cavaleiro, por lhe parecer que não poderia legitimamente se lançar na aventura sem receber a ordem de cavalaria.

III

ONDE SE CONTA A MANEIRA ENGRAÇADA
COMO DOM QUIXOTE SE FEZ ARMAR CAVALEIRO

E assim, incomodado com esse pensamento, abreviou o jantar miserável e parco. Chamou então o estalajadeiro e, fechando-se com ele na estrebaria, prostrou-se de joelhos a sua frente, dizendo:

— Não me levantarei jamais de onde estou, valente cavaleiro, até que vossa cortesia me conceda uma mercê que quero vos pedir. Ela redundará em vosso louvor e em proveito do gênero humano.

O estalajadeiro, vendo o hóspede a seus pés e ouvindo semelhante discurso, ficou confuso, sem saber o que fazer nem dizer, e insistia para que se levantasse, o que ele jamais aceitou, enquanto o homem não dissesse que concedia a dita mercê.

— Eu não esperava menos de vossa grande magnificência, meu senhor — respondeu dom Quixote. — Por isso vos digo que a mercê que vos pedi e que vossa generosidade me concedeu é que amanhã sem falta havereis de me armar cavaleiro. Esta noite, na capela de vosso castelo, velarei as armas e amanhã, como disse, se cumprirá o que tanto desejo para poder ir, como se deve, pelos quatro cantos do mundo em busca de aventuras, em proveito dos necessitados, como é missão da cavalaria e dos cavaleiros andantes como eu, que tenho têmpera para semelhantes façanhas.

O estalajadeiro, que, como se disse, era meio velhaco e já tinha algumas suspeitas da falta de juízo de seu hóspede, acabou de se convencer quando ouviu semelhantes palavras e, para ter do que rir naquela noite, decidiu seguir os caprichos dele. Assim, disse-lhe que estava muito certo no que desejava e pedia e que tal intenção era própria e natural de grandes cavaleiros como ele parecia ser e como sua garbosa presença mostrava; e que ele mesmo, nos anos de sua juventude, havia se dado àquele honroso exercício, andando por diversas partes do mundo em busca de aventuras, sem que houvesse esquecido Percheles de Málaga, Islas de Riarán, Compás de Sevilha, Azoguejo de Segóvia, Olivera de Valência, Rondilla de Granada, Playa de Sanlúcar, Porto de Córdoba, Ventillas de Toledo[1] e vários outros lugares onde havia exercido a rapidez de seus pés e a sutileza de suas mãos, fazendo muitos desmandos, galanteando muitas viúvas, perdendo algumas donzelas e enganando alguns órfãos, e, finalmente, comparecendo em quantas audiências e tribunais existem em quase toda a Espanha. E por fim tinha vindo se recolher naquele castelo, onde vivia de seus bens e dos alheios, recolhendo nele todos os cavaleiros andantes, de qualquer qualidade e condição que fossem, apenas pela grande afeição que lhes tinha e para que dividissem com ele suas posses em pagamento de seu bom desejo.

Também disse que naquele castelo não havia capela alguma em que pudesse velar as armas, porque a tinham demolido para construí-la de novo; mas que em caso de necessidade ele sabia que podiam ser veladas em qualquer lugar e que, naquela noite, poderia velá-las num pátio do castelo; e pela manhã, se Deus quisesse, fariam as devidas cerimônias, de modo que ele fosse armado cavaleiro, e tão cavaleiro como nenhum outro no mundo.

Perguntou-lhe se tinha dinheiro. Dom Quixote respondeu que não trazia nem um tostão, porque nunca havia lido nas histórias dos cavaleiros andantes que algum o carregasse. O estalajadeiro disse que se enganava: que, embora nas histórias nada se falasse, por ter parecido aos autores que não era preciso mencionar uma coisa tão clara e tão necessária de se levar como eram dinheiro e camisas limpas, nem por isso haveria de se acreditar que não os trouxessem; e assim desse por certo e sabido que todos os cavaleiros andantes, de que tantos livros estão cheios e atulhados, levavam bem forradas as bolsas, para o que desse e viesse; e que também levavam camisas e uma arca pequena com unguentos para curar as feridas que recebiam, porque nem sempre nos campos e desertos onde combatiam havia quem os tratasse, isso se não tinham um mago por amigo que logo os socorria, trazendo pelo ar, numa nuvem, alguma donzela ou anão com uma garrafa de água de tamanha virtude que, provando uma gota dela, na mesma hora ficavam sãos de suas chagas e feridas, como se mal algum houvessem tido. Mas, sem esse amigo, os antigos cavaleiros consideravam conveniente que seus escudeiros fossem providos de dinheiro e de outras coisas necessárias, como ataduras e unguentos; e quando acontecia de esses cavaleiros não terem escudeiros — em poucas e raras vezes —, eles mesmos levavam tudo nuns alforjes muito finos, que quase nem eram percebidos nas ancas do cavalo, como se fossem outra coisa de mais importância, pois, se não fosse desse modo, esse negócio de levar alforjes não era muito aceito entre os cavaleiros andantes. Por isso o aconselhava — e até podia ordenar como a um afilhado, porque o seria depois de armá-lo — que dali por diante não andasse sem dinheiro e sem as referidas precauções, e veria o quanto ficaria bem com elas, quando menos pensasse.

Dom Quixote prometeu fazer exatamente o que ele aconselhava. Assim, em seguida, o estalajadeiro ordenou que velasse as armas num pátio grande ao lado da estalagem. Recolhendo todas as peças da armadura, dom Quixote as empilhou sobre um bebedouro junto a um poço e, enfiando o braço em sua adarga, empunhou a lança. Com postura galante, começou a andar diante dele. Nesse momento, começava a cair a noite.

O estalajadeiro contou a todos que estavam na estalagem a loucura de seu hóspede, a vigília das armas e a cerimônia para armá-lo cavaleiro. Admiraram-se de tão estranho gênero de loucura e, indo espiar de longe, viram que dom Quixote andava com calma umas vezes e outras, escorado a sua lança, punha os olhos na armadura, sem desviá-los por um bom tempo. Já era noite fechada, mas com tanto luar que podia competir com o dia, de modo que tudo o que o cavaleiro estreante fazia era visto muito bem por todos. Nisso, um dos tropeiros resolveu dar água a sua manada de mulas e, para isso, seria necessário tirar a armadura que estava sobre o bebedouro. Dom Quixote, vendo-o chegar, disse em voz alta:

— Oh, tu, quem quer que sejas, cavaleiro atrevido, que chegas para tocar a armadura do mais valente andante que jamais empunhou espada! Olha o que fazes e não a toques, se não quiseres deixar a vida como paga por teu atrevimento.

O tropeiro não fez caso dessa conversa (mas seria melhor que tivesse feito então, para não ter de fazer depois); pegando a armadura pelas correias, jogou-a longe. Dom Quixote levantou os olhos para o céu e, pelo visto, com o pensamento posto em sua senhora Dulcineia, disse:

— Socorrei-me, minha senhora, na primeira afronta que se oferece a este vosso peito vassalo: não me faltem nesta primeira complicação vosso favor e amparo.

E, dizendo essas e outras coisas semelhantes, soltou a adarga, levantou a lança com as duas mãos e deu com ela um golpe tão forte na cabeça do tropeiro que o derrubou no chão tão desfeito que, se desse outro, não haveria necessidade de cirurgião que o tratasse. Feito isso, recolheu a armadura e voltou a andar com a mesma calma de antes. Dali a pouco, sem saber o que tinha acontecido (porque o tropeiro ainda estava aturdido), chegou outro com a mesma intenção de dar água às suas mulas e tirou a armadura para desimpedir o bebedouro. Dom Quixote, sem falar uma palavra e sem pedir favor a ninguém, soltou outra vez a adarga e outra vez levantou a lança e, sem fazê-la em pedaços, fez mais de três da cabeça do segundo tropeiro, porque a abriu em quatro. Com o barulho, acudiram todas as pessoas da estalagem, entre elas o estalajadeiro. Dom Quixote olhou para todos, enfiou o braço em sua adarga e disse, empunhando a espada:

— Oh, senhora da formosura, coragem e vigor de meu coração debilitado! Agora é o momento para que voltes os olhos de tua grandeza para este teu cavaleiro cativo, que tamanha aventura está esperando.

Animou-se tanto com isso que pensou que, se o atacassem todos os tropeiros do mundo, não daria um passo atrás. Os companheiros dos feridos, vendo-os naquele estado, começaram de longe a chover pedras sobre dom Quixote, que se defendia com sua adarga o melhor que podia e não ousava se afastar do bebedouro, para não desamparar a armadura. O estalajadeiro gritava que o deixassem, porque já tinha dito como era louco e que por ser louco se livraria, mesmo que os matasse a todos. Dom Quixote gritava mais alto ainda, chamando-os de infiéis e traidores, e que o senhor do castelo era um covarde e malnascido cavaleiro, pois consentia que os cavaleiros andantes fossem tratados dessa maneira; e que, se houvesse recebido a ordem de cavalaria, ele o faria entender sua perfídia.

— Mas de vós, canalha baixa e vil, não faço caso algum: apedrejai, chegai, vinde e ofendei-me enquanto puderdes, que vereis o pagamento que levareis por vossa loucura e insolência.

Dizia isso com tanto brio e intrepidez que infundiu um terrível temor nos que o atacavam. Tanto por isso como pelos argumentos do estalajadeiro, deixaram de apedrejá-lo, e ele então permitiu que retirassem os feridos, voltando à vela de armas com a mesma placidez e pachorra do começo.

O estalajadeiro não gostou das travessuras de seu hóspede e resolveu se apressar e lhe dar de uma vez a maldita ordem de cavalaria, antes que acontecesse outra desgraça. E assim, aproximando-se dele, se desculpou pela insolência daquela ralé, que agira sem que ele soubesse coisa alguma, mas que fora bem castigada por seu atrevimento. Repetiu-lhe que naquele castelo não havia capela, mas que para o que restava fazer tampouco era necessária, pois o ponto principal para ser armado cavaleiro consistia no pescoção e na espadada, conforme ele tinha notícia do cerimonial da ordem, e que aquilo podia ser feito no meio do campo; e, no que dizia respeito a velar as armas, estava quite, porque duas horas eram suficientes, e ele velara mais de quatro.

Dom Quixote acreditou em tudo e disse que estava pronto para obedecer, que concluísse tudo com a maior brevidade possível, porque se o atacassem outra vez, e se já estivesse armado cavaleiro, não pensava deixar uma pessoa viva no castelo, exceto aquelas que ele mandasse, que por respeito perdoaria.

Precavido e medroso, o castelão trouxe logo um livro no qual anotava a palha e a cevada que dava aos tropeiros e, com um toco de vela que lhe trouxe um rapaz e acompanhado pelas duas ditas donzelas, aproximou-se de dom Quixote e o mandou ficar de joelhos. Então começou a ler no livro da contabilidade como quem dizia uma oração devota. Pela metade da leitura levantou a mão e deu no pescoço do fidalgo um bom golpe e depois, com sua própria espada, uma espadada gentil nas costas, sempre murmurando entre dentes, como quem rezava. Feito isso, mandou que uma das damas lhe cingisse a espada, coisa nada fácil, mas que ela fez com muita desenvoltura e discrição, sem cair na risada a cada passo da cerimônia; é que as proezas do novo cavaleiro que já haviam visto mantinham todos na linha.

Ao cingir-lhe a espada, a boa senhora disse:

— Deus faça de vossa mercê um cavaleiro muito feliz e lhe dê boa sorte nos combates.

Dom Quixote perguntou a ela como se chamava, para que soubesse dali por diante a quem devia pelo favor recebido, porque pensava mantê-la informada da honra que alcançasse com o valor de seu braço. Ela respondeu com muita humildade que se chamava a Tolosa, que era filha de um remendão natural de Toledo que vivia nas tendinhas de Sancho Bienaya, e que lhe serviria e o teria por senhor, onde quer que estivesse. Dom Quixote respondeu que, por amor a ele, fizesse o obséquio de daí por diante usar o título e se chamar "dona Tolosa". Ela prometeu que o faria. A outra lhe calçou a espora e aí aconteceu quase que o mesmo diálogo. Perguntou-lhe o nome e ela disse que era a Moleira, filha de um honrado moleiro de Antequera. Ele também lhe rogou que usasse o título, que se chamasse "dona Moleira", oferecendo-lhe novos serviços e favores.

Feita, pois, a toda pressa, a até ali nunca vista cerimônia, dom Quixote não via a hora de se ver a cavalo e sair em busca de aventuras. Encilhou Rocinante, montou e, abraçando seu hospedeiro, disse coisas tão esquisitas em agradecimento pelo favor de tê-lo armado cavaleiro que não é possível repeti-las. O estalajadeiro, para vê-lo logo pelas costas, com palavras não menos retóricas, embora mais breves, respondeu às suas e, sem lhe pedir o pagamento pela noite, deixou-o ir em paz.

IV

DO QUE ACONTECEU AO NOSSO CAVALEIRO QUANDO SAIU DA ESTALAGEM

Devia ser a hora da alvorada quando dom Quixote saiu da estalagem, tão contente e tão garboso, num tremendo alvoroço por já se ver armado cavaleiro, que sua alegria arrebentava até pelas cilhas do cavalo. Mas, vindo a sua memória os conselhos do hospedeiro sobre as coisas que devia levar consigo, em especial dinheiro e camisas, resolveu voltar para casa, abastecer-se de tudo e arranjar um escudeiro, calculando recrutar um camponês vizinho, que era pobre e com filhos, porém perfeito para o ofício escudeiril da cavalaria. Com esse pensamento, guiou Rocinante para sua aldeia, e o bicho, pressentindo sua terra, começou a andar com tanta gana que nem parecia tocar as patas no chão.

Não havia andado muito quando lhe pareceu que de sua direita, de dentro de um mato, saíam uns gemidos delicados, como de pessoa que se queixava. Mal os ouviu, disse:

— Dou graças ao céu pela mercê que me concede, pois tão cedo me dá oportunidade para que eu possa cumprir com o que devo a minha profissão e possa colher o fruto de meus bons desejos. Esses gemidos, sem dúvida, são de algum desamparado ou desamparada que necessita de meu favor e ajuda.

E, virando as rédeas, encaminhou Rocinante para o lugar de onde pareciam vir os gemidos. Poucos passos depois de ter entrado no mato, viu uma égua amarrada a uma azinheira e, amarrado em outra, um rapaz por volta dos quinze anos, nu da cintura para cima. Era ele quem gemia, e não sem causa, porque um camponês de bom tamanho o surrava com um cinto, acompanhando cada lambada com uma repreensão e conselho. Dizia:

— Boca fechada e olho vivo!

E o rapaz respondia:

— Não farei de novo, meu senhor! Pelo amor de Deus, não farei de novo! Eu prometo daqui por diante ter mais cuidado com o rebanho.

Dom Quixote, vendo o que se passava, disse com voz indignada:

— Descortês cavaleiro, não fica bem espancar quem não pode se defender; montai vosso cavalo e empunhai vossa lança — realmente havia uma lança escorada na azinheira onde a égua estava presa —, que eu vos farei saber que é coisa de covarde o que estais fazendo.

O camponês, que viu aquela figura de armadura brandindo a lança diante de seu rosto, deu-se por morto e respondeu com palavras reverentes:

— Senhor cavaleiro, este rapaz que estou castigando é meu criado, cuida de um rebanho de ovelhas que tenho por estas bandas. Mas é tão descuidado que todo dia me falta uma; e porque castigo sua falta de cuidado, ou velhacaria, diz que o faço por avarento, para não lhe pagar o salário que devo. Por Deus, e por minha alma, ele mente.

— "Mente"[1] em minha presença, vilão desgraçado? — disse dom Quixote. — Pelo sol que nos ilumina que estou para trespassar-vos de fora a fora com esta lança. Pagai-lhe logo sem mais conversa; se não, pelo Deus que nos guia, eu vos extermino e aniquilo agora mesmo. Desatai-o logo.

O camponês baixou a cabeça e, sem responder uma palavra, desatou seu criado, a quem dom Quixote perguntou quanto seu amo devia. Ele disse que nove meses, a sete reais por mês. Dom Quixote fez a conta, viu que somava setenta e três reais e disse então ao camponês que os desembolsasse no mesmo instante, se não quisesse morrer. Medroso, o camponês respondeu que, pela situação em que se encontrava e pelo juramento que fizera — mas ainda não havia jurado nada —, não eram tantos, porque teria de descontar três pares de sapatos que lhe dera e um real por duas sangrias que lhe haviam feito quando esteve doente.

— Está tudo muito bem — respondeu dom Quixote —, mas fiquem os sapatos e as sangrias pelas sovas que sem culpa lhe haveis dado: se ele arrebentou o couro dos sapatos que pagastes, vós arrebentastes o de seu corpo; e, se o barbeiro lhe tirou sangue quando esteve doente, vós o tiraste estando são. De modo que, por esse lado, não vos deve nada.

— O problema, senhor cavaleiro, é que não tenho dinheiro aqui. Se Andrés vier comigo a minha casa, pagarei um real em cima do outro.

— Eu, ir com ele? — disse o rapaz. — De jeito nenhum! Não, senhor, nem em pensamento, porque, ficando sozinho comigo, vai me esfolar como a um são Bartolomeu.

— Não fará isso — respondeu dom Quixote. — Basta que eu mande para que me obedeça; e, desde que ele me jure pela lei da cavalaria que recebeu, eu o deixarei livre e garantirei o pagamento.

— Senhor, olhe vossa mercê o que diz — disse o rapaz. — Meu amo não é cavaleiro nem recebeu ordem de cavalaria nenhuma; é Juan Papudo, o rico, morador de Quintanar.

— Isso pouco importa — respondeu dom Quixote —, porque entre os fanfarrões também pode haver cavaleiros, sem falar que cada um é filho de suas obras.

— Isso é verdade — disse Andrés —, mas de que obras meu amo é filho, se me nega meu salário, meu suor e trabalho?

— Não nego, caro Andrés — respondeu o camponês. — Dai-me o prazer de vir comigo que eu juro, por todas as ordens de cavalaria que há no mundo, de vos pagar, como já disse, um real sobre o outro, benzidos ainda por cima.

— Das benzeduras vos dispenso — disse dom Quixote. — Dai a ele os reais apenas, que com isso me contento, e não falteis com o que acabais de jurar, porque senão vos juro, pelo mesmo juramento, que voltarei para castigar-vos e hei de vos achar, mesmo que vos escondais melhor que uma lagartixa. E, se quereis saber quem vos ordena isso, para ficardes deveras obrigado a obedecer, sabei que eu sou o valoroso dom Quixote de la Mancha, o reparador de afrontas e injustiças. Ficai com Deus e não afasteis do pensamento o prometido e jurado, sob pena da pena pronunciada.

E, dizendo isso, esporeou Rocinante e num instante se afastou deles. O camponês seguiu-o com os olhos e, quando o viu sair do mato e que já não aparecia, se virou para o criado Andrés e disse:

— Vinde cá, meu filho, que desejo pagar o que vos devo, como aquele reparador de afrontas me ordenou.

— Isso eu juro também — disse Andrés —, e como andará certo vossa mercê em obedecer às ordens daquele bom cavaleiro, que mil anos viva. Como é valente e bom juiz (que Deus o guarde), se vossa mercê não me pagar, que ele volte e execute o que disse!

— Eu também juro — disse o camponês. — Mas, como vos quero muito, desejo aumentar a dívida, para aumentar o pagamento.

E, agarrando-o pelo braço, voltou a amarrá-lo na azinheira, onde o surrou tanto que o deixou meio morto.

— Chamai agora, senhor Andrés, pelo reparador de afrontas — disse o camponês —, e vereis como não repara esta. Na verdade, acho que ainda não acabei de cometê-la, porque tenho ganas de esfolar-vos vivo, como temíeis.

Por fim, desatou-o e lhe deu licença para ir procurar seu juiz, para que executasse a sentença pronunciada. Andrés partiu um tanto desanimado, mas jurou procurar o valente dom Quixote de la Mancha e lhe contar tintim por tintim o que havia acontecido, e que seria pago com juros. De qualquer modo ele se foi chorando e seu amo ficou rindo.

E foi dessa maneira que o valente dom Quixote reparou a afronta. Contentíssimo com o que acontecera, crente de que havia dado um grande e feliz começo a sua cavalaria andante, muito satisfeito consigo mesmo, ele ia para sua aldeia, dizendo a meia-voz:

— Bem podes te chamar feliz acima de quantas hoje vivem sobre a terra, oh, Dulcineia del Toboso, a mais bela entre as belas! Pois te coube a sorte de ter cativo e submisso, a tua vontade e desejo, tão valente e tão célebre cavaleiro como é e será dom Quixote de la Mancha, que, como todo mundo sabe, ontem recebeu a ordem de cavalaria e hoje desfez a maior injúria e afronta que a injustiça formou e a crueldade cometeu: hoje tirou o chicote da mão daquele inimigo impiedoso que surrava um menino delicado sem razão alguma.

Nisso, chegou a uma estrada que se dividia em quatro, e logo lhe vieram à imaginação as encruzilhadas onde os cavaleiros andantes ficam pensando que rumo tomarão. Para imitá-los, esteve quieto um momento e, depois de haver matutado muito, soltou a rédea de Rocinante, entregando sua vontade à do pangaré, que seguiu seu primeiro propósito: ir direto para a estrebaria. E, tendo andado umas duas milhas, dom Quixote avistou um grande tropel de gente, que, como se soube depois, era de uns mercadores de Toledo que iam comprar seda em Múrcia. Eram seis e vinham com seus guarda-sóis, com quatro criados a cavalo e três a pé, puxando as mulas. Mal os enxergou, dom Quixote imaginou-se em nova aventura e, como imitava em tudo quanto era possível os desafios lidos nos livros, achou que a ocasião se apresentava sob medida para um que pensava em fazer. E assim, com galante sobriedade e intrepidez, firmou-se bem nos estribos, apertou a lança, chegou a adarga ao peito e, parado no meio da estrada, ficou à espera de que se aproximassem aqueles cavaleiros andantes, que por isso os tinha e julgava. Quando eles chegaram a uma distância que puderam ser vistos e ouvidos, levantou a voz e com um gesto arrogante disse:

— Detenha-se o mundo todo, se o mundo todo não confessar que não há no mundo todo donzela mais formosa que a imperatriz da Mancha, a sem-par Dulcineia del Toboso.

Os mercadores pararam ao som dessas palavras, e ao ver a estranha figura que as dizia. E, pela figura e pelas palavras, logo se deram conta da loucura de seu dono, mas quiseram ver com calma no que dava aquela confissão que lhes pedia. Um deles, que era um tanto malicioso e muito, muito sagaz, disse:

— Senhor cavaleiro, não conhecemos essa boa senhora de que falais; mostrai-a para nós, que, se ela for tão formosa como dizeis, de bom grado e sem coação alguma confessaremos a verdade que nos é pedida por vós.

— Se eu a mostrasse — respondeu dom Quixote —, que faríeis vós confessando uma verdade tão notória? O que importa é que sem vê-la haveis de crer, confessar, afirmar, jurar e defender; senão, travareis combate comigo, gente descomunal e soberba. Então vinde um por um como pede a ordem da cavalaria, ou todos juntos, como é uso e costume dos de vossa laia. Aqui vos aguardo e espero, confiante em que tenho razão.

— Senhor cavaleiro — respondeu o mercador —, suplico a vossa mercê, em nome de todos estes príncipes aqui reunidos, que, para não sobrecarregarmos nossas consciências confessando uma coisa por nós jamais vista nem ouvida, sendo além do mais em prejuízo das imperatrizes e rainhas da Alcarria e da Estremadura, nos mostre algum retrato dessa senhora, mesmo que seja do tamanho de um grão de trigo, pois pelo fio se desenrola o novelo. Com isto ficaremos satisfeitos e seguros, e vossa mercê contente e desobrigado. E penso até que já nos sentimos tão favoráveis a ela que, mesmo que seu retrato nos mostrar que tem um olho torto e que do outro verte zarcão e enxofre, para comprazer vossa mercê diremos tudo o que quiserdes.

— Não verte nada, canalha infame! — respondeu dom Quixote, inflamado de raiva. — Não verte isso que dizeis, mas âmbar e almíscar entre algodões; e não é torta nem corcunda, e sim mais reta que um fuso de Guadarrama. Mas vós pagareis a grande blasfêmia que proferistes contra tamanha beleza como é a de minha senhora!

Dizendo isso, arremeteu contra o que tinha falado com a lança baixa e com tanta fúria e exaltação que, se a boa sorte não fizesse Rocinante tropeçar pela metade do caminho, passaria mal o mercador atrevido. Rocinante caiu, e seu dono foi rolando um bom pedaço pelo campo. Quis se levantar, mas nunca que pôde, tamanho embaraço lhe causavam a lança, a adarga, as esporas e o elmo, sem falar no peso da antiga armadura. E, enquanto lutava para se levantar sem conseguir, dizia:

— Não fujais, gente covarde! Olhai, gente ruim, que aqui estou caído não por minha culpa, mas de meu cavalo.

Um dos condutores de mulas, que não devia ser muito bem-intencionado, ouvindo do pobre caído tantas arrogâncias, não aguentou sem lhe dar a resposta nas costelas. Aproximando-se dele, pegou a lança e, depois de tê-la feito em pedaços, com um deles começou a dar em nosso dom Quixote tantas bordoadas que, apesar da armadura, deixou-o feito bagaço. Seus amos gritavam que não batesse assim nele e que o deixasse, mas o rapaz estava picado e não quis abandonar o jogo até apostar todo o resto de sua raiva; e, pegando os demais pedaços da lança, acabou de desfazê-los sobre o miserável fidalgo, que, sob todo aquele temporal de pancadas, não fechava a boca, ameaçando o céu, a terra e aqueles bandidos, pois isso lhe pareciam.

O rapaz se cansou, e os mercadores seguiram seu caminho, levando por ele o que contar do pobre espancado, que ao se ver sozinho tentou se levantar de novo — mas, se não conseguira quando estava são e salvo, como o faria moído e quase desfeito? E ainda se dava por feliz, parecendo-lhe que aquela era desgraça própria de cavaleiro andante, e atribuiu-a toda ao tropeço de seu cavalo. Não era possível se levantar, porque tinha todo o corpo ferido.

V

ONDE SE CONTINUA A NARRAÇÃO
DA DESGRAÇA DE NOSSO CAVALEIRO

Vendo, então, que realmente não podia se mexer, resolveu apelar para seu remédio costumeiro: pensar em alguma passagem de seus livros; e sua loucura trouxe-lhe à memória aquela de Valdovinos e do marquês de Mântua, quando Carloto[1] o deixou ferido na mata, história sabida pelas crianças, não ignorada pelos jovens e celebrada pelos velhos, que até acreditavam nela, mas, apesar disso, não mais verdadeira que os milagres de Maomé. Esta, portanto, lhe pareceu vir sob medida para a situação em que se achava; e assim, com mostras de grande sentimento, começou a se rolar pela terra e a dizer, com a respiração fraca, o mesmo que afirmam que o cavaleiro ferido na mata dizia:

Onde estás, minha senhora,
que não te dói meu mal?
Ou não sabes dele, senhora,
ou és falsa e desleal.

E dessa maneira foi desfiando o romance, até aqueles versos que dizem:

Oh, nobre marquês de Mântua,
meu tio e senhor carnal!

Quis a sorte que, quando chegou a esse verso, passasse por ali um camponês de sua aldeia, vizinho seu, que tinha levado uma carga de trigo ao moinho. Vendo aquele homem ali estendido, aproximou-se e lhe perguntou quem era e de que mal sofria, que tão tristemente se queixava. Dom Quixote sem dúvida acreditou que aquele era o marquês de Mântua, seu tio, de modo que não lhe respondeu outra coisa além de prosseguir recitando seu romance, onde dava conta de sua desgraça e dos amores do filho do imperador com sua esposa, tudo da mesma maneira como os versos cantam.

O camponês estava admirado ouvindo aqueles disparates; e, tirando a viseira que estava em pedaços pelas bordoadas, limpou o rosto coberto de pó de dom Quixote. E, quando acabou de limpá-lo, o reconheceu e disse:

— Senhor Quixana — que assim devia se chamar quando tinha juízo e não havia se transformado de fidalgo sossegado em cavaleiro andante —, quem deixou vossa mercê desse jeito?

Mas ele continuava com o romance a todas as perguntas. Vendo isso o bom homem lhe tirou do jeito que pôde o peitilho e as costas do corselete, para ver se tinha alguma ferida, mas não notou sangue nem marca alguma. Procurou levantá-lo do chão e, com muito trabalho, montou-o sobre seu jumento, por lhe parecer animal mais manso. Recolheu as armas — até as lascas da lança — e amarrou-as sobre Rocinante, ao qual pegou pela rédea; então, puxando o burro pelo cabresto, encaminhou-se para seu povoado, muito pensativo com os disparates que dom Quixote dizia. Não menos pensativo ia dom Quixote que, de tão moído e alquebrado, mal conseguia se manter no burrinho, de vez em quando dando uns suspiros que chegavam ao céu, o que de novo obrigou o camponês a lhe rogar que dissesse que mal sentia; mas parece que o diabo só o lembrava de histórias ajustadas a sua situação, porque naquele ponto, esquecendo-se de Valdovinos, se lembrou do mouro Abindarráez, quando o alcaide de Antequera, Rodrigo de Narváez, o prendeu e o levou a sua fortaleza. De maneira que, quando o camponês voltou a perguntar como estava e o que sentia, ele respondeu com as mesmas palavras e alegações que o prisioneiro mouro respondia a Rodrigo de Narváez, do mesmo modo como havia lido na história *La Diana*[2] de Jorge de Montemayor, onde vem descrita. Aproveitou-se dela tão adequadamente que o camponês já ia se encomendando ao diabo por ouvir tal amontoado de asneiras; mas por isso descobriu que seu vizinho estava louco e se apressou para chegar ao povoado e escapar da amolação que dom Quixote lhe causava com sua longa arenga, que arrematou assim:

— Saiba vossa mercê, senhor dom Rodrigo de Narváez, que esta formosa Xarifa de que falei é agora a linda Dulcineia del Toboso, por quem eu fiz, faço e farei as maiores proezas de cavalaria que se viram, veem ou verão no mundo.

A isso o camponês respondeu:

— Veja vossa mercê que, por bem de meus pecados, não sou dom Rodrigo de Narváez nem o marquês de Mântua, mas Pedro Alonso, seu vizinho. E nem vossa mercê é Valdovinos nem Abindarráez, mas o honrado fidalgo senhor Quixana.

— Eu sei quem sou — respondeu dom Quixote — e sei que posso ser não apenas esses que mencionei como todos os Doze Pares de França e até os Nove da Fama,[3] pois todas as façanhas que eles fizeram juntos, ou cada um por si, serão superadas pelas minhas.

Com essa e outras conversas semelhantes, chegaram ao povoado, na hora em que anoitecia; mas o camponês esperou que escurecesse um pouco mais, para que não vissem o abatido fidalgo tão mal montado. Então, no momento que lhe pareceu conveniente, entrou na aldeia e foi até a casa de dom Quixote, que encontrou toda alvoroçada. Lá estavam os grandes amigos de dom Quixote, o padre e o barbeiro, a quem a criada bradava:

— O que vossa mercê, senhor licenciado Pero Pérez — que assim se chamava o padre —, acha da desgraça de meu senhor? Faz três dias que não há sinal nem dele, nem do pangaré, nem da adarga, nem da lança, nem da armadura. Pobre de mim, desconfio (quer dizer, isso é tão verdadeiro como nasci para morrer) que esses malditos livros de cavalaria que ele tem e costuma ler todo dia lhe viraram a cabeça! Agora me lembro de tê-lo ouvido dizer muitas vezes, falando sozinho, que queria ser cavaleiro andante e ir em busca de aventuras por esses mundos. Que o diabo e Barrarás carreguem esses livros, que botaram a perder a mais delicada inteligência que havia em toda a Mancha.

A sobrinha dizia a mesma coisa e mais um pouco:

— Saiba, senhor mestre Nicolás — que este era o nome do barbeiro —, que muitas vezes aconteceu ao senhor meu tio estar lendo esses livros desalmados de desventuras dois dias com suas noites, até que largava o livro e empunhava a espada e saía espetando as paredes. Quando estava muito cansado, dizia que matara quatro gigantes como quatro torres e que o suor que escorria era sangue das feridas que tinha recebido na batalha. Daí bebia um grande jarro de água fria e ficava refeito e calmo de novo, dizendo que aquela água era uma preciosíssima bebida que lhe havia trazido o sábio Esquife,[4] um grande mago e amigo seu. Mas eu tenho a culpa de tudo, porque não avisei vossas mercês dos despropósitos do senhor meu tio, para remediarem a coisa antes que chegasse a este ponto, e queimarem todos esses livros excomungados, pois há muitos que bem merecem ser assados como se fossem hereges.

— A mesma coisa digo eu — disse o padre. — Por Deus, juro que de amanhã não passam sem ser julgados e condenados ao fogo, para que não tenham a oportunidade de levar nenhum outro leitor a fazer o que meu bom amigo deve ter feito.

Tudo isso estavam ouvindo o camponês e dom Quixote, o que levou o camponês a entender a doença de seu vizinho e a começar a dizer aos gritos:

— Abram alas vossas mercês ao senhor Valdovinos e ao senhor marquês de Mântua, que vem mortalmente ferido, e ao senhor mouro Abindarráez, que traz prisioneiro o valente Rodrigo de Narváez, alcaide de Antequera.

A esses gritos saíram todos, e como uns reconheciam seu amigo e outras seu amo e tio, que ainda não havia apeado do jumento porque não podia, correram para abraçá-lo. Ele disse:

— Detenham-se todos, que venho mortalmente ferido por culpa de meu cavalo. Levem-me a meu leito e chamem a maga Urganda, se for possível, para que examine e trate minhas feridas.

— Com os diabos, se meu coração não me dizia de que pé coxeava meu senhor! — disse nesse ponto a criada. — Vossa mercê não morre tão cedo, pois saberemos curá-lo, sem que venha essa Ursanda. Malditos sejam outra vez, digo, outras cem vezes esses livros de cavalaria, que eles deixaram vossa mercê assim!

Levaram-no logo para a cama, e, procurando-lhe as feridas, não encontraram nenhuma. Ele disse que se sentia moído porque tinha levado um grande tombo com Rocinante, seu cavalo, combatendo dez gigantes, os mais descomunais e atrevidos que se poderiam achar em boa parte da terra.

— Ora, ora — disse o padre. — Tem gigantes na dança? Que Deus me ajude, se não os queimar amanhã antes que chegue a noite!

Fizeram mil perguntas a dom Quixote e a nenhuma ele quis responder, só que lhe dessem de comer e o deixassem dormir, que era do que mais precisava. Assim se fez, e o padre se informou em detalhes com o camponês sobre o modo como tinha achado dom Quixote. Ele contou tudo, com as asneiras que havia dito quando o achou e o trouxe, o que mais atiçou o desejo do padre de fazer o que fez no dia seguinte: chamar seu amigo, o barbeiro mestre Nicolás, e vir com ele à casa de dom Quixote.

VI

DO GRANDE E DIVERTIDO ESCRUTÍNIO QUE
O PADRE E O BARBEIRO FIZERAM
NA BIBLIOTECA DE NOSSO ENGENHOSO FIDALGO

O qual ainda dormia. O padre pediu à sobrinha as chaves do aposento onde estavam os livros autores do estrago, e ela as deu de muito boa vontade. Entraram todos nele, seguidos pela criada, e acharam mais de cem volumes grandes, muito bem encadernados, e outros pequenos. Mal a criada os viu, saiu do aposento às pressas, voltando depois com uma tigela de água benta e um hissope.

— Tome vossa mercê, senhor padre — disse. — Benza este aposento, não vá andar por aqui algum mago, dos muitos que moram nesses livros, e nos enfeitice como castigo pelo que queremos infligir neles, varrendo-os do mundo.

O padre riu-se da ingenuidade da criada e mandou que o barbeiro fosse dando a ele os livros um por um, para ver de que tratavam, pois poderia haver alguns que não necessitassem castigo de fogo.

— Não — disse a sobrinha —, não dá para perdoar nenhum, porque todos foram perniciosos: será melhor jogá-los no pátio pelas janelas, fazer um monte deles e botar fogo, ou levá-los para o quintal. Fazendo a fogueira ali, a fumaça não vai incomodar.

A mesma coisa disse a criada — tal era a gana que as duas tinham da morte daqueles inocentes. Mas o padre não concordou com isso sem primeiro ler ao menos os títulos. E o primeiro que mestre Nicolás lhe passou às mãos foi *Los cuatro de Amadís de Gaula*.[1] O padre disse:

— Coincidência misteriosa, pois, conforme ouvi dizer, este foi o primeiro livro de cavalaria que se imprimiu na Espanha, e dele se originaram todos os outros. Então me parece que, como pregador de uma seita tão perniciosa, devemos condená-lo ao fogo sem clemência.

— Não, senhor — disse o barbeiro —, pois também ouvi dizer que é o melhor de todos os livros desse gênero; por isso, como único em sua arte, deve ser perdoado.

— Isso é verdade — disse o padre. — Por essa razão vamos deixá-lo com vida por enquanto. Vejamos esse outro que está perto dele.

— É *Las sergas de Esplandián*[2] — disse o barbeiro —, filho legítimo de Amadis de Gaula.

— Mas certamente — disse o padre — a qualidade do pai não deve salvar o filho. Tomai, minha senhora: abri essa janela e atirai-o no pátio. Que se dê início à pilha para a fogueira.

Assim fez a criada muito contente, e o bom Esplandian foi voando para o pátio, esperando com toda a paciência o fogo que o ameaçava.

— Vamos em frente — disse o padre.

— O que vem agora — disse o barbeiro — é *Amadís de Grecia*;[3] e todos os deste lado, pelo que vejo, são da mesma linhagem de Amadis.

— Todos para o pátio — disse o padre. — Só para queimar a rainha Pintiquinestra, o pastor Darinel e suas éclogas, mais os raciocínios endiabrados e arrevesados de seu autor, eu queimaria com eles o pai que me gerou, se andasse fantasiado de cavaleiro andante.

— Sou da mesma opinião — disse o barbeiro.

— Eu também — acrescentou a sobrinha.

— Então, venham — disse a criada —, e ao pátio com eles.

Eles lhe alcançaram os livros e, como eram muitos, ela poupou-se da escada, atirando-os pela janela.

— Quem é esse calhamaço? — disse o padre.
— Este é dom *Olivante de Laura*[4] — respondeu o barbeiro.
— O autor deste livro — disse o padre — é o mesmo que escreveu *Jardín de flores*. Na verdade não sei determinar qual dos dois livros é mais verdadeiro, ou, digamos, melhor, menos mentiroso; só sei que este irá para o pátio, por absurdo e arrogante.[5]
— E o próximo é *Florismarte de Hircania*[6] — disse o barbeiro.
— Aí está o senhor Florismarte? — replicou o padre.
— Pois juro que irá parar no pátio agora mesmo, apesar de seu estranho nascimento e aventuras famosas; mas a dureza e secura de seu estilo não merecem outra coisa. Ao pátio com ele, e com este outro, minha senhora.
— Será um prazer, meu senhor — respondeu a criada, que com muita alegria executava as ordens.
— Este é *El caballero Platir*[7] — disse o barbeiro.
— Livro antigo este — disse o padre. — Não vejo nele coisa alguma que mereça perdão. Acompanhe os demais sem conversa.
E assim foi feito. Abriu-se outro livro e viram que tinha por título *El caballero de la Cruz*.
— Por causa do nome santo podia-se perdoar sua ignorância, mas também se costuma dizer que "atrás da cruz está o diabo". Para o fogo.
O barbeiro, pegando outro livro, disse:
— Este é *Espejo de caballerías*.[8]
— Já conheço sua mercê — disse o padre. — Aí anda o senhor Reinaldos de Montalbán com seus amigos e companheiros, mais ladrões que Caco, e os Doze Pares, com o fidedigno historiador Turpin.[9] Na verdade estou para condená-lo a nada menos que a desterro perpétuo, mesmo que contenha parte da criação do famoso Matteo Boiardo,[10] de onde também teceu sua teia o poeta cristão Ludovico Ariosto,[11] por quem não terei respeito

algum, se o achar por aqui me falando em outra língua que não a sua. Mas, se me falar em seu idioma, eu o porei nas nuvens.

— Eu o tenho em italiano — disse o barbeiro —, mas não o entendo.

— Nem seria bom que o entendêsseis — respondeu o padre. — E aqui poderíamos perdoar o senhor capitão se não o tivesse trazido para a Espanha e o feito espanhol, pois lhe tirou muito de seu valor original; e o mesmo farão todos aqueles que quiserem transpor livros de verso para outra língua: por mais cuidado que tenham e habilidade que mostrem, jamais chegarão ao ponto que os versos alcançaram no primeiro parto. Digo, enfim, que este livro e todos os que tratam dessas coisas da França sejam atirados num poço seco até que com mais calma se veja o que se há de fazer, excetuando um *Bernardo del Carpio* que anda por aí e outro chamado *Roncesvalles*. Estes, chegando às minhas mãos, estarão nas da criada e delas nas do fogo, sem clemência alguma.

O barbeiro concordou com tudo, achando que era coisa muito certa, por entender que o padre era tão bom cristão e tão amigo da verdade que não faltaria com ela por nada neste mundo. E, abrindo outro livro, viu que era *Palmerín de Oliva*,[12] e junto a ele estava outro que se chamava *Palmeirim da Inglaterra*.[13] O padre olhou-os e disse:

— Dessa oliveira se faça logo lenha e se queime, e que não sobrem nem as cinzas; e se guarde e se conserve essa palmeirinha da Inglaterra como coisa única. Para isso se faça outra arca como aquela que Alexandre achou nos despojos de Dario e usou para guardar as obras do poeta Homero. Este livro, meu amigo, tem autoridade por dois motivos: um, porque é muito bom por si mesmo; outro, porque se sabe que foi composto por um arguto rei de Portugal. Todas as aventuras no castelo da princesa Miraguarda são excelentes e muito engenhosas; os discursos são graciosos e claros e guardam e observam o caráter de quem fala, com muita propriedade e inteligência. Então, a menos que discordais, senhor mestre Nicolás, digo que este e *Amadís de Gaula* fiquem livres do fogo, e que todos os outros pereçam, sem mais pesos e medidas.

— Não, meu amigo — replicou o barbeiro —, porque este que tenho aqui é o afamado *Dom Belianis*.[14]

— Pois esse — replicou o padre —, com a segunda, terceira e quarta partes, bem que precisa de uma dose de purgante para aliviar sua cólera excessiva, e é preciso cortar-lhe tudo aquilo do castelo da Fama e outras impertinências mais sérias. Para isso se dá um prazo a perder de vista e, caso se emende, se usará com ele de misericórdia ou de justiça. Até lá, meu amigo, tende-o em vossa casa, mas não deixeis que ninguém o leia.

— Será um prazer — respondeu o barbeiro.

E, sem querer se cansar mais lendo livros de cavalaria, mandou que a criada pegasse todos os grandes e os jogasse no pátio. Não falou à boba nem à surda, mas a quem tinha mais gana de queimá-los que pintar e bordar, fosse lá o que ou com quem; e, agarrando quase oito de uma vez, atirou-os pela janela. Por pegar tantos juntos, um deles caiu aos pés do barbeiro, que teve vontade de ver de quem era e descobriu que dizia: *Historia del famoso caballero Tirante el Blanco*.[15]

— Valha-me Deus! — disse o padre, dando um grito. — Se não é Tirante, o Branco?! Dai-me cá, meu amigo: com certeza achei nele um tesouro de alegria e uma mina de passatempo. Aqui está dom Quirieleisón de Montalbán, cavaleiro corajoso, e seu irmão Tomás de Montalbán, e o cavaleiro Fonseca, com a batalha que o valente Tirante travou com o alão, e as argúcias da donzela Prazerdaminhavida, com os amores e embustes da viúva Repousada, e a senhora Imperatriz, apaixonada por Hipólito, seu escudeiro. Na verdade vos digo, meu amigo, que, pelo estilo, este é o melhor livro do mundo: aqui os cavaleiros comem, dormem e morrem em suas camas, fazem testamento antes da morte e outras coisas de que todos os demais livros deste gênero carecem. Por isso vos digo que aquele que o compôs merecia ser mandado para as galés, para compô-lo por todos os dias de sua vida, pois não fez tantas asneiras de propósito como os outros. Levai-o para casa, lede-o e vereis que é verdade quanto dele vos disse.[16]

— Com prazer — respondeu o barbeiro. — Mas o que faremos com estes livros pequenos que sobraram?

— Estes — disse o padre — não devem ser de cavalaria, mas de poesia.

E, abrindo um, viu que era *La Diana* de Jorge de Montemayor. Achando que todos os outros eram do mesmo gênero, disse:

— Estes não merecem ser queimados, como os demais, porque não fazem nem farão o mal que os de cavalaria fizeram. São livros de entretenimento que não prejudicam ninguém.

— Ai, senhor! — disse a sobrinha. — Vossa mercê bem pode mandá-los queimar com os outros, porque não seria de estranhar que o senhor meu tio, tendo se curado da mania dos cavaleiros, lendo esses resolvesse se fazer pastor e andar pelos matos e campos cantando e tocando, ou fazer-se poeta, o que seria pior, porque dizem que é doença contagiosa e incurável.

— É verdade o que diz esta donzela — disse o padre. — Será bom tirar da frente de nosso amigo esta oportunidade de tropeço. Comecemos, então, por *La Diana* de Montemayor. Minha opinião é que não seja queimado, mas que se tire dele tudo aquilo que trata da maga Felícia, da água encantada e quase todos os versos maiores, ficando em paz a prosa, e a honra de ser o primeiro entre livros semelhantes.

— O próximo — disse o barbeiro — é *La Diana* chamada *Segunda* do salmantino;[17] e este outro, que tem o mesmo título, é de Gil Polo.[18]

— Pois que a Diana do salmantino — respondeu o padre — acompanhe e aumente o número dos condenados ao pátio; e a de Gil Polo seja guardada como se fosse do próprio Apolo. Mas vamos em frente, meu amigo, e depressa, pois já é tarde.

— Este livro é — disse o barbeiro abrindo outro — *Los diez libros de Fortuna de amor*, escrito por Antonio de Lofraso, poeta sardo.[19]

— Pelos sacramentos que recebi — disse o padre —, que desde que Apolo é Apolo; as musas, musas; e os poetas, poetas, não se escreveu um livro tão espirituoso nem extravagante como esse. Por sua forma, é o melhor e o mais singular de quantos desse gênero saíram à luz do mundo. Aquele que não o leu pode ter certeza de que jamais leu coisa tão saborosa. Dai-me cá, compadre, que gosto mais de tê-lo achado do que se me dessem uma batina da mais fina lã de Florença.

Deixou-o de lado com grande prazer, e o barbeiro prosseguiu:

— Os próximos são *El pastor de Iberia*, *Ninfas de Henares* e *Desengaños de celos*.[20]

— Não há mais o que fazer — disse o padre — além de entregá-los ao braço secular da criada; e não me pergunte por quê, que isso não acabaria nunca.

— O que vem agora é *El pastor de Fílida*.[21]

— Esse não é pastor — disse o padre —, mas um cortesão muito atilado: guarde-o como joia preciosa.

— Este grande aqui se intitula *Tesoro de varias poesías*[22] — disse o barbeiro.

— Se não fossem tantas — disse o padre —, seriam mais apreciadas: é preciso que se desinfete e limpe esse livro de algumas baixezas que há entre suas grandezas. Mas guarde, porque o autor é meu amigo, e por respeito a outras obras mais nobres e heroicas que escreveu.

— Este — prosseguiu o barbeiro — é o *Cancionero* de López Maldonado.[23]

— O autor desse livro também é grande amigo meu — respondeu o padre. — Os versos dele, em sua própria boca, causam admiração a quem os ouve; e tamanha é a suavidade da voz com que os canta, que encanta. É um pouco longo nas églogas, mas nunca o bom foi muito. Guarde-se com os escolhidos. Mas que livro é esse que está perto dele?

— A Galateia[24] de Miguel de Cervantes — disse o barbeiro.

— Há muitos anos que esse Cervantes é grande amigo meu, e sei que é mais versado em infortúnios que em versos. Seu livro tem alguma coisa de boa invenção: propõe algo mas não conclui nada. É preciso esperar a segunda parte que promete: talvez com a emenda alcance de todo a misericórdia que agora lhe é negada. Enquanto isso, tende-o recluso em vossa casa, meu amigo.

— Com prazer — respondeu o barbeiro. — E aqui vêm três, todos juntos: *La Araucana* de dom Alonso de Ercilla,[25] *La Austríada* de Juan Rufo,[26] intendente em Córdoba, e *El Monserrato* de Cristóbal de Virués,[27] poeta valenciano.

— Os três — disse o padre — são os melhores em verso heroico que foram escritos em castelhano e podem competir com os mais famosos da Itália. Guardem-se como as joias mais finas de poesia que a Espanha possui.

O padre se cansou de ver mais livros e assim, por atacado, quis que todos os outros fossem para o fogo; mas o barbeiro já tinha aberto um, que se chamava *Las lágrimas de Angélica*.[28]

— Eu as teria chorado — disse o padre ao ouvir o nome — se tivesse mandado queimar esse livro, porque seu autor foi um dos mais famosos poetas do mundo, não só da Espanha, e foi felicíssimo na tradução de algumas fábulas de Ovídio.

VII

DA SEGUNDA SAÍDA DE NOSSO BOM CAVALEIRO
DOM QUIXOTE DE LA MANCHA

Então dom Quixote começou a dizer aos berros:

— Aqui, aqui, valentes cavaleiros! Aqui é preciso mostrar a força de vossos valorosos braços, pois os cortesãos levam a melhor no torneio.

Como eles correram por causa dessa barulheira e confusão, não se foi adiante no exame dos livros que sobravam, e assim se pensa que foram para o fogo, sem ser vistos nem ouvidos, *La Carolea*[1] e *León de España*,[2] com os feitos do imperador, compostos por dom Luis de Ávila, que sem dúvida deviam estar entre os restantes e talvez não provassem tão rigorosa sentença, se o padre os visse.

Quando chegaram ao quarto, dom Quixote já tinha saltado da cama e prosseguia com seus gritos e desatinos, dando cutiladas e reveses a torto e a direito, tão desperto como se nunca houvesse dormido. Agarraram-no e à força o devolveram ao leito. Depois que se acalmou um pouco, virou-se para o padre e disse:

— Sem dúvida, senhor arcebispo Turpin, é uma grande vergonha para nós, que nos chamamos Doze Pares, deixar a vitória desse torneio para os cavaleiros cortesãos assim sem mais nem menos, havendo nós os aventureiros ganhado fama nos três dias anteriores.

— Cale-se vossa mercê, meu amigo — disse o padre.
— Queira Deus que a sorte mude e que o que hoje se perde amanhã se ganhe. E agora cuide vossa mercê da

saúde, pois deve estar muito cansado, se é que não está gravemente ferido.

— Ferido não — disse dom Quixote —, mas exausto e arrebentado, sem dúvida, porque aquele filho da puta do dom Roland me sovou com o galho de uma azinheira. E tudo por inveja, porque vê que só eu sou adversário para suas valentias. Mas eu não me chamaria Reinaldos de Montalbán se, levantando deste leito, não o fizesse me pagar, apesar de todas as suas bruxarias. Por ora me tragam o jantar, que é do que mais preciso, e deixem a vingança por minha conta.

Assim se fez. Depois de comer, dormiu de novo, deixando a todos admirados de sua loucura.

Naquela noite a criada queimou até as cinzas quantos livros havia no pátio e em toda a casa. Muitos que mereciam ser guardados para sempre devem ter ardido, mas sua sorte e a preguiça do investigador não o permitiram, cumprindo-se assim o ditado que diz que às vezes os justos pagam pelos pecadores.

Um dos remédios que o padre e o barbeiro receitaram para o mal de seu amigo foi que emparedassem o quarto dos livros, para que ao se levantar o fidalgo não os achasse — quem sabe, eliminando a causa, cessaria o efeito —, e que dissessem que um mago os havia levado, com quarto e tudo. E assim foi feito com muita rapidez.

Dali a dois dias dom Quixote se levantou e a primeira coisa que fez foi ir ver seus livros, mas, como não achava o quarto onde os tinha deixado, andava de um lado para outro procurando por ele. Chegava onde devia estar a porta, tateava-a, passando e repassando os olhos por tudo, sem dizer uma palavra; mas depois de um bom tempo perguntou a sua criada em que lugar estava o quarto dos livros. A criada, bem prevenida sobre o que devia responder, disse:

— Que raio de quarto vossa mercê procura? Já não há quarto nem livros nesta casa, porque o diabo em pessoa carregou com tudo!

— Não era o diabo — interferiu a sobrinha —, mas um mago que veio numa nuvem, uma noite depois daquele dia em que vossa mercê partiu daqui. Apeou de uma serpente em que vinha montado e entrou no quarto; não sei o que fez lá dentro: num instante saiu voando pelo telhado e deixou a casa cheia de fumaça; e, quando decidimos olhar o que tinha feito, não vimos livro nem quarto algum: só lembramos direito que na hora da partida aquele velho malvado disse aos gritos que era um inimigo secreto do dono dos livros e do quarto, por isso deixava o estrago que depois se veria naquela casa. Disse também que era o mago Munhatão.

— Frestão deve ter dito — disse dom Quixote.

— Não sei se chamava Frestão ou Fritão — respondeu a criada. — Só sei que seu nome acabava em *tão*.[3]

— Sim, sim — disse dom Quixote —, esse é um mago, grande inimigo meu, que tem aversão por mim porque sabe, com suas artes e artimanhas, que daqui a algum tempo vou travar singular batalha com um cavaleiro a quem ele favorece, e que vou vencê-lo sem que ele o possa impedir. Por isso procura me arrumar todas as amolações que pode; e eu lhe garanto que ele não poderá contrariar ou evitar o que foi estabelecido pelo céu.

— Quem duvida disso? — disse a sobrinha. — Mas quem mete vossa mercê nessas pendências, senhor meu tio? Não é melhor ficar em casa sossegado, sem ir pelo mundo em busca do pote de ouro na ponta do arco-íris, sem falar que muitos vão atrás de lã e voltam tosquiados?

— Oh, minha sobrinha — respondeu dom Quixote —, estás redondamente enganada! Antes que me tosquiem terei raspadas e arrancadas as barbas de quantos imaginarem tocar-me na ponta de um só fio de cabelo.

As duas não quiseram contrariá-lo mais, porque viram que era inflamar a raiva dele.

O caso é que dom Quixote esteve quinze dias em casa muito sossegado, sem dar mostras de querer recair em seus primeiros devaneios. Nesses dias, teve conversas muito engraçadas com seus amigos, o padre e o barbeiro, porque dizia que a coisa de que o mundo mais necessidade tinha era de cavaleiros e de que nele se ressuscitasse a cavalaria andante. O padre às vezes o contradizia, outras concordava, porque sem esse artifício não podia se entender com ele.

Nesse meio-tempo, dom Quixote mandou chamar um camponês, vizinho seu, homem de bem — se é que se pode dar este título a quem é pobre —, mas de miolo meio mole. Em resumo, tanto lhe disse, tanto o tentou e prometeu que o pobre coitado resolveu sair com ele e lhe servir de escudeiro. Entre outras coisas, dom Quixote lhe dizia que, caso se dispusesse a ir de boa vontade, em algum momento bem podia acontecer uma aventura em que ganhasse uma ilha sem mais nem menos e ele o deixasse de governador nela. Com essas e outras promessas semelhantes, Sancho Pança — que assim se chamava o camponês — deixou sua mulher e filhos e se empregou como escudeiro de seu vizinho.

Em seguida dom Quixote tratou de arrumar dinheiro: vendendo uma coisa, empenhando outra, malbaratando todas, juntou uma quantia razoável. Arranjou também uma rodela,[4] que pediu emprestada a um amigo; e, ajeitando o melhor que pôde seu elmo desmantelado, avisou seu escudeiro Sancho do dia e hora em que pensava pegar a estrada, para que ele se munisse do que achasse mais necessário. Antes de mais nada, encarregou-o de levar alforjes. Sancho disse que levaria sim e que também pensava levar um burro muito bom que tinha, porque não estava muito acostumado a andar a pé. Naquilo do burro dom Quixote pensou um pouco, tentando lembrar se algum cavaleiro teria tido um escudeiro montado burralmente, mas não lhe veio nenhum à memória; mesmo assim ordenou que o levasse, com a intenção de arrumar para ele montaria mais decente logo que tivesse oportunidade, tirando o cavalo do primeiro cavaleiro descortês com quem topasse. Abasteceu--se de camisas e das demais coisas que pôde, conforme o conselho do estalajadeiro; então, com tudo pronto e arranjado, sem Pança se despedir dos filhos e da mulher, nem dom Quixote da criada e da sobrinha, uma noite se foram sem que pessoa alguma os visse; e caminharam tanto que, ao amanhecer, tiveram certeza de que não seriam encontrados mesmo que os procurassem.

Sancho Pança ia sobre seu jumento como um patriarca, com os alforjes e o odre, ansioso para se ver governador da ilha que seu amo havia prometido. Por acaso dom Quixote acabou seguindo o mesmo rumo e rota que havia tomado em sua primeira viagem, pelo campo de Montiel, por onde ia mais satisfeito que da outra vez, porque ainda era cedo e os raios do sol pegavam de soslaio, incomodando bem menos. De repente Sancho Pança disse a seu amo:

— Olhe vossa mercê, senhor cavaleiro andante, não se esqueça da ilha que me prometeu, porque eu saberei governá-la, por maior que seja.

Ao que dom Quixote respondeu:

— Saiba, amigo Sancho Pança, que foi costume muito comum os antigos cavaleiros andantes nomearem seus escudeiros governadores de ilhas ou reinos que ganhavam. Quanto a mim, estou decidido a que esse reconhecimento não acabe; penso até melhorá-lo, porque os cavaleiros algumas vezes, talvez na maioria delas, esperavam que seus escudeiros fossem velhos e, depois de fartos de servir e de passar maus dias e piores noites, lhes davam algum título de conde ou pelo menos de marquês de algum vale ou província sem importância. Mas, se tu vives e eu vivo, bem poderia ser que antes de seis dias eu ganhasse um reino que estivesse ligado a outros, com algum sob medida para que eu te coroe rei. E não penses que é muito difícil, que coisas e casos acontecem aos cavaleiros por modos nunca vistos nem pensados, que facilmente poderia te dar mais ainda do que te prometo.

— Quer dizer — respondeu Sancho Pança — que se eu fosse rei, por algum milagre desses que vossa mercê fala, pelo menos Joana Gutiérrez, minha patroa, viria a ser rainha e meus filhos infantes.

— Pois é, quem duvida? — respondeu dom Quixote.

— Eu duvido — replicou Sancho Pança —, porque acho que, ainda que Deus fizesse chover reinos sobre a terra, nenhum assentaria bem sobre a cabeça de Mari Gutiérrez. Saiba, senhor, que para rainha não vale dois tostões; condessa lhe cairá melhor, assim mesmo com uma mãozinha de Deus.

— Encomenda o negócio a Deus, Sancho — respondeu dom Quixote —, que Ele te dará o que for mais conveniente; mas não desanimes tanto, que acabas te contentando com menos que governador.

— Não desanimarei, meu senhor — respondeu Sancho —, ainda mais tendo amo tão importante como vossa mercê, que saberá me dar tudo aquilo que me faça bem e eu possa carregar.

VIII

DO GRANDE ÊXITO QUE O VALENTE DOM QUIXOTE
TEVE NA ESPANTOSA E JAMAIS IMAGINADA
AVENTURA DOS MOINHOS DE VENTO, COM OUTRAS
COISAS DIGNAS DE FELIZ LEMBRANÇA

Nisso, avistaram trinta ou quarenta moinhos de vento que há naquele campo. Mal dom Quixote os viu, disse a seu escudeiro:

— O acaso vai guiando nossas coisas melhor do que poderíamos desejar: olha lá, amigo Sancho Pança, onde estão uns trinta gigantes monstruosos, com quem penso travar batalha e a todos tirar as vidas. Com os despojos deles começaremos a enriquecer, que esta guerra é boa, e grande serviço presta a Deus quem varre da face da terra semente tão maligna.

— Que gigantes? — disse Sancho Pança.

— Aqueles ali, de braços compridos — respondeu o amo. — Alguns costumam ter braços de quase duas léguas.

— Olhe vossa mercê — respondeu Sancho —, aqueles que estão ali não são gigantes, mas moinhos de vento, e o que neles parecem braços são as pás, que, rodadas pelo vento, fazem trabalhar as mós.

— Bem se vê — respondeu dom Quixote — que não és versado em aventuras: eles são gigantes. E, se tens medo, some-te daqui e fica rezando enquanto isso, porque vou travar com eles uma batalha feroz e desigual.

E, dizendo isso, esporeou seu cavalo Rocinante, sem ligar para os gritos de seu escudeiro Sancho, avisando-o de que sem dúvida nenhuma eram moinhos de vento e não gigantes aqueles que ia atacar. Ele ia tão convencido de que eram gigantes que nem ouvia seu escudeiro Sancho nem conseguia ver o que eram, embora já estivesse bem perto; pelo contrário, ia dizendo aos brados:

— Não fujais, covardes e vis criaturas, que apenas um cavaleiro vos ataca.

Nesse instante o vento soprou um pouco, e as grandes pás começaram a se mover; vendo isso, dom Quixote disse:

— Ainda que movais mais braços que os do gigante Briareu, haveis de me pagar.

Dizendo isso e se encomendando de todo coração a sua senhora Dulcineia, pedindo-lhe que o socorresse em tamanho aperto, bem protegido pela rodela, com a lança em riste, arremeteu a toda brida com Rocinante e investiu no primeiro moinho que encontrou pela frente. Quando deu uma lançada na pá, girou-a com tanta fúria o vento que fez a lança em pedaços, levando junto o cavalo e o cavaleiro, que foi rolando todo desconjuntado pelo campo. Sancho Pança correu para socorrê-lo, a galope em seu burro, mas ao chegar achou que ele não podia se mexer, tamanho fora o tombo que Rocinante dera com ele.

— Que Deus me acuda! — disse Sancho. — Eu não disse a vossa mercê que olhasse bem o que fazia, que eram apenas moinhos de vento? Só podia ignorar isso quem tivesse outros iguais na cabeça.

— Quieto, amigo Sancho — respondeu dom Quixote —, porque as coisas da guerra, mais que as outras, estão sujeitas à contínua mudança. Além do mais, eu penso, e esta é a verdade, que aquele mago Frestão, que me roubou o quarto e os livros, transformou esses gigantes em moinhos para me tirar a glória de vencê-los, tamanha é a inimizade que me tem. Mas no final das contas a magia negra dele pouco poderá contra a excelência de minha espada.

— Que Deus faça o que puder — respondeu Sancho Pança, ajudando-o a se levantar.

Dom Quixote voltou a montar Rocinante, que estava meio descadeirado. E, conversando sobre a aventura, seguiram a estrada para Puerto Lápice, porque ali, dizia dom Quixote, não era possível deixar de se achar muitas e diferentes aventuras, por ser lugar de grande movimento. Mas ia muito pesaroso por se ver sem a lança; comentando isso com seu escudeiro, disse:

— Lembro ter lido que um cavaleiro espanhol chamado Diego Pérez de Vargas, tendo quebrado a espada numa batalha, arrancou um galho grosso ou tronco de uma azinheira e com ele fez tais coisas aquele dia, machucou tantos mouros, que foi apelidado de Machuca; e assim, tanto ele como seus descendentes se chamaram, dali por diante, Vargas y Machuca. Digo-te isso porque pretendo tirar da primeira azinheira ou carvalho com que nos depararmos um galho tão bom como o do Machuca; e penso fazer com ele tais façanhas que deves te julgar feliz por haver merecido vir vê-las e ser testemunha de coisas em que mal se poderão acreditar.

— Seja o que Deus quiser — disse Sancho. — Acredito em tudo que vossa mercê me diz. Mas endireite-se um pouco, que parece que vai meio de lado; deve ser por causa das machucaduras do tombo.

— É verdade — respondeu dom Quixote —, mas não me queixo da dor porque não é permitido aos cavaleiros andantes se queixarem de ferida alguma, mesmo que lhes saiam as tripas por ela.

— Se é assim, não digo mais nada — respondeu Sancho —, mas sabe Deus que eu ficaria mais tranquilo se vossa mercê se queixasse quando alguma coisa lhe doesse. Por mim sei que vou me queixar de qualquer dorzinha que tenha, se é que esse negócio de não se queixar não vale também para os escudeiros dos cavaleiros.

Dom Quixote não deixou de rir da simplicidade de seu escudeiro e declarou que ele podia se queixar como e quando quisesse, com ou sem vontade, porque até agora não havia lido nada contra isso nos livros de cavalaria. Sancho Pança lhe disse que reparasse que era hora de comer. Seu amo respondeu que por enquanto não tinha fome, que comesse ele quando quisesse. Com essa licença, Sancho se acomodou o melhor que pôde sobre o jumento e, tirando dos alforjes o que guardara, ia andando e comendo muito à vontade atrás de seu amo; de quando em quando empinava o odre com tanto prazer que faria inveja ao mais satisfeito dono de adega de Málaga. Enquanto ia repetindo os tragos, não se lembrava de nenhuma promessa que seu amo lhe tivesse feito, nem considerava trabalho nenhum, mas uma boa folga, andar em busca de aventuras, por mais perigosas que fossem.

Resolveram passar aquela noite entre umas árvores, e de uma delas dom Quixote arrancou um galho seco que quase podia lhe servir de lança, e pôs nele a ponta de ferro da que se quebrara. Dom Quixote não dormiu a noite toda, pensando em sua senhora Dulcineia, para se ajustar ao que havia lido nos livros, quando os cavaleiros passavam sem dormir muitas noites nas florestas e descampados, entretidos com as lembranças de suas amadas. Sancho Pança passou-a toda num sono só, pois tinha o estômago cheio, e não de chá de chicória;[1] e, se seu amo não o chamasse, não seriam suficientes para despertá-lo os raios do sol que lhe davam no rosto, nem o canto das muitas aves que alegremente saudavam a vinda do novo dia. Ao se levantar, deu uma bicada no odre e achou-o um pouco mais murcho que na noite anterior, o que lhe afligiu o coração; não parecia que fossem por um caminho em que logo se pudesse remediar esse problema. Dom Quixote de novo não quis comer nada, porque, como se disse, dera para se sustentar de lembranças saborosas. Voltaram à estrada para Puerto Lápice e o avistaram por volta das três da tarde.

— Aqui podemos meter a mão na massa nisso que chamam de aventuras, irmão Sancho Pança — disse dom Quixote. — Mas já te aviso: embora me vejas nos maiores perigos do mundo, jamais deverás empunhar tua espada para me defender, a menos que os que me atacam sejam canalhas e gente da ralé. Neste caso bem podes me ajudar. Mas, se forem cavaleiros, de jeito nenhum é lícito nem concedido pelas leis da cavalaria que me ajudes, até que sejas armado cavaleiro.

— Com certeza, senhor — respondeu Sancho —, nisso vossa mercê será muito bem obedecido, porque eu sou muito pacífico e inimigo de me meter em brigas e confusões. Mas também é verdade que, se tiver de defender minha pessoa, não levarei em conta essas leis, pois as divinas e as humanas permitem que cada um se defenda de quem quiser prejudicá-lo.

— Não digo menos — respondeu dom Quixote. — Mas nisso de me ajudar contra cavaleiros deverás manter na linha teus ímpetos naturais.

— Garanto que assim o farei — respondeu Sancho. — Guardarei esse preceito tão bem como os domingos.

Estando nessa conversa, viram surgir pela estrada dois frades da Ordem de São Bento cavalgando dois dromedários — pois não eram menores as duas mulas em que vinham. Usavam guarda-sóis e máscaras com lentes para a poeira. Atrás vinha um coche acompanhado por quatro ou cinco cavaleiros e dois rapazes a pé puxando as mulas. Como depois se soube, no coche vinha uma senhora basca que ia a Sevilha, onde estava seu marido, que ia para as Índias nomeado para um cargo muito importante. Os frades não vinham com ela, embora fossem pelo mesmo caminho. Porém, mal os divisou, dom Quixote disse a seu escudeiro:

— Ou muito me engano, ou esta será a mais famosa aventura que já se viu, porque aqueles vultos negros que ali aparecem devem ser, e sem dúvida são, uns magos que levam naquele coche alguma princesa raptada. É preciso desfazer esta infâmia com todas as minhas forças.

— Isto vai ser pior que os moinhos de vento — disse Sancho. — Olhe, senhor, aqueles são frades de São Bento e o coche deve ser de gente de passagem. Por favor, olhe bem o que faz, não vá cair em outra trapaça do diabo.

— Já te disse, Sancho — respondeu dom Quixote —, que sabes pouco em matéria de aventuras: o que digo é verdade, já verás.

E, dizendo isso, avançou, pondo-se no meio da estrada; quando os frades chegaram tão perto que lhe pareceu que poderiam ouvi-lo, disse em voz alta:

— Gente endiabrada e descomunal, deixai agora mesmo as nobres princesas que levais cativas nesse coche; senão, preparai-vos para receber morte rápida, justo castigo por vossas malfeitorias.

Os frades puxaram as rédeas, surpresos tanto com a figura de dom Quixote como com suas palavras, a que responderam:

— Senhor cavaleiro, nós não somos endiabrados nem descomunais, mas dois religiosos de São Bento seguindo nosso caminho, e não sabemos se nesse coche vêm ou não algumas princesas aprisionadas.

— Poupe-me de palavras macias, que eu vos conheço, canalha infiel — disse dom Quixote.

E, sem esperar mais resposta, esporeou Rocinante e investiu com a lança baixa contra o primeiro frade, com tanta fúria e intrepidez que, se o frade não se deixasse cair da mula, ele o teria atirado ao chão, contra a vontade e talvez gravemente ferido, se não morto. O segundo religioso, que viu o modo como tratavam seu companheiro, meteu os calcanhares nas costelas de sua boa mula,[2] que desatou a correr pelo campo mais ligeira que o próprio vento.

Sancho Pança, vendo o frade por terra, apeou rapidamente, caiu sobre ele e começou a lhe tirar a batina. Chegaram dois rapazes que acompanhavam os frades e lhe perguntaram por que o despia. Sancho respondeu que a batina era dele de direito, como despojo da batalha que seu senhor dom Quixote havia ganhado. Os rapazes — que não estavam para gracejos, nem entendiam esse negócio de despojos nem batalhas —, vendo que dom Quixote já se afastara dali e conversava com as damas que vinham no coche, investiram contra Sancho e deram com ele no chão; e, sem lhe deixar pelo nas barbas, moeram-no de pontapés e o deixaram estendido, sem fôlego nem sentido. Sem perda de tempo o frade montou de novo, todo temeroso e acovardado e sem cor no rosto; mal se viu a cavalo, picou atrás de seu companheiro, que a uma boa distância dali o aguardava, vendo em que dava aquela confusão. Mas, sem esperar pelo desfecho, foram embora, benzendo-se mais do que se tivessem o diabo nos calcanhares.

Dom Quixote, como se disse, estava falando com a senhora do coche:

— Vossa formosura, minha senhora, pode fazer de vossa pessoa o que mais vos agradardes, porque a soberba de vossos captores jaz por terra, derrubada por meu braço forte. E, para que não vos aflijais por desconhecer o nome de vosso libertador, sabei que me chamo dom Quixote de la Mancha, cavaleiro andante e aventureiro, e cativo da sem-par e formosa dona Dulcineia del Toboso. Como pagamento pelo benefício que de mim haveis recebido, não quero nada além de que volteis a El Toboso e, de minha parte, vos apresenteis diante dessa senhora, dizendo a ela o que fiz por vossa liberdade.

Um dos escudeiros que acompanhavam o coche, um basco, escutava tudo o que dom Quixote dizia. Vendo que ele não queria deixar passar o coche e dizia que deviam voltar a El Toboso, avançou para dom Quixote e, agarrando-lhe a lança, lhe disse, em mau castelhano e pior basco:

— Anda, cavaleiro que mal andes! Pelo Deus que me criou que, se não deixa coche, assim te matas como basco sou.

Mas dom Quixote entendeu-o muito bem e respondeu com toda calma:

— Se fosses cavaleiro, como não és, eu já teria castigado tua loucura e atrevimento, reles criatura.

Ao que o basco replicou:

— Eu não cavaleiro? Por Deus juro, tanto mentes como cristão. Se lança atiras e espada sacas, a porca verás o rabo como torce logo! Basco por terra, fidalgo por mar, fidalgo com os diabos: mentes que olha se outra dizes coisa.

— Agora o vereis, como disse Agrajes[3] — respondeu dom Quixote.

E, atirando a lança no chão, sacou a espada, prendeu o braço na rodela e investiu contra o basco com a intenção de lhe tirar a vida. O basco, que gostaria de apear da mula porque era de aluguel e não dava para se fiar nela, não pôde fazer outra coisa que sacar a espada; por sorte se achava perto do coche, de onde conseguiu pegar uma almofada, que lhe serviu de escudo. Assim avançaram um para o outro, como se fossem dois inimigos mortais. Os outros tentaram apaziguá-los, mas não puderam, porque o basco dizia com suas palavras enroladas que, se não o deixassem acabar a batalha, ele mesmo havia de matar sua patroa e todas as pessoas que o estorvassem. A senhora do coche, surpresa e amedrontada com o que via, fez o cocheiro se afastar um pouco dali e de longe ficou olhando a dura contenda. No desenrolar dela, o basco deu uma grande espadada num ombro de dom Quixote, por cima da rodela — se o pegasse sem defesa, iria abri-lo até a cintura. Dom Quixote, que sentiu o peso daquele tremendo golpe, deu um grande brado:

— Oh, Dulcineia, senhora de minha alma, flor da formosura, socorrei este vosso cavaleiro que, para agradar a vossa grande bondade, nesta rigorosa situação se acha!

Dizer isso, firmar a espada, proteger-se bem com a rodela e investir contra o basco foi uma coisa só, decidido a arriscar tudo num golpe certeiro.

O basco, vendo-o vir, percebeu muito bem pela intrepidez sua coragem e resolveu fazer o mesmo: aguardou dom Quixote protegido com a almofada, sem poder virar a mula para lado nenhum, pois, além de não ser feita para essas brincadeiras, já estava morta de cansaço e não podia dar um passo.

Então, como se disse, dom Quixote vinha contra o basco cauteloso, com a espada no alto, pronto para abri-lo ao meio, e o basco o aguardava também com a espada em riste e protegido por sua almofada. Todos os presentes estavam amedrontados e suspensos do que havia de acontecer com a ameaça de tamanhos golpes; e a senhora do coche e suas criadas estavam fazendo mil juras e promessas a todas as imagens e casas de devoção da Espanha para que Deus livrasse seu escudeiro e elas do grande perigo em que se encontravam.

Mas o problema disso tudo é que justo neste ponto o autor desta história deixa pendente esta batalha, desculpando-se porque não achou mais nada escrito sobre estas façanhas de dom Quixote, além das que já foram relatadas aqui. É bem verdade que o segundo autor desta obra não quis acreditar que história tão estranha estivesse entregue às leis do esquecimento, nem que os cronistas da Mancha houvessem sido tão pouco cuidadosos que não tivessem em seus arquivos ou em suas escrivaninhas alguns papéis que tratassem do famoso cavaleiro. Assim pensando, não se desesperou de achar o fim desta aventura prazerosa — sendo-lhe o céu favorável, encontrou-a do modo que se contará a seguir.

ple

SEGUNDA PARTE

IX

ONDE SE CONCLUI A ESTUPENDA BATALHA
QUE O GALHARDO BASCO
E O VALENTE MANCHEGO TRAVARAM

Deixamos na primeira parte desta história o valente basco e o famoso dom Quixote com as espadas nuas ao alto, prontos para descarregar dois tremendos fendentes que, caso se acertassem em cheio, no mínimo se dividiriam de alto a baixo e se abririam como romãs. E justo nesse ponto tão incerto parou truncada história tão saborosa, sem que seu autor nos desse notícia de onde poderia se achar o que dela faltava.

Isso me deixou muito aborrecido, porque o gosto de ler esse pouco se tornava desgosto ao pensar no mau caminho que se apresentava para encontrar o muito que em minha opinião faltava de história tão deliciosa. Pareceu-me coisa impossível e fora de todo bom costume que houvesse faltado a esse excelente cavaleiro algum mago que se encarregasse de escrever suas façanhas nunca vistas, coisa que não faltou a nenhum dos cavaleiros andantes,

Dos que dizem as gentes
que vão às suas aventuras,[1]

porque cada um deles tinha, como que sob medida, um ou dois magos que não apenas escreviam sobre seus feitos como pintavam seus menores pensamentos e seus atos mais insignificantes, por mais ocultos que fossem; e cavaleiro tão bom não poderia ser tão infeliz que não tivesse o que sobrou a Platir e a outros semelhantes. Assim, não conseguia acreditar que história tão bela houvesse ficado manca e estropiada, e botava a culpa na malignidade do tempo, devorador e consumidor de todas as coisas, que, ou a tinha oculta, ou consumida.

Mas, como haviam achado entre seus livros alguns tão modernos como *Desengaño de celos* e *Ninfas y pastores de Henares*, me parecia que sua história também devia ser recente e que, se não estivesse escrita, estaria na memória das pessoas de sua aldeia e das aldeias vizinhas. Essas ideias me deixavam confuso e desejoso de conhecer real e verdadeiramente toda a vida e os milagres de nosso famoso espanhol dom Quixote de la Mancha, luz e espelho da cavalaria manchega, e o primeiro que em nossa época, nesses tempos calamitosos, encarou o trabalho e o exercício das armas andantes: reparar afrontas, socorrer viúvas e amparar donzelas, daquelas que andavam com seus chicotes e palafréns, com toda a virgindade às costas, de montanha em montanha e de vale em vale, porque antigamente existiu donzela que, se não fosse forçada por algum velhaco ou algum camponês bronco ou algum gigante descomunal, ao cabo de oitenta anos, sem dormir um único dia embaixo de telhado, se foi tão inteira para a sepultura como a mãe que a tinha parido. Digo, então, que por essas e muitas outras coisas, nosso garboso Quixote é digno de louvores contínuos e memoráveis, e até a mim não devem ser negados, pelo trabalho e diligência que empenhei na busca do fim de história tão agradável, embora saiba muito bem que se o céu, o acaso ou a sorte não me ajudassem, ao mundo faltaria o passatempo e o prazer que bem poderá ter por quase duas horas quem a ler com atenção. Enfim, achei-a desta maneira:

Estando eu um dia na Alcaná de Toledo, chegou um rapaz vendendo uns cadernos e papéis velhos a um trapeiro,[2] e, como gosto de ler até os papéis rasgados das ruas, fui levado por essa inclinação natural a pegar um daqueles cadernos que o rapaz vendia e vi que era escrito em caracteres árabes. Embora eu os reconhecesse mas não soubesse lê-los, fiquei à espera para ver se aparecia por ali algum mourisco aljamiado,[3] e não foi difícil encontrar um intérprete, pois o acharia facilmente mesmo que procurasse de outra língua melhor e mais antiga. Enfim, a sorte me apresentou um a quem falei de meu desejo, pondo-lhe o livro nas mãos; ele o abriu ao meio, leu um pouco e começou a rir.

Perguntei-lhe do que se ria, e me respondeu que de uma anotação escrita na margem. Pedi que a lesse para mim e ele, sem deixar de rir, disse:

— Como falei, está escrito aqui na margem: "Dizem que esta Dulcineia del Toboso, tantas vezes mencionada nesta história, teve a melhor mão para salgar porcos em toda a Mancha".

Quando ouvi dizer "Dulcineia del Toboso", fiquei pasmo e maravilhado, porque logo imaginei que aqueles cadernos continham a história de dom Quixote. Apressei-o então para que lesse o começo e, assim fazendo, traduziu de improviso do árabe para o castelhano: *História de dom Quixote de la Mancha, escrita por Cide Hamete Benengeli, historiador árabe.* Foi necessário muito tato para dissimular a alegria que senti quando chegou a meus ouvidos o título do livro; e, antecipando-me ao trapeiro, comprei do rapaz todos os papéis e cadernos por meio real; se ele tivesse perspicácia e soubesse como eu os desejava, bem poderia pedir e levar mais de seis reais na compra. Afastei-me em seguida com o mourisco pelo claustro da igreja matriz e pedi a ele que traduzisse para o castelhano todos os cadernos que tratavam de dom Quixote, sem lhes omitir nem acrescentar nada, oferecendo-lhe o pagamento que quisesse. Contentou-se com duas arrobas de passas e uns cem quilos de trigo, e prometeu traduzi-los fiel e rapidamente. Mas eu, para facilitar mais o negócio e para não arriscar achado tão bom, trouxe-o para minha casa, onde em pouco mais de mês e meio traduziu tudo exatamente como aqui se refere.

No primeiro caderno estava pintada com todo o realismo a batalha de dom Quixote com o basco, na mesma postura que a história conta, as espadas no alto, um protegido pela rodela, o outro pela almofada, e a mula do basco tão vividamente que a tiro de balestra se via que era de aluguel. O basco tinha escrito aos pés a legenda: "Dom Sancho de Azpeitia", que, sem dúvida, devia ser seu nome, e aos pés de Rocinante estava outra que dizia: "Dom Quixote". Rocinante estava pintado maravilhosamente, tintim por tintim, tão fraco e magro, puro espinhaço, tísico confirmado, que mostrava muito bem com que tino e propriedade fora chamado de Rocinante. Perto dele estava Sancho Pança, que segurava seu burro pelo cabresto, tendo aos pés outro rótulo: "Sancho Sanco". Por isso, pelo que mostrava a pintura — a barriga grande, o tronco curto, as pernas finas e compridas —, deve ter sido chamado de Pança ou de Sanco, que por esses dois sobrenomes é chamado algumas vezes na história. Poderiam se notar outras miudezas, mas são todas de pouca importância, e não vêm ao caso para o relato da história, que nenhuma é má se for verdadeira.

Se aqui se pode fazer alguma objeção sobre sua veracidade, não poderá ser outra além de ter sido seu autor árabe, já que é muito próprio dos daquela nação serem mentirosos; se bem que, por serem tão nossos inimigos, dá para entender que ele tenha antes se omitido nela do que exagerado. É o que penso, pois, quando poderia e deveria deixar correr a pena nos louvores a tão bom cavaleiro, parece que de propósito os passa em silêncio: coisa malfeita e pior pensada, havendo e devendo ser os historiadores minuciosos, verdadeiros e nada apaixonados, sem que o interesse ou o medo, o rancor ou a afeição façam-nos desviar do caminho da verdade, cuja mãe é a história, êmula do tempo, depósito das ações, testemunha do passado, exemplo e aviso do presente, advertência do futuro. Nesta sei que se achará tudo o que por acaso se deseje na mais agradável das histórias; e, se algo bom faltar nela, penso que foi por culpa do cachorro do autor, não por falta de assunto. Enfim, sua segunda parte, seguindo a tradução, começava desta maneira:

Com as espadas cortantes levantadas bem alto os dois valorosos e irados combatentes não apenas pareciam como estavam ameaçando o céu, a terra e o mar, tal a intrepidez e a aparência que tinham. O primeiro a descarregar o golpe foi o basco colérico, e o deu com tanta força e tanta fúria que, se a espada não se desviasse no caminho, somente com aquele poderia dar fim a sua dura contenda e a todas as aventuras de nosso cavaleiro. Mas a boa sorte, que para maiores coisas o tinha guardado, torceu a espada de seu adversário, de modo que, embora o acertasse no ombro esquerdo, não lhe causou outro dano que arrancar pedaços da armadura, levando de passagem grande parte do elmo, com a metade da orelha. Isso tudo veio ao chão, num estrago espantoso, deixando-o em péssimo estado.

Valha-me Deus, quem poderá contar com a destreza necessária a raiva que possuiu o coração de nosso manchego, vendo-se tratar daquele jeito?! Basta dizer que pela primeira vez se aprumou nos estribos e, apertando mais a espada com as duas mãos, com tal fúria descarregou-a sobre o basco, acertando-o em cheio na almofada e na cabeça, que — não sendo a almofada uma boa defesa — foi como se caísse uma montanha sobre ele: começou a botar sangue pelas ventas, pela boca e pelos ouvidos, dando mostras de que ia cair da mula, de onde cairia sem dúvida se não se abraçasse ao pescoço dela. Apesar disso, perdeu os pés dos estribos e depois afrouxou os braços, e a mula, espantada com o golpe tenebroso, desatou a correr pelo campo e deu com seu dono por terra em poucos pinotes.

Dom Quixote ficou olhando com muita calma, mas, ao vê-lo cair, saltou do cavalo e alcançou-o rapidamente e, pondo-lhe a ponta da espada entre os olhos, disse que se rendesse ou lhe cortaria a cabeça. O basco estava tão aturdido que não podia responder uma palavra e teria passado mal, tão cego estava dom Quixote, se as senhoras do coche, que até aí haviam olhado com grande desalento a contenda, não acorressem, pedindo-lhe encarecidamente que lhes fizesse a grande gentileza e favor de perdoar a vida do escudeiro. Dom Quixote respondeu com muita altivez e gravidade:

— Decerto, formosas senhoras, fico muito feliz de fazer o que me pedis; mas há de ser com uma condição e acordo: este cavaleiro deve me prometer ir à aldeia de El Toboso e se apresentar de minha parte à sem-par dona Dulcineia, para que ela faça dele o que tiver vontade.

As amedrontadas e desconsoladas senhoras, sem se dar conta do que dom Quixote pedia e sem perguntar quem era Dulcineia, prometeram-lhe que o escudeiro faria tudo o que lhe fosse mandado.

— Então, fiado na palavra das senhoras, não o machucarei mais, ainda que bem o merecesse.

X

DO QUE MAIS ACONTECEU A DOM QUIXOTE
COM O BASCO E DO PERIGO EM QUE SE VIU
COM UM BANDO DE GALEGOS[1]

Nesse meio-tempo, Sancho Pança já se levantara, um tanto maltratado pelos rapazes dos frades, e estivera atento à batalha de seu senhor dom Quixote, rogando a Deus de todo o coração que tivesse a bondade de lhe dar a vitória e que nela ganhasse alguma ilha onde o fizesse governador, conforme o prometido. Então, vendo a contenda acabada e que seu amo voltava para montar em Rocinante, foi lhe segurar o estribo mas, antes que montasse, se prostrou de joelhos diante dele e, segurando-lhe a mão, beijou-a e disse:

— Meu senhor dom Quixote, faça vossa mercê o favor de me dar o governo da ilha que ganhou nesta dura contenda, pois, por grande que seja, me sinto com forças para administrá-la, e tão bem como qualquer outro que tenha governado ilhas no mundo.

Ao que dom Quixote respondeu:

— Reparai, meu amigo Sancho, que as aventuras desse tipo não são aventuras de ilhas, mas de encruzilhadas, em que não se ganha outra coisa que sair de cabeça quebrada ou com uma orelha a menos. Tende paciência, que outras aventuras virão, em que não somente vos possa fazer governador como algo de maior importância.

Sancho agradeceu-lhe muito e, beijando-lhe outra vez a mão e a barra da cota, ajudou-o a montar em Rocinante. Depois montou no burro e acompanhou seu senhor, que, a passos largos, sem se despedir das senhoras do coche nem lhes falar mais, se meteu por um mato que havia perto dali. Sancho o seguiu a todo o trote do jumento, mas Rocinante andava tanto que, vendo-se ficar para trás, teve de gritar para que seu amo o esperasse. Assim fez dom Quixote, puxando as rédeas de Rocinante, até que chegasse seu cansado escudeiro, que lhe disse:

— Senhor, acho que o melhor seria nos refugiarmos em alguma igreja, porque, estropiado do jeito que ficou aquele com quem combatestes, não admira que levem o caso à Santa Irmandade[2] e nos prendam. Por Deus, se nos prenderem, antes de nos deixarem sair da cadeia, vamos suar em bicas.

— Cala-te — disse dom Quixote. — Onde viste ou leste alguma vez que cavaleiro andante tenha sido levado à justiça, por mais homicídios que cometesse?

— Nada sei de *subsídios* — respondeu Sancho —, nem nunca ganhei algum na vida; só sei que a Santa Irmandade tem seus negócios com os que brigam pelos campos, e nisso não me meto.

— Pois não te preocupes, meu amigo — respondeu dom Quixote —, que eu te livrarei até das garras dos gigantes, quanto mais das da Irmandade. Mas diz-me, por tua vida: já viste cavaleiro mais valente do que eu em todo o mundo conhecido? Leste em histórias sobre outro que tenha ou haja tido mais brio no investir, mais fôlego no perseverar, mais destreza no ferir ou mais manha no derrubar?

— A verdade é que eu jamais li uma história — respondeu Sancho —, porque não sei ler nem escrever. Mas o que ousarei apostar é que nunca servi em todos os dias de minha vida a amo mais atrevido que vossa mercê, e queira Deus que esses atrevimentos não sejam pagos naquele lugar de que falei. O que peço a vossa mercê é que se trate, porque perde muito sangue dessa orelha. Trago ataduras e um pouco de pomada nos alforjes.

— Isso tudo seria dispensável — respondeu dom Quixote — se tivesse me lembrado de fazer uma garrafa do bálsamo de Ferrabrás,[3] pois com apenas uma gota se pouparia tempo e curativos.

— Que garrafa? E que bálsamo é esse? — disse Sancho.

— É um bálsamo — respondeu dom Quixote — de que sei a receita de cor; com ele não é preciso temer ferida alguma nem pensar na morte. Assim, depois que eu o fizer e entregá-lo a ti, quando vires que me partiram o corpo pelo meio em alguma batalha, como muitas vezes costuma acontecer, só terás de rapidamente pegar a parte do corpo que tiver caído no chão e com jeito, antes que o sangue esfrie, juntá-la à outra metade que tiver ficado na sela, tratando de encaixá-las com exatidão. Depois me darás de beber só dois goles do bálsamo e me verás ficar novo em folha.

— Se isso existe — disse Pança —, eu renuncio desde já ao governo da ilha prometida, e não quero outra coisa em pagamento por meus muitos e bons serviços senão que vossa mercê me dê a receita dessa bebida extraordinária. Acho que em qualquer lugar um gole dela valerá mais de dois reais, e eu não preciso de mais que isso para passar esta vida honrada e descansadamente. Mas falta saber se custa muito caro fazê-la.

— Com menos de três reais podem-se fazer uns seis litros — respondeu dom Quixote.

— Minha nossa — respondeu Sancho —, o que vossa mercê espera para fazê-la e me ensinar a receita?!

— Cala-te, meu amigo — respondeu dom Quixote —, pois penso te ensinar maiores segredos e te fazer maiores favores. Por ora, tratemo-nos, porque a orelha me dói mais do que eu gostaria.

Sancho tirou as ataduras e a pomada dos alforjes. Mas, quando dom Quixote viu seu elmo escangalhado, pensou que ia perder o juízo e, com a mão na espada e os olhos no céu, disse:

— Eu juro, pelo Criador de todas as coisas e pelos quatro Evangelhos sagrados, falar a verdade, nada mais que a verdade: enquanto não me vingar totalmente de quem me fez tamanho estrago, vou levar a vida que levou o grande marquês de Mântua quando jurou vingar a morte de seu sobrinho Valdovinos, que foi não comer pão à mesa nem se divertir com sua mulher, e outras coisas que dou aqui por ditas, embora não me lembre delas.

Ouvindo isso, Sancho disse:

— Lembre-se vossa mercê, senhor dom Quixote, que se o cavaleiro cumpriu o que lhe foi ordenado, ir se apresentar diante de minha senhora Dulcineia del Toboso, já terá cumprido com o que devia e não merece outra pena se não cometer novo delito.

— Observaste e falaste muito bem — respondeu dom Quixote —, de modo que anulo o juramento no que se refere à nova vingança; mas refaço e confirmo o voto de levar a vida de que falei, até que tire à força de algum cavaleiro outro elmo tão bom como este. E não penses, Sancho, que faço isso como fogo de palha, porque tenho bem a quem imitar: a mesma coisa aconteceu ao pé da letra com o elmo de Mambrino,[4] que tão caro custou a Sacripante.[5]

— Que o diabo carregue esses juramentos, meu senhor — respondeu Sancho —, pois fazem mal à saúde e prejudicam a consciência. Se não, diga-me agora: o que faremos se por acaso não toparmos em muitos dias com um homem de elmo? Vai cumprir o juramento, apesar de tantas dificuldades e desconfortos, como dormir vestido, não dormir nos povoados e outras mil penitências que continha a promessa daquele velho doido do marquês de Mântua, que agora vossa mercê quer reviver? Veja bem vossa mercê que por todas essas estradas não andam homens de armadura, apenas tropeiros e carreteiros, que não só não usam elmos, como talvez nunca na vida tenham ouvido falar deles.

— Enganas-te nisso — disse dom Quixote —, porque antes de duas horas por essas encruzilhadas veremos mais homens de armadura do que os que foram para Albraca, na conquista de Angélica, a Bela.

— Está bem, então, que assim seja — disse Sancho —, e que graças a Deus tudo nos corra bem e chegue logo a hora de ganhar essa ilha que tão cara me custa, e que aí eu morra logo.

— Já te disse, Sancho, não te preocupes com isso, porque, se faltar ilha, aí está o reino da Dinamarca ou o de Sobradisa,[6] que te servirão como anel no dedo e, por estarem em terra firme, mais deves te alegrar. Mas deixemos isso a seu tempo, e olha se trazes nesses alforjes alguma coisa para comermos, para irmos em seguida em busca de um castelo onde possamos passar a noite e fazer o bálsamo de que te falei; porque eu te juro por Deus que a orelha me dói como o diabo.

— Trago uma cebola, um pouco de queijo e nem sei quantos pedaços de pão velho — disse Sancho. — Mas não são manjares para tão valente cavaleiro como vossa mercê.

— Entendeste tudo errado! — respondeu dom Quixote. — Pois saibas, Sancho, que é uma honra para os cavaleiros andantes não comer por um mês, mas, se comerem, que seja aquilo que estiver mais à mão. Saberias disso se tivesses lido tantas histórias como eu. Porém, embora tenham sido muitas, em nenhuma delas achei relatado que os cavaleiros comessem, a não ser às vezes e em suntuosos banquetes que lhes ofereciam. No resto dos dias viviam de brisa. E, ainda que se saiba que não podiam passar sem comer e sem fazer todas as demais necessidades, porque realmente eram homens como nós, deve se pensar também que, andando a maior parte do tempo pelas florestas e descampados, e sem cozinheiro, sua alimentação mais comum seria de comidas rústicas, como essas que tu agora me ofereces. Portanto, meu caro Sancho, não te mortifiques pelo que me dá prazer:

nem queiras reformar o mundo nem tirar a cavalaria dos eixos.

— Perdoe-me vossa mercê — disse Sancho. — Como eu não sei ler nem escrever, como já lhe disse, não conheço nem compreendo as regras da profissão cavaleiresca. De hoje em diante abastecerei os alforjes de todo tipo de fruta seca para vossa mercê, que é cavaleiro, e para mim, que não o sou, de outras coisas empenadas mas sem penas e de mais sustância.

— Eu não digo, Sancho — replicou dom Quixote —, que os cavaleiros andantes sejam obrigados a não comer nada senão essas frutas de que falaste, mas que seu sustento mais comum devia ser delas e de algumas ervas que se encontram pelos campos, que eles conheciam, e que eu também conheço.

— É bom conhecer essas ervas — respondeu Sancho —, porque, pelo que vejo, algum dia será necessário usar esse conhecimento.

Tirou então dos alforjes o que disse que trazia, e os dois comeram em boa paz e companhia. Mas, desejosos de achar onde passar aquela noite, acabaram logo sua pobre e seca refeição. Depois montaram a cavalo e se apressaram para chegar a um povoado antes que anoitecesse, mas, faltando-lhes o sol e a esperança de alcançar o que desejavam, quando se achavam perto das choças de uns pastores de cabras, resolveram ficar por ali. Se para Sancho Pança foi um castigo não chegar a um povoado, para seu amo foi uma alegria dormir ao relento, por achar que toda vez que isso acontecia ele fazia um ato de posse que facilitava a prova de sua cavalaria.

XI

DO QUE ACONTECEU A DOM QUIXOTE
COM UNS PASTORES DE CABRAS

Dom Quixote foi muito bem recebido pelos pastores, e Sancho, tendo acomodado Rocinante e seu jumento o melhor que pôde, foi atrás do cheiro que exalavam certos pedaços de carne de cabra que ferviam num caldeirão. Embora ele quisesse naquele mesmo instante ver se estavam no ponto para transferi-los do caldeirão para o estômago, deixou de fazê-lo, porque os pastores os tiraram do fogo e, estendendo no chão umas peles de ovelhas, com rapidez arrumaram sua mesa rústica com o que tinham e convidaram os dois com mostras de muito boa vontade. Seis deles se sentaram em volta das peles — era quantos havia no abrigo —, tendo primeiro pedido a dom Quixote com cortesias camponesas que se sentasse numa gamela que puseram de boca para baixo. Dom Quixote se sentou, ficando Sancho de pé para lhe servir o copo, que era feito de chifre. Vendo-o assim, seu amo lhe disse:

— Para que vejas, Sancho, o bem que encerra a cavalaria andante e quanto os que, em qualquer função nela se exercitam, estão a pique de rapidamente vir a ser honrados e estimados pelo mundo, quero que te sentes aqui ao meu lado, em companhia desta boa gente, e que sejas como eu, que sou teu amo e natural senhor. Quero que comas em meu prato e bebas do copo que eu beber, porque da cavalaria andante pode se dizer o mesmo que se diz do amor: que iguala todas as coisas.

— Grande honra! — disse Sancho. — Mas garanto a vossa mercê que, tendo eu de comer, comeria tão bem em pé e sozinho quanto sentado com um imperador. Ou, para dizer a verdade, saboreio muito melhor o que como em meu canto sem melindres nem cerimônias, mesmo que seja só pão e cebola, do que os perus de outras mesas onde me seja obrigado mastigar devagar, beber pouco, limpar-me seguido, não espirrar nem tossir se tiver vontade, nem fazer outras coisas que a solidão e a liberdade trazem consigo. Então, meu senhor, peço que essas honras que vossa mercê quer me conceder por ser adepto e praticante da cavalaria, sendo eu escudeiro de vossa mercê, sejam substituídas por outras coisas mais cômodas e mais proveitosas para mim. Mesmo que eu receba essas honras de bom grado, renuncio a elas desde já até o fim do mundo.

— Sim, mas deves te sentar, pois Deus louva a quem se humilha.

E, pegando-o pelo braço, forçou-o a se sentar perto dele.

Os pastores não entendiam aquele palavrório de escudeiros e de cavaleiros andantes e não faziam nada além de comer, calar e olhar seus hóspedes, que, com muito desembaraço e apetite, se empanturravam com pedaços deste tamanho de carne. Acabada a comida, estenderam sobre os pelegos grande quantidade de bolotas doces e meio queijo, mais duro que se fosse feito de argamassa. Enquanto isso, o copo de chifre não estava ocioso, porque andava em volta tão seguido — agora cheio, agora vazio, como caçamba de poço — que com facilidade se esvaziou um odre dos dois que estavam à vista. Depois que dom Quixote forrou bem o estômago, pegou um punhado de bolotas e, olhando-o atentamente, tomou a palavra da seguinte forma:

— Venturosa época e séculos venturosos aqueles a quem os antigos chamaram de ouro, não porque neles o ouro, que em nossa época de ferro tanto se aprecia, fosse alcançado sem fadiga alguma, mas porque então os que nela viviam ignoravam estas duas palavras: *teu* e *meu*. Naquela época santa todas as coisas eram comuns: a ninguém era necessário, para conseguir seu sustento diário, ter outro trabalho que levantar a mão e apanhá-lo nas frondosas azinheiras, que generosamente convidavam com seus frutos doces e maduros. As fontes límpidas e os rios caudalosos, com abundância magnífica, ofereciam águas saborosas e transparentes. Nos desvãos das rochas e no oco das árvores formavam sua república as habilidosas e diligentes abelhas, oferecendo a qualquer mão, sem interesse algum, a colheita fértil de seu trabalho dulcíssimo. Os frondosos carvalhos-corticeiros desprendiam de si, sem outro artifício que o de sua cortesia, suas cascas largas e leves, com que começaram a se cobrir as casas, sustentadas sobre estacas rústicas, não mais que para a defesa das inclemências do céu. Tudo era paz então, tudo amizade, tudo concórdia: a lâmina pesada e curva do arado ainda não se atrevera a abrir nem visitar as entranhas piedosas de nossa primeira mãe, porque ela, sem ser forçada, oferecia, por toda a extensão de seu seio imenso e fértil, o que pudesse saciar, sustentar e deleitar os filhos que a possuíam.

"Então, sim, as pastorinhas singelas e formosas andavam de vale em vale e de monte em monte, de tranças ou de cabelos soltos, sem mais vestes que aquelas que eram necessárias para cobrir honestamente o que a honestidade quer e sempre quis que se cubra, e seus adornos não eram os que se usam agora, enaltecidos pela púrpura de Tiro e pela seda martirizada de tantas formas, mas feitos de algumas folhas verdes de bardana e hera trançadas, com o que talvez iam tão alinhadas e luxuosas como vão agora nossas damas da corte, com as estranhas e extraordinárias invenções que a curiosidade ociosa lhes mostrou. Então se expressavam singelamente os conceitos amorosos da alma simples, do mesmo modo e maneira que ela os concebia, sem buscar rodeio artificioso de palavras para exaltá-los. Não havia a fraude, o engano nem a malícia se misturando com a verdade e a candura. A justiça se mantinha em seus próprios termos, sem que ousassem maculá-la nem ofender o favor e o interesse, que agora tanto a depreciam, envilecem e perseguem. A arbitrariedade ainda não tinha se assentado na cabeça do juiz, porque então não havia o que julgar nem quem fosse julgado. Como já disse, as donzelas e a castidade andavam por onde queriam, sós e desimpedidas, sem medo de que o atrevimento alheio e a intenção lasciva as desvirtuassem, e sua perdição nascia de seu desejo e vontade própria. Mas agora, neste nosso tempo detestável, nenhuma está segura, mesmo que a oculte e encerre um labirinto como o de Creta, porque ali, pelas frestas ou pelo ar, com o zelo do maldito galanteio, penetra o contágio amoroso e as faz mandar às favas todo recato. Assim, com o passar dos tempos e crescendo mais a malícia, se instituiu a ordem dos cavaleiros andantes, para defender as donzelas, amparar as viúvas e socorrer os órfãos e os necessitados.

"Eu sou desta ordem, meus irmãos pastores, a quem agradeço a atenção e a boa acolhida que fazeis a mim e a meu escudeiro. Por lei natural todos os que vivem estão obrigados a favorecer os cavaleiros andantes, mas eu, por saber que vós, sem conhecer essa obrigação, me acolhestes e obsequiastes, devo vos agradecer com toda a boa vontade possível."

Nosso cavaleiro disse toda essa longa arenga, que poderia muito bem dispensar, porque as bolotas que lhe ofereceram o lembraram a idade de ouro. Os pastores, sem dizer palavra, ficaram embasbacados e perplexos escutando aquele discurso inútil. Sancho também se mantinha calado e comia bolotas, visitando com frequência o segundo odre, que tinham pendurado num carvalho para que o vinho refrescasse.

A conversa de dom Quixote durou mais que a ceia. No fim, um dos pastores disse:

— Para que vossa mercê possa dizer com mais propriedade, senhor cavaleiro andante, que o recebemos com pronta e boa vontade, queremos lhe dar alegria e distração fazendo com que cante um companheiro nosso que não demorará muito a chegar. Ele é um moço muito habilidoso e muito apaixonado, até sabe ler e escrever, e toca arrabil melhor do que se possa desejar.

Mal o pastor havia acabado de dizer isso, chegou a seus ouvidos o som do arrabil e dali a pouco surgiu o que o tangia, um rapaz de uns vinte e dois anos, muito simpático. Seus companheiros perguntaram se havia jantado; como respondeu que sim, o que tinha feito o oferecimento disse:

— Então, Antônio, bem podes nos dar o prazer de cantar um pouco, para que o hóspede que temos veja que também pelas montanhas e matas há quem entenda de música. Já falamos de tuas boas habilidades e desejamos que as mostres e não nos deixes passar por mentirosos. Rogo-te por tua vida que sentes e cantes o romance de teus amores, que compôs teu tio clérigo, e que na vila tanto agradou.

— Será um prazer — respondeu o rapaz.

E, sem se fazer mais de rogado, sentou-se no toco de uma azinheira e, afinando seu arrabil, dali a pouco começou a cantar de modo muito agradável, desta maneira:

ANTÔNIO

— Eu sei, Olália, que me adoras,
sem que me tenhas dito
nem mesmo com os olhos,
mudas línguas de amoricos.

Porque sei que sabes,
em que me amas me apoio,
pois nunca foi infeliz
amor que foi conhecido.

É bem verdade que às vezes,
Olália, me tenhas dado sinais
que tens a alma de bronze
e o branco peito de granito.

Mas lá entre tuas recusas
e recatados desvios,
talvez a esperança mostre
a barra de seu vestido.

Arrisca-se ao chamariz
minha fé, sem nunca ter podido
nem definhar por enjeitado,
nem crescer por escolhido.

Se o amor é cortesia,
da que tens concluo
que o fim de minhas esperanças
há de ser como imagino.

E se as penas são parte
de fazer um peito benigno,
algumas das que sofri
fortalecem meu partido.

Porque, se reparaste nisso,
mais de uma vez terás visto
que vesti nas segundas
o traje de domingo.

Como o amor e o apuro
andam um mesmo caminho,
o tempo todo a teus olhos
quis me mostrar polido.

*Deixo de dançar por tua causa,
nem te falo das músicas
que escutaste fora de hora
e do canto do primeiro galo.*

*Não falo dos elogios
que fiz de tua beleza,
que, embora verdadeiros,
me fazem ser de algumas malquisto.*

*Teresa do Berrocal,
eu te elogiando, me disse:
"Há quem pensa que adora um anjo
e acaba adorando um símio,*

*devido às muitas joias
e aos cabelos postiços,
e às hipócritas belezas,
que ao próprio Amor enganam".*

*Desmenti-a e se irritou;
intercedeu por ela seu primo,
desafiou-me, e já sabes
o que nós dois fizemos.*

*Não te quero de qualquer jeito,
nem te desejo e te sirvo
apenas para amante,
que melhor é meu desígnio.*

*Amarras tem a Igreja
que são laços de seda;
põe tu o pescoço na canga:
verás como te sigo.*

Como não? Desde agora juro
pelo santo mais bendito
de não sair destas serras
senão para capuchinho.*

* — Yo sé, Olalla, que me adoras,/ puesto que no me lo has dicho/ ni aun con los ojos siquiera,/ mudas lenguas de amoríos.// Porque sé que eres sabida,/ en que me quieres me afirmo,/ que nunca fue desdichado/ amor que fue conocido.// Bien es verdad que tal vez,/ Olalla, me has dado indicio/ que tienes de bronce el alma/ y el blanco pecho de risco.// Más allá entre tus reproches/ y honestísimos desvíos,/ tal vez la esperanza muestra/ la orilla de su vestido.// Abalánzase al señuelo/ mi fe, que nunca ha podido/ ni menguar por no llamado/ ni crecer por escogido.// Si el amor es cortesía,/ de la que tienes colijo/ que el fin de mis esperanzas/ ha de ser cual imagino.// Y si son servicios parte/ de hacer un pecho benigno,/ algunos de los que he hecho/ fortalecen mi partido.// Porque si has mirado en ello,/ más de una vez habrás visto/ que me he vestido en los lunes/ lo que me honraba el domingo.// Como el amor y la gala/ andan un mismo camino,/ en todo tiempo a tus ojos/ quise mostrarme polido.// Dejo el bailar por tu causa,/ ni las músicas te pinto/ que has escuchado a deshoras/ y al canto del gallo primo.// No cuento las alabanzas/ que de tu belleza he dicho,/ que, aunque verdaderas, hacen/ ser yo de algunas malquisto.// Teresa del Berrocal,/ yo alabándote, me dijo:/ "Tal piensa que adora a un ángel/ y viene a adorar a un jimio,// merced a los muchos dijes/ y a los cabellos postizos,/ y a hipócritas hermosuras,/ que engañan al Amor mismo".// Desmentila y enojose;/ volvió por ella su primo,/ desafiome, y ya sabes,/ lo que yo hice y él hizo.// No te quiero yo a montón,/ ni te pretendo y te sirvo/ por lo de barraganía,/ que más bueno es mi designio.// Coyundas tiene la Iglesia/ que son lazadas de sirgo;/ pon tú el cuello en la gamella:/ verás cómo pongo el mío.// Donde no, desde aquí juro/ por el santo más bendito/ de no salir de estas sierras/ sino para capuchino.

Com isso o pastor encerrou seu canto; e, mesmo que dom Quixote lhe pedisse que cantasse mais alguma coisa, Sancho Pança não o consentiu, porque preferia dormir a ouvir cantorias, e assim disse a seu amo:

— Vossa mercê bem pode se acomodar logo onde vai passar esta noite, porque o trabalho que esses bons homens têm todo o dia não permite que passem as noites cantando.

— Já entendi, Sancho — respondeu dom Quixote —, pois me parece que as visitas ao odre pedem mais os benefícios do sono que os da música.

— A todos nos cai bem, louvado seja Deus — respondeu Sancho.

— Não nego — replicou dom Quixote —, mas acomoda-te onde quiseres, que os de minha profissão ficam melhor velando que dormindo. Em todo caso, Sancho, seria bom que me tratasses de novo esta orelha, que está me doendo mais que o necessário.

Sancho fez o que ele mandou, mas um dos pastores, vendo a ferida, disse-lhe que não se preocupasse, que ele poria um remédio que facilmente a curaria. E, pegando algumas folhas de alecrim, dos muitos pés que havia por ali, mascou-as e as misturou com um pouco de sal, aplicando-as na orelha, que foi muito bem vendada. Assegurou-lhe então que não havia necessidade de outro curativo — e assim foi, realmente.

XII

DO QUE UM PASTOR CONTOU AOS QUE
ESTAVAM COM DOM QUIXOTE

Estavam nisso, quando outro rapaz dos que lhes traziam provisões da aldeia chegou e disse:
— Sabeis o que se passa por lá, companheiros?
— Como podemos saber? — respondeu um deles.
— Pois é — prosseguiu o rapaz —, esta manhã morreu aquele famoso pastor estudante chamado Grisóstomo, e se cochicha que morreu de amores por aquela moça endiabrada, Marcela, a filha de Guillermo, o rico, a que anda em trajes de pastora por esses ermos.
— Por Marcela, dizes? — disse um.
— Ela mesma — respondeu o pastor. — E o melhor é que ordenou em seu testamento que o enterrassem no campo, como se fosse um mouro, ao pé do penhasco onde está a fonte do carvalho, porque, conforme se sabe, e dizem que ele mesmo disse, foi ali que ele a viu pela primeira vez. Também ordenou outras coisas que os padres da vila dizem que não vão ser cumpridas, que nem é bom que o sejam, porque parecem de pagãos. Mas aquele grande amigo seu, Ambrósio, o estudante, que também se vestiu de pastor como ele, respondeu que vai se fazer tudo como Grisóstomo deixou ordenado, sem faltar nada, e por isso a vila anda alvoroçada. Mas, pelo que se diz, no fim se fará o que Ambrósio e todos os pastores seus amigos querem, e amanhã mesmo vêm enterrá-lo com grande pompa lá onde falei. Acho que não é coisa de se perder; eu

pelo menos não deixarei de ir vê-la, ainda que soubesse que amanhã não posso voltar à vila.
— Todos nós iremos — responderam os pastores. — Vamos tirar a sorte para ver quem vai ficar e cuidar das cabras de todos.
— Falas bem, Pedro — disse um deles —, mas não será preciso tirar a sorte, eu ficarei por todos, e não penses que por virtude ou falta de curiosidade: é que não posso andar por causa do graveto que outro dia me espetou este pé.
— Mesmo assim, nós te agradecemos — respondeu Pedro.
E dom Quixote pediu a Pedro que lhe dissesse que morto era aquele e que pastora aquela; Pedro respondeu que o que sabia era que o morto era um fidalgo rico, que morava numa aldeia naquelas serras, que tinha sido estudante muitos anos em Salamanca, voltando para casa com fama de muito sábio e muito lido.
— Diziam que sabia principalmente a ciência das estrelas, e do que fazem lá no céu o sol e a lua, porque pontualmente nos dizia as *clipes* do sol e da lua.
— *Eclipse*, amigo, não *clipes*, se chama o obscurecimento desses dois astros maiores — disse dom Quixote.
Mas Pedro, não reparando em ninharias, prosseguiu sua história:
— Também adivinhava quando o ano seria abundante ou *estil*.
— Quereis dizer *estéril*, amigo — disse dom Quixote.
— *Estéril* ou *estil* — respondeu Pedro —, sai tudo pelo mesmo lugar. E digo que seu pai e seus amigos, que acreditavam nele, ficaram muito ricos, porque faziam o que ele lhes aconselhava: "Semeai cevada este ano, não trigo; neste podeis semear grãos-de-bico e não cevada; o ano que vem vai abarrotar de azeitona; nos três seguintes não se colherá um fiapo".
— Essa ciência se chama astrologia — disse dom Quixote.

— Não sei como se chama — replicou Pedro —, mas sei que sabia disso tudo e de muito mais ainda. Enfim, não se passaram muitos meses depois que veio de Salamanca, quando um dia surgiu vestido de pastor, com seu cajado e pelico, tendo tirado a beca comprida que usava como estudante. Também vestido de pastor, apareceu com ele outro grande amigo seu, chamado Ambrósio, que havia sido seu companheiro nos estudos. Ia esquecendo de dizer que o defunto, Grisóstomo, gostava muito de compor coplas, tanto que ele fazia os cânticos para a noite de Natal e os autos para o dia de Corpus Christi, que os rapazes de nossa vila representavam, e todos diziam que eram extraordinários. Quando as pessoas viram os dois estudantes assim de repente vestidos de pastores, ficaram admiradas, e não podiam adivinhar a causa daquela mudança tão estranha. Nesse tempo o pai de nosso Grisóstomo já morrera, deixando-lhe de herança muitos bens, tanto móveis como imóveis, grande quantidade de gado grosso e miúdo, além de muito dinheiro. De tudo ficou o rapaz dono absoluto. Na verdade o merecia, porque era bom companheiro, caritativo, amigo dos bons e tinha um rosto de abençoado. Depois se compreendeu que a mudança de traje tinha sido para andar por esses descampados atrás daquela pastora Marcela de que nosso pastor falou antes, por quem havia se apaixonado o coitado do defunto Grisóstomo. E agora quero vos dizer, para que o saibais bem, quem é esta moça: talvez, ou mesmo sem talvez, não tenhais ouvido semelhante coisa em todos os dias de vossa vida, mesmo que vivais mais anos que a sarna.

— Dizei *Sara*[1] — replicou dom Quixote, não podendo aguentar a troca de palavras do pastor.

— A sarna vive até dizer chega — respondeu Pedro. — Agora, senhor, se haveis de andar me corrigindo a cada passo as palavras, não acabaremos nem num ano.

— Perdoai, meu amigo — disse dom Quixote. — Por haver tanta diferença de sarna para Sara vos falei; mas vós respondestes muito bem, porque a sarna vive mais do que viveu Sara. Prossegui vossa história, que não vos interromperei mais.

— Bem, senhor de minha alma — disse o pastor —, em nossa aldeia houve um camponês ainda mais rico que o pai de Grisóstomo, que se chamava Guillermo, a quem Deus deu, além das muitas e grandes riquezas, uma filha de cujo parto morreu a mãe, que foi a mais honrada mulher que já viveu nestas bandas. Parece que ainda a vejo agora, com aquele rosto que numa face tinha o sol e na outra a lua; mas, acima de tudo, trabalhadeira e amiga dos pobres, o que me leva a pensar que neste momento sua alma deve estar desfrutando da companhia de Deus no outro mundo. De dor pela morte de tão boa mulher morreu seu marido Guillermo, deixando sua filha Marcela, pequena e rica, em poder de um tio, padre em nosso povoado. A menina cresceu com tanta beleza que nos lembrava a de sua mãe, que foi muito grande; mas mesmo assim se pensava que a da filha haveria de ultrapassá-la.

"E por isso, quando chegou aos catorze, quinze anos, ninguém a olhava sem agradecer a Deus, que a tinha criado tão linda, e quase todos ficavam apaixonados e perdidos por ela. Seu tio a guardava com muito recato e a portas fechadas, mas, apesar de tudo, a fama de sua extrema formosura se espalhou de tal maneira que, tanto por ela como por suas grandes riquezas, não apenas os melhores de nosso povoado, como os de muitas léguas ao redor, pediam, imploravam e importunavam seu tio para que a desse como esposa. Mas ele, bom cristão para valer, ainda que quisesse casá-la logo, visto que já tinha idade, não quis fazê-lo sem o consentimento dela, sem se importar com os ganhos e vantagens que as posses da moça dariam a ele retardando o casamento. E juro que se disse isso em mais de uma roda no povoado, em elogio ao padre; porque, senhor andante, quero que saibais que nesses lugares pequenos se fala de tudo e de tudo se cochicha; pensai então, como eu, que o clérigo devia ser muito bom para seus paroquianos falarem tão bem dele, especialmente numa vila dessas."

— Isso é verdade — disse dom Quixote. — Segui adiante, que a história é muito boa e vós, meu bom Pedro, a contais com muita graça.

— Que a de Cristo não me falte, que é a que importa. Enfim, deveis saber que, ainda que o tio falasse com a sobrinha sobre as qualidades de cada um dos muitos que a queriam como esposa, pedindo-lhe que escolhesse e se casasse a seu gosto, ela jamais respondeu outra coisa senão que por enquanto não queria se casar e que, por ser tão moça, não se sentia com forças para a carga do matrimônio. Diante dessas desculpas, pelo visto razoáveis, o tio deixava de importuná-la e esperava que tivesse um pouco mais de idade e soubesse escolher sua companhia conforme seu desejo. Porque, dizia ele, e dizia muito bem, os pais não deviam casar seus filhos contra a vontade. Mas eis que, quando menos se esperava, de repente a mimosa Marcela aparece feita pastora; e, sem o consentimento do tio nem a aprovação de ninguém da aldeia, deu para ir ao campo com as outras pastoras cuidar de seu próprio rebanho. E, logo que ela saiu em público e sua beleza se viu à mostra, não saberei vos dizer ao certo quantos rapazes ricos, fidalgos e camponeses adotaram o traje de Grisóstomo e andam cortejando-a por esses campos. Um deles, como já se disse, foi o nosso defunto, de quem diziam que não a queria, adorava-a.

"E não se pense que, por Marcela viver em tamanha liberdade e com tão pouco ou nenhum recolhimento, deu algum indício, nem em sombras, que venha pôr em dúvida sua honestidade e recato; pelo contrário, é tanta a vigilância com que olha por sua honra que de quantos a cortejam e pretendem nenhum se gabou, nem na verdade poderá se gabar, de que lhe tenha dado alguma pequena esperança de alcançar seus desejos. Não foge nem se esquiva da companhia e da conversa dos pastores, trata-os cortês e amigavelmente, mas, se chega a descobrir em qualquer um deles sua intenção, mesmo que seja tão justa e santa como a do casamento, afasta-os de si como com uma catapulta. E dessa maneira causa mais dano nesta terra que a própria peste, porque sua afabilidade e formosura atraem os corações dos que convivem com ela para cortejá-la e amá-la, mas seu desdém e franqueza os levam aos limites do suicídio; e assim não sabem o que lhe dizer, senão chamá-la aos gritos de cruel e desgraçada, com outros títulos semelhantes, que mostram muito bem seu temperamento. E, se aqui estivésseis, senhor, em certos dias, ouviríeis estas serras e estes vales ressoarem com os lamentos dos desenganados que a seguem.

"Não fica muito longe daqui um lugar onde há quase duas dúzias de faias altas, e não há uma que não tenha gravado o nome de Marcela na casca lisa, com uma coroa por cima em algumas, como se mais claramente seu apaixonado dissesse que Marcela a leva e a merece por toda a formosura humana. Aqui suspira um pastor, ali se queixa outro, lá se ouvem canções amorosas, aqui cânticos desesperados. Há quem passe todas as horas da noite sentado ao pé de alguma azinheira ou penhasco e ali, sem pregar os olhos chorosos, embevecido e enlevado em seus pensamentos, encontra-o o sol pela manhã; e há quem, sem dar folga nem trégua a seus suspiros, no meio do calor da mais tediosa sesta do verão, estendido sobre a areia ardente, envie suas queixas ao céu piedoso. Deste e daquele, daqueles e destes, livre e tranquilamente triunfa a linda Marcela. Todos nós que a conhecemos estamos esperando para ver onde vai parar sua altivez e quem será o afortunado que domará caráter tão terrível e desfrutará dessa formosura extraordinária. Por ser verdade mais que sabida tudo o que contei, acho que também é verdade o que nosso pastor ouviu sobre a causa da morte de Grisóstomo. Assim, senhor, vos aconselho que amanhã não deixeis de assistir ao enterro, que será algo digno de se ver, porque Grisóstomo tem muitos amigos, e o lugar onde mandou que o enterrassem não fica a meia légua daqui."

— Levarei isso em conta — disse dom Quixote — e vos agradeço o prazer que me haveis dado com a narração de história tão saborosa.

— Oh! — replicou o pastor —, isso que não sei a metade dos casos acontecidos aos apaixonados de Marcela. Mas pode ser que amanhã topemos no caminho com algum pastor que os conte. Por ora seria bom que fôsseis dormir sob o telhado, porque o sereno poderia vos prejudicar a ferida, embora, com o remédio que vos apliquei, não haja acidente que temer.

Sancho Pança, que já mandava ao diabo a conversa sem fim do pastor, insistiu que seu amo fosse dormir na choça de Pedro. Assim fez dom Quixote, passando o resto da noite em lembranças de sua senhora Dulcineia, à imitação dos apaixonados de Marcela. Sancho Pança acomodou-se entre Rocinante e seu jumento, e dormiu, não como um apaixonado desiludido, mas como um homem moído de pancadas.

XIII

ONDE SE TERMINA A HISTÓRIA
DA PASTORA MARCELA,
COM OUTROS ACONTECIMENTOS

Mal o dia começou a surgir nos mirantes do Oriente, cinco dos seis pastores se levantaram e foram acordar dom Quixote, dizendo que eles lhe fariam companhia se ainda estivesse disposto a ir ver o famoso enterro de Grisóstomo. Dom Quixote, que não desejava outra coisa, se levantou e mandou que Sancho encilhasse os animais de uma vez, o que ele fez a toda pressa, e com a mesma pressa se puseram todos a caminho. E não tinham andado um quarto de légua quando, ao cruzar uma picada, viram se aproximar uns seis pastores, vestidos com pelicos negros, as cabeças coroadas com grinaldas de espirradeira e cipreste fúnebres. Cada um trazia um grosso cajado de azevinho na mão. Também vinham com eles dois fidalgos a cavalo, muito bem vestidos para viagem, com outros três rapazes a pé. Quando se encontraram, cortesmente se saudaram e, perguntando-se uns aos outros para onde iam, souberam que todos se encaminhavam para o lugar do enterro. Assim começaram a caminhar todos juntos.

Um dos que estavam a cavalo, falando com seu companheiro, disse:

— Parece-me, senhor Vivaldo, que havemos de dar por bem empregada a demora que teremos por ver esse famoso enterro, que famoso não poderá deixar de ser, pelas coisas extraordinárias que esses pastores nos contaram tanto do morto como da pastora homicida.

— É o que acho também — respondeu Vivaldo —, mas nem falo em demora de um dia, porque até quatro eu demoraria em troca de vê-lo.

Dom Quixote perguntou a eles o que tinham ouvido de Marcela e de Grisóstomo. Um dos viajantes disse que naquela madrugada haviam encontrado aqueles pastores e que, por tê-los visto em trajes tão tristes, tinham perguntado por que se vestiam assim, e um deles respondeu, falando de uma intratável e formosa pastora chamada Marcela, da paixão de muitos que a cortejavam e da morte de Grisóstomo, a cujo enterro iam. Por fim lhe contou tudo o que Pedro havia contado a dom Quixote.

Acabou essa conversa e se começou outra — o que se chamava Vivaldo perguntando a dom Quixote o que o levava a andar de armadura por terra tão pacífica. Dom Quixote respondeu:

— O exercício de minha profissão não consente nem permite que eu ande de outra maneira. A boa vida, o prazer e o repouso foram inventados para os cortesãos frouxos; mas o trabalho, a angústia e as armas só foram inventados e feitos para aqueles que o mundo chama de cavaleiros andantes, dos quais eu, embora indigno, sou o menor de todos.

Apenas ouviram isso, todos o consideraram louco; e, para averiguar que gênero de loucura era o seu, Vivaldo perguntou o que vinham a ser cavaleiros andantes.

— Vossas mercês — respondeu dom Quixote — não leram os anais e as histórias da Inglaterra, que tratam das famosas façanhas do rei Artur, a quem em nosso romance castelhano geralmente chamamos de "el-rei Artus"? É tradição antiga e comum em todo o reino da Grã-Bretanha que esse rei não morreu, mas que por artes mágicas se transformou em corvo e que, passando os tempos, voltará a reinar, recobrando seu reino e cetro. É por isso que, desde aquele tempo, nenhum inglês matou corvo algum. Pois na época desse bom rei foi instituída aquela famosa ordem dos cavaleiros da Távola Redonda e aconteceram, sem faltar uma vírgula como ali se relata, os amores de sir Lancelot do Lago com a rainha Guinevere, sendo intermediária e conhecedora deles aquela tão honrada dama Quintañona. Daí nasceu aquele conhecido romance, tão celebrado em nossa Espanha, de que

> Nunca fora cavaleiro
> de damas tão bem servido
> como fora Lancelot
> quando da Bretanha veio,

com a continuação tão doce e tão suave de suas façanhas de amor e guerra. Pois desde então, de mão em mão aquela ordem de cavalaria foi se estendendo e dilatando por muitas e diversas partes do mundo, e nela foram famosos e conhecidos por seus feitos o valente Amadis de Gaula, com todos os seus filhos e netos, até a quinta geração, e o valoroso Felixmarte de Hircânia, e o nunca devidamente louvado Tirante, o Branco, e quase em nossos dias vimos e conhecemos e ouvimos o invencível e valente cavaleiro dom Belianis da Grécia. Eis, senhores, o que é ser cavaleiro andante, e a que mencionei é a ordem de sua cavalaria, à qual eu, repito, embora pecador, me filiei, professando o mesmo que professaram os aludidos cavaleiros. E assim vou por essas solidões e descampados em busca de aventuras, com ânimo deliberado de oferecer meu braço e minha pessoa à mais perigosa que a sorte me depare, na defesa dos fracos e desvalidos.

Por esse discurso os viajantes acabaram de se inteirar da falta de juízo de dom Quixote e da espécie de loucura que o dominava, o que causou o mesmo espanto que surpreendeu a todos os que dela tomaram conhecimento. E Vivaldo, que era pessoa muito arguta e de temperamento alegre, para passar sem tédio o resto do caminho que faltava para chegarem à serra do enterro, quis proporcionar a dom Quixote a chance de prosseguir com seus disparates. Por isso lhe disse:

— Parece-me, senhor cavaleiro andante, que vossa mercê escolheu uma das mais duras profissões que há na terra. Acho que nem a dos frades cartuxos é tão dura.

— Pode muito bem ser tão dura — respondeu nosso dom Quixote —, mas, tão necessária ao mundo, estou a um triz de duvidar. Porque, a bem da verdade, não faz menos o soldado que executa o que seu capitão manda do que o próprio capitão que ordenou. Quero dizer que os religiosos, em paz e calmamente, pedem ao céu o bem da terra, mas nós, os soldados e os cavaleiros, pomos em execução o que eles pedem, defendendo-a com o valor de nossos braços e o fio de nossas espadas, não debaixo de teto mas a céu aberto, postos como alvos para os insuportáveis raios do sol no verão e para os arrepiantes gelos do inverno. Enfim, somos ministros de Deus na terra e os braços que executam nela sua justiça. E como as coisas da guerra e as concernentes a ela não podem ser executadas senão suando, trabalhando e se esfalfando, conclui-se que aqueles que a professam têm sem dúvida maior trabalho do que aqueles que em sossegada paz e repouso estão rogando a Deus que favoreça os desvalidos. Não quero dizer, nem me passa pelo pensamento, que a condição de cavaleiro andante é tão boa como a de religioso no claustro: apenas concluo, pelo que padeço, que sem dúvida é mais trabalhosa e mais cansativa, mais faminta e sedenta, miserável, esfarrapada e piolhenta, porque é mais do que certo que os cavaleiros andantes antigos passaram maus pedaços no curso de suas vidas. E, se alguns chegaram a ser imperadores, pelo valor de seu braço, podeis crer que muito lhes custou em sangue e suor; e, se eles não fossem ajudados por magos e sábios, teriam ficado bem frustrados de seus desejos e bem desiludidos de suas esperanças.

— Também tenho essa opinião — replicou o viajante. — Mas uma coisa, entre tantas outras dos cavaleiros andantes, me parece muito má: quando estão para empreender uma grande e perigosa aventura, em que há evidente risco de se perder a vida, nunca lembram de se encomendar a Deus, como é da obrigação de cada cristão em semelhantes apuros; encomendam-se às suas damas, e com tanta ânsia e devoção como se elas fossem seu Deus, coisa que cheira um pouco a paganismo.

— Senhor — respondeu dom Quixote —, isso não pode ser diferente de jeito nenhum, e mau passo daria o cavaleiro andante que fizesse outra coisa, porque já é costume antigo na cavalaria andante que o cavaleiro, ao empreender algum grande feito de armas, tenha sua senhora diante de si, volte para ela os olhos suave e amorosamente, como quem pede com eles que o favoreça e ampare nessa situação duvidosa. E, mesmo que ninguém o ouça, tem obrigação de dizer algumas palavras entre dentes e de nelas se encomendar de todo o coração; temos disso inumeráveis exemplos nas histórias. E não se deve entender por isso que deixem de se encomendar a Deus, que tempo e lugar lhes sobra para fazê-lo no decorrer da contenda.

— Mesmo assim — replicou o viajante —, resta-me uma dúvida. É que muitas vezes li que se travam discussões entre dois cavaleiros andantes e, de palavra em palavra, acende-se a cólera deles e então viram os cavalos para um lado, tomam uma boa distância no campo e aí, sem mais nem menos, a todo galope, voltam a se bater, encomendando-se às suas damas no meio da corrida. O resultado do ataque costuma ser que um cai pelas ancas do cavalo, trespassado de lado a lado pela lança do adversário; e o que acontece ao outro é que, se não se agarrasse nas crinas do seu, não poderia deixar de vir por terra também. Não sei como o morto conseguiu se encomendar a Deus no curso de conflito tão acelerado. Seria melhor que as palavras que gastou na corrida se encomendando a sua dama fossem gastas no que devia e estava obrigado como cristão. Além do mais, penso que nem todos os cavaleiros andantes têm damas a quem se encomendar, porque nem todos estão apaixonados.

— Isso não! — respondeu dom Quixote. — Digo que não pode haver cavaleiro andante sem dama, pois é tão próprio e tão natural para eles estar apaixonados como ao céu ter estrelas. Não, certamente nunca se viu uma história em que se encontre um cavaleiro andante sem amores; e, se por acaso não os tivesse, não seria considerado um legítimo cavaleiro, mas um bastardo que entrou na fortaleza da dita cavalaria não pela porta e sim pulando a muralha, como um salteador e ladrão.

— Mas me parece — disse o viajante —, se bem me lembro, ter lido que dom Galaor, irmão do valoroso Amadis de Gaula, nunca teve dama mencionada a quem pudesse se encomendar e nem por isso foi menos considerado, e foi um cavaleiro muito valente e famoso.

Ao que nosso dom Quixote respondeu:

— Senhor, uma andorinha só não faz verão. Além do mais, eu sei que em segredo esse cavaleiro estava muito apaixonado; é que isso de querer bem a qualquer uma que o agradasse era de sua natureza, que não podia contrariar. Mas, enfim, é bem sabido que ele tinha uma só a quem havia feito senhora de sua vontade, e a quem se encomendava muito seguido e muito secretamente, porque se gabava de ser um cavaleiro discreto.

— Então, se é essencial que todo cavaleiro andante deva ser um apaixonado — disse o viajante —, bem se pode pensar que vossa mercê também o seja, pois é da profissão. E, se vossa mercê não se gabar de ser tão discreto como dom Galaor, com todo empenho lhe suplico, em nome desta gente e no meu, que nos diga o nome, pátria, condição e formosura de sua dama, que ela deve se dar por feliz que todo o mundo saiba que é cortejada e amada por cavaleiro como vossa mercê parece ser.

Aqui dom Quixote deu um grande suspiro e disse:

— Não posso afirmar se minha doce inimiga gosta ou

não de que o mundo saiba que eu a sirvo. Só posso dizer, respondendo ao que tão respeitosamente me é pedido, que seu nome é Dulcineia; sua pátria, El Toboso, um povoado da Mancha; sua condição, princesa, pelo menos, pois é minha rainha e senhora; sua formosura, sobre-humana, pois nela se tornam verdadeiros todos os impossíveis e quiméricos atributos que os poetas emprestam a suas damas: seus cabelos são de ouro; sua testa, campos elísios; suas sobrancelhas, arco-íris; seus olhos, sóis; suas faces, rosas; seus lábios, corais; pérolas, seus dentes; alabastro, seu pescoço; mármore, seu peito; marfim, suas mãos; sua brancura, neve, e as partes que o recato encobriu à vista humana são tais, conforme penso e entendo, que apenas a sensata consideração pode encarecê-las mas não compará-las.

— Gostaríamos de saber a linhagem, origem e nobreza — replicou Vivaldo.

Ao que dom Quixote respondeu:

— Não é dos antigos Cúrcios, Gaios e Cipiões romanos, nem dos modernos Colonas e Ursinos, nem dos Moncadas e Requesenes da Catalunha, muito menos dos Rebellas e Villanovas de Valência, Palafoxes, Nuzas, Rocabertis, Corellas, Lunas, Alagones, Urreas, Foces e Gurreas de Aragão, Cerdas, Manriques, Mendozas e Guzmanes de Castela, Alencastros, Palhas e Meneses de Portugal. É dos de El Toboso da Mancha, linhagem que, embora moderna, pode dar generoso princípio às mais ilustres famílias dos próximos séculos. E não me contestem isso, se não for com as condições que Cervino pôs ao pé do troféu das armas e armadura de Orlando:

Ninguém as mova
Se com Roland não possa se pôr à prova.

— Embora eu seja dos Cachopines de Laredo — respondeu o viajante —, não me atreverei a comparar minha linhagem à dos de El Toboso da Mancha, até por-

que, para dizer a verdade, semelhante sobrenome ainda não me chegou aos ouvidos.
— Como não chegou?! — replicou dom Quixote.
Com grande atenção todos os outros iam escutando a conversa dos dois, e até os próprios pastores (os das cabras e os outros) perceberam a total falta de juízo de nosso dom Quixote. Apenas Sancho Pança pensava que tudo o que seu amo dizia era verdade, mesmo sabendo quem ele era e tendo-o conhecido desde seu nascimento; só hesitava um pouco em acreditar naquilo da linda Dulcineia del Toboso, porque nunca havia tido notícia desse nome nem dessa princesa, embora vivesse tão perto de El Toboso.
Assim iam, quando viram que pela quebrada entre duas montanhas desciam uns vinte pastores, todos vestidos com pelicos de lã negra e coroados com grinaldas de teixo e de ciprestes, como se viu depois. Seis deles traziam uma padiola coberta de grande diversidade de flores e ramos.
Vendo-os, um dos pastores de cabras disse:
— Aqueles ali são os que trazem o corpo de Grisóstomo; e o lugar onde mandou que o enterrassem é ao pé daquela montanha.
Por isso se apressaram, chegando quando os pastores já tinham posto a padiola no chão, e quatro deles estavam cavando a sepultura com picões, ao lado de um penhasco compacto.
Cumprimentaram-se uns aos outros cortesmente. Depois dom Quixote e os que vinham com ele se puseram a olhar a padiola, onde viram coberto de flores o morto vestido como pastor, aparentando uns trinta anos de idade; apesar da morte, mostrava que em vida tinha sido de rosto formoso e de constituição galante. Ao redor dele, na própria padiola, estavam alguns livros e muitos papéis, abertos e fechados. E tanto os que olhavam como os que cavavam a sepultura, e todos os demais, mantinham-se num silêncio extraordinário, até que um dos que trouxeram o morto disse a outro:

— Olhai bem, Ambrósio, se é este o lugar que Grisóstomo indicou, já que quereis que se cumpra com toda a exatidão o que deixou ordenado em seu testamento.

— É este — respondeu Ambrósio. — Muitas vezes meu desgraçado amigo me contou aqui a história de sua desventura. Ali me disse que viu pela primeira vez aquela mortal inimiga da raça humana, e foi ali também que pela primeira vez lhe declarou seu pensamento, tão honesto como apaixonado, e foi ali que Marcela o desprezou pela última vez e acabou de desiludi-lo, de modo que ele pôs fim à tragédia de sua vida miserável. Por isso, em memória de tantas infelicidades, ele quis que aqui o depositassem nas entranhas do eterno esquecimento.

E, virando-se para dom Quixote e os viajantes, prosseguiu:

— Este corpo, senhores, que estais olhando com olhos piedosos, foi depositário de uma alma em que o céu pôs uma parte infinita de suas riquezas. Este é o corpo de Grisóstomo, que foi único em inteligência, inigualável na cortesia, extremo em galhardia, raro na amizade, generoso como ninguém, sério sem presunção, alegre sem baixeza, enfim o primeiro em tudo o que é ser bom e sem-par em tudo o que foi ser infeliz. Amou, foi desprezado; adorou, foi desiludido; implorou a uma fera, incomodou a um mármore, correu atrás do vento, bradou no deserto, cortejou a ingratidão, de quem recebeu como prêmio ser despojo da morte na metade de sua vida, a que deu fim uma pastora que ele procurava eternizar para que vivesse na memória das pessoas, o que poderiam mostrar bem esses papéis que estais olhando, se ele não houvesse mandado que os lançasse ao fogo tendo seu corpo sido entregue à terra.

— De maior rigor e crueldade usareis vós com eles que seu próprio dono — disse Vivaldo —, pois não é justo nem adequado que se cumpra a vontade de quem está completamente fora de si. Augusto César não teria agido bem se consentisse que se pusesse em execução o que o divino mantuano,[1] deixou ordenado em seu testamento. Portanto, senhor Ambrósio, já que dais à terra o corpo de vosso amigo, não queirais dar seus escritos ao esquecimento, pois, se ele ordenou como ofendido, não fica bem que vós cumprais como insensato; pelo contrário, salvando esses papéis, dareis vida eterna à crueldade de Marcela, para que sirva de exemplo nos tempos que estão por vir, para que todos se afastem e fujam de cair em semelhante abismo. Todos nós que aqui viemos já conhecemos a história deste vosso amigo apaixonado e desesperado, assim como vossa amizade, as circunstâncias de sua morte e sua última vontade. De toda essa história lamentável pode se concluir o que foi a crueldade de Marcela, o amor de Grisóstomo, o zelo de vossa amizade e o fim que têm os que correm à rédea solta pela trilha que o amor desvairado lhes põe diante dos olhos. Ontem à noite soubemos da morte de Grisóstomo e que havia de ser enterrado neste lugar; por isso, por curiosidade e compaixão, nos desviamos de nosso caminho e combinamos comprovar com nossos próprios olhos o que nos havia ferido os ouvidos. Como respeito por essa compaixão, e pelo desejo que nasceu em nós de remediá-la se pudermos, te rogamos, oh, sensato Ambrósio, ou ao menos eu te suplico que, em vez de queimar esses papéis, me deixes levar alguns deles.

E, sem esperar que o pastor respondesse, estendeu a mão e pegou alguns dos que estavam mais perto. Vendo isso, Ambrósio disse:

— Por cortesia, senhor, consentirei que fiqueis com os que já pegastes; mas pensar que deixarei de queimar os restantes é pensamento vão.

Vivaldo, que desejava ver o que os papéis diziam, abriu logo um deles e leu o título: "Canção desesperada". Ambrósio ouviu-o e disse:

— Esse é a última coisa que o coitado escreveu; e para que vejais, senhor, a que ponto o levaram suas desgraças, lede-a de modo que sejais ouvido, pois tereis tempo para isso enquanto se cava a sepultura.

— É o que farei com a melhor boa vontade — disse Vivaldo.

E, como todos os presentes tinham o mesmo desejo, rodearam-no, e ele, lendo com voz clara, viu que assim dizia:

XIV

ONDE SE TRANSCREVEM OS VERSOS DESESPERADOS DO PASTOR MORTO, COM OUTROS ACONTECIMENTOS INESPERADOS

CANÇÃO DE GRISÓSTOMO

Já que queres, cruel, que se divulgue
de língua em língua, entre toda gente
a força de tua brutal severidade,
farei com que o próprio inferno comunique
ao meu triste peito um som dolente,
que distorça o tom normal de minha voz.
E junto de meu desejo, que se esforça
para dizer minha dor e tuas façanhas,
da espantosa voz irá o canto,
e nele mesclados, para maior tormento,
pedaços das míseras entranhas.
Escuta, pois, com atento ouvido,
não ao melodioso som, mas ao ruído
que do fundo de meu amargo peito,
levado por um forçado desvario,
sai por meu gosto e teu despeito.

O rugir do leão, do lobo feroz
o uivo ameaçador, o silvo horrendo
da serpente escamosa, o formidável
urro de algum monstro, o agourento
grasnar do corvo, e o estrondo
do vento contrário em mar instável;
do já vencido touro o implacável
bramido, e da viúva rolinha

o sentido arrulhar; o triste canto
da coruja invejada, com o pranto
de toda a infernal negra quadrilha,
saíam para fora com a dolente alma,
misturados num som, de tal maneira,
que se confundam os sentidos todos,
pois a pena cruel que em mim se acha
para contá-la pede novos modos.

De tanta confusão as areias
do pai Tejo não ouvirão os tristes ecos,
nem do famoso Bétis as oliveiras,
que ali se espalharão minhas duras penas
em altos penhascos e em profundas covas,
com língua morta e com palavras vivas,
ou em escuros vales ou em esquivas
praias, ermas de contato humano,
ou onde o sol jamais mostrou sua luz,
ou entre a venenosa multidão
de feras que alimenta a planície líbia.
Ainda que nos planaltos desertos
os ecos roucos de meu mal incertos
soem com tua severidade sem igual,
por privilégio de minha má sorte,
serão levados pelo amplo mundo.

Mata um desdém, abate a paciência,
verdadeira ou falsa, uma suspeita;
matam os ciúmes com rigor mais forte;
desconcerta a vida longa ausência;
contra um temor de esquecimento de nada serve
firme esperança de feliz sorte...
Em tudo há certa, inevitável morte;
mas eu, milagre nunca visto!, vivo
ciumento, ausente, desdenhado e certo
das suspeitas que me têm morto,

e no esquecimento em que meu fogo avivo,
e, entre tantos tormentos, nunca alcança
minha vista ver nem sombra da esperança,
nem eu, desesperado, a procuro,
antes, por me exaltar em minha queixa,
estar sem ela eternamente juro.

Pode-se, porventura, num instante
esperar e temer, ou é melhor fazê-lo
sendo as causas do temor mais certas?
Tenho, se o duro ciúme está em frente,
de fechar estes olhos, se hei de vê-lo
por mil feridas na alma abertas?
Quem não abrirá de par em par as portas
à desconfiança, quando olha
descoberto o desdém, e as suspeitas
oh, amarga transformação!, verdades feitas,
e a limpa verdade mentira se torna?
Oh, no reino do amor ferozes tiranos
ciúmes!, ponde-me uma arma nestas mãos.
Dai-me, desdém, uma desleal corda.
Mas ai de mim que, com cruel vitória,
vossa memória o sofrimento afoga.

Eu morro, enfim, e, para que nunca espere
sucesso nem na morte nem na vida,
pertinaz seguirei em minha fantasia.
Direi que acertado vai aquele que ama,
e que é mais livre a alma mais rendida
à antiga tirania de amor.
Direi que minha eterna inimiga
bela a alma como o corpo tem,
e que seu esquecimento de minha culpa nasce,
e que, na segurança dos males que nos faz,
amor seu império em justa paz mantém.
E com esta opinião e um duro laço,

*acelerando o miserável tempo
a que me conduziram seus desdéns,
oferecerei aos ventos corpo e alma,
sem láurea ou palma de futuros amores.*

*Tu, que com tantas iniquidades mostras
a razão que me força que alguma faça
à cansada vida que desprezo,
pois já vês que te dá notórias mostras
esta profunda chaga do coração
de como alegre a teu rigor me ofereço,
se por sorte sabes que mereço
que o céu claro de teus belos olhos
em minha morte se turve, não o faças:
pois não quero que em nada satisfaças
ao dar-te de minha alma os despojos;
antes com riso na ocasião funesta
descobre que meu fim foi tua festa.
Mas grande ingenuidade é avisar-te disto,
pois sei que tua glória é conhecida
em que minha vida chegue ao fim tão rápido.*

*Venha, que já é tempo, do profundo abismo
Tântalo com sua sede; Sísifo venha
com o peso terrível de seu canto;
Tício traga seu abutre, e também
com sua roda Egeu não se detenha,
nem as irmãs que trabalham tanto,
e todos juntos seu mortal quebranto
transfiram a meu peito, e em voz baixa
— se a um desesperado já são devidas —
cantem exéquias tristes, doloridas,
ao corpo, a quem ainda se nega a mortalha;
e o porteiro infernal dos três rostos,
com outras mil quimeras e mil monstros,
levem o doloroso contraponto,*

*pois outra pompa melhor não me parece
que a merece um amante morto.*

*Canção desesperada, não te queixes
quando minha triste companhia deixes;
antes, pois que a causa da qual nasceste
com minha desgraça aumenta sua ventura,
mesmo na sepultura não fiques triste.**

A canção de Grisóstomo pareceu boa aos ouvintes, mesmo que aquele que a leu tenha dito que achava que ela destoava com o que tinha ouvido sobre o recato e a honestidade de Marcela, porque Grisóstomo se queixava de ciúmes, suspeitas e ausência, tudo em descrédito da

---

* Ya que quieres, crüel, que se publique,/ de lengua en lengua y de una en otra gente/ del áspero rigor tuyo la fuerza,/ haré que el mismo infierno comunique/ al triste pecho mío un son doliente,/ con que el uso común de mi voz tuerza./ Y al par de mi deseo, que se esfuerza/ a decir mi dolor y tus hazañas,/ de la espantable voz irá el acento,/ y en él mezcladas, por mayor tormento,/ pedazos de las míseras entrañas./ Escucha, pues, y presta atento oído,/ no al concertado son, sino al ruïdo/ que de lo hondo de mi amargo pecho,/ llevado de un forzoso desvarío,/ por gusto mío sale y tu despecho.// El rugir del león, del lobo fiero/ el temeroso aullido, el silbo horrendo/ de escamosa serpiente, el espantable/ baladro de algún monstruo, el agorero/ graznar de la corneja, y el estruendo/ del viento contrastado en mar instable;/ del ya vencido toro el implacable/ bramido, y de la viuda tortolilla/ el sentible arrullar; el triste canto/ del envidiado búho, con el llanto/ de toda la infernal negra cuadrilla,/ salgan con la doliente ánima fuera,/ mezclados en un son, de tal manera,/ que se confundan los sentidos todos,/ pues la pena cruel que en mí se halla/ para cantalla pide nuevos modos.// De tanta confusión no las arenas/ del padre Tajo oirán los tristes ecos,/ ni del famoso Betis las olivas,/ que allí se esparcirán mis duras penas/ en altos riscos y en profundos huecos,/ con muerta lengua y con palabras vivas,/ o ya en escuros valles o en es-

boa reputação de Marcela. Ao que Ambrósio respondeu, sendo quem sabia muito bem dos mais ocultos pensamentos de seu amigo:

— Para que vos livreis dessa dúvida, senhor, é bom que saibais que quando o desgraçado escreveu essa canção estava longe de Marcela, de quem ele se afastara por vontade própria, para ver se a ausência o trataria com suas leis costumeiras; e, como ao apaixonado ausente não há coisa que não o angustie nem temor que não o persiga, Grisóstomo se angustiava com os ciúmes imaginados e com as suspeitas temidas como se fossem verdadeiros. E com isso prevalece a verdade que a fama apregoa sobre a honestidade de Marcela; a quem, exceto por ser cruel e um pouco arrogante, e muito des-

---

quivas/ playas, desnudas de contrato humano,/ o adonde el sol jamás mostró su lumbre,/ o entre la venenosa muchedumbre/ de fieras que alimenta el libio llano./ Que puesto que en los páramos desiertos/ los ecos roncos de mi mal inciertos/ suenen con tu rigor tan sin segundo,/ por privilegio de mis cortos hados,/ serán llevados por el ancho mundo.// Mata un desdén, atierra la paciencia,/ o verdadera o falsa, una sospecha;/ matan los celos con rigor más fuerte;/ desconcierta la vida larga ausencia;/ contra un temor de olvido no aprovecha/ firme esperanza de dichosa suerte.../ En todo hay cierta, inevitable muerte;/ mas yo, ¡milagro nunca visto!, vivo/ celoso, ausente, desdeñado y cierto/ de las sospechas que me tienen muerto/ y en el olvido en quien mi fuego avivo,/ y, entre tantos tormentos, nunca alcanza/ mi vista a ver en sombra a la esperanza,/ ni yo, desesperado, la procuro,/ antes, por extremarme en mi querella,/ estar sin ella eternamente juro.// ¿Puédese, por ventura, en un instante/ esperar y temer, o es bien hacello/ siendo las causas del temor más ciertas?/ ¿Tengo, si el duro celo está delante,/ de cerrar estos ojos, si he de vello/ por mil heridas en el alma abiertas?/ ¿Quién no abrirá de par en par las puertas/ a la desconfianza, cuando mira/ descubierto el desdén, y las sospechas,/ ¡oh amarga conversión!, verdades hechas,/ y la limpia verdad vuelta en mentira?/ ¡Oh en el reino de amor fieros tiranos/ celos!,

denhosa, a própria inveja não pode nem deve imputar falta alguma.

— Isso é verdade — respondeu Vivaldo.

E, querendo ler outro papel dos que havia salvado do fogo, impediu-o uma visão maravilhosa (isto ela parecia) que de repente se ofereceu a ele: por cima do penhasco onde se cavava a sepultura surgiu a pastora Marcela, tão formosa que sua beleza ultrapassava sua fama. Os que ainda não a tinham visto olhavam-na com admiração e silêncio; e os que já a conheciam não ficaram menos pasmos que eles. Mas, mal a viu, Ambrósio disse com mostras de indignação:

— Por acaso vens ver, feroz basilisco destas montanhas, se com tua presença vertem sangue as feridas deste miserável a quem tua crueldade tirou a vida? Ou vens vangloriar-te das cruéis façanhas de tua índole? Ou ver dessa altura, como outro Nero desapiedado, o incêndio de sua Roma? Ou pisar arrogante este infeliz cadáver, como a filha ingrata pisou o de seu pai Tarquínio? Diz-

---

ponedme un hierro en estas manos./ Dame, desdén, una torcida soga./ Mas, ¡ay de mí!, que, con crüel vitoria/ vuestra memoria el sufrimiento ahoga.// Yo muero, en fin, y porque nunca espere/ buen suceso en la muerte ni en la vida,/ pertinaz estaré en mi fantasía./ Diré que va acertado el que bien quiere,/ y que es más libre el alma más rendida/ a la de amor antigua tiranía./ Diré que la enemiga siempre mía/ hermosa el alma como el cuerpo tiene,/ y que su olvido de mi culpa nace,/ y que, en fe de los males que nos hace,/ amor su imperio en justa paz mantiene.// Y con esta opinión y un duro lazo,/ acelerando el miserable plazo/ a que me han conducido sus desdenes,/ ofreceré a los vientos cuerpo y alma,/ sin lauro o palma de futuros bienes.// Tú, que con tantas sinrazones muestras/ la razón que me fuerza a que la haga/ a la cansada vida que aborrezco,/ pues ya ves que te da notorias muestras/ esta del corazón profunda llaga/ de cómo alegre a tu rigor me ofrezco,/ si por dicha conoces que merezco/ que el cielo claro de tus bellos ojos/ en mi muerte se turbe, no

-nos logo ao que vens, ou o que é que mais te agrada, porque, sabendo eu que os pensamentos de Grisóstomo jamais deixaram de obedecer-te em vida, farei com que mesmo ele morto te obedeçam os de todos aqueles que se chamaram seus amigos.

— Oh, Ambrósio, não venho para nada disso — respondeu Marcela —, mas por mim mesma, para mostrar o quanto estão enganados todos aqueles que me culpam de suas penas e da morte de Grisóstomo. Por isso rogo a todos os presentes que me ouçam com atenção, pois não será necessário muito tempo, nem muitas palavras, para a verdade persuadir os sensatos.

"O céu me fez formosa, dizeis, e de tal maneira que minha formosura vos leva a me amar sem resistência, e pelo amor que me mostrais, dizeis e até quereis que eu seja obrigada a vos amar. Eu sei, com o natural entendimento que Deus me deu, que tudo o que é belo pode ser amado; mas não compreendo que, pela razão de ser amado, quem é amado por belo tenha obrigação de amar

---

lo hagas;/ que no quiero que en nada satisfagas/ al darte de mi alma los despojos;/ antes con risa en la ocasión funesta/ descubre que el fin mío fue tu fiesta./ Mas gran simpleza es avisarte de esto,/ pues sé que está tu gloria conocida/ en que mi vida llegue al fin tan presto.// Venga, que es tiempo ya, del hondo abismo/ Tántalo con su sed; Sísifo venga/ con el peso terrible de su canto;/ Ticio traiga su buitre, y asimismo/ con su rueda Egión no se detenga,/ ni las hermanas que trabajan tanto,/ y todos juntos su mortal quebranto/ trasladen en mi pecho, y en voz baja/ — si ya a un desesperado son debidas —/ canten obsequias tristes, doloridas,/ al cuerpo, a quien se niegue aun la mortaja;/ y el portero infernal de los tres rostros,/ con otras mil quimeras y mil monstruos,/ lleven el doloroso contrapunto,/ que otra pompa mejor no me parece/ que la merece un amador difunto.// Canción desesperada, no te quejes/ cuando mi triste compañía dejes;/ antes, pues que la causa do naciste/ con mi desdicha aumenta su ventura,/ aun en la sepultura no estés triste.

quem o ama. E ainda poderia acontecer que o amante do belo fosse feio e, sendo o feio digno de ser desprezado, fica mal dizer: 'Amo-te porque és bela: deves me amar embora eu seja feio'. Mas, mesmo que as belezas se equivalham, nem por isso haverão de ser iguais os desejos, pois nem todas as belezas apaixonam: algumas alegram a vista mas não subjugam a vontade. Se todas as belezas apaixonassem e subjugassem, as vontades andariam desorientadas e confusas, sem saber onde iriam parar, porque, sendo infinitas as pessoas belas, infinitos haveriam de ser os desejos. E, conforme ouvi dizer, o amor verdadeiro não se divide e deve ser voluntário, não forçado. Sendo assim, como penso que é, por que quereis que submeta minha vontade à força, apenas porque me dizeis que me amais? Se não, dizei-me: se em vez de formosa o céu me tivesse feito feia, seria justo que me queixasse de vós por não me amardes? Depois, deveis considerar que eu não escolhi: o céu deu-me a beleza que tenho de graça, sem que eu a pedisse nem escolhesse. E, assim como a víbora não merece ser culpada pelo veneno que tem, apesar de matar com ele, porque lhe foi dado pela natureza, também eu não mereço ser repreendida por ser bela: a beleza na mulher honesta é como o fogo afastado ou como a espada afiada, porque nem ele queima nem ela corta quem deles não se aproxima. A honra e as virtudes são adornos da alma, sem os quais o corpo não deve parecer belo, embora o seja. Pois, se a honestidade é uma das virtudes que ao corpo e à alma mais adornam e embelezam, por que deve perdê-la a que é amada por ser bela, para satisfazer a intenção daquele que, apenas para seu próprio prazer, com todas as suas forças e astúcias procura que a perca?

"Eu nasci livre e, para poder viver livre, escolhi a solidão dos campos: as árvores destas montanhas são minha companhia; as águas cristalinas destes riachos, meus espelhos; às árvores e às águas comunico meus pensamentos e formosura. Sou fogo afastado e espada distante. Aos que apaixonei com a vista desiludi com as palavras; e, se os desejos se sustentam com esperanças, não tendo eu dado nenhuma a Grisóstomo, nem a algum outro (na verdade, a nenhum deles), bem se pode dizer que antes o matou sua teimosia do que minha crueldade. E, se alegardes que seus pensamentos eram honestos e que por isso estava obrigada a satisfazê-los, digo que quando me revelou a honestidade de sua intenção, neste mesmo lugar onde agora se cava sua sepultura, eu disse a ele que a minha era viver em perpétua solidão e que apenas a terra gozasse o fruto de meu recolhimento e os despojos de minha formosura; e se ele, apesar de tudo, quis lutar contra a esperança e navegar contra o vento, quem se admira que se afogasse no meio do oceano de seu desatino? Se eu o encorajasse, seria falsa; se o contentasse, seria contra minhas melhores intenções e propósitos. Teimou desiludido, desesperou sem ser desprezado: vede então se deve se jogar em mim a culpa de sua pena! Queixe-se o enganado; desespere-se aquele a quem faltaram as prometidas esperanças! Tenha confiança o que eu chamar; gabe-se o que eu aceitar. Mas não me chame de cruel nem de homicida aquele a quem eu não prometo, não engano, não chamo nem aceito.

"Até agora o céu não quis que eu amasse por destino, e pensar que eu tenho de amar por escolha é inútil. Que esse desengano geral sirva de lição, para seu particular proveito, a cada um dos que me cortejam, e que se entenda daqui por diante que, se algum morrer por mim, não morre de ciúmes nem de infelicidade, pois quem não ama ninguém a ninguém deve causar ciúme, pois os desenganos não devem ser tomados por desdéns. O que me chama de fera e basilisco, deixe-me como coisa nociva e má; o que me chama de ingrata, não me corteje; de mal-agradecida, não me conheça; de cruel, não me siga; porque esta fera, este basilisco, esta ingrata, esta mal-agradecida e cruel nem vos procurará, cortejará, conhecerá nem seguirá de forma alguma.

"Se a Grisóstomo matou sua impaciência e desejo impetuoso, por que se deve culpar meu honesto procedimento e recato? Se eu conservo minha pureza em companhia das árvores, por que devem querer que a perca em companhia dos homens? Como sabeis, sou rica e não cobiço as riquezas alheias; sou de temperamento livre, não gosto de me sujeitar; não amo nem odeio ninguém; não engano este nem cortejo aquele; não zombo de um nem me divirto com outro. A conversa honesta das pastoras destas aldeias e o cuidado com minhas cabras me distraem. Meus desejos se limitam a estas montanhas e, se daqui saem, é para contemplar a formosura do céu, passos com que anda a alma para sua primeira morada."

Dizendo isso, sem querer ouvir resposta alguma, virou-se e meteu-se no ponto mais fechado de uma mata próxima, deixando todos admirados tanto com sua inteligência como com sua formosura. Mas alguns dos feridos pelas flechas de luz de seus olhos deram mostras de querer segui-la, como se não tivessem ouvido a mais clara desilusão, o que levou dom Quixote a pensar que era conveniente usar sua cavalaria, socorrendo uma donzela em apuros. Com a mão no punho da espada, em voz alta e inteligível disse:

— Nenhuma pessoa, de qualquer estado e condição que seja, se atreva a seguir a formosa Marcela, sob pena de cair sob a fúria de minha indignação. Ela mostrou com palavras claras e mais que suficientes a pouca ou nenhuma culpa que teve na morte de Grisóstomo, e o quanto vive alheia em condescender com os desejos de seus apaixonados. Por isso é justo que, em vez de ser seguida e perseguida, seja honrada e estimada por todos os bons, pois mostra que apenas ela vive com tão honesta intenção.

Ou fosse pelas ameaças de dom Quixote, ou porque Ambrósio lhes disse que concluíssem o que deviam a seu bom amigo, nenhum dos pastores se moveu nem se afastou dali até que, acabada a sepultura e queimados os papéis de Grisóstomo, puseram o corpo na terra, não sem muitas lágrimas de todos. Fecharam a sepultura com uma grande pedra, até que se acabasse a lápide que Ambrósio pensava em mandar fazer, com este epitáfio:

*Jaz aqui de um amador
o mísero corpo gelado,
que foi pastor de gado,
perdido por desamor.*

*Morreu nas mãos do rigor
de uma esquiva e linda ingrata,
com quem seu império dilata
a tirania de amor.**

A seguir espalharam por cima da sepultura muitas flores e ramos e, dando pêsames a seu amigo Ambrósio, todos se despediram dele. O mesmo fizeram Vivaldo e seu companheiro. Dom Quixote se despediu de seus anfitriões e dos viajantes, que lhe pediram que fosse com eles para Sevilha, por ser lugar muito conveniente para aventuras, pois em cada rua e cada esquina se oferecem mais que em qualquer outro. Dom Quixote agradeceu a informação e a vontade que mostravam de agradá-lo, mas disse que por ora não queria nem devia ir a Sevilha, até que houvesse limpado aquelas serras de bandidos e ladrões, de que todas estavam cheias, como se sabia. Vendo sua firme determinação, os viajantes não quiseram incomodá-lo mais, despediram-se de novo e o deixaram, prosseguindo seu caminho, onde não lhes faltou do que falar, tanto da história de Marcela e Grisóstomo como das loucuras de dom Quixote. Nosso cavaleiro de-

---

* *Yace aquí de un amador/ el mísero cuerpo helado,/ que fue pastor de ganado,/ perdido por desamor.// Murió a manos del rigor/ de una esquiva hermosa ingrata,/ con quien su imperio dilata/ la tiranía de amor.*

cidiu procurar a pastora Marcela e oferecer tudo o que podia para servi-la; mas não aconteceu como ele pensava, conforme se conta no decorrer desta história verídica, tendo fim aqui a segunda parte.

TERCEIRA PARTE

XV

ONDE SE CONTA A DESGRAÇADA AVENTURA
QUE DOM QUIXOTE TEVE
AO TOPAR COM UNS GALEGOS DESALMADOS

O sábio Cide Hamete Benengeli conta que, assim que dom Quixote se despediu de seus anfitriões e de todos os que estiveram no enterro do pastor Grisóstomo, ele e seu escudeiro se meteram na mesma mata onde tinham visto a pastora Marcela sumir; e, depois de andarem mais de duas horas por ela, procurando-a por todos os lados, sem poder achá-la, foram parar num campo cheio de grama tenra, perto do qual corria um riacho fresco e agradável, que os convidou ou forçou a passar ali as horas da sesta, que já começavam inclementes.

Dom Quixote e Sancho apearam e, deixando o jumento e Rocinante pastar soltos a grama abundante que havia por ali, saquearam os alforjes e sem cerimônia alguma, em boa paz e companhia, amo e criado comeram o que neles acharam.

Sancho não havia se preocupado em pôr a peia em Rocinante, conhecendo-o como conhecia, tão manso e tão pouco libidinoso que todas as éguas das pastagens de Córdoba não o tirariam do sério. Pois ordenou a sorte, ou o diabo (que nem sempre dorme), que andasse pastando por aquele vale uma manada de potras da Galícia de uns tropeiros galegos, que têm por costume sestear com seus animais em lugares com grama e água, como aquele em que por acaso estava dom Quixote.

Então aconteceu que Rocinante teve o desejo de refestelar-se com as senhoras potras e, saindo de seu comportamento natural e costumeiro, mal as farejou, sem pedir licença a seu dono, com um trotezinho um tanto faceiro foi até elas participar sua necessidade. Mas pelo jeito elas deviam ter mais gana de pastar que de se divertir e receberam-no com as ferraduras e com os dentes, de tal maneira que lhe arrebentaram as cinchas, e em pouco tempo acabou sem sela, em pelo. Mas o que ele deve ter sentido mais foi que os tropeiros, vendo como atacava suas éguas, acudiram com bastões e lhe deram tantas bordoadas que o derrubaram todo arrebentado.

Por aí dom Quixote e Sancho, que tinham visto a sova de Rocinante, chegaram esbaforidos, e dom Quixote disse a Sancho:

— Pelo que vejo, meu amigo Sancho, esses não são cavaleiros, mas gente da mais baixa ralé. Digo-te porque bem podes me ajudar na devida vingança à afronta feita a Rocinante diante de nossos olhos.

— Que diabo de vingança teremos — respondeu Sancho —, se eles são mais de vinte e nós não mais que dois? Se é que não somos um e meio.

— Eu valho por cem! — replicou dom Quixote.

E, sem mais discursos, passou a mão na espada e investiu contra os galegos, o mesmo fazendo Sancho Pança, incitado e movido pelo exemplo de seu amo. De saída dom Quixote deu uma cutilada num deles, que lhe abriu o saio de couro que tinha vestido e grande parte das costas.

Ao se verem atacados apenas por dois homens, sendo eles tantos, os galegos correram a seus bastões e, cercando o amo e o criado, lhes caíram em cima com muita gana e energia. A verdade é que na segunda lambada deram com Sancho no chão, e o mesmo aconteceu com dom Quixote, sem que lhe valessem sua destreza e bom ânimo, caindo por acaso aos pés de Rocinante, que ainda não havia levantado — por onde se vê a fúria com que bastões machucam em mãos rústicas e raivosas.

Vendo então o mau serviço que tinham feito, com a maior pressa que puderam os galegos carregaram a tropa e seguiram caminho, deixando os dois aventureiros em péssimo estado e pior aparência.

O primeiro que voltou a si foi Sancho Pança, que, achando-se perto de seu senhor, com voz debilitada e lamentosa disse:

— Senhor dom Quixote? Ah, senhor dom Quixote!

— O que queres, irmão Sancho? — respondeu dom Quixote com o mesmo tom abatido e queixoso de Sancho.

— Se fosse possível — respondeu Sancho Pança —, gostaria que vossa mercê me desse dois goles daquela bebida do feio Brás, se a tiver à mão: talvez seja boa para ossos quebrados como é para feridas.

— Pobre de mim, o que nos faltaria, se a tivesse aqui?! — respondeu dom Quixote. — Palavra de cavaleiro andante: eu te juro, Sancho Pança, que antes de dois dias, se o destino não ordenar outra coisa, devo tê-la em meu poder, ou então meterei os pés pelas mãos.

— Falando em pés, em quantos dias vossa mercê acha que poderemos mexer com eles? — replicou Sancho Pança.

— Só sei que não posso calcular esses dias — disse o escangalhado cavaleiro dom Quixote. — Mas a culpa é toda minha: não devia ter brandido a espada contra homens que não foram armados cavaleiros, como eu; por isso, como punição por haver infringido as leis da cavalaria, acho que o deus das batalhas permitiu que me dessem esta sova. Então, Sancho Pança, convém que estejas prevenido sobre o que te direi agora, porque é muito importante para nossa saúde: quando vires que semelhante canalha nos faz alguma afronta, não esperes que eu empunhe a espada, porque não o farei de jeito nenhum; mas tu sim, empunha a espada e castiga-os à vontade, pois se em sua ajuda e defesa surgirem cavaleiros, eu saberei te defender e atacá-los com todo o meu poder. Já viste por mil sinais e experiências até onde vai o valor deste meu forte braço.

Até aí fora a arrogância do pobre senhor com a vitória sobre o valente basco. Mas a Sancho Pança o conselho do amo não pareceu tão bom que deixasse de lhe responder:

— Senhor, eu sou homem pacífico, manso, sossegado e sei fazer de conta que não vi injúria nenhuma, porque tenho mulher e filhos para sustentar e criar. Assim, fique também vossa mercê de sobreaviso (já que não pode ser mandado): de jeito nenhum empunharei a espada, nem contra camponês nem contra cavaleiro, e juro perante Deus que daqui por diante perdoo quantas afrontas me fizeram e vão fazer, embora as tenha feito ou faça ou fará pessoa alta ou baixa, rica ou pobre, fidalga ou plebeia, sem excetuar estado ou condição alguma.

Ouvindo isso, o amo respondeu:

— Gostaria de ter fôlego para poder falar mais descansado e que a dor que tenho nesta costela se aplacasse um pouco, Pança, para te mostrar o erro em que estás. Vem cá, pecador: se o vento da fortuna, até agora tão contrário, virar a nosso favor, soprando as velas de nosso desejo para que sem contratempo algum aportemos em segurança em alguma das ilhas prometidas, o que seria de ti se, ganhando-a eu, te fizesse senhor dela? Porás tudo a perder, por não seres cavaleiro, nem querer sê-lo, nem teres coragem nem intenção de vingar tuas injúrias e defender teus domínios. Porque deves saber que nos reinos e províncias novamente conquistados o ânimo dos nativos nunca está calmo, nem é tão favorável ao novo senhor que não se tema alguma coisa para alterar de novo a situação e voltar a tentar a sorte, como se diz. Assim, é necessário que o novo senhor tenha discernimento para saber governar e coragem para atacar e se defender em qualquer circunstância.

— Nesta em que estamos agora — respondeu Sancho —, eu gostaria de ter esse discernimento e essa coragem de que vossa mercê fala; mas, palavra de homem pobre, eu juro que estou mais para emplastros que para conversas. Veja vossa mercê se pode se levantar, e então ajudaremos Rocinante, mesmo que ele não mereça, porque foi a causa principal desta pancadaria. Jamais esperei isso de Rocinante, pois pensava que era pessoa casta e tão pacífica como eu. Enfim, bem dizem que é preciso muito tempo para se conhecer as pessoas, e que nada é seguro nesta vida. Quem haveria de dizer que depois daquelas espadadas que vossa mercê deu naquele desgraçado cavaleiro andante havia de desabar em seguida e tão rápido um temporal de pauladas em nossas costas?

— Ao menos as tuas, Sancho — replicou dom Quixote —, devem estar prontas para semelhantes temporais; mas as minhas, criadas entre algodões e linhos finos, claro que sentirão mais a dor desta desgraça. E se não fosse porque imagino... O que digo? Sei muito bem! Se todos estes contratempos não fossem próprios do exercício das armas, eu me deixaria morrer de puro desgosto, aqui e agora.

A isso, o escudeiro respondeu:

— Senhor, já que essas desgraças são frutos da cavalaria, diga-me vossa mercê se há muitas safras, ou se tem estações limitadas, porque me parece que em duas colheitas estaremos inutilizados para a terceira, se Deus não nos socorrer com sua infinita misericórdia.

— Saibas, amigo Sancho — respondeu dom Quixote —, que a vida dos cavaleiros andantes está sujeita a mil perigos e desventuras, mas eles também estão sempre na iminência de ser reis e imperadores, como mostrou a experiência dos mais diversos cavaleiros, de cujas histórias tenho total conhecimento. Poderia te falar agora, se a dor me permitisse, de alguns que só com o valor de seu braço ascenderam à nobre posição de que falei, e estes mesmos se viram antes e depois em diversas calamidades e misérias: porque o valente Amadis de Gaula se viu em poder de seu mortal inimigo Arcalaus, o mago, de quem se sabe que, tendo-o preso, atado a uma coluna de um pátio, lhe deu mais de duzentos açoites com as rédeas de seu cavalo. E há ainda um autor anônimo, mas de não pequeno crédito, que diz que, tendo o Cavaleiro do Febo topado com certo alçapão que se abriu debaixo dos pés, em certo castelo, ao cair se achou numa caverna profunda sob a terra, amarrado de pés e mãos, e ali lhe deram um desses chamados chá de bico, com neve derretida e areia, que o deixou nas últimas. Se não fosse socorrido naquela tenebrosa desventura por um grande mago amigo seu, teria passado muito mal o pobre cavaleiro. Assim, Sancho, bem posso sofrer entre tanta gente boa, sem falar que são maiores as afrontas que suportaram do que as que enfrentamos agora. Porque quero que saibas que não humilham as feridas que se fazem com os instrumentos que por acaso se acham à mão, e isto está na lei do duelo, escrito com todas as letras: se o sapateiro dá em alguém com a forma que tem na mão, apesar de ser de madeira, não se dirá que o atingido levou uma paulada. Digo isto para que não penses que sofremos uma humilhação, embora tenhamos saído sovados desta enrascada, porque as armas com que aqueles homens nos machucaram não eram outras senão seus bastões, e nenhum deles, pelo que me lembro, tinha estoque, espada nem punhal.

— Não tive tempo de reparar nisso — respondeu Sancho —, porque, mal botei a mão em minha *tizona*,[1] me benzeram o lombo com seus bastões de tal modo que me tiraram a vista dos olhos e a força dos pés, dando comigo onde agora estou esticado, e onde não sinto tristeza nenhuma ao pensar se as cacetadas foram ou não humilhantes, como sinto pela dor dos golpes, que vão me ficar impressos tanto na memória como no lombo.

— Apesar disso, eu te digo, meu caro Pança — replicou dom Quixote —, que não há lembrança que o tempo não apague nem dor que a morte não elimine.

— Mas que desgraça maior pode haver que aquela que se espera que o tempo apague e a morte elimine? — replicou Pança. — Se a nossa fosse daquelas que com um par de curativos se resolvem, não seria tão ruim; mas estou vendo que nem todos os emplastros de um hospital vão acabar com ela.

— Deixa-te disso e tira forças da fraqueza, Sancho — respondeu dom Quixote —, que assim farei eu, e vamos ver como está Rocinante, pois, pelo que parece, não coube ao coitado a menor parte dessa empreitada.

— Não há do que se admirar, sendo ele também cavaleiro andante — respondeu Sancho. — Do que me admiro é que meu jumento tenha ficado livre e sem custos quando nós saímos sem costelas.

— O destino sempre deixa uma porta aberta nas desgraças, para remediá-las — disse dom Quixote. — Digo isso porque esse burrinho poderá suprir agora a falta de Rocinante, levando-me daqui a algum castelo onde seja curado de minhas feridas. Mas não terei por desonra tal montaria, porque me lembro haver lido que aquele bom velho Sileno, criado e preceptor do alegre deus do riso, quando entrou na Cidade das Cem Portas cavalgava muito à vontade um burro muito formoso.[2]

— Deve ser verdade que ia montado como vossa mercê diz — respondeu Sancho —, mas há grande diferença entre ir montado e ir atravessado como um saco de esterco.

Ao que dom Quixote respondeu:

— As feridas que se recebem nas batalhas antes dão honra do que a tiram; portanto não me contraries mais, meu amigo Pança. E, como já te disse, levanta-te como puderes e põe-me em cima do burro do jeito que mais te agradar, e vamos embora antes que a noite venha e nos surpreenda neste descampado.

— Mas eu ouvi vossa mercê dizer — disse Pança — que é coisa de cavaleiros andantes dormirem nos matos e desertos a maior parte do ano, e que ficam muito felizes com isso.

— É, sim — disse dom Quixote —, mas quando não há escolha ou quando estão apaixonados. Tanto isso é verdade que houve cavaleiros que estiveram sobre um penhasco, ao sol, à sombra e às inclemências do céu, por dois anos, sem que o soubesse sua senhora. Um desses foi Amadis quando, chamando-se Beltenebros, se alojou na Peña Pobre, nem sei se oito anos ou oito meses, que não estou muito certo da conta, mas basta saber que ele esteve ali fazendo penitência por causa de não sei que desgosto que lhe fez a senhora Oriana. Deixemos disso, Sancho, e vamos lá, antes que aconteça ao jumento alguma desgraça como a de Rocinante.

— Aí sim seria o diabo — disse Sancho.

E, soltando trinta ais, sessenta suspiros, cento e vinte pragas e esconjuros para quem o levara a isso, levantou-se, ficando dobrado na metade do caminho como um arco turco, sem conseguir se endireitar. Mas, apesar de todo esse trabalho, encilhou seu burro, que também andara meio desregrado com toda a liberdade daquele dia. Depois levantou Rocinante, que, se tivesse língua com que se queixar, certamente não ficaria atrás nem de Sancho nem de seu amo.

Por fim, Sancho acomodou dom Quixote sobre o burro e atrás dele amarrou Rocinante, e puxando o burro pelo cabresto se encaminhou mais ou menos para onde lhe pareceu que podia estar a estrada real. Sem que tivesse andado uma pequena légua, a sorte, que ia guiando suas coisas de bem a melhor, deparou-o com a estrada, onde descobriu uma estalagem que, pela vontade de dom Quixote e contra a própria, havia de ser um castelo. Sancho teimava que era estalagem e seu amo que não, que era castelo; e tanto durou a teima que tiveram tempo, sem acabá-la, de chegar ao local. Sancho entrou, sem mais averiguações, com toda a sua tropa.

XVI

DO QUE ACONTECEU AO ENGENHOSO
FIDALGO NA ESTALAGEM
QUE ELE IMAGINAVA SER CASTELO

O estalajadeiro, que viu dom Quixote atravessado no burro, perguntou a Sancho de que mal ele sofria. Sancho respondeu que não era nada, que havia caído de um penhasco e que vinha com as costelas um pouco maltratadas. O estalajadeiro tinha uma mulher não do tipo que costumam ter, porque era caritativa e se condoía das desgraças do próximo; e assim, tratou logo de cuidar de dom Quixote, com a ajuda de uma filha donzela, moça e de muito boa aparência. Também servia na estalagem uma moça asturiana, de cara larga, pescoço curto, nariz chato, vesga de um olho e não muito sã do outro. É verdade que a imponência do corpo supria os demais defeitos: não tinha sete palmos dos pés à cabeça e as costas, que lhe pesavam um pouco, faziam-na olhar o chão mais do que ela gostaria. Pois essa galante moça ajudou a donzela. As duas fizeram uma péssima cama para dom Quixote num sótão que dava visíveis mostras de que havia servido de palheiro por muitos anos em outros tempos, onde também se alojava um tropeiro que tinha sua cama um pouco depois da de nosso dom Quixote e que, embora fosse feita com as enxergas e mantas de seus burros, levava grande vantagem à do cavaleiro, que tinha apenas quatro mal aplainadas tábuas sobre dois bancos não muito parelhos; um colchão que na espessura parecia colcha, cheio de caroços, que se não mostrasse a lã por alguns rasgões, pelo tato e pela dureza se pensaria que era recheado com cascalho; dois lençóis feitos de couro de adarga e um cobertor, cujos fios podiam ser contados sem que nenhum escapasse da conta.

Nessa cama amaldiçoada se deitou dom Quixote, e logo a estalajadeira e sua filha cobriram-no de pomada de cima a baixo, iluminadas por Maritornes, que assim se chamava a asturiana; e, como a estalajadeira visse dom Quixote com tantas equimoses, disse que aquilo parecia mais de pancadas que de queda.

— Não foram pancadas. É que o penhasco era cheio de pontas e saliências, e cada uma fez seu machucado — disse Sancho.

E depois acrescentou:

— Se vossa mercê desse um jeito para que sobrassem alguns curativos, minha senhora, não faltaria quem precisasse deles, pois eu também tenho o lombo um pouco dolorido.

— Quer dizer — respondeu a estalajadeira — que também caístes?

— Não caí, não — disse Sancho Pança. — Mas me dói o corpo todo do susto que levei ao ver meu amo cair, que até parece que me deram mil pauladas.

— Podia muito bem ser isso — disse a donzela —, porque já me aconteceu muitas vezes de sonhar que caía de uma torre, sem nunca chegar ao chão, mas quando acordava me achava tão moída e amarrotada como se tivesse caído de verdade.

— Este é o ponto, senhora — respondeu Sancho Pança —, pois eu, sem sonhar nem nada, estando mais acordado que agora, acho-me com pouco menos equimoses que meu senhor dom Quixote.

— Como se chama este cavaleiro? — perguntou a asturiana Maritornes.

— Dom Quixote de la Mancha — respondeu Sancho Pança. — É cavaleiro aventureiro, e dos melhores e mais fortes, que há muito tempo não se viam no mundo.

— O que é um cavaleiro aventureiro? — replicou a moça.

— Tão nova sois no mundo que não sabeis? — respondeu Sancho Pança. — Então sabei, minha irmã, que cavaleiro aventureiro é uma coisa que em dois lances se vê espancado e imperador: hoje é a criatura mais desgraçada e desvalida do mundo; amanhã terá dois ou três tronos de reinos para dar a seu escudeiro.

— Mas como vós, sendo escudeiro deste tão bom senhor — disse a estalajadeira —, não tendes, pelo visto, nem mesmo um condado?

— Ainda é cedo — respondeu Sancho —, porque só faz um mês que andamos em busca de aventuras e até agora não topamos com nenhuma para valer; e às vezes se procura uma coisa e se acha outra. A verdade é que se meu senhor dom Quixote sarar dessa ferida... ou queda, e eu não sair aleijado, não trocaria minhas esperanças pelo melhor título da Espanha.

Dom Quixote escutava muito atento toda essa conversa e, sentando-se como pôde na cama, pegou a mão da estalajadeira e disse:

— Crede-me, formosa senhora, que podeis vos chamar venturosa por haverdes alojado em vosso castelo minha pessoa, que só não gabo porque se costuma dizer que o elogio em causa própria envilece; mas meu escudeiro vos dirá quem sou. Apenas vos digo que, para vos agradecer enquanto me durar a vida, terei eternamente escrito na memória o serviço que me haveis prestado. E se aos altos céus agradasse que o amor não me tivesse cativo, tão rendido e sujeito às suas leis e aos olhos daquela formosa ingrata, cujo nome falo entre dentes, juro que os desta linda donzela seriam senhores de minha liberdade.

Ficaram confusas a estalajadeira, sua filha e a boa Maritornes ouvindo as palavras do cavaleiro andante, que entendiam como se ele falasse grego, ainda que percebessem muito bem que todas levavam jeito de galanteios e de que ele se punha a seu dispor. Como não estavam acostumadas com semelhante linguagem, olhavam para ele e se admiravam, porque não se parecia com os homens que conheciam. Depois o deixaram, agradecendo suas atenções no baixo calão das estalagens, e a asturiana Maritornes tratou de Sancho, que não necessitava disso menos que seu amo.

O tropeiro havia combinado com ela que naquela noite se divertiriam juntos e ela tinha dado sua palavra de que iria ter com ele, quando os hóspedes se aquietassem e seus amos dormissem, para satisfazer-lhe o apetite o quanto fosse preciso. E conta-se dessa boa moça que jamais deu sua palavra sem que a cumprisse, embora a desse no meio do mato e sem testemunha alguma, porque se achava muito fidalga, e não considerava humilhante estar naquele serviço na estalagem, porque, dizia ela, desgraças e contratempos a tinham levado àquele estado.

A dura, estreita, curta e pérfida cama de dom Quixote estava logo à entrada daquele estrelado telheiro, e Sancho fez a sua perto dela com apenas uma esteira de junco e uma manta, que mais parecia de estopa que de lã. Depois dessas duas camas vinha a do tropeiro, fabricada, como se disse, com as enxergas e todos os atavios dos dois melhores burros que ele tinha, embora fossem doze, lustrosos, gordos e excelentes, porque ele era um dos tropeiros ricos de Arévalo, conforme diz o autor desta história, que o menciona de modo particular, pois o conhecia muito bem e até se diz que era meio parente seu. Sem falar que Cide Mahamate Benengeli foi historiador muito cuidadoso e muito detalhista em todas as coisas, o que se nota bem, pois as que foram referidas, mesmo sendo tão pequenas e rasteiras, não quis que passassem em silêncio; bem poderão seguir o exemplo os historiadores sérios, que nos contam as ações tão rápida e sucintamente que mal dá para sentir o gostinho, deixando no tinteiro, ou por descuido, malícia ou ignorância, o mais substancial da obra. Mil vezes preferível o autor de *Tablante de Ricamonte*, e aquele do outro livro onde se contam as façanhas do conde Tomillas[1] — com que minúcia descrevem tudo!

Digo, então, que o tropeiro, depois de ter visitado sua tropa e dado a ela uma segunda porção de ração, se estendeu em suas enxergas e ficou à espera de sua pontualíssima Maritornes. Sancho já estava tratado e deitado, mas, embora procurasse dormir, não o consentia a dor nas costelas; e dom Quixote, com a dor das suas, tinha os olhos abertos que nem lebre. Toda a estalagem estava em silêncio e não havia nela outra luz além da que dava uma lamparina que ardia pendurada no meio do alpendre.

Essa extraordinária quietude e os pensamentos de nosso cavaleiro, sempre fixos nas coisas que a todo momento se falam nos livros causadores de sua desgraça, trouxe à mente dele uma das mais estranhas loucuras que facilmente se pode imaginar: acreditou ter chegado a um famoso castelo (como lhe pareciam todas as estalagens onde se alojava) e que a filha do estalajadeiro era a filha do castelão. Ela, vencida por seu garbo, tinha se apaixonado por ele e prometido que naquela noite, às escondidas de seus pais, viria se deitar com ele por um bom tempo. Tendo toda essa quimera que fabricara por certa e verdadeira, começou a se afligir e a pensar no perigoso apuro em que sua honestidade ia se ver, e decidiu no fundo de seu coração não trair sua senhora Dulcineia del Toboso, mesmo que a própria rainha Guinevere com sua dama Quintañona surgissem a sua frente.

Pensando nesses disparates, chegou a hora e a vez (fatal para ele) da vinda da asturiana, que, de camisola e descalça, os cabelos metidos numa touca de fustão, com passos silenciosos e precavidos, entrou no aposento onde os três estavam, em busca do tropeiro. Mas dom Quixote a percebeu mal ela chegou à porta e, sentando-se na cama, apesar de seus emplastros e da dor nas costelas, estendeu os braços para receber sua formosa donzela. A asturiana, que ia quietinha e toda encolhida, as mãos estendidas procurando seu querido, topou com os braços de dom Quixote, que a agarrou fortemente por um pulso e, puxando-a para si, sem que ela ousasse dizer uma palavra, a fez sentar na cama. Depois apalpou sua camisola, que, embora fosse de estopa, a ele pareceu de seda muito fina e leve. Maritornes trazia nos pulsos umas contas de vidro, que deram a ele visões de preciosas pérolas orientais. Os cabelos, que mais pareciam crinas, ele sentiu como fios de cintilante ouro da Arábia, cujo resplendor obscurecia o do próprio sol. O hálito sem dúvida alguma cheirava a salada estragada de ontem, mas a ele pareceu que a boca da moça exalava um aroma suave. Enfim, ele a pintou em sua imaginação com a mesma aparência e do mesmo modo que havia lido em seus livros sobre a outra princesa que veio ver o gravemente ferido cavaleiro, vencida por seu amor, com todos os adornos que aqui se menciona. E era tanta a cegueira do pobre fidalgo que nada o desiludiu, nem o tato nem o bafo nem outras coisas que a boa donzela trazia, que poderiam fazer um outro vomitar se não fosse tropeiro; pelo contrário, pensava que tinha a deusa da formosura entre os braços. E, tendo-a bem segura, com voz amorosa e baixa começou a lhe dizer:

— Gostaria, formosa e nobre senhora, de achar-me em situação de poder retribuir tamanha mercê como a que me haveis feito com a visão de vossa grande formosura. Mas quis o destino, que não se cansa de perseguir os bons, prostrar-me neste leito, onde me acho tão abatido e alquebrado que, mesmo que minha vontade quisesse satisfazer a vossa, seria impossível. E mais, porque a esta impossibilidade se soma outra maior, a fidelidade que jurei à incomparável Dulcineia del Toboso, única senhora de meus mais recônditos pensamentos. Se isso não estivesse entre nós, eu não seria um cavaleiro tão louco que deixasse passar em branco a venturosa ocasião em que vossa grande generosidade me pôs.

Maritornes estava aflita e suando frio, ao se ver agarrada assim por dom Quixote, e, sem entender nem prestar atenção ao discurso que lhe fazia, procurava escapar sem dizer uma palavra. O bom do tropeiro, a quem os maus desejos mantinham acordado, percebeu sua amante desde o momento em que ela cruzou a porta e ficou escutando atentamente tudo o que dom Quixote dizia. Com ciúmes porque a asturiana tinha lhe faltado com a palavra por causa de outro, foi se aproximando mais da cama de dom Quixote e ficou quieto, até ver no que dava aquele palavreado que ele não conseguia entender. Mas, como viu que a moça forcejava para se soltar e dom Quixote trabalhava para retê-la, não gostou da travessura, levantou o braço e descarregou tão terrível murro nos estreitos queixos do apaixonado cavaleiro que lhe banhou toda a boca de sangue; e, não satisfeito com isso, saltou-lhe sobre as costelas e, a trote, passeou por elas de cabo a rabo.

A cama, que era um tanto frágil e não muito firme na base, não aguentou o contrapeso do tropeiro e se foi ao chão, e o barulho acordou o estalajadeiro, que logo imaginou ser coisa de Maritornes, porque, tendo-a chamado aos gritos, ela não respondera. Com essa suspeita, levantou-se e, acendendo um candeeiro, se foi para onde percebera a balbúrdia. A moça, vendo que seu amo vinha, e que era de um gênio terrível, toda medrosa e agitada se refugiou na cama de Sancho Pança, que ainda dormia, e ali se aconchegou, encolhendo-se feito um novelo. O estalajadeiro entrou dizendo:

— Onde estás, puta?! Garanto que andas fazendo das tuas!

Aí Sancho acordou e, sentindo aquele vulto quase em cima de si, pensou que estava num pesadelo e começou a dar murros para todos os lados, acertando não sei quantos em Maritornes. Ela, com a dor, deixou a decência para lá e deu o troco a Sancho com tantos murros que, malgrado seu, lhe tirou o sono por completo. Ele, vendo-se tratar daquela maneira, e sem saber por quem, levantou-se como pôde e se abraçou com Maritornes, travando-se entre eles a mais renhida e engraçada escaramuça do mundo.

O tropeiro, vendo à luz do candeeiro onde andava sua dama, deixou dom Quixote para socorrê-la. O mesmo fez o estalajadeiro, mas com intenção diferente, porque foi castigar a moça, acreditando sem dúvida que apenas ela era o motivo de toda aquela harmonia. E assim, como se costuma dizer que "o gato no rato, o rato na aranha, a aranha na mosca, a mosca na velha e a velha a fiar", o tropeiro dava em Sancho, Sancho na moça, a moça nele, o estalajadeiro na moça, todos com tanta fúria que nem tomavam fôlego. E foi melhor ainda quando o candeeiro se apagou: no escuro, batiam em quem pegasse, tão sem compaixão que onde acertavam a mão não deixavam nada inteiro.

Por acaso naquela noite estava na estalagem um quadrilheiro da chamada Santa Irmandade Velha de Toledo. Também ouvindo o singular estrondo da briga, agarrou sua meia vara, o cilindro de flandres de seus títulos[2] e entrou no aposento escuro, dizendo:

— Parem em nome da justiça! Parem em nome da Santa Irmandade!

E o primeiro com quem topou foi com o esmurrado dom Quixote, que estava em sua cama caída, esticado de costas, sem sentidos; e, agarrando-lhe as barbas às cegas, não parava de dizer:

— Ajudem a justiça!

Mas, vendo que aquele que agarrara não se mexia nem nada, pensou que estava morto e que os que estavam ali dentro eram os assassinos. Com essa suspeita, engrossou a voz e disse:

— Tranquem a porta da estalagem! Cuidado, que não saia ninguém! Mataram um homem aqui!

Esse grito assustou a todos, e cada um deixou a briga no ponto em que estava quando o escutou. O estalajadeiro se retirou para seu aposento, o tropeiro para suas enxergas, a moça para seu quarto — apenas os infelizes dom Quixote e Sancho não puderam se mover de onde estavam. Então o quadrilheiro largou a barba de dom Quixote e saiu em busca de luz, para achar e prender os delinquentes; mas não a encontrou, porque o estalajadeiro havia apagado de propósito a lamparina quando se retirou; o quadrilheiro foi forçado a recorrer à lareira, onde, com muito trabalho e tempo, acendeu outro candeeiro.

XVII

ONDE PROSSEGUEM AS INUMERÁVEIS
ATRIBULAÇÕES QUE O BRAVO DOM QUIXOTE
DE LA MANCHA E SEU BOM ESCUDEIRO
SANCHO PANÇA PASSARAM NA ESTALAGEM,
QUE O FIDALGO, PARA MAL DE SEUS PECADOS,
PENSOU QUE ERA CASTELO

A essas alturas dom Quixote já tinha se recuperado do desmaio e, com o mesmo tom de voz com que havia chamado seu escudeiro no dia anterior, quando estava estendido no vale dos bastões, começou a chamá-lo, dizendo:

— Sancho, meu amigo, dormes? Dormes, meu amigo Sancho?

— Dormir, eu?! Pobre de mim — respondeu Sancho, cheio de angústia e rancor —, até parece que todos os diabos se divertiram comigo esta noite!

— Podes crer, sem dúvida — responde dom Quixote —, porque ou sei pouco ou este castelo é encantado. Deves saber... Mas tens de jurar que manterás em segredo até minha morte o que quero te dizer agora.

— Sim, juro — respondeu Sancho.

— Digo-o — replicou dom Quixote — porque sou inimigo de que se manche a honra de alguém.

— Sim — repetiu Sancho —, juro que calarei até o fim dos dias de vossa mercê, mas, se Deus quiser, que eu possa contar amanhã.

— Tantos males te causo, Sancho — respondeu dom Quixote —, que queres me ver morto tão depressa?

— Não é por isso — respondeu Sancho —, mas porque sou inimigo de guardar muito as coisas, e não gostaria que apodrecessem aqui dentro.

— Seja como for — disse dom Quixote —, confio em

teu amor e em tua cortesia. Por isso, saibas que esta noite me aconteceu uma das mais estranhas aventuras que eu poderei enaltecer: para ser breve, saibas que há pouco veio ter comigo a filha do senhor deste castelo, que é a mais graciosa e linda donzela que se pode achar em grande parte da terra. O que poderia te dizer dos ornamentos de sua pessoa? O que dizer de seu espantoso discernimento? O que dizer de outras coisas ocultas, que, para manter a fidelidade devida a minha senhora Dulcineia del Toboso, deixarei passar intactas e em silêncio? Quero te dizer apenas que o céu, invejoso de toda a ventura que o destino me havia posto nas mãos, ou talvez (isso é o mais provável) por este castelo estar encantado, como disse, no instante em que eu estava com ela em dulcíssimas e amorosíssimas conversas, sem que eu visse nem soubesse por onde vinha, surgiu uma mão presa ao braço de algum gigante descomunal e me acertou um murro nos queixos, mas um murro, Sancho, que ainda os tenho banhados em sangue; e depois me moeu de tal modo que estou pior do que ontem quando os galegos, por causa das folias de Rocinante, nos fizeram a afronta que bem lembras. Disso deduzo que algum mouro encantado deve guardar o tesouro da formosura dessa donzela, que não deve ser para mim.

— Para mim também não — respondeu Sancho —, pois mais de quatrocentos mouros me espancaram de tal maneira que a sova dos bastões foi travessura de criança. Mas diga-me, senhor, como chama essa aventura de boa e estranha, tendo saído dela como saímos? Vossa mercê pelo menos teve nos braços aquela incomparável formosura de que falou, mas eu, o que tive senão as maiores porradas que penso receber em toda a minha vida? Pobre de mim e da mãe que me pariu, que não sou cavaleiro andante nem penso ser jamais, e de todas as mal-andanças me cabe sempre a pior parte!

— Quer dizer que também foste surrado? — perguntou dom Quixote.

— Diacho, já não lhe disse que sim?! — disse Sancho.

— Não fiques triste, meu amigo — disse dom Quixote —, porque agora mesmo farei o precioso bálsamo que nos curará num piscar de olhos.

Nisto, o homem da Santa Irmandade acabou de acender o candeeiro e voltou para ver aquele que dera por morto. Sancho, vendo-o entrar, muito mal-encarado, de camisolão, com uma touca na cabeça e o candeeiro na mão, perguntou a seu amo:

— Senhor, por acaso não será o mouro encantado? Vai ver, não acabou o serviço e volta para nos castigar.

— Não pode ser o mouro — respondeu dom Quixote —, porque os encantados não se deixam ver por ninguém.

— Se não se deixam ver, deixam-se sentir — disse Sancho —, que o digam meus lombos.

— Também os meus poderiam dizer — respondeu dom Quixote —, mas isso não é indício suficiente para se pensar que esse aí seja o mouro encantado.

O quadrilheiro chegou e ficou pasmo ao achá-los naquela conversa mansa. Mas é bem verdade que dom Quixote ainda estava de barriga para cima sem poder se mexer, de tão moído e emplastrado. O quadrilheiro se aproximou dele e disse:

— Então, como vai, bom homem?[1]

— Se eu fosse vós, seria mais bem-educado — respondeu dom Quixote. — É costume nesta terra falar assim com os cavaleiros andantes, sua besta?

O quadrilheiro, vendo-se tratar tão mal por um homem com aquela péssima aparência, não se aguentou e, levantando o candeeiro com todo o seu azeite, deu com ele na cabeça de dom Quixote, deixando-o muito bem escalavrado. E, como tudo ficou às escuras, saiu às pressas.

Sancho Pança disse:

— Sem dúvida, senhor, este é o mouro encantado.

Deve guardar o tesouro para outros, e para nós guarda apenas os murros e os candeeiraços.

— É verdade — respondeu dom Quixote. — Mas não devemos fazer caso dessas coisas de encantamentos, nem ficar com raiva nem nos irritarmos com elas porque, como são invisíveis e fantásticas, não acharemos de quem nos vingar, por mais que procuremos. Levanta-te, Sancho, se puderes, e chama o alcaide desta fortaleza e vê se me arranjam um pouco de azeite, vinho, sal e alecrim para fazer o bálsamo revigorante, pois na verdade acho que estou bem necessitado dele: está escorrendo muito sangue da ferida que o fantasma me fez.

Sancho se levantou com muita dor nos ossos e saiu, às escuras, em busca do estalajadeiro; mas, encontrando o quadrilheiro, que escutava para ver o que faria seu inimigo, lhe disse:

— Senhor, quem quer que sejais, fazei-nos o favor e benefício de nos dar um pouco de alecrim, azeite, sal e vinho, que é preciso para curar um dos melhores cavaleiros andantes que há na terra e jaz naquela cama, gravemente ferido pelas mãos do mouro encantado que está nesta estalagem.

Quando o quadrilheiro ouviu isso, achou que Sancho não tinha miolos; como já começava a amanhecer, abriu a porta da estalagem e, chamando o estalajadeiro, disse a ele o que aquele bom homem queria. O estalajadeiro lhe deu tudo quanto quis, e Sancho o levou para dom Quixote, que estava com as mãos na cabeça, queixando-se da dor do candeeiraço, que não havia feito outro mal que lhe levantar dois galos de bom tamanho, e o que ele pensava ser sangue não era senão suor, que lhe brotava devido à agonia da tormenta passada.

Enfim, recebeu os ingredientes e, misturando-os todos, fez um composto que cozinhou por um bom tempo, até que pensou que estava no ponto. Pediu então uma garrafa para guardá-lo, mas, como não havia nenhuma na estalagem, resolveu pô-lo numa almotolia ou azeiteira de lata, que o estalajadeiro lhe presenteou com prazer. Depois rezou sobre a azeiteira mais de oitenta padres-nossos e outras tantas ave-marias, salve-rainhas e credos, acompanhando cada palavra com um sinal da cruz, à maneira de benzedura. A tudo isso assistiam Sancho, o estalajadeiro e o quadrilheiro, porque o tropeiro tinha ido calmamente tratar de seus burros.

Feito isso, o próprio fidalgo quis experimentar de uma vez a virtude que ele imaginava ter aquele bálsamo precioso e assim bebeu do que sobrara na panela onde havia fervido, por não caber na azeiteira: quase um litro. Mal acabou de beber, começou a vomitar tanto que nada lhe ficou no estômago; e, com as ânsias e contrações do vômito, suou copiosamente; e por isso ordenou que o agasalhassem e o deixassem sozinho. Assim fizeram, e ele dormiu mais de três horas; quando acordou, sentiu o corpo aliviadíssimo, a tal ponto melhor de sua prostração que se deu por curado, acreditando verdadeiramente que acertara o bálsamo de Ferrabrás e que dali por diante, com aquele remédio, podia enfrentar sem temor algum quaisquer desastres, batalhas e lutas, por mais perigosos que fossem.

Sancho Pança, que também considerou milagre a melhora do amo, pediu que lhe desse o que ainda restava na panela, que não era pouco. Dom Quixote concordou e ele, pegando-a com ambas as mãos, com toda a fé e boa vontade, emborcou com sofreguidão um pouco menos que seu amo. Mas acontece que o estômago do pobre Sancho não devia ser tão delicado quanto o de seu amo e assim, em vez de vomitar, o escudeiro teve tantas ânsias e cólicas, com tantos suores e tonteiras, que pensou que realmente tinha chegado sua hora derradeira; e, vendo-se tão aflito e agoniado, maldizia o bálsamo e o patife que o tinha dado. Vendo-o assim, dom Quixote lhe disse:

— Eu acho, Sancho, que todo este mal te acontece por não teres sido armado cavaleiro, pois esta bebida não deve ser boa para os que não o são.

— Se vossa mercê sabia disso — replicou Sancho —, por que permitiu que a provasse?! Maldito seja eu e toda a minha parentela!

Bem aí a beberagem fez efeito e o pobre escudeiro começou a desaguar pelos dois canais, com tanta rapidez que a esteira de junco onde voltara a se deitar e a manta de estopa com que se cobria ficaram imprestáveis. Suava e tressuava com tais paroxismos e vertigens que não apenas ele como todos pensaram que sua vida se acabava. Esse temporal durou quase duas horas e no fim ele não ficou como seu amo, mas tão abatido e alquebrado que nem se aguentava.

Mas dom Quixote, que se sentiu aliviado e são, como se disse, quis partir de uma vez em busca de aventuras, parecendo-lhe que todo o tempo que ali se demorava era roubado ao mundo e aos necessitados de seu favor e amparo, ainda mais agora, com a confiança que tinha em seu bálsamo. Então, forçado por esse desejo, ele mesmo encilhou Rocinante e preparou o jumento de seu escudeiro, a quem ajudou a se vestir e a montar. Pôs-se logo a cavalo e, aproximando-se de um canto da estalagem, agarrou um chuço que estava ali, para que lhe servisse de lança.

Ficaram olhando-o todos os que se achavam na estalagem, mais de vinte pessoas. Também o olhava a filha do estalajadeiro, e ele não tirava os olhos dela, às vezes dando um suspiro que parecia que arrancava do fundo das entranhas, o que levava todos a pensar que era por causa da dor que sentia nas costelas, ou pelo menos assim pensavam os que o tinham visto cheio de emplastros na noite anterior.

Estando os dois a cavalo, na porta da estalagem, dom Quixote chamou o estalajadeiro e lhe disse, com voz grave e muito calma:

— Muitas e muito grandes são as mercês, senhor alcaide, que recebi neste vosso castelo, e me sinto obrigadíssimo a agradecê-las todos os dias de minha vida. Se puder pagá-las vingando-vos de algum soberbo que vos tenha feito alguma afronta, sabei que meu ofício não é outro senão valer pelos que podem pouco: lutar pelos humilhados e castigar as traições. Examinai vossa memória e, se achardes alguma coisa dessa natureza que me encomendar, basta dizê-la, que eu vos prometo, pela ordem de cavaleiro que recebi, satisfazer e reparar plenamente vosso desejo.

O estalajadeiro respondeu com a mesma calma:

— Senhor cavaleiro, eu não tenho necessidade de que vossa mercê me vingue nenhuma afronta, porque sei me vingar como se deve, quando me ofendem. Só é necessário que vossa mercê me pague o gasto que fez nesta estalagem, esta noite, como o jantar e as camas, mais a palha e a cevada para seus animais.

— O quê?! — replicou dom Quixote. — Isto é uma estalagem?

— E muito honrada — respondeu o estalajadeiro.

— Vivi enganado até agora — respondeu dom Quixote —, pois na verdade pensei que era um castelo, e não dos piores. Contudo, se não é castelo, mas estalagem, o que poderá se fazer é que me perdoeis a dívida, porque não posso contrariar a ordem dos cavaleiros andantes, dos quais sei com certeza, sem ter lido até hoje nada em contrário, que nunca pagaram pousada nem outra coisa nas estalagens em que estiveram, pois se deve a eles por lei e por direito qualquer acolhimento que lhes façam, em pagamento pelo insuportável trabalho que padecem buscando aventuras de noite e de dia, no inverno e no verão, a pé e a cavalo, com sede e com fome, com calor e com frio, sujeitos a todas as inclemências do céu e a todos os incômodos da terra.

— Não tenho nada a ver com isso — respondeu o estalajadeiro. — Pague o que me deve, e deixemos de histórias e de cavalarias, pois nada mais me interessa que cobrar meus serviços.

— Sois demente e mau hospedeiro — respondeu dom Quixote.

E, metendo a espora em Rocinante, o chuço apoiado no ombro, se foi da estalagem, distanciando-se um bom pedaço sem ver se seu escudeiro o seguia.

Ao vê-lo ir sem pagar, o estalajadeiro tratou de cobrar de Sancho Pança, que disse que, se seu senhor não quisera pagar, também ele não pagaria, pois sendo escudeiro de cavaleiro andante, como era, valia para ele a mesma regra e razão que para seu amo: não pagar coisa alguma nas estalagens e hospedarias. O estalajadeiro se irritou muito com isso e o ameaçou: se não pagasse por bem, pagaria por mal. Sancho respondeu que, pela lei da cavalaria que seu amo professava, não pagaria um só tostão, mesmo que lhe custasse a vida, porque não havia de ser por causa dele que se perderia a boa e antiga tradição dos cavaleiros andantes, nem iriam se queixar dele os escudeiros que estavam por vir ao mundo, censurando-o pela quebra de norma tão justa.

Quis a má sorte do desgraçado Sancho que entre as pessoas que estavam na estalagem se achassem quatro cardadores de Segóvia, três fabricantes de agulhas do Potro de Córdoba e dois moradores da Feira de Sevilha — gente alegre, bem-intencionada, maliciosa e brincalhona —, que, instigados e movidos quase que pelo mesmo espírito, se aproximaram de Sancho, apearam-no do burro e com ele entraram na casa. Um deles foi pegar a manta da cama do hóspede, na qual atiraram Sancho, mas, levantando os olhos, viram que o teto era um pouco mais baixo que o necessário para o serviço e decidiram ir para o pátio, que tinha o céu por limite. Lá, com Sancho no meio da manta, começaram a atirá-lo para cima, divertindo-se com ele como se faz com os cachorros no carnaval.

Os berros do miserável manteado foram tantos que chegaram aos ouvidos de seu amo, que, detendo-se para escutar atentamente, pensou que aí vinha uma nova aventura, até que percebeu claramente que era seu escudeiro que gritava. Virou as rédeas e, galopando a custo, chegou à estalagem; achando-a fechada, rodeou-a, para ver se encontrava por onde entrar; mas, mal havia se aproximado dos muros do pátio, que não eram muito altos, viu a peça que pregavam a seu escudeiro. Viu Sancho descer e subir pelo ar, com tanta graça e rapidez que, se a cólera lhe permitisse, penso que teria rido. Tentou passar do cavalo para a borda do muro, mas estava tão abatido e alquebrado que não pôde nem apear; e assim, de cima do cavalo, começou a dizer tantos vitupérios e palavrões aos que manteavam Sancho que não é possível escrevê-los aqui. Nem por isso eles pararam com o riso e com o serviço, nem o voador Sancho deixava suas queixas, às vezes misturadas com ameaças, às vezes com súplicas. Mas nada disso adiantou e só o deixaram de puro cansaço.

Trouxeram-lhe o burro, montaram-no e embrulharam-no com seu gabão, mas a compassiva Maritornes, vendo-o tão acabado, achou por bem socorrê-lo com um jarro de água, que trouxe do poço, por ser mais fria. Sancho o pegou, mas se deteve ao levá-lo à boca, porque seu amo lhe gritava:

— Sancho, meu filho, não bebas água; não bebas, filho, que te matará. Vês? Aqui tenho o santíssimo bálsamo — e lhe acenava com a azeiteira da beberagem. — Com duas gotas dele sem dúvida ficarás curado.

A esses gritos, Sancho olhou atravessado para seu amo e disse, com gritos mais altos ainda:

— Por acaso vossa mercê esqueceu que não sou cavaleiro?! Ou quer que eu vomite as tripas que me sobraram esta noite? Com todos os diabos, guarde seu bálsamo e me deixe em paz!

Acabar de dizer isso e começar a beber foi uma coisa só; mas como, no primeiro gole, viu que era água, não quis continuar e pediu a Maritornes que lhe trouxesse vinho. E ela de muito boa vontade o trouxe, pagando-o com seu próprio dinheiro, pois de fato se diz dela que, embora estivesse naquela vida, ainda tinha alguma sombra ou vestígio de cristã.

Mal Sancho acabou de beber, deu com os calcanhares no burro e, abrindo o portão da estalagem de par em par, saiu dela muito contente por não ter pago nada como era sua intenção, embora tenha sido à custa de seus habituais fiadores, os lombos. A verdade é que o estalajadeiro ficou com seus alforjes, em pagamento pelo que devia; mas Sancho nem se deu conta, de tão perturbado que estava. O estalajadeiro quis trancar a porta assim que o viu fora, mas os manteadores não permitiram, porque eram pessoas que, mesmo se dom Quixote fosse realmente um dos cavaleiros da Távola Redonda, não dariam dois tostões por ele.

XVIII

ONDE SE CONTA A CONVERSA DE SANCHO PANÇA
COM SEU SENHOR DOM QUIXOTE, COM OUTRAS
AVENTURAS DIGNAS DE SER NARRADAS

Sancho alcançou seu amo, mas tão murcho e desanimado que não podia nem apressar o jumento. Quando o viu assim, dom Quixote disse a ele:

— Agora sim me convenci, meu bom Sancho, de que aquele castelo ou estalagem é encantado, pois o que poderiam ser aqueles que tão atrozmente se divertiram contigo senão fantasmas e gente do outro mundo? A prova disso é que, quando eu estava assistindo aos atos de tua triste tragédia por cima do muro do pátio, não pude subir nele, nem mesmo apear de Rocinante, porque deviam ter me encantado. Se eu pudesse subir, ou apear-me, juro que teria te vingado e de tal maneira que aqueles patifes e canalhas se lembrariam da travessura para sempre, mesmo sabendo que nisso contrariava as leis da cavalaria, que, como já te disse muitas vezes, não consentem que um cavaleiro levante a mão contra quem não o seja, exceto em defesa da própria vida e pessoa, em caso de urgente e grande necessidade.

— Eu também me vingaria se pudesse, fosse ou não fosse armado cavaleiro; mas não pude, mesmo achando que aqueles que se divertiram comigo não eram fantasmas nem homens encantados, como diz vossa mercê, e sim homens de carne e osso como nós. Todos tinham nome, porque ouvi se chamarem, quando me faziam de joguete: um era Pedro Martínez, outro Tenório Hernández, e o estalajadeiro Juan Palomeque, o Canhoto. Então, senhor, não poder pular o muro do pátio nem apear do cavalo foi por outra coisa, não por encantamentos. E o que tiro a limpo de tudo isso é que essas aventuras que andamos buscando vão nos trazer tantas desventuras que no fim das contas não saberemos nem qual é nosso pé direito. E o melhor e mais acertado, segundo meu pouco entendimento, seria voltarmos para casa, agora que é tempo de colheita, e trabalhar na fazenda, deixando de andar de um lado para outro como mosca tonta e pulando da frigideira para o fogo, como se diz.

— Como sabes pouco, Sancho, dos percalços da cavalaria! — respondeu dom Quixote. — Cala e tem paciência, que dia virá em que verás com teus próprios olhos que coisa honrosa é andar neste exercício. Senão, diz-me: que maior contentamento pode haver no mundo, ou que prazer pode se igualar ao de vencer uma batalha e triunfar sobre o inimigo? Nenhum, sem dúvida alguma.

— Deve ser assim — respondeu Sancho —, embora eu não o saiba. Só sei que depois que somos cavaleiros andantes, ou vossa mercê é (pois não há por que eu me incluir em relação tão honrosa), jamais vencemos batalha alguma, a não ser a do basco, e mesmo naquela vossa mercê saiu com meia orelha e meio elmo de menos. De lá para cá tudo foram bordoadas e mais bordoadas, murros e mais murros, de quebra eu servindo de joguete nas mãos de pessoas encantadas, de quem não posso me vingar para saber até onde chega o gosto de vencer o inimigo, como vossa mercê diz.

— Essa é minha mágoa e deve ser a tua, Sancho — respondeu dom Quixote. — Mas daqui por diante vou procurar ter nas mãos uma espada, feita com tal maestria que não se possa fazer nenhum gênero de encantamento àquele que a levar consigo. E até podia ser que a sorte me deparasse com aquela de Amadis,[1] quando se chamava Cavaleiro da Espada Ardente, que foi uma das melhores espadas que algum cavaleiro teve no mundo, porque, além de ter a virtude de que falei, cortava como uma navalha e não havia armadura, por mais forte e encantada que fosse, que aguentasse à sua frente.

— Eu tenho tanta sorte que — disse Sancho —, se isso acontecesse e vossa mercê viesse a achar semelhante espada, só seria de proveito para os armados cavaleiros, como o bálsamo. Quanto aos escudeiros, que o diabo os carregue!

— Não tenhas medo, Sancho — disse dom Quixote —, que Deus é grande.

Nessa conversa iam dom Quixote e seu escudeiro, quando o fidalgo viu que, pela estrada que trilhavam, se aproximava uma grande e espessa nuvem de poeira; e então se virou para Sancho e disse:

— Este é o dia, Sancho, em que há de se ver o bem que o destino tem me reservado. Este é o dia, repito, em que se há de mostrar como em nenhum outro o valor de meu braço: dia em que empreenderei façanhas que ficarão escritas no livro da fama por todos os séculos futuros. Vês aquela poeirada que se levanta ali, Sancho? Pois toda ela está coalhada de um tremendo exército de diversas e inumeráveis tropas que vêm marchando.

— Por essa conta, devem ser dois — disse Sancho —, porque deste outro lado também se levanta uma poeirada semelhante.

Dom Quixote se virou para olhar, viu que era verdade e se alegrou muito, pois sem dúvida nenhuma pensou que eram dois exércitos que investiam para bater-se no meio da amplidão daquela planície — porque a toda hora e momento ele tinha a imaginação cheia daquelas batalhas, encantamentos, aventuras, desatinos, amores e desafios que se contam nos livros de cavalaria, e tudo o que falava, pensava ou fazia tendia a coisas semelhantes. E a poeira era de dois grandes rebanhos de ovelhas e carneiros que vinham de pontos diferentes por aquela estrada e só se tornaram visíveis quando chegaram bem perto. Mas com tanto afinco dom Quixote afirmava que eram exércitos, que Sancho acabou por acreditar e dizer:

— Então, senhor, o que vamos fazer?

— O quê?! — disse dom Quixote. — Favorecer e ajudar os necessitados e desvalidos. E deves saber, Sancho, que esse que vem por nossa frente é conduzido e guiado pelo grande imperador Alifanfarrão, senhor da grande ilha Taprobana;[2] esse outro que marcha às minhas costas é seu inimigo, o rei dos garamantes,[3] Pentapolia do Braço Arremangado, porque sempre entra nas batalhas com o braço direito nu.

— Mas por que se querem mal esses dois senhores? — perguntou Sancho.

— Querem-se mal — respondeu dom Quixote — porque Alifanfarrão é um pagão furibundo e está apaixonado pela filha de Pentapolia, uma linda e graciosa senhora que é cristã, e seu pai não a quer entregar ao rei pagão, a menos que ele abandone a lei de seu falso profeta Maomé e adote a sua.

— Por minhas barbas! — disse Sancho. — Pentapolia faz muito bem, e tenho de ajudá-lo no que puder.

— Assim farás o que deves, Sancho — disse dom Quixote —, porque para entrar numa batalha dessas não é preciso ser armado cavaleiro.

— Até aí vejo bem — respondeu Sancho. — Mas onde poremos este burro, para termos certeza de achá-lo depois da refrega? Porque me parece que até hoje não se usa entrar em combate em semelhante montaria.

— É verdade — disse dom Quixote. — O que podes fazer é deixá-lo à própria sorte, quer se perca ou não, porque serão tantos os cavalos que teremos depois da vitória que até Rocinante corre perigo de que o troque por outro. Mas presta atenção e olha, que quero te mostrar os cavaleiros mais importantes que vêm nesses exércitos. E, para que os vejas melhor, retiremo-nos para aquele morrinho ali, de onde devem se distinguir os dois exércitos.

Foi o que fizeram e se posicionaram em cima do morro, de onde avistariam melhor os dois rebanhos, que para dom Quixote se fizeram exércitos, se as nuvens de pó que levantavam não lhes turvassem e cegassem a visão. Mesmo assim, vendo em sua imaginação o que não enxergava nem existia, o fidalgo começou a dizer em voz elevada:

— Aquele cavaleiro que vês ali, com armadura amarela, que traz no escudo um leão coroado, submisso aos pés de uma donzela, é o valente Laurcalco, senhor da Ponte de Prata; o outro, com a armadura das flores de ouro, que traz no escudo três coroas de prata em campo azul, é o temido Micocolembo, grão-duque de Quirócia; o dos membros gigantescos, que está a sua direita, é o nunca medroso Brandabarbarão de Boliche, senhor das três Arábias, que tem por armadura aquela pele de serpente e por escudo uma porta, que, como se sabe, é uma das portas do templo que Sansão derrubou, quando se vingou de seus inimigos com a própria morte. Mas vira os olhos para este lado e verás, diante do outro exército, o sempre vencedor e jamais vencido Timonel de Carcassona, príncipe da Nova Biscaia, que tem a armadura dividida em quatro partes azuis, verdes, brancas e amarelas, e traz no escudo um gato de ouro em campo cor de leão, com um dístico que diz: "Miau", que é o começo do nome de sua dama, que, conforme se comenta, é a incomparável Miulina, filha do duque Almofadinha do Algarve; o outro, que sobrecarrega o lombo daquele poderoso bucéfalo, que traz a armadura branca como neve e o escudo branco e sem divisa alguma, é um cavaleiro estreante, francês, chamado Pierre Dois de Paus,[4] senhor das baronias de Utrique; o outro, que com esporas nos calcanhares cutuca as ilhargas daquele cavalo malhado, selvagem e ligeiro, é o poderoso duque de Nérbia, Espartafilardo da Floresta, que traz o escudo dos veiros azuis e por divisa um aspargo, com um dístico em castelhano que diz assim: "Rastreia minha sorte".

E dessa maneira foi nomeando muitos cavaleiros dos dois exércitos que ele imaginava e descreveu de improviso as armaduras, cores, divisas e dísticos de todos, levado pela fantasia de sua nunca vista loucura. Sem parar, prosseguiu dizendo:

— Aquele esquadrão ali em frente é formado por pessoas de diversas nações: aqui estão os que bebem as doces águas do famoso Xanto; os montanheses que pisam os campos de Masila; os que garimpam o finíssimo e miúdo ouro na Arábia feliz; os que desfrutam das famosas e frescas margens do cristalino Termodonte; os que sangram por muitos e diversos meios o dourado Pactolo; e os númidas, duvidosos em suas promessas; os persas, de arcos e flechas famosos; os partos, os medas, que lutam fugindo; os árabes, de casas móveis; os citas, tão cruéis quanto alvos; os etíopes, de lábios perfurados... e outras inumeráveis nações, cujos rostos vejo e reconheço, embora não me lembre dos nomes. Nesse outro esquadrão vêm os que bebem nas correntes cristalinas do olivífero Bétis; os que lavam e embelezam seus rostos com o licor do sempre rico e dourado Tejo; os que desfrutam das proveitosas águas do divino Genil; os que pisam os campos tartésios, de pastagens abundantes; os que se alegram nos campos elísios do Xerez; os manchegos, ricos e coroados de louras espigas; os vestidos de ferro, relíquias antigas do sangue godo; os que se banham no Pisuerga, famoso pela mansidão de sua corrente; os que apascentam seu gado nas extensas pastagens do tortuoso Guadiana, celebrado por seu curso subterrâneo; os que tremem com o frio nas florestas do Pirineu e com os brancos flocos do elevado Apenino; em suma, quantos toda a Europa contém e encerra em seu continente.

Valha-me Deus, quantas províncias citou, quantas nações mencionou, dando a cada uma os atributos que lhe pertenciam com extraordinária presteza, totalmente absorto e empapado com o que havia lido em seus livros mentirosos!

Sancho Pança estava pendente de suas palavras, sem falar nenhuma, e de quando em quando virava a cabeça para ver se via os cavaleiros e gigantes que seu amo nomeava; mas por fim, como não divisava nenhum, disse:

— Senhor, que o diabo carregue tudo quanto é homem, gigante e cavaleiro que vossa mercê diz que vê. Eu pelo menos não vejo nada. Talvez tudo seja encantamento, como os fantasmas da noite passada.

— Como dizes isso?! — respondeu dom Quixote. — Não ouves os relinchos dos cavalos, os toques dos clarins, o rufar dos tambores?

— Só ouço — respondeu Sancho — muitos balidos de ovelhas e carneiros.

Era a pura verdade, porque os dois rebanhos já estavam perto.

— O medo que tens, Sancho, faz com que nem vejas nem ouças direito — disse dom Quixote —, porque um dos efeitos do medo é perturbar os sentidos e fazer com que as coisas não pareçam o que são. Agora, se temes tanto, afasta-te para algum lugar e deixa-me só, pois sozinho basto para dar a vitória ao lado que eu ajudar.

E, dizendo isso, esporeou Rocinante e desceu a encosta como um raio, com a lança em riste.

Sancho gritou:

— Volte, senhor dom Quixote! Juro por Deus, vossa mercê vai atacar ovelhas e carneiros. Volte, desgraçado do pai que me gerou! Que loucura é essa? Veja bem que não há gigante nem cavaleiro algum, nem gatos, nem armaduras, nem escudos divididos ou inteiros, nem veiros azuis nem endiabrados. O que está fazendo?! Que Deus me ajude!

Nem assim dom Quixote voltou; pelo contrário, foi em frente dizendo aos gritos:

— Eia, cavaleiros! Vós que militais sob as bandeiras do valoroso imperador Pentapolia do Braço Arremangado, segui-me todos e vereis como facilmente eu o vingo de seu inimigo Alifanfarrão da Taprobana.

Dizendo isso, enfiou-se pelo meio do exército de ovelhas e começou a lanceá-las, com tanta coragem e intrepidez como se realmente ferisse seus mortais inimigos. Os pastores e criadores que vinham com o rebanho gritavam para que não fizesse aquilo; mas, vendo que perdiam tempo, desataram as fundas e começaram a saudar as orelhas dele com pedras do tamanho de um punho. Dom Quixote não dava atenção às pedras; ao contrário, corria de um lado para outro, dizendo:

— Onde estás, soberbo Alifanfarrão? Vem a mim, que sou apenas um cavaleiro que deseja, de igual para igual, testar tuas forças e tirar-te a vida, como penalidade pelas penas que causas ao valente Pentapolia Garamanta.

Bem aí chegou uma dessas pedras redondas de riacho que o acertou num lado e lhe sepultou duas costelas no corpo. Vendo-se tão maltratado, pensou sem dúvida que estava morto ou gravemente ferido e, lembrando-se de seu bálsamo, puxou da azeiteira, levou-a à boca e começou a mandar o líquido para o estômago. Mas, antes que acabasse de embutir o que lhe parecia suficiente, chegou outra pedra que lhe pegou em cheio na azeiteira, fazendo-a em pedaços e levando de passagem três ou quatro dentes e machucando-lhe feiamente dois dedos da mão.

Tal foi o primeiro golpe e tal o segundo que o pobre cavaleiro foi forçado a vir abaixo do cavalo. Os pastores se aproximaram dele e acharam que o tinham matado; e então com muita pressa recolheram o rebanho, carregaram os animais mortos (passavam de sete) e se foram, sem averiguar mais nada.

Todo esse tempo Sancho estava no alto do morro, olhando as loucuras que seu amo fazia, arrancando as barbas e maldizendo a hora e o lugar que o destino o fizera conhecê-lo. Mas, vendo que o fidalgo caíra e que os pastores já tinham ido embora, desceu a encosta e se aproximou dele, encontrando-o em péssimo estado, embora não tivesse perdido o sentido, e então lhe disse:

— Eu não lhe dizia, senhor dom Quixote, que voltasse, que não atacava um exército, mas um rebanho de carneiros?

— Tudo isso aquele patife do mago meu inimigo pode transformar ou fazer sumir. Olha, Sancho, é coisa muito fácil para esses tipos nos fazer ver o que bem quiserem, e esse maligno que me persegue, invejoso da glória que viu que eu havia de alcançar nesta batalha, transformou os esquadrões de inimigos em rebanhos de ovelhas. Senão, faz uma coisa, Sancho, por minha vida, para que te desenganes e vejas como é verdade o que te digo: monta teu burro e segue-os disfarçadamente, e verás como, ao se afastarem um pouco daqui, voltam a ser o que eram, deixando de ser carneiros: homens-feitos e direitos, como eu te descrevi antes. Mas não vás agora, que preciso de teu favor e ajuda; vem cá e olha quantos dentes me faltam, pois parece que não me restou nenhum.

Sancho chegou tão perto que quase lhe meteu os olhos na boca, bem na hora em que o bálsamo agia no estômago de dom Quixote, mandando para fora, mais rápido que um tiro de escopeta, tudo o que tinha dentro direto nas barbas do compassivo escudeiro.

— Santa Maria — disse Sancho —, o que me aconteceu?! Sem dúvida este pecador está ferido de morte, pois vomita sangue.

Mas, ao reparar um pouco mais, verificou pela cor, sabor e cheiro que não era sangue mas o bálsamo da azeiteira, que ele o tinha visto beber; e foi tanto o nojo que sentiu que, o estômago revirando-se, vomitou até as tripas sobre seu próprio senhor — ambos ficando como duas joias raras. Sancho correu para seu burro para pegar nos alforjes com que se limpar e tratar seu amo, mas, como não os achou, esteve a ponto de perder o juízo: amaldiçoou-se outra vez e prometeu, no fundo do coração, largar seu amo e voltar a sua terra, ainda que perdesse o salário do serviço e as esperanças do governo da ilha prometida.

Nisso dom Quixote se levantou e, com a mão esquerda enfiada na boca, para não perder de vez todos os dentes, segurou com a outra as rédeas de Rocinante, que não tinha se mexido de junto do amo — tão leal e manso era —, e foi até onde estava o escudeiro, debruçado sobre seu burro, com a mão na face, na postura de homem muito pensativo. Dom Quixote, vendo-o assim, com mostras de tanta tristeza, disse:

— Olha, Sancho, um homem não é mais que outro se não faz mais que outro. Todas essas tempestades que nos acontecem são sinais de que logo o tempo vai acalmar e vão nos acontecer coisas boas, porque não é possível que o mal ou o bem durem sempre, do que se conclui que, havendo o mal durado muito, o bem já está perto. Então não deves te impressionar com as desgraças que me acontecem, pois a ti não te cabe parte delas.

— Como não? — respondeu Sancho. — Por acaso quem foi manteado ontem não era o filho de meu pai? E os alforjes que sumiram com todas as minhas coisas, são dele ou do vizinho?

— Sumiram os alforjes, Sancho? — disse dom Quixote.

— Claro que sumiram — respondeu Sancho.

— Quer dizer que não temos o que comer hoje — replicou dom Quixote.

— Isso — respondeu Sancho — se faltarem por estes campos as ervas que vossa mercê disse que conhece, aquelas com que costumam contornar semelhantes tropeços os cavaleiros andantes desventurados como vossa mercê.

— Mesmo assim — respondeu dom Quixote —, agora eu pegaria mais que depressa um pedaço de pão ou uma fogaça e duas cabeças de sardinhas defumadas do que todas as ervas que Dioscórides descreve, mesmo que fossem as do livro ilustrado pelo doutor Laguna.[5] Mas, enfim, monta no jumento, meu bom Sancho, e vem comigo: Deus, que é o provedor de todas as coisas, não há de nos faltar, ainda mais que andamos a seu serviço, pois Ele não falta aos mosquitos no ar, nem às minhoquinhas na terra, nem aos sapinhos na água, e é tão piedoso que faz o sol nascer para os bons e os maus e manda chuva sobre os justos e injustos.

— Vossa mercê tem mais queda para pregador que para cavaleiro andante — disse Sancho.

— De tudo sabiam e saberão os cavaleiros andantes, Sancho — disse dom Quixote. — Nos séculos passados, houve cavaleiro andante que se plantava no meio de um acampamento para dar um sermão ou palestra como se fosse formado pela Universidade de Paris, do que se deduz que nunca a lança embotou a pena, nem a pena a lança.

— Muito bem, seja como vossa mercê quiser — respondeu Sancho. — Mas agora vamos embora e procuremos onde passar esta noite, e queira Deus que seja num lugar em que não haja mantas nem manteadores, nem fantasmas nem mouros encantados, porque, se houver, mando tudo para os quintos dos infernos.

— Roga a Deus, meu filho — disse dom Quixote —, e guia-nos por onde quiseres, pois desta vez deixo a teu critério a escolha do alojamento. Mas me dá cá a mão, apalpa com o dedo e olha bem quantos dentes me faltam no lado direito, na parte de cima, porque é aí que sinto a dor.

Sancho meteu os dedos e, depois de tatear, disse:

— Quantos molares vossa mercê costumava ter por aqui?

— Quatro — respondeu dom Quixote —, fora o do siso, todos sãos e inteiros.

— Veja bem vossa mercê o que diz, senhor — respondeu Sancho.

— Digo quatro, se não eram cinco — respondeu dom Quixote —, porque nunca me arrancaram dente algum em minha vida, nem me caiu de podre ou cariado.

— Pois na parte de baixo — disse Sancho — vossa mercê não tem mais que dois molares e meio; e na de cima, nem meio nem nada: está lisa como a palma da mão.

— Desgraçado de mim! — disse dom Quixote, ouvindo as tristes notícias que seu escudeiro dava. — Eu preferia que tivessem me arrancado um braço, desde que não fosse o da espada. Porque te garanto, Sancho, que a boca sem dentes é como moinho sem mó, e deve-se estimar muito mais um dente que um diamante. Mas a tudo isso estamos sujeitos nós que professamos a rigorosa ordem da cavalaria. Monta, amigo, e guia, que eu te seguirei no passo que quiseres.

Assim fez Sancho, encaminhando-se para onde lhe pareceu que podiam ser acolhidos, sem sair da estrada real, que por ali passava sem interrupção.

Seguindo então passo a passo, porque a dor nas mandíbulas de dom Quixote não o deixava sossegar nem se apressar, Sancho quis entretê-lo e diverti-lo lhe dizendo alguma coisa. Entre algumas das que disse, estão as que se narrarão no próximo capítulo.

XIX

DA INTELIGENTE CONVERSA QUE SANCHO
MANTEVE COM SEU AMO E DA AVENTURA
QUE LHE SUCEDEU COM UM DEFUNTO,
COM OUTROS ACONTECIMENTOS FAMOSOS

— Eu acho, meu senhor, que todas essas desventuras que nos aconteceram esses dias foram, sem dúvida, castigo pelo pecado cometido por vossa mercê contra a ordem da cavalaria, ao não cumprir o juramento que fez de não comer pão à mesa nem se divertir com a rainha e todo o resto da promessa, até tirar aquele casquete de Malandrino, ou como se chama o mouro, que não me lembro bem.

— Tens toda razão, Sancho — disse dom Quixote. — Mas, para te dizer a verdade, isso tinha me escapado da memória, e também podes ter certeza de que te aconteceu aquilo da manta por culpa de não teres me lembrado a tempo. Mas eu farei a emenda, porque em tudo na ordem da cavalaria pode-se dar um jeito.

— Por acaso jurei alguma coisa? — respondeu Sancho.

— Não importa que não tenhas jurado: pelo que entendo, basta tua simpatia por minha causa para que não estejas muito seguro, como quem anda com excomungados — disse dom Quixote. — Então, pelo sim ou pelo não, será melhor remediarmos esse negócio.

— Pois se é assim — disse Sancho —, veja vossa mercê se não esquece de novo o juramento: talvez os fantasmas resolvam se divertir outra vez comigo e até mesmo com vossa mercê, se o virem tão impenitente.

Em conversas assim a noite os alcançou no meio do

caminho, sem terem nem descobrirem onde se recolher; e o pior é que morriam de fome, pois, com o sumiço dos alforjes, se foram todas as provisões e demais bugigangas. E, para completar essa desgraça, aconteceu com eles uma aventura que, sem artifício algum, parecia um artifício de verdade. A noite se fechou um tanto escura, mas apesar disso eles continuaram, Sancho acreditando que, visto aquela ser a estrada real, com certeza se encontraria alguma estalagem a uma ou duas léguas.

Indo então dessa maneira, a noite escura, o escudeiro faminto e o amo louco para comer, viram que pela mesma estrada que iam se aproximava deles uma miríade de luzes que pareciam estrelas errantes. Sancho ficou pasmo ao avistá-las e dom Quixote sentiu um tanto apagadas as de sua mente: um puxou o cabresto do burro, o outro as rédeas do pangaré — e parados, olhando atentamente o que podia ser aquilo, notaram que as luzes iam se aproximando e, quanto mais perto, maiores pareciam. Com isso Sancho começou a tremer como vara verde, e os cabelos de dom Quixote se eriçaram. Mas, animando-se um pouco, o fidalgo disse:

— Esta, sem dúvida, Sancho, deve ser uma grande e perigosíssima aventura, onde será necessário que eu mostre toda a minha audácia e valentia.

— Ai de mim! — respondeu Sancho. — Se por acaso esta aventura for de fantasmas, como está me parecendo, onde haverá costelas que aguentem?!

— Por mais fantasmas que sejam — disse dom Quixote —, não consentirei que toquem num fio de teus cabelos. Se na outra vez zombaram de ti, foi porque não pude saltar o muro do pátio, mas agora estamos em campo aberto, onde poderei esgrimir minha espada como quiser.

— E se o encantarem e o paralisarem, como da outra vez — disse Sancho —, de que adiantará estar em campo aberto ou não?

— Mesmo assim, Sancho — replicou dom Quixote —,

peço que tenhas coragem, que a experiência vai te mostrar a que tenho.

— Terei, sim, se Deus quiser — respondeu Sancho.

E, afastando-se os dois para um lado da estrada, voltaram a olhar atentamente as luzes que andavam, sem atinar com o que poderia ser, e dali a pouco avistaram muitos homens de branco,[1] cuja terrível visão acabou com a coragem de Sancho Pança, que começou a bater os dentes como quem tem frio de febre; e cresceu mais ainda a bateção de dentes quando viram distintamente o que era: umas vinte figuras de túnica, todas a cavalo, com grandes círios acesos nas mãos, seguidas por uma liteira coberta de luto e por outros seis cavaleiros enlutados até as patas das mulas, pois viram muito bem que não eram cavalos pela calma com que caminhavam. Os cavaleiros de branco murmuravam entre si, em voz compassiva. Essa estranha visão, naquelas horas e naquele descampado, era mais que suficiente para botar medo no coração de Sancho e até mesmo no de seu amo, ou só no de dom Quixote, já que havia muito Sancho mandara sua coragem ao diabo. Mas o que aconteceu com o amo foi o contrário, porque naquele ponto sua imaginação pintou com total clareza uma das aventuras de seus livros.

Pensou que a liteira era uma padiola onde devia ir algum cavaleiro morto ou gravemente ferido, cuja vingança estava reservada apenas a ele. Assim, sem pensar mais, o chuço em riste, firmou-se bem na sela e com graça e garbo se postou no meio da estrada por onde forçosamente os cavaleiros de branco haveriam de passar. Quando os viu perto, levantou a voz:

— Detende-vos, cavaleiros, ou quem quer que sejais, e prestai-me conta de quem sois, de onde vindes, para onde ides e o que é que levais naquela padiola, pois pelo visto haveis feito ou outros vos fizeram alguma afronta, e convém e é necessário que eu o saiba, ou para castigar-

-vos pelo mal que cometestes, ou para vingar-vos da injúria que vos fizeram.

— Estamos com pressa — respondeu um dos homens de branco —, e a estalagem está longe: não podemos parar para responder a tudo que perguntais.

E, esporeando a mula, seguiu adiante. Dom Quixote se ressentiu muito com essa resposta e, agarrando-lhe as rédeas, disse:

— Detende-vos, sede mais bem-educado e prestai-me conta do que perguntei; se não, tereis todos de se haver em combate comigo.

Como a mula era assustadiça, ao lhe agarrarem as rédeas se espantou de tal modo que, empinando-se nas patas, atirou seu dono ao chão pelas ancas. Um rapaz que ia a pé, vendo cair o homem de branco, começou a descompor dom Quixote; e ele, já encolerizado, sem esperar mais, o chuço em riste, investiu contra um dos enlutados, pondo-o ferido por terra; e, voltando-se para os demais, era coisa de se ver a rapidez com que os acometia e desbaratava, pois parecia que naquele instante haviam nascido asas em Rocinante, tão ligeiro e orgulhoso andava.

Todos os homens de branco eram pessoas medrosas e desarmadas; assim, num instante abandonaram a refrega e começaram a correr pelo campo, com os círios acesos, não parecendo mais do que os mascarados que andam por aí em noite de festa e folia. Os enlutados não podiam se mexer, revoltos e envoltos em suas batinas e sotainas, de modo que dom Quixote também espancou a todos sem problema, fazendo-os debandar apavorados, porque todos pensaram que aquele não era homem, mas o diabo em pessoa que vinha do inferno lhes roubar o morto que levavam na liteira.

Sancho olhava tudo, maravilhado com o atrevimento de seu senhor, e dizia a si mesmo:

— Sem dúvida, este meu amo é tão valente e audacioso como diz.

Um círio ardia no chão, perto do primeiro que caíra da mula, e à sua luz dom Quixote pôde vê-lo. Aproximando-se, pôs a ponta do chuço no rosto dele, dizendo-lhe que se rendesse, do contrário o mataria. O caído respondeu:

— Mais do que rendido estou, pois não posso me mexer: tenho uma perna quebrada. Suplico a vossa mercê, se é cavaleiro cristão, que não me mate, pois cometerá um grande sacrilégio: sou licenciado, já recebi as primeiras ordens.

— Mas que diabo vos trouxe aqui — disse dom Quixote —, sendo homem da Igreja?

— Quem, senhor? — replicou o caído. — Minha desventura.

— Pois outra maior vos ameaça — disse dom Quixote —, se não me responderdes tudo o que perguntei antes.

— Vossa mercê será satisfeito facilmente — respondeu o licenciado. — Saiba vossa mercê que, embora eu tenha dito antes que era licenciado, sou apenas bacharel e me chamo Alonso López; sou natural de Alcobendas; venho da cidade de Baeza, com outros onze sacerdotes, que são os que fugiram com os círios; vamos à cidade de Segóvia acompanhando um morto, que está naquela liteira. É o corpo de um cavalheiro que morreu em Baeza, onde esteve enterrado provisoriamente, e agora, como disse, levávamos seus ossos para sua sepultura, que é em Segóvia, de onde é natural.

— E quem o matou? — perguntou dom Quixote.

— Deus, por meio de umas febres pestilentas — respondeu o bacharel.

— Desse modo — disse dom Quixote —, livrou-me Nosso Senhor do trabalho que eu teria ao vingar sua morte, se outro o tivesse matado; mas, tendo-o matado quem o matou, devo calar e encolher os ombros, porque assim o faria se matasse a mim mesmo. E quero que saiba vossa reverência que eu sou um cavaleiro da Mancha, chamado dom Quixote, e é meu ofício e exercício andar pelo mundo reparando afrontas e desfazendo agravos.

— Não entendi isso de reparar e desfazer — disse o noviço —, pois eu era feito e me desfizestes, deixando-me uma perna quebrada, perna que nunca mais se verá reparada na vida; e o agravo que desfizestes em mim foi me deixar agravado de tal maneira que agravado ficarei para sempre. Grande desventura foi topar com vós, que ides buscando aventuras.

— Nem todas as coisas acontecem de um mesmo modo — disse dom Quixote. — O mal, senhor bacharel Alonso López, foi terdes vindo como viestes, de noite, vestido com aquelas sobrepelizes, com os círios acesos, rezando, coberto de luto, que parecíeis realmente coisa ruim e do outro mundo; assim, não pude deixar de cumprir com minha obrigação, atacando-vos, e vos atacaria mesmo que soubesse que éreis os próprios satanases do inferno, que por isso vos julguei e considerei sempre.

— Já que assim quis minha sorte — disse o bacharel —, suplico a vossa mercê, senhor cavaleiro andante que em tão má andança me meteu, que me ajude a sair de debaixo da mula, porque tenho presa uma perna entre o estribo e a sela.

— Diacho, por que não falastes antes?! — disse dom Quixote. — Por que tardastes tanto para me comunicar vosso apuro?

Em seguida gritou para que Sancho Pança viesse, mas ele nem pensou nisso, porque andava ocupado saqueando uma mula de carga, bem abastecida de coisas de comer, que aqueles bons senhores traziam. Sancho fez um saco com seu gabão e, recolhendo tudo o que pôde e coube ali, carregou seu jumento; depois acudiu aos gritos de seu amo e ajudou a tirar o senhor bacharel de debaixo da mula, montando-o nela e lhe entregando o círio. Dom Quixote disse-lhe que seguisse o caminho de seus companheiros e lhes pedisse perdão de sua parte pelo agravo, que não esteve em sua mão deixar de cometer. Sancho também lhe disse:

— Se por acaso esses senhores quiserem saber quem foi o valente que os pôs a correr, diga-lhes vossa mercê que é o famoso dom Quixote, também conhecido pelo nome de Cavaleiro da Triste Figura.

Com essa se foi o bacharel, e dom Quixote perguntou a Sancho o que o tinha levado a chamá-lo "Cavaleiro da Triste Figura", justamente agora.

— Foi porque — respondeu Sancho — estive olhando-o um instante, à luz do círio daquele pobre coitado, e realmente vossa mercê tem a pior figura que vi nos últimos tempos. Deve ser por causa do cansaço deste combate, ou pela falta dos molares.

— Não é por isso — respondeu dom Quixote —, mas porque o mago que deve estar encarregado de escrever a história de minhas façanhas achou que seria bom que eu tivesse algum apelido, como tinham todos os cavaleiros antigos: um se chamava o da Espada Ardente, outro o do Unicórnio, aquele o das Donzelas, aquele outro o da Ave Fênix, este o Cavaleiro do Grifo, este outro o da Morte. Por esses nomes e insígnias eram conhecidos por toda a redondeza da terra. Por isso digo que o mago de que falei pôs em tua língua e em teu pensamento que me chamasses o Cavaleiro da Triste Figura, alcunha que penso adotar de agora em diante; e logo que possível vou mandar pintar em meu escudo uma figura muito triste, para que esse nome me caia melhor.

— Não vejo por que gastar tempo e dinheiro fazendo essa figura — disse Sancho. — Basta que vossa mercê revele a sua e ofereça o rosto aos que o olham, que, sem mais nem menos, sem outra imagem ou escudo, o chamarão o da Triste Figura. E acredite que lhe digo a verdade, porque garanto a vossa mercê, senhor, embora na brincadeira, que a fome e a falta dos dentes o deixam tão mal-encarado que muito bem poderá se dispensar a triste pintura, como já disse.

Dom Quixote riu da graça de Sancho; mas, mesmo assim, resolveu adotar aquele nome, logo que pudesse pintar seu escudo, ou rodela, como havia imaginado.

[Nisso voltou o bacharel e disse a dom Quixote]:[2]

— Havia me esquecido de avisar que vossa mercê está excomungado, por ter posto as mãos violentamente em coisa sagrada, *iuxta illud, "si quis suadente diabolo"*[3] etc.

— Não entendo esse latinório — respondeu dom Quixote —, mas sei muito bem que não pus as mãos, mas este chuço; além do mais, não pensei que ofendia sacerdotes nem coisas da Igreja, a quem respeito e adoro como católico e fiel cristão que sou, mas sim a fantasmas e monstros do outro mundo. E, ainda que assim fosse, tenho na memória o que aconteceu com Cid Ruy Díaz, quando quebrou a cadeira do embaixador daquele rei diante de Sua Santidade o papa, que o excomungou por isso, e naquele dia o bom Rodrigo de Vivar andou como cavaleiro muito honrado e valente.

Ouvindo isso, o bacharel se foi, como se disse, sem replicar uma palavra. E dom Quixote ficou com vontade de examinar o corpo que vinha na liteira, para ver se eram só ossos ou não, mas Sancho não consentiu, dizendo-lhe:

— Senhor, vossa mercê saiu-se desta perigosa aventura mais ileso do que em todas as que vi; esses homens, embora batidos e desbaratados, poderiam se dar conta de que foram vencidos por uma pessoa apenas e, confusos e envergonhados com isso, voltarem a se reunir e a nos procurar, e nos darem o que fazer. O burro está como convém, a montanha, perto, e a fome apertando: o melhor a fazer é uma retirada num bom ritmo e, como dizem, que vá o morto à sepultura e o vivo à ventura.

E, tocando o burro, rogou a seu senhor que o acompanhasse; o fidalgo, achando que Sancho tinha razão, sem reclamar o seguiu. E pouco depois, andando entre duas montanhas, se acharam num vale grande e escondido, onde apearam e Sancho aliviou o jumento. Estendidos sobre a grama verde, com o tempero da fome, almoçaram, comeram, merendaram e jantaram ao mesmo tempo, satisfazendo os estômagos com mais de um pedaço de carne que os senhores clérigos do defunto — que poucas vezes se deixam passar mal — traziam em sua mula de carga.

Mas aconteceu-lhes outra desgraça, que Sancho considerou a pior de todas: acossados pela sede, não tinham vinho, nem mesmo água para levar à boca. Mas Sancho, vendo que o campo estava coberto de uma grama miúda e verdejante, disse o que se contará no próximo capítulo.

XX

DA JAMAIS VISTA NEM OUVIDA AVENTURA
QUE COM TÃO POUCO PERIGO FOI ALGUMA
VEZ VIVIDA POR NENHUM FAMOSO CAVALEIRO
NO MUNDO COMO A QUE VIVEU O VALENTE
DOM QUIXOTE DE LA MANCHA

— Essa grama é a prova, meu senhor: não é possível que não haja perto daqui alguma fonte ou riacho que a umedeça. Por isso, convém irmos um pouco mais adiante, que logo encontraremos onde mitigar esta terrível sede que nos judia, pois sem dúvida ela é muito pior que a fome.

Dom Quixote achou bom o conselho e, pegando Rocinante pela rédea, e Sancho o burro pelo cabresto, depois de ter posto sobre ele as sobras do jantar, começaram a caminhar campo acima com muito cuidado, porque a escuridão da noite não os deixava ver coisa alguma.

Mas ainda não haviam andado duzentos passos, quando chegou a seus ouvidos um grande barulho de água, como se despencasse de penhascos altos e escarpados. Alegraram-se muito e, parando para escutar de que lugar vinha o barulho, ouviram de repente outro estrondo que lhes aguou a alegria pela água, especialmente a de Sancho, que era medroso e pusilânime por natureza. Digo que ouviram umas pancadas compassadas, com um certo rangido de ferros e correntes, acompanhadas do furioso estrondo da água, que meteriam pavor em qualquer coração que não fosse o de dom Quixote.

A noite era escura, repito, e por acaso eles se meteram entre umas árvores altas, cujas folhas, movidas pelo vento suave, faziam um ruído manso mas atemorizante, de modo que tudo — a solidão, o lugar, as trevas, o barulho da água com o sussurro das folhas — causava horror e espanto, e mais ainda quando viram que nem as pancadas cessavam, nem o vento dormia, nem a manhã chegava. Para piorar tudo isso, não conheciam o lugar onde se achavam. Mas dom Quixote, acompanhado por seu intrépido coração, saltou sobre Rocinante e, com a rodela enfiada no braço, empunhou o chuço e disse:

— Sancho, meu amigo, deves saber que eu nasci nesta nossa Idade do Ferro por vontade do céu, para ressuscitar nela a do Ouro, ou a Dourada, como costuma se chamar. Eu sou aquele para quem estão reservados os perigos, as grandes façanhas, os feitos corajosos. Eu sou, repito, aquele que há de ressuscitar a Távola Redonda, os Doze de França e os Nove da Fama, e que há de mandar para o esquecimento os Platires, os Tablantes, Olivantes e Tirantes, os Febos e Belianises, com o bando todo dos famosos cavaleiros andantes dos tempos antigos, fazendo neste em que me acho tais enormidades, raridades e feitos de armas que obscureçam os mais brilhantes que eles fizeram. Bem vês, legítimo e fiel escudeiro, as trevas desta noite, seu estranho silêncio, o surdo e confuso rumor destas árvores, o tremendo barulho dessa água que viemos procurar, que parece que despenca e se abate desde os altos montes da Lua, e aquela pancada incessante que nos fere e lastima os ouvidos, enfim, todas essas coisas juntas e cada uma por si são suficientes para infundir medo, temor e espanto no peito do próprio Marte, quanto mais naquele que não está acostumado a semelhantes acontecimentos e aventuras. Pois tudo isso que te pinto são incentivos que me atiçam o ânimo, fazendo com que o coração se arrebente em meu peito com o desejo que tem de enfrentar esta aventura, por mais difícil que se mostre. Assim, aperta um pouco as cinchas de Rocinante, e fica com Deus, e espera-me aqui não mais que três dias. Então, se eu não voltar, podes regressar a nossa aldeia e dali, para fazer- -me um favor e uma boa ação, irás a El Toboso, onde dirás a minha incomparável senhora Dulcineia que seu cativo cavaleiro morreu por tentar coisas que o fizessem digno de poder se chamar dela.

Quando Sancho ouviu as palavras de seu amo, começou a chorar com a maior tristeza do mundo e a lhe dizer:

— Senhor, não sei por que vossa mercê quer empreender essa terrível aventura: agora é noite, aqui ninguém nos vê, bem que podemos mudar o rumo e nos desviar do perigo, mesmo que passemos três dias sem beber. E, como não há quem nos veja, menos haverá quem nos tache de covardes, sem falar que eu ouvi o padre de nossa aldeia, que vossa mercê conhece muito bem, pregar que quem procura perigo nele perece. De modo que não é bom tentar a Deus empreendendo façanha tão desmesurada, de onde não se pode escapar senão por milagre, e já bastam os que o céu fez por vossa mercê ao livrá-lo de ser manteado, como eu fui, e tirá-lo vencedor, são e salvo dentre tantos inimigos como os que acompanhavam o defunto. E, se tudo isso não persuadir nem abrandar esse duro coração, persuada-o pensar e saber que, mal vossa mercê tenha se afastado daqui, eu entregarei minha alma a quem quiser levá-la de puro medo. Saí de minha terra e deixei mulher e filhos para servir a vossa mercê, acreditando que isso valesse mais e não menos; mas, como a cobiça rompe o saco, a mim rasgou minhas esperanças, pois quando eu as tinha mais vivas de alcançar aquela miserável e malfadada ilha que tantas vezes vossa mercê me prometeu, vejo que em pagamento quer me deixar agora neste lugar tão afastado do convívio humano. Pelo Deus único, meu senhor, não cometa essa injustiça; mas, se vossa mercê não quiser de jeito nenhum desistir de empreender esse feito, adie-o ao menos até a manhã, pois, pelo que me mostra a ciência que aprendi quando era pastor, não devem faltar três horas para a aurora, porque a boca da Ursa Menor está em cima da cabeça e, pela meia-noite, na linha do braço esquerdo.

— Como tu podes, Sancho — disse dom Quixote —, ver onde está essa linha, nem onde está essa boca ou essa nuca de que falas, se a noite é tão escura que não se vê estrela nenhuma no céu?

— É verdade — disse Sancho —, mas o medo tem muitos olhos e vê as coisas embaixo da terra, quanto mais por cima, no céu; depois, pelo tempo que passou, pode se ver muito bem que falta pouco para o dia.

— Falte o que faltar — respondeu dom Quixote —, jamais se dirá de mim, nem agora nem nunca, que lágrimas e súplicas me impediram de fazer o que devia à moda dos cavaleiros; e assim, Sancho, peço que te cales, pois Deus, que me pôs no coração o desejo de empreender agora esta incomparável e tão terrível aventura, terá o cuidado de olhar por minha saúde e de consolar tua tristeza. O que deves fazer é apertar bem as cinchas de Rocinante e ficar aqui, que eu voltarei em seguida, vivo ou morto.

Vendo a última decisão de seu amo e de que pouco valiam com ele suas lágrimas, conselhos e súplicas, Sancho decidiu se aproveitar de sua astúcia e fazê-lo esperar até o amanhecer, se pudesse. Assim, quando apertava as cinchas, sem ser percebido, simplesmente atou com o cabresto de seu burro as patas traseiras de Rocinante, de modo que, quando dom Quixote quis partir, não pôde, porque o cavalo não podia se mexer a não ser aos saltos. Sancho Pança, vendo o bom sucesso de seu embuste, disse:

— Eia, senhor, que o céu, comovido com minhas lágrimas e preces, ordenou que Rocinante não possa se mexer; e, se vós quereis teimar, esporeando-o e batendo nele, irá provocar o destino e dar murro em ponta de faca, como se diz.

Dom Quixote se desesperava com isso, mas, por mais que espicaçasse o cavalo, menos conseguia que se mexesse; e, sem se dar conta da atadura, achou melhor se acalmar e esperar que amanhecesse ou que Rocinante desempacasse, nem sonhando que o motivo daquilo fosse uma artimanha de Sancho. Então lhe disse:

— Muito bem, Sancho, uma vez que Rocinante não pode se mexer, resigno-me a esperar que a aurora sorria, embora eu chore pelo que ela tarda em vir.

— Não há por que chorar — respondeu Sancho —, pois eu distrairei vossa mercê contando histórias até o amanhecer, se é que não prefere apear e dormir um pouco sobre a grama verde, como é costume dos cavaleiros andantes, para estar mais descansado quando nascer o dia e chegar a hora de empreender essa incomparável aventura que o aguarda.

— Como apear e dormir?! — disse dom Quixote. — Por acaso sou desses cavaleiros que descansam na hora do perigo? Dorme tu, que nasceste para dormir, ou faz o que quiseres, que eu farei o que me parecer melhor ao meu propósito.

— Não se amole, meu senhor — respondeu Sancho —, que não falei por mal.

E, aproximando-se dele, pôs uma mão no arção dianteiro e a outra no de trás, de modo que ficou abraçado com a coxa esquerda de seu amo, sem ousar se afastar uma polegada dele — tal era o medo que tinha das pancadas que ainda soavam alternadamente. Dom Quixote lhe disse que contasse alguma história para distraí-lo, como havia prometido, ao que Sancho respondeu que sim, contaria, se o consentisse o pavor daquilo que ouvia.

— Mesmo assim vou me esforçar para contar uma história que é a melhor de todas, se por acaso me sair sem tropeços. Preste vossa mercê atenção, que já começo: "Era uma vez o que era uma vez, que o bem que vier seja para todos, e o mal para quem o for buscar...". E veja vossa mercê, meu senhor, que o modo como os antigos começavam suas fábulas não foi coisa do acaso, pois se trata de uma sentença de Catão Sonsorino,[1] o romano, que diz: "e o mal para quem o for buscar", que aqui serve como anel no dedo, para que vossa mercê fique quieto e não vá buscar o mal em lugar nenhum. Devíamos era voltar por outro caminho, pois ninguém nos força a seguir este, onde tantos medos nos sobressaltam.

— Continua tua história, Sancho — disse dom Quixote —, e deixa por minha conta o caminho que haveremos de seguir.

— Como ia dizendo — prosseguiu Sancho —, havia numa aldeia da Estremadura um pastor cabreiro, quero dizer, que cuidava de cabras; esse pastor ou cabreiro, como o chamo em minha história, se chamava Lope Ruiz; e esse Lope Ruiz andava apaixonado por uma pastora que se chamava Torralba; e essa pastora chamada Torralba era filha de um fazendeiro rico; e esse fazendeiro rico...

— Se contas tua história dessa maneira, Sancho — disse dom Quixote —, repetindo duas vezes o que vais dizendo, não acabarás em dois dias. Fala sem desvios, conta-a como homem inteligente ou não digas nada.

— Dessa mesma maneira se contam todas as fábulas em minha terra — respondeu Sancho —, e eu não sei contar de outra, nem fica bem que vossa mercê me peça que invente costumes novos.

— Pois então conta como quiseres — respondeu dom Quixote —, já que a sorte quis que eu não tenha como deixar de te ouvir, prossegue.

— Então, senhor de minha alma — prosseguiu Sancho —, como já tinha dito, esse pastor andava apaixonado por Torralba, a pastora, que era moça gorducha, arisca e meio machona, porque tinha uns fios de bigode: até parece que a vejo agora.

— Então a conheceste? — disse dom Quixote.

— Não a conheci — respondeu Sancho —, mas quem me contou essa história me disse que era tão certa e verdadeira que bem poderia, quando a contasse a outro, afirmar e jurar que havia presenciado tudo. Assim, dia vai, dia vem, o diabo, que nunca dorme e em tudo mete a colher, fez com que o amor que o pastor tinha pela pastora se tornasse ódio e má vontade; e a causa foi, segundo as más línguas, uns ciumezinhos que ela provocou nele, e que passavam dos limites e chegavam ao proibido; e dali por diante foi tamanha a aversão do pastor por ela que quis ir embora daquela terra para onde seus olhos não a vissem jamais. A Torralba, ao se ver desprezada por Lope, logo começou a gostar dele, embora nunca tivesse gostado.

— Essa é a condição natural das mulheres — disse dom Quixote —, desprezar quem as quer e amar quem as despreza. Segue em frente, Sancho.

— Aconteceu — disse Sancho — que o pastor não ficou só na decisão e, tocando suas cabras, se foi pelos campos da Estremadura, para chegar aos reinos de Portugal. A Torralba, sabendo disso, se foi atrás dele, a pé e descalça, seguindo-o de longe, com um cajado na mão e uns alforjes no pescoço, onde levava, pelo que se sabe, um pedaço de espelho e outro de pente, e não sei que potezinho de creme para o rosto; mas, levasse o que levasse, que agora não quero me meter a averiguar, só direi o que contam: que o pastor chegou com seu rebanho ao rio Guadiana (que naquela estação estava cheio, quase fora do leito), num lugar em que não havia barca nem barco, nem quem passasse a ele ou ao seu rebanho para a outra margem, o que muito o amolou, porque via que a Torralba já estava muito perto e ia incomodá-lo muito com suas súplicas e lágrimas. Mas tanto procurou que avistou um pescador perto de um barco tão pequeno que somente podiam caber nele uma pessoa e uma cabra; mesmo assim, falou com ele e combinaram que o levaria, mais as trezentas cabras que tinha. O pescador entrou no barco e passou uma cabra; voltou e passou outra; tornou a voltar e tornou a passar outra. Não perca vossa mercê a conta das cabras que o pescador vai passando, porque, se escapar uma da memória, acaba-se a história e não será possível contar mais nenhuma palavra dela. Bem, continuo e digo que o desembarcadouro da outra margem estava cheio de barro e escorregadio, e o pescador demorava muito tempo para ir e voltar. Mas, enfim, voltou por causa de outra cabra, e outra, e outra...

— Faz de conta que as passou todas — disse dom Quixote — e não andes indo e vindo dessa maneira, pois não acabarás de passá-las num ano.

— Quantas passaram até agora? — disse Sancho.

— Como diabos vou saber?! — respondeu dom Quixote.

— Aí está o que eu disse: que não se perdesse na conta. Por Deus, acabou-se a história; não dá mais para continuar.

— Como assim? — disse dom Quixote. — É tão fundamental para a história saber exatamente quantas cabras passaram, que, se faltar uma na conta, a história não pode seguir adiante?

— Não, senhor, de jeito nenhum — respondeu Sancho —, porque no instante em que perguntei a vossa mercê que me dissesse quantas cabras haviam passado, e me respondeu que não sabia, se foi de minha memória tudo o que me faltava contar, e garanto que era coisa muito importante e divertida.

— Quer dizer — disse dom Quixote — que a história está acabada?

— Tão acabada como minha mãe — disse Sancho.

— Na verdade — respondeu dom Quixote —, tu contaste uma das mais originais fábulas, contos ou histórias, coisa que ninguém seria capaz de imaginar no mundo, e jamais poderá se ver nem foi visto em toda a vida esse modo de contá-la e de terminá-la, embora eu não esperasse outra coisa vinda de cabeça tão brilhante. Mas não me surpreendo, porque essas pancadas que não cessam talvez tenham te perturbado o raciocínio.

— Pode ser — respondeu Sancho —, mas eu sei que

em minha história não há mais o que dizer: acaba ali onde começa o erro da conta da passagem das cabras.

— Acabe onde acabar, acabou muito bem — disse dom Quixote —, e vejamos se Rocinante pode se mexer.

Voltou a esporeá-lo, e ele voltou a dar saltos até ficar parado, tão bem atado estava.

Nisso, fosse pelo frio da manhã que já raiava, ou porque Sancho tivesse comido algumas coisas laxativas, ou porque era coisa natural — que é o mais provável —, veio-lhe o desejo de fazer o que ninguém poderia fazer por ele; mas era tanto o medo que sentia que não ousava se afastar uma lasca de unha de seu amo. Assim, como também não era possível pensar em não fazer o que tinha vontade, para resolver por bem a coisa soltou a mão direita que agarrava o arção traseiro e facilmente, sem barulho algum, desprendeu com ela o nó corrediço que sem outra ajuda sustentava as calças, que logo foram abaixo, ficando-lhe aos pés como grilhões. Em seguida, levantou a camisa o melhor que pôde e pôs ao vento ambos os assentos, que não eram nada pequenos. Feito isso, que ele julgou ser tudo o que podia fazer para sair daquele terrível aperto, sobreveio-lhe angústia maior ainda: não lhe pareceu que podia se aliviar sem estrépito e barulho. Começou a apertar os dentes e a encolher os ombros, segurando a respiração o quanto podia, mas, apesar de todos esses cuidados, foi tão infeliz que no final das contas acabou por fazer um pouco de barulho, bem diferente daquele que lhe metia tanto medo. Ouvindo-o, dom Quixote disse:

— Que barulho é esse, Sancho?

— Não sei, senhor — respondeu ele. — Deve ser alguma coisa nova, pois as aventuras e desventuras nunca deixam por menos.

Tentou a sorte de novo, e dessa vez saiu-se tão bem que, sem mais barulho nem alvoroço que o de antes, se achou livre da carga que o desesperara tanto. Mas, como dom Quixote tinha o sentido do olfato tão aguçado como o da audição, e Sancho estava tão perto e colado nele que os vapores subiam quase em linha reta, não foi possível evitar que alguns chegassem às suas narinas; e, mal chegaram, ele saiu em socorro delas, apertando-as entre dois dedos. Então, num tom meio fanhoso, disse:

— Parece-me, Sancho, que tens muito medo.

— Tenho sim — respondeu Sancho —, mas como vossa mercê percebeu isso só agora?

— É que agora cheiras mais do que nunca, e não a âmbar — respondeu dom Quixote.

— É, pode ser — disse Sancho —, mas eu não tenho culpa, e sim vossa mercê, que me traz numa hora dessas a lugares estranhos desses.

— Afasta-te uns três ou quatro passos, amigo — disse dom Quixote, sem tirar os dedos das narinas —, e daqui por diante leva mais em conta tua pessoa, e o que deves à minha. Tenho convivido tanto contigo que isso gerou esta falta de consideração.

— Aposto — replicou Sancho — que vossa mercê pensa que eu fiz alguma coisa que não devia.

— Pior é mexer nela, amigo Sancho — respondeu dom Quixote.

Em conversas assim amo e criado passaram a noite. Sancho, quando viu que faltava pouco para a manhã, com muita cautela desatou Rocinante e atou as calças. Logo que se viu livre, embora não fosse nada fogoso, Rocinante parece que se ressentiu e começou a dar uns coices, porque se empinar (ele que me perdoe) não era coisa sua. Vendo que Rocinante já se mexia, dom Quixote pensou que era um sinal favorável para empreender aquela terrível aventura.

Nisso, a aurora acabou de raiar e as coisas surgiram distintamente: dom Quixote viu que as árvores altas entre as quais estavam eram castanheiros, que fazem sombra muito escura; percebeu também que as pancadas não cessavam, mas não viu quem as podia causar. Então, sem mais demora, fez Rocinante sentir as esporas e, despedindo-se de novo de Sancho, mandou que o aguardasse ali três dias, o mais tardar, como lhe dissera antes, e que, se nesse prazo não tivesse voltado, podia ter certeza de que Deus decidira que seus dias deviam acabar naquela perigosa aventura. Repetiu-lhe a mensagem que devia levar de sua parte a sua senhora Dulcineia; e, quanto ao pagamento de seus serviços, não se preocupasse, porque ele havia deixado o testamento feito antes de sair de sua terra, no qual constava que ele receberia o salário proporcional ao tempo que tivesse servido; mas que, se Deus o livrasse daquele perigo, são, salvo e sem pagar resgate, podia ter por mais que certa a ilha prometida.

Sancho desatou a chorar de novo, ouvindo as tristes palavras de seu bom amo, e resolveu não deixá-lo até o último passo e desfecho daquela peripécia.

Dessas lágrimas e resolução tão honrada de Sancho Pança o autor desta história deduz que devia ser bem-nascido, ou pelo menos cristão-velho. Esse sentimento enterneceu o amo, mas não tanto que mostrasse alguma fraqueza; pelo contrário, dissimulando o melhor que pôde, começou a caminhar para o lugar de onde lhe pareceu vir o barulho da água e das pancadas.

Sancho o seguia a pé, como sempre levando seu jumento pelo cabresto, perpétuo companheiro de suas sinas, prósperas ou adversas. E tendo andado um bom pedaço por entre aqueles castanheiros e árvores frondosas, foram dar num campinho que ficava junto a uns penhascos muito altos, de onde se precipitava uma grande cachoeira. Viam-se no sopé dos penhascos umas casas malfeitas, que mais pareciam ruínas, e notaram que do meio delas saía o barulho estrondoso daquelas pancadas incessantes.

Rocinante se alvoroçou com o estrondo da água e das pancadas, mas dom Quixote o acalmou e foi se aproximando pouco a pouco das casas, enquanto se encomendava de todo o coração a sua senhora, suplicando-lhe que o favorecesse naquela tenebrosa jornada e empresa; e de passagem se encomendava também a Deus, para que não o esquecesse. Sancho não saía de seu lado e espichava o pescoço e a vista o quanto podia, por entre as pernas de Rocinante, para ver se percebia enfim o que o trazia tão espantado e medroso.

Teriam andado outros cem passos quando, ao sair de trás de uma pedra, viram surgir bem visível e patente a causa, sem dúvida nenhuma, daquele tenebroso e assustador barulho, que os deixara espantados e medrosos toda a noite. Eram (se não levas a mal, leitor) seis maços de pisão,[2] que com suas pancadas alternadas faziam aquele estrondo.

Quando dom Quixote viu o que era, emudeceu e pasmou de cima a baixo. Sancho olhou-o e viu que tinha a cabeça inclinada sobre o peito, com mostras de estar envergonhado. Dom Quixote também olhou Sancho e viu que tinha as bochechas inchadas, a boca cheia de riso, com evidentes sinais de que não ia se aguentar — e a melancolia não foi tão forte que à vista de Sancho o fidalgo pudesse deixar de rir. Como Sancho viu que seu amo dava o exemplo, começou a rir de tal maneira que precisou apertar a barriga com os punhos para não arrebentar. Quatro vezes se acalmou e outras tantas voltou a gargalhar com o mesmo ímpeto do começo, o que, lá pelas tantas, encheu a paciência de dom Quixote, principalmente quando o ouviu dizer, como arremedo:

— "Sancho, meu amigo, deves saber que eu nasci, por vontade do céu, nesta nossa Idade do Ferro, para ressuscitar nela a do Ouro, ou a Dourada, como costuma se chamar. Eu sou aquele para quem estão reservados os perigos, as grandes façanhas, os feitos corajosos..."

E por aí foi, repetindo todas ou a maioria das palavras que dom Quixote disse quando ouviram as tenebrosas pancadas.

Vendo que Sancho debochava dele, dom Quixote se envergonhou e se enraiveceu tanto que levantou o chuço e lhe assentou duas bordoadas, que, se não fossem nas costas, mas na cabeça, o fidalgo ficaria livre de lhe pagar o salário, a menos que fosse a seus herdeiros. Sancho, vendo que seu amo levava tão a mal suas chacotas e com medo de que ele ficasse mais sério ainda, disse com muita humildade:

— Acalme-se vossa mercê! Por Deus, estou apenas brincando.

— Isso mesmo, porque brincais, não brinco eu! — respondeu dom Quixote. — Vinde cá, senhor gracioso: parece-vos que, se em vez de maços de pisão, tivéssemos aqui outra aventura perigosa, eu não teria mostrado a coragem que convinha para empreendê-la e acabá-la? Por acaso estou obrigado, sendo cavaleiro como sou, a conhecer e distinguir os sons, e saber quais são de pisão ou não? Depois, poderia acontecer, como aliás acontece, que eu nunca na vida os tivesse visto, como vós haveis, como camponês ruim que sois, nascido e criado entre eles. Senão, fazei com que esses seis maços se transformem em seis gigantes e jogue-os em minhas barbas, um por um ou todos juntos, e quando eu não der com todos de patas para cima, zombai de mim o quanto quiserdes.

— Já chega, meu senhor — replicou Sancho —, pois confesso que andei risonho demais. Mas diga-me vossa mercê, agora que estamos em paz (que assim Deus o tire de todas as aventuras que lhe acontecerem, são e salvo como desta): não foi coisa engraçada, e não é de contar o grande medo que sentimos? Ao menos o que eu senti, pois vossa mercê, bem sei, não o conhece, nem sabe o que é temor nem espanto.

— Não nego — respondeu dom Quixote — que o que nos aconteceu seja coisa digna de riso, mas não é digna de se contar, pois nem todas as pessoas são tão atiladas que saibam pôr as coisas em seus devidos lugares.

— Pelo menos — respondeu Sancho —, vossa mercê soube pôr no lugar o chuço, apontando-me à cabeça e acertando-me nas costas, graças a Deus e ao cuidado com que me esquivei. Mas vá lá, no fim tudo se sabe e tudo se paga; e ouvi dizer que "esse te quer tão bem que te faz chorar"; além disso, os senhores importantes costumam dar umas calças de presente, depois de uma palavra rude que dizem a um criado, embora eu não saiba o que costumam dar depois de umas bordoadas; quanto aos cavaleiros andantes, vai ver que depois de bordoadas dão ilhas, ou reinos em terra firme.

— É, as coisas poderiam correr assim — disse dom Quixote —, e vir a ser verdade tudo o que dizes; e perdoa o que aconteceu, pois és inteligente e sabes que os primeiros movimentos não estão nas mãos do homem; e daqui por diante fica avisado de uma coisa, para que te refreies e te abstenhas de falar demais comigo, porque em nenhum dos livros de cavalaria que li, e são inumeráveis, jamais encontrei um escudeiro que falasse tanto com seu senhor como tu com o teu. E na verdade considero isso um grande erro, teu e meu: teu, porque me respeitas pouco; meu, porque não me dou mais ao respeito. Vê Gandalin, escudeiro de Amadis de Gaula, que foi conde da Ilha Firme: lê-se que sempre falava a seu senhor com o gorro na mão, a cabeça inclinada e o corpo dobrado, *more turquesco*.[3] E o que diremos de Gasabal, escudeiro de dom Galaor, que foi tão calado que, para nos declarar a excelência de seu maravilhoso silêncio, apenas uma vez se menciona seu nome em toda aquela história, tão grande como verídica? De tudo o que disse deves deduzir, Sancho, que é necessário manter a diferença entre amo e servo, senhor e criado e cavaleiro e escudeiro. Assim, de hoje em diante, vamos nos tratar com mais respeito, sem nos darmos muita trela, pois, se eu me aborrecer contigo, já sabes, a corda sempre arrebenta do lado mais fraco. As mercês e os benefícios que te prometi chegarão a seu tempo; e, se não chegarem, pelo menos o salário não se perderá, como já te disse.

— Está muito bem tudo que vossa mercê diz — disse Sancho —, mas eu queria saber (se por acaso não chegasse o tempo das mercês e fosse necessário apelar para os salários) quanto ganhava o escudeiro de um cavaleiro andante naqueles tempos, e se o acerto era por meses, ou por dias, como serventes de pedreiro.

— Não acho que os tais escudeiros jamais servissem por salário — respondeu dom Quixote —, mas apenas pelo que seus senhores quisessem dar; e se eu te mencionei no testamento fechado que deixei em minha casa, foi pelo que poderia acontecer, pois ainda não sei como a cavalaria se sairá nestes nossos tempos calamitosos, e além disso não gostaria que minha alma penasse por tão pouca coisa no outro mundo. Porque quero que saibas, Sancho, não há nele condição mais perigosa que a dos aventureiros.

— Isso é verdade — disse Sancho —, pois só as pancadas dos maços de um pisão puderam alvoroçar e desassossegar o coração de um aventureiro andante tão corajoso como é vossa mercê. Mas pode ficar certo de que daqui por diante não abro mais a boca para fazer gracejos com as coisas de vossa mercê, apenas para honrá-lo, como meu amo e senhor natural.

— Dessa maneira — replicou dom Quixote —, viverás sobre a face da terra; porque, depois dos pais, aos amos deve-se respeitar como se pais fossem.

XXI

QUE TRATA DA GRANDE AVENTURA
E PRECIOSA CONQUISTA DO ELMO DE MAMBRINO,
COM OUTRAS COISAS ACONTECIDAS
AO NOSSO INVENCÍVEL CAVALEIRO

Nisso começou a chover um pouco, e Sancho gostaria que se abrigassem no moinho dos pisões, mas dom Quixote tinha ficado com tal aversão por ele por causa daquela zombaria medonha que não quis entrar ali de jeito nenhum. E assim, dobrando à direita, deram em outro caminho como o que haviam trilhado no dia anterior.

Dali a pouco, dom Quixote avistou um homem a cavalo, que trazia na cabeça uma coisa que reluzia como se fosse de ouro. Mal o viu, virou-se para Sancho e disse:

— Parece-me, Sancho, que não há ditado que não seja verdadeiro (porque todos são sentenças tiradas da própria experiência, mãe de todas as ciências), especialmente aquele que diz: "Onde uma porta se fecha, outra se abre". Pois se ontem à noite o destino nos fechou a porta que procurávamos, enganando-nos com os pisões, agora nos abre outra de par em par para uma aventura melhor e mais certa; e, se eu não conseguir entrar por ela, a culpa será minha, sem que a possa atribuir ao desconhecimento de pisões ou à escuridão da noite. Digo isso porque, se não me engano, vem ali em nossa direção um homem que traz na cabeça o elmo de Mambrino, sobre o qual eu fiz aquele juramento, que já conheces.

— Veja bem vossa mercê o que diz e mais ainda o que faz — disse Sancho —, pois eu não gostaria que fossem outros pisões que acabassem por nos socar e moer o bom senso.

— Que o diabo te carregue, seu covarde! — replicou dom Quixote. — Que tem a ver elmo com pisões?

— Não sei de nada — respondeu Sancho —, mas juro que, se pudesse falar tanto como antes, talvez eu alegasse tais razões que vossa mercê veria que se engana no que diz.

— Como posso me enganar no que digo, traidor melindroso? — disse dom Quixote. — Diz-me: não vês aquele cavaleiro que vem ali, num cavalo tordilho, que traz na cabeça um elmo de ouro?

— Pelo que posso ver — respondeu Sancho —, é apenas um homem montado num burro, ruço como o meu, que traz na cabeça uma coisa que reluz.

— Pois isso é o elmo de Mambrino — disse dom Quixote. — Afasta-te para o lado e deixa-me sozinho com ele: verás como, sem dizer uma palavra para poupar tempo, acabo esta aventura e será meu o elmo que tanto desejo.

— Terei o cuidado de me afastar — replicou Sancho. — Mas repito: queira Deus que o que reluz seja ouro mesmo, não pisões.

— Já vos disse, irmão, que não mencioneis mais os pisões nem em pensamento, pois juro por... — e dom Quixote lançou o nome em vão, redondo como uma bola — que vos pisoteio a alma.

Sancho se calou, com medo de que seu amo cumprisse a promessa.

O caso é que o elmo, o cavalo e o cavaleiro que dom Quixote via eram isto: naquelas bandas havia duas aldeias, uma tão pequena que não tinha nem botica nem barbeiro; como a outra, que ficava perto, os tinha, o barbeiro da maior também servia à menor. Aconteceu que aí um doente teve necessidade de uma sangria e outro sujeito de fazer a barba, por isso vinha o barbeiro com uma bacia de latão, montado num burro ruço, como dissera Sancho. Quis o destino que, nessa hora, começasse a chover e, para não manchar o chapéu, que devia ser novo, o barbeiro botou na cabeça a bacia que, como estava limpa, reluzia a meia légua. Foi assim que a dom Quixote pareceu cavalo tordilho, cavaleiro e elmo de ouro — pois com muita facilidade ajustava todas as coisas que via a suas desvairadas cavalarias e mal-andantes pensamentos. E, quando viu o pobre cavaleiro se aproximar, sem conversa investiu a todo galope, com o chuço baixo, decidido a trespassá-lo de lado a lado. Mas, bem perto dele, sem deter a carreira furiosa de Rocinante, disse:

— Defende-te, reles criatura, ou entrega-me de bom grado o que com tanta razão me é devido!

O barbeiro, que vinha tão descuidado e sem medo, quando viu aquele fantasma avançar sobre ele, não teve outro remédio para se defender do golpe da lança que se atirar de cima do burro. Aí, mal tocou o chão, se levantou mais ligeiro que um gamo e saiu correndo por aquela campina de modo que nem o vento o alcançaria, deixando a bacia para trás. Dom Quixote se contentou com ela e disse que o pagão tinha agido com discernimento — havia imitado o castor, que, vendo-se acossado pelos caçadores, rasga e despedaça com os dentes aquilo pelo que ele, por instinto natural, sabe que é perseguido.[1] Mandou que Sancho pegasse o elmo, o qual, tomando a bacia com ambas as mãos, disse:

— Por Deus, é boa a bacia! Acho que vale tanto oito reais como um maravedi.

Entregou-a ao amo, que a botou logo na cabeça, girando-a de um lado para o outro, procurando a presilha para prender na armadura, e, como não a encontrava, disse:

— Sem dúvida, o pagão para quem se forjou sob medida este famoso elmo devia ter a cabeça muito grande; e o pior é que falta metade dele.

Quando Sancho ouviu chamar a bacia de "elmo", não

pôde conter o riso; mas veio à mente dele a cólera de seu amo e se calou em seguida.

— De que te ris, Sancho? — disse dom Quixote.

— Estava imaginando — disse Sancho — a cabeçona que tinha o pagão dono deste morrião, que parece uma bacia de barbeiro sem tirar nem pôr.

— Sabes o que penso, Sancho? Por algum acaso estranho este famoso elmo encantado caiu nas mãos de quem não soube ver nem avaliar seu valor, percebendo apenas que era de ouro puríssimo. Então, sem saber o que fazia, deve ter fundido uma metade para se aproveitar do preço e da outra fez esta, que parece bacia de barbeiro, como dizes. Mas, seja como for, para mim que o conheço não vem ao caso a transmutação; eu o consertarei na primeira vila onde haja ferreiro, e de um modo que não leve vantagem sobre ele, nem mesmo se compare, o que fez e forjou o deus das ferrarias para o deus das batalhas. Enquanto isso, vou levá-lo como puder, que mais vale um pouco que nada; no mínimo será suficiente para me defender de alguma pedrada.

— Isso — disse Sancho — se não for atirada com funda, como atiraram na briga dos dois exércitos, quando benzeram os molares de vossa mercê e lhe arrebataram a azeiteira onde vinha aquela bendita beberagem que me fez vomitar as tripas.

— Não me importo muito de tê-la perdido, Sancho — disse dom Quixote —, pois sei a receita de cor, como tu sabes.

— Eu também sei — respondeu Sancho —, mas se eu a fizer ou se alguma vez na vida a provar de novo, quero cair morto agora. Além do mais, não penso precisar dela, porque pretendo evitar com todos os meus cinco sentidos ser ferido ou ferir alguém. Quanto a ser manteado outra vez, não digo nada, que semelhantes desgraças mal podem se prevenir; e, se acontecem, não há o que fazer senão encolher os ombros, prender o fôlego, fechar os olhos e se deixar ir por onde a sorte e a manta nos levar.

— És mau cristão, Sancho — disse dom Quixote ao ouvir isso —, porque nunca esqueces a injúria que te fizeram uma vez. Pois saibas que é próprio de corações nobres e generosos não fazer caso de ninharias. Saíste com um pé coxo, uma costela partida, a cabeça rachada, para que não te esqueças daquela brincadeira? Porque, pensando bem, foi só uma brincadeira e diversão. Se eu não pensasse assim, já teria voltado lá e, para vingar-te, teria feito mais estrago do que os gregos por causa do rapto de Helena, que, se vivesse nestes tempos, ou minha Dulcineia vivesse naqueles, certamente não teria tanta fama de formosa como tem.

E aqui deu um suspiro que foi às nuvens.

— É melhor levar na brincadeira mesmo — disse Sancho —, já que a vingança não pode ser levada a sério; mas eu sei de que tipo foram as seriedades e as brincadeiras, e sei também que não me sumirão da memória, como nunca me sairão das costas. Mas, deixando isso para lá, diga-me vossa mercê o que faremos deste cavalo tordilho, que parece um burro ruço, que abandonou aqui aquele Mantrino que vossa mercê derrubou. Do modo como botou o pé na estrada sem nem nos dizer adeus, não leva jeito de quem volta. E, por minhas barbas, se não é bom o ruço!

— Nunca foi meu costume despojar aos que venço — disse dom Quixote —, nem é uso da cavalaria tirar os cavalos deles e deixá-los a pé, a menos que o vencedor tenha perdido o seu no combate. Neste caso é lícito pegar o do vencido, como fruto de guerra justa. Assim, Sancho, deixa esse cavalo ou burro ou o que tu quiseres que seja; seu dono, vendo-nos longe daqui, logo voltará para buscá-lo.

— Sabe Deus como gostaria de levá-lo — replicou Sancho —, ou, pelo menos, trocá-lo pelo meu, que não me parece tão bom. Na verdade, são rigorosas as leis da cavalaria, pois não permitem deixar um burro por outro. Mas gostaria de saber se ao menos posso trocar os arreios.

— Não tenho muita certeza disso — respondeu dom Quixote. — Mas, por via das dúvidas, até estar mais bem informado, consinto que troques, se é que tens extrema necessidade deles.

— É tão extrema — respondeu Sancho — que, se fosse para minha própria pessoa, não seriam mais necessários.

Em seguida, habilitado com aquela licença, fez *mutatio capparum*[2] e deixou seu jumento às mil maravilhas, melhorando-o de cabo a rabo.

Feito isso, almoçaram as sobras do que tinham despojado da mula de carga, beberam da água do riacho do pisão, sem virar a cara para olhá-lo, tamanha era a aversão que lhe tinham por causa do medo que haviam passado.

Então, aplacadas a fome e até a melancolia, montaram a cavalo e, sem escolher o caminho, por ser muito de cavaleiros andantes não ter rumo certo, puseram-se a caminhar por onde a vontade de Rocinante quis, levando atrás a do amo e mesmo a do burro, que sempre seguia o cavalo por onde fosse, em boa amizade e companhia. Apesar disso tudo, voltaram à estrada real e seguiram por ela ao acaso, sem desígnio algum.

Assim iam caminhando, quando Sancho disse a seu amo:

— Vossa mercê pode me dar licença de falar um pouco? Desde aquela penosa ordem de silêncio, apodreceram-me mais de quatro coisas no estômago, e eu gostaria que ao menos uma que tenho agora na ponta da língua não se perdesse.

— Fala — disse dom Quixote —, mas sê breve, porque nenhum discurso é bom se for longo.

— Olhe, senhor — disse Sancho —, há dias venho pensando no pouco que se ganha e conquista ao andar buscando essas aventuras que vossa mercê busca nesses desertos e encruzilhadas, onde, mesmo sendo vitorioso nas mais perigosas, não há quem as veja nem saiba delas: assim vão ficar em perpétuo silêncio, em prejuízo da intenção de vossa mercê e do que elas merecem. Por isso me parece que seria melhor (a menos que vossa mercê seja de outra opinião) que fôssemos servir a algum imperador ou a outro grande príncipe que tenha alguma guerra, em cujo serviço vossa mercê mostre o valor de sua pessoa, suas grandes forças e maior inteligência; ao ver isso, o senhor a quem servirmos há de nos remunerar certamente, cada um conforme seus méritos; e ali não faltará quem ponha por escrito as façanhas de vossa mercê, para memória perpétua. Das minhas não digo nada, pois não sairão dos limites escudeiris, embora saiba dizer que, se na cavalaria for costume escrever façanhas de escudeiros, não penso que as minhas vão ficar nas entrelinhas.

— Não falas mal, Sancho — respondeu dom Quixote —, mas, antes de chegar a esse ponto, é necessário andar pelo mundo como que em provação, buscando aventuras para que, vencidas algumas, se ganhe nome e tanta fama que já seja o cavaleiro conhecido por seus feitos, quando for à corte de algum grande monarca. Então, mal o tenham visto entrar pela porta da cidade, os meninos irão rodeá-lo e segui-lo, aos gritos: "Este é o cavaleiro do Sol", ou da Serpente, ou de alguma outra insígnia sob a qual tiver feito grandes façanhas. "Este é", dirão, "o que venceu em singular batalha o gigantesco Brocabruno da Grande Força, o que desencantou o Grande Mameluco da Pérsia do longo encantamento em que esteve por quase novecentos anos." Assim, de boca em boca, irão apregoando seus feitos e, depois do alvoroço dos meninos e das outras pessoas, surgirá nas janelas do palácio o rei daquelas terras e, assim que veja o cavaleiro, reconhecendo-o pela armadura ou pelo emblema do escudo, forçosamente há de dizer: "Eia, eia! Saiam meus cavaleiros e todos os que estão em minha corte, para receber a flor da cavalaria, que ali vem!". A esta ordem sairão todos, e ele chegará até a metade da escada e o abraçará fortemente, desejando-lhe paz e beijando-lhe o rosto, e em seguida o levará pelas mãos ao aposento da senhora rainha, onde o cavaleiro a encontrará com a infanta, sua filha, que há de ser uma das mais belas e perfeitas donzelas que a duras penas poderá se achar em grande parte do mundo conhecido.

"Logo depois disso, acontecerá que ela pousa os olhos no cavaleiro, o cavaleiro pousa os olhos nela, e cada um parece ao outro coisa mais divina que humana. Sem saber como nem quando, ficam presos e enlaçados na intrincada rede amorosa, e com grande ansiedade em seus corações por não saberem como poderão se falar para descobrir seus desejos e sentimentos. Sem dúvida dali o levam a algum quarto do palácio, luxuosamente ornamentado, onde, havendo lhe tirado a armadura, lhe trazem um rico manto de escarlate para que se cubra; e, se de armadura pareceu bonito, mais bonito ainda parecerá de gibão.

"Chegada a noite, jantará com o rei, a rainha e a infanta, quando nunca tirará os olhos dela, olhando-a de modo dissimulado; e ela fará o mesmo com a mesma sagacidade, porque, como já disse, é donzela muito inteligente. Tirada a mesa, cruzará de repente pela porta da sala um pequeno e feio anão com uma formosa ama que, entre dois gigantes, vem atrás do anão, com um enigma criado por um mago antiquíssimo: aquele que o resolver será considerado o melhor cavaleiro do mundo. Em seguida o rei mandará que todos os que estão presentes tentem a sorte, mas nenhum o deslindará a não ser o cavaleiro hóspede, aumentando assim sua fama, do que ficará muito contente a infanta, que além de feliz se dará por bem paga por ter posto seus pensamentos em pessoa de tão altos méritos. O melhor é que este rei ou príncipe, ou seja lá o que for, trava uma guerra renhida com outro tão poderoso como ele, e o cavaleiro hóspede lhe pede, depois de alguns dias em sua corte, licença para ir servi-lo naquela guerra. O rei a dará de muito boa vontade, e o cavaleiro lhe beijará cortesmente as mãos pela mercê que lhe faz.

"Naquela noite se despedirá de sua senhora, a infanta, pelas grades do jardim que dá para o aposento onde ela dorme, pelas quais já muitas outras vezes havia falado com ela, sendo intermediária e conhecedora de tudo uma aia em quem a infanta muito confiava. Ele suspirará, ela desfalecerá, a aia trará água, ele se angustiará muito pela honra de sua dama, porque vem a manhã e não gostaria que fossem descobertos. Finalmente, a infanta voltará a si e dará suas mãos alvas pela grade ao cavaleiro, que as beijará mil e mil vezes, banhando-as em lágrimas. Ficará combinado entre os dois o modo como se darão as boas e as más notícias, e a princesa lhe suplicará que demore o menos possível; ele o prometerá com muitas juras e, voltando a lhe beijar as mãos, despedir-se-á com tanto sentimento que estará a um passo de perder a vida. Dali vai para seus aposentos, atira-se sobre o leito, não pode dormir por causa da dor da partida; levanta muito cedo, vai se despedir do rei, da rainha e da infanta. Ao se despedir do rei e da rainha, dizem-lhe que a senhora infanta está indisposta e que não pode receber visita; o cavaleiro pensa que é de tristeza por sua partida, seu coração se despedaça, e falta pouco para não demonstrar sua agonia. A aia alcoviteira está ali perto, observa tudo e vai contar a sua senhora, que a recebe com lágrimas e lhe diz que uma das maiores tristezas que tem é não saber quem é seu cavaleiro, se é de linhagem de reis ou não; a aia lhe garante que não pode caber tanta cortesia, distinção e bravura como a de seu cavaleiro senão em pessoa nobre e real; a coitada consola-se com isso e procura disfarçar, para que seus pais não suspeitem dela, e dali a dois dias aparece em público.

"O cavaleiro já se foi: luta na guerra, vence o inimigo do rei, conquista muitas cidades, triunfa em muitas batalhas, volta à corte, vê sua senhora no lugar de costume, combina-se então que a pedirá a seu pai como esposa, em pagamento por seus serviços. O rei não a quer dar porque não sabe quem é ele; mas, apesar disso, raptada ou de qualquer outro jeito que for, a infanta vem a ser sua esposa, e seu pai fica muito feliz porque se soube que o tal cavaleiro é filho de um valente rei de não sei que reino, pois acho que não deve estar no mapa. O pai morre, a infanta herda e o cavaleiro, num piscar de olhos, vira rei. Aqui começam as mercês a seu escudeiro e a todos aqueles que o ajudaram a subir a tão alta posição: casa seu escudeiro com uma aia da infanta, que será, sem dúvida, a que intermediou seus amores, que é filha de um duque muito importante."

— É o que peço, e sem tretas! — disse Sancho. — Conto com isso, porque há de acontecer tudo ao pé da letra como vossa mercê disse, agora que se chama o Cavaleiro da Triste Figura.

— Não tenhas dúvidas, Sancho — replicou dom Quixote —, porque os cavaleiros andantes chegaram e chegam a ser reis e imperadores exatamente do jeito que te contei, seguindo os mesmos passos. Agora só falta ver que rei dos cristãos ou dos pagãos tenha guerra e filha formosa; mas haverá tempo para pensar nisso, pois, como te disse, primeiro é preciso ganhar fama por outras bandas antes de chegar à corte. Também me falta outra coisa: no caso de encontrarmos rei com guerra e filha formosa, tendo eu ganhado fama incrível em todo o universo, não sei como poderia se pensar que eu seja da linhagem de reis ou pelo menos primo segundo de imperador; porque o rei não vai querer me dar sua filha por mulher se, antes, não estiver inteirado disso, embora mais o mereçam meus famosos feitos. Assim, por essa falta, temo perder o que meu braço tanto merece. Mas é verdade que eu sou fidalgo de casa antiga e conhecida, homem com propriedades reconhecidas pelo tribunal, e a lei protege meu bom nome de afrontas com quinhentos soldos de multa.[3] Além do mais, poderia ser que o mago que escrevesse minha história deslindasse de tal maneira minha parentela e descendência que me descobrisse quinto ou sexto neto de rei. Pois te digo, Sancho, que há duas espécies de linhagens no mundo: umas derivam sua descendência de príncipes e monarcas, a quem pouco a pouco o tempo foi desgastando, até acabarem em ponta como uma pirâmide posta ao contrário; outras começaram com gente baixa e foram subindo, de grau em grau, até chegar a grandes senhores. De modo que a diferença está em que uns foram e já não são, e outros são, mas não foram. Eu bem poderia ser dos que já não são. Assim, depois de averiguado, se veria como foi grande e famoso meu princípio, com o que deveria se contentar o rei que haveria de ser meu sogro; ou a infanta há de me amar de tal maneira que, apesar de seu pai e de saber indubitavelmente que sou filho de um cavalariço, há de me admitir por senhor e esposo; e, se não, ainda posso raptá-la e levá-la para onde eu bem quiser, que o tempo ou a morte há de acabar com o desgosto de seus pais.

— É como dizem alguns bandidos: "Não peças por favor o que podes tomar pela força" — disse Sancho —, ou no caso talvez seja melhor dizer: "Mais vale um mau acordo que um bom pleito". Digo isso porque se o senhor rei, sogro de vossa mercê, não quiser lhe entregar minha senhora, a infanta, não haverá o que fazer, como diz vossa mercê, senão raptá-la e carregá-la. O problema é que, enquanto não façam as pazes e se goze pacificamente do reino, o pobre escudeiro poderá ficar chupando o dedo nisso das mercês. A não ser que a aia alcoviteira, que deverá ser sua mulher, fuja com a infanta, e ele viva com ela sua desventura, até que o céu ordene outra coisa; porque, parece-me, seu senhor poderá dá-la logo por legítima esposa.

— Isso não há quem impeça — disse dom Quixote.

— Pois então — respondeu Sancho — só temos de nos encomendar a Deus e deixar a sorte correr por onde Ele determinar.

— Que Deus faça como eu desejo e tu, Sancho, necessitas — respondeu dom Quixote. — E ruim seja quem ruim se julga.

— Seja como Deus quiser — disse Sancho —, pois sou cristão-velho, e para ser conde isto me basta.

— E até sobra — disse dom Quixote. — E, mesmo que não fosses, não fazia mal porque, sendo eu o rei, posso te dar nobreza sem que a compres nem me sirvas em nada. Olha, fazendo-te conde, podes te dar por cavaleiro, digam o que disserem; pois juro que vão te tratar por senhoria, por mais que resmunguem.

— Ora se eu não estaria à altura do *tiltu*! — disse Sancho.

— Deves dizer *título*, não *tiltu* — disse seu amo.

— Isso, então — respondeu Sancho Pança. — Digo que eu o saberia portar porque, graças a Deus, por um tempo fui andador de uma confraria, e me assentava tão bem o uniforme que todos diziam que eu tinha presença para ser administrador da própria confraria. Imagine o que será quando eu botar nas costas um manto de duque forrado de arminho ou me vestir de ouro e pérolas, como um conde estrangeiro? Acho que vai ter gente que fará cem léguas só para me ver.

— Ficarás muito bem — disse dom Quixote —, mas será preciso se barbear mais seguido, porque, tendo as barbas assim cerradas, escuras e descuidadas, sem ver navalha no mínimo de dois em dois dias, à distância de um tiro de escopeta se verá o que és.

— O que posso fazer, senão contratar um barbeiro e mantê-lo assalariado em casa? — disse Sancho. — Aí, se precisar, farei com que ande atrás de mim, como cavalariço dos grandes.

— Mas como sabes que os grandes andam com os cavalariços atrás? — perguntou dom Quixote.

— Já lhe conto — respondeu Sancho. — Há anos estive um mês na corte e ali vi passeando um senhor muito pequeno, que diziam que era muito grande: um homem o seguia a cavalo por tudo quanto era lado, até parecia o rabo dele. Perguntei por que aquele homem não se juntava com o outro, só andava atrás, e me responderam que era seu cavalariço e que era costume dos grandes levar os ditos atrás. Foi então que eu soube tão bem sabido que nunca mais me esqueci.

— Tens razão — disse dom Quixote. — Assim sendo, podes levar teu barbeiro, pois os costumes não surgiram todos juntos nem foram inventados de uma vez só, e bem podes ser tu o primeiro conde que leva seu barbeiro atrás de si. Além disso, fazer a barba é uma tarefa de mais confiança que encilhar um cavalo.

— Deixe por minha conta isso do barbeiro — disse Sancho —, e vossa mercê trate de se tornar rei e me fazer conde.

— Assim será — respondeu dom Quixote.

E, levantando os olhos, viu o que se dirá no próximo capítulo.

XXII

DA LIBERDADE QUE DOM QUIXOTE DEU
A MUITOS DESGRAÇADOS QUE ERAM LEVADOS
CONTRA A VONTADE AONDE NÃO QUERIAM IR

Conta Cide Hamete Benengeli, autor árabe e manchego, nesta história seriíssima, altissonante, minuciosa, doce e imaginativa, que, depois daquela conversa entre dom Quixote de la Mancha e Sancho Pança, seu escudeiro, como foi referido no capítulo vinte e um, o cavaleiro levantou os olhos e viu na estrada que iam uns doze homens a pé, enfiados como contas de rosário numa grande corrente de ferro que os prendia pelos pescoços, e todos com algemas nos pulsos. Também vinham com eles dois homens a cavalo e dois a pé; os cavaleiros, com espingardas de pederneira, os outros com dardos e espadas. Mal os viu, Sancho Pança disse:

— É uma corrente de galeotes, gente que vai forçada remar nas galés do rei.

— Como gente forçada? — perguntou dom Quixote. — É possível que o rei force alguém?

— Não disse isso — respondeu Sancho. — É gente que por causa de seus delitos foi condenada a servir ao rei nas galés, em trabalhos forçados.

— Em suma — replicou dom Quixote —, seja como for, essa gente vai levada pela força, não pela própria vontade.

— Isso mesmo — disse Sancho.

— Pois então — disse seu amo —, aqui se enquadra o exercício de minha profissão: desfazer opressões e socorrer os miseráveis.

— Veja vossa mercê — disse Sancho — que a justiça, que é o próprio rei, não oprime nem ofende semelhante gente, apenas a castiga por causa de seus crimes.

Nisso chegaram os galeotes acorrentados e dom Quixote, com palavras muito corteses, pediu aos guardas que fizessem o obséquio de informá-lo e lhe dizer a causa ou causas por que levavam aquela gente daquela maneira.

Um dos guardas que ia a cavalo respondeu que eram condenados, gente de Sua Majestade que ia para as galés, e que não havia mais o que dizer nem o fidalgo tinha mais o que saber.

— Mesmo assim — replicou dom Quixote —, gostaria de saber de cada um deles em particular a causa de sua desgraça.

A essas, acrescentou outras alegações tão razoáveis para movê-los a lhe dizer o que desejava que o outro guarda que ia a cavalo disse:

— Temos aqui o registro e uma cópia das sentenças de cada um desses infelizes, mas não é hora de pararmos para ler; vossa mercê se aproxime e pergunte a eles mesmos, que falarão se quiserem, e vão querer sim, porque é gente que gosta de fazer e dizer velhacarias.

Com essa licença, que dom Quixote tomaria mesmo que não lhe dessem, aproximou-se dos galeotes e perguntou ao primeiro por que pecados ia daquele péssimo jeito. Ele respondeu que por ter se apaixonado.

— Só por isso? — replicou dom Quixote. — Se por apaixonado se levam às galés, há tempos eu poderia estar remando nelas.

— Não são desses amores que vossa mercê pensa — disse o galeote. — Os meus foram por uma tina atopetada de roupa-branca: amei-a tanto que me abracei nela tão fortemente que não a teria deixado até agora, se a justiça não a tirasse à força de mim. Fui pego em flagrante, não foi preciso tortura para confissão; concluiu-se o julgamento, ajeitaram-me as costas com cem açoites e, de quebra, me deram três anos redondos de embarcação, e acabou-se a história.

— De embarcação? — perguntou dom Quixote.

— Nas galés — respondeu o galeote, um rapaz de uns vinte anos de idade, que disse ainda ser natural de Piedrahita.

Dom Quixote perguntou a mesma coisa ao segundo, que não respondeu uma palavra, pois ia triste e melancólico. Mas o primeiro respondeu por ele:

— Este, senhor, vai porque é canário, quer dizer, porque é músico e cantor.

— Mas como?! — admirou-se dom Quixote. — Músicos e cantores também vão para as galés?

— Sim, senhor — respondeu o condenado —, pois não há coisa pior que cantar na agonia.

— Sempre ouvi dizer — disse dom Quixote — que quem canta seus males espanta.

— Aqui é o contrário — disse o condenado —, quem canta uma vez chora a vida toda.

— Não compreendo — disse dom Quixote.

Mas um dos guardas lhe disse:

— Senhor cavaleiro, cantar na agonia, entre essa gente *non santa*, é confessar sob tortura. Este pecador foi torturado e confessou seu delito, que era ser quatreiro,[1] isto é, ladrão de gado. Como confessou, condenaram-no a seis anos de galés, além de duzentos açoites, que já leva no lombo. Vai sempre pensativo e triste porque os outros ladrões que ficaram lá, e os que vão aqui, o maltratam e o humilham, zombam dele e o desprezam porque confessou e não teve coragem de dizer não. É que eles dizem que um *não* tem tantas letras como um *sim*, e que tem muita sorte um delinquente que está com sua vida ou sua morte na ponta da língua e não nas provas e testemunhas. Nisso me parece que não estão muito fora de rumo.

— Também acho — respondeu dom Quixote.

Passando ao terceiro, perguntou a mesma coisa que aos outros; ele, com presteza e grande desenvoltura, respondeu:

— Eu vou para as senhoras galés por cinco anos por me faltarem dez ducados.

— Eu darei vinte de boa vontade — disse dom Quixote — para vos libertar desse suplício.

— Isso se assemelha — respondeu o condenado — com alguém cheio de dinheiro em alto-mar, morrendo de fome por não ter onde comprar o que precisa. Digo isso porque, se no devido tempo eu tivesse esses vinte ducados que vossa mercê me oferece agora, teria untado com eles a pena do escrivão e avivado a inventiva do procurador, de modo que hoje me veria no meio da praça de Zocodover, de Toledo, e não nesta estrada, acorrentado como um cachorro. Mas Deus é grande: paciência... e basta.

Dom Quixote passou ao quarto, que era um homem de rosto venerável, com uma barba branca que lhe ultrapassava o peito; ouvindo perguntar por que estava ali, começou a chorar e não respondeu uma palavra; mas o quinto condenado lhe serviu de língua:

— Este homem honrado vai para as galés por quatro anos, depois de ter passeado pelas ruas de costume, vestido, acompanhado com pompa e a cavalo.

— Pelo que entendi — disse Sancho Pança —, desfilou no cortejo da vergonha: entre a prisão e o pelourinho, sem ser açoitado, com o oficial de justiça anunciando seus crimes.

— Isso mesmo — replicou o condenado. — A causa dessa condenação é porque negociava cobertores de orelha e até do corpo todo. Enfim, quero dizer que este senhor vai porque era alcoviteiro, e também por ter uma pitada de feiticeiro.

— Se não tivesse acrescentado essa pitada... — disse dom Quixote —, porque apenas por puro alcoviteiro ele não merecia ir remar nas galés, mas sim comandá-

-las, ser o general delas. Pois não é assim como se pensa o ofício de alcoviteiro: é ofício de pessoas argutas, muito necessário numa república bem organizada, que só devia ser exercido por gente muito bem-nascida. Até devia haver examinador e fiscais, como têm os outros ofícios, com nomeações e registro oficial, como corretores da bolsa do comércio, pois desse modo se evitariam muitos males que se causam por andar esse ofício nas mãos de gente idiota e de pouco entendimento, como são essas mulherzinhas mequetrefes, pajenzinhos e bufões de poucos anos e de pouca experiência, que na hora mais necessária, quando é preciso ter manha, tropeçam nos próprios pés e nem sabem qual é sua mão direita. Gostaria de prosseguir e dar as razões por que conviria escolher os que deviam exercer tão necessário ofício na república, mas não é lugar adequado para isso: algum dia direi a quem possa tomar as devidas providências. Por ora, digo apenas que a tristeza que me causou ver essas barbas brancas e esse rosto venerável em tão grande padecimento por ser alcoviteiro, se foi com esse negócio de feitiçaria, mesmo que eu saiba muito bem que não há feitiços no mundo que possam mover e forçar a vontade, como alguns simplórios pensam: nosso arbítrio é livre e não há poção nem encanto que o force. O que algumas mulherzinhas simplórias e alguns embusteiros velhacos costumam fazer são beberagens e venenos com que tornam os homens loucos, dando a entender que têm força para fazer nascer o amor, sendo, como digo, coisa impossível forçar a vontade.

— É isso mesmo — disse o bom velho —, mas na verdade, senhor, não sou culpado de feitiços. De alcovitagem, sim, não posso negar. Nunca, porém, pensei que fazia mal nisso, pois toda a minha intenção era que todo mundo se divertisse e vivesse em paz e quietude, sem rixas ou penas. Mas de nada me serviu esse bom desejo para deixar de ir aonde não espero voltar, porque me pesam os anos e um problema de urina que tenho, que não me dá um instante de folga.

E aqui desatou a chorar de novo, como no começo; Sancho teve tanta compaixão que puxou um real de prata e o deu de esmola.

Dom Quixote passou adiante e perguntou a outro qual era seu delito. O condenado respondeu, não com menos, mas com muito mais graça que o anterior:

— Eu estou aqui porque fiz muitas travessuras com duas primas-irmãs minhas e com outras duas irmãs que não eram minhas; enfim, foram tantas travessuras com todas que a parentela cresceu de modo tão enrolado que não há diabo que a deslinde. Provou-se tudo, faltou-me proteção, não tive dinheiro, estive a pique de botar o gogó no laço, condenaram-me às galés por seis anos, eu me conformei: o castigo foi por minha culpa; sou novo: que a vida continue, pois com ela tudo se alcança. Se vossa mercê, senhor cavaleiro, leva alguma coisa com que socorrer esses pobres-diabos, Deus o pagará no céu, e na terra nós teremos o cuidado de rogar a Ele em nossas orações pela vida e saúde de vossa mercê, que seja tão longa e feliz como sua boa aparência mostra que merece.

Esse preso vestia uma sotaina de estudante, e um dos guardas disse que era muito tagarela e notável latinista.

Atrás desses todos, vinha um homem de muito boa aparência, com uns trinta anos de idade, mas que ao olhar metia um pouco um olho no outro. Não estava atado como os demais, porque trazia duas argolas no pescoço: de uma saía uma corrente tão grande que se enrolava pelo corpo todo até se prender num pé; da outra desciam dois ferros que chegavam à cintura e prendiam as algemas, onde levava as mãos chaveadas por um grosso cadeado. Assim, não podia levar as mãos à boca nem baixar a cabeça até as mãos.

Dom Quixote perguntou por que aquele homem ia mais acorrentado que os outros. O guarda respondeu que era porque sozinho tinha mais crimes que todos os outros juntos, sem falar que era tão atrevido e tão velhaco que, mesmo levando-o daquele jeito, não estavam seguros dele e temiam que fugisse.

— Que delitos pode ter cometido — disse dom Quixote —, se não mereceu outras penas além das galés?

— Vai por dez anos — replicou o guarda —, o que equivale a morte civil. Basta saber que este bom homem é o famoso Ginés de Pasamonte, conhecido também como Ginesillo de Parapilla.[2]

— Senhor beleguim — disse então o galeote —, vamos devagar nas pedras e deixemos de desenrolar nomes e sobrenomes. Chamo-me Ginés, não Ginesillo, e meu sobrenome é Pasamonte, não Parapilla, como vancê diz. Se o macaco olhasse o próprio rabo antes de falar dos outros, não faria pouco.

— Dobra a língua, senhor ladrão de marca maior — replicou o beleguim —, se não quiseres que eu a dobre por ti, queiras ou não queiras.

— Parece — respondeu o galeote — que o homem anda como Deus quer, não como ele deseja, mas algum dia se saberá se me chamo Ginesillo de Parapilla ou não.

— Mas não te chamam assim, embusteiro? — disse o guarda.

— Chamam sim — respondeu Ginés —, mas farei com que não me chamem, ou eu me arrancaria as barbas nos quintos de vancê sabe onde. Senhor cavaleiro, se tem algo para nos dar, dê de uma vez e vá com Deus, que já está amolando com esse negócio de querer saber da vida dos outros. Se quer saber da minha, saiba que eu sou Ginés de Pasamonte, cuja vida foi escrita por estes dedos.

— Agora diz a verdade — disse o beleguim. — Ele mesmo escreveu sua história, em que não há o que reparar, tanto que deixou o livro no cárcere empenhado por duzentos reais.

— Mas penso resgatá-lo — disse Ginés — mesmo que me custe duzentos ducados.

— É tão bom assim? — disse dom Quixote.

— É tão bom que faz o *Lazarillo de Tormes* comer poeira — respondeu Ginés. — Ele e todos os que foram ou serão escritos no gênero. Só posso dizer a vancê que trata de verdades, verdades tão lindas e graciosas que não há mentira que se compare.

— E como se intitula o livro? — perguntou dom Quixote.

— *A vida de Ginés de Pasamonte* — respondeu o próprio.

— E está pronto? — perguntou dom Quixote.

— Como poderia — respondeu ele —, se minha vida ainda não acabou? O que está escrito vai de meu nascimento até o ponto em que me mandaram para as galés, esta última vez.

— Então estiveste nelas antes? — disse dom Quixote.

— Para servir a Deus e ao rei, estive outra vez por quatro anos, e conheço bem a dieta das galés: biscoito e chibata — respondeu Ginés. — Não me incomoda muito voltar para lá; ao menos terei tempo de acabar meu livro, pois ainda me faltam muitas coisas para dizer, e nas galés da Espanha há mais sossego do que seria necessário, embora eu não precise muito para o que tenho de escrever, porque o sei de cor.

— Pareces bem capaz — disse dom Quixote.

— E infeliz — respondeu Ginés —, porque as desgraças sempre perseguem os homens de gênio.

— Perseguem os velhacos — disse o beleguim.

— Já lhe disse, senhor beleguim — respondeu Pasamonte —, devagar nas pedras, que aqueles senhores não lhe deram essa vara para maltratar os coitados que aqui vamos, mas para nos guiar e levar aonde Sua Majestade manda. Se não, com os diabos se... Mas chega, pois pode ser que algum dia se saiba direitinho das sujeiras que aconteceram na pousada, e então que todo mundo se cale, viva bem e aí fale melhor. Caminhemos, que essa brincadeira já foi longe demais.

O beleguim levantou a vara para bater em Pasamonte, em resposta a suas ameaças, mas dom Quixote se postou na frente dele e pediu que não o maltratasse, pois não era de estranhar que quem levava as mãos tão atadas tivesse a língua um pouco solta. E, virando-se para todos os acorrentados, disse:

— De tudo o que me haveis contado, caríssimos irmãos, tirei a limpo o seguinte: ainda que vos tenham castigado por vossas culpas, as penas que ides cumprir não vos dão muito prazer, e que ides de mau grado e muito contra a vontade, e é bem possível que a covardia daquele na tortura, a falta de dinheiro deste e de padrinho do outro e, enfim, a opinião torta do juiz tivesse sido a causa de vossa perdição, não se fazendo a devida justiça que vós merecíeis. Tudo isso me vem agora à mente, de modo que me está dizendo, persuadindo e até forçando que mostre convosco a razão por que o céu me pôs no mundo, e me fez professar a ordem de cavalaria e o juramento que nela fiz de ajudar os necessitados e oprimidos pelos poderosos. Mas, como sei que uma das condições da prudência é não se fazer por mal o que pode ser feito por bem, quero suplicar a esses senhores guardiões e ao beleguim que de boa vontade vos soltem e vos deixem ir em paz, que não faltarão outros que sirvam ao rei em melhores circunstâncias, porque me parece muito duro tornar escravos os que Deus e a natureza fizeram livres. Além do mais, senhores guardas — acrescentou dom Quixote —, esses pobres coitados não cometeram nada contra vós. Que cada um se vire com seu pecado; no céu há Deus, que não se descuida de castigar o mau nem de premiar o bom; e não fica bem que os homens honrados sejam verdugos de outros homens, não ganhando nada com isso. Peço com toda calma e tranquilidade, para poder vos agradecer, se me atenderdes; agora, caso não o façais de bom grado, esta lança e esta espada, com a coragem de meu braço, vos farão me obedecer pela força.

— Belo discurso — respondeu o beleguim —, principalmente na última tirada! Quer que soltemos os presos do rei como se tivéssemos autoridade para tanto ou vossa mercê a tivesse para nos mandar! Siga seu caminho, meu senhor, enquanto é tempo, e ajeite esse penico que traz na cabeça e não procure três patas no gato.

— Gato, rato e velhaco sois vós! — respondeu dom Quixote.

E, falando e fazendo, sem lhe dar tempo de se defender, investiu contra ele tão rápido que o mandou ao chão, gravemente ferido pela lança; e por sorte era o que trazia a espingarda. Os outros ficaram pasmos e suspensos com o acontecimento inesperado, mas, recuperando-se, os guardas a cavalo empunharam as espadas e os que estavam a pé os dardos, avançando contra dom Quixote, que com toda a calma os aguardava e sem dúvida teria passado o diabo, se os galeotes, vendo a oportunidade que lhes era oferecida de alcançar a liberdade, não a tivessem aproveitado, procurando romper a corrente que os prendia. Foi tamanha a confusão que os guardas não fizeram nada de muito proveito, ou porque corriam para os condenados que se soltavam ou porque lutavam com dom Quixote, que os atacava.

Sancho, por sua vez, ajudou a soltar Ginés de Pasamonte, que, livre e desimpedido, foi o primeiro a entrar na dança: saltou sobre o beleguim caído e tomou dele a espada e a espingarda, com que, apontando para um e mirando em outro, sem jamais dar um tiro, não deixou um guarda no campo, pois também fugiram das pedradas que os galeotes soltos atiravam.

Sancho ficou muito triste com isso, porque imaginou que os que iam fugindo comunicariam o caso à Santa

Irmandade, que, repicando o sino, sairia em busca dos delinquentes. Assim, falou a seu amo, pedindo que partissem logo dali e se refugiassem numa serra que não ficava longe.

— Boa ideia essa — disse dom Quixote —, mas eu sei o que convém fazer agora.

E chamou todos os galeotes, que andavam assanhados e haviam despojado o beleguim até deixá-lo em pelo. Com eles ao redor, à espera de ordens, disse:

— É próprio de gente de bem agradecer os benefícios que recebem, e um dos pecados que mais ofende a Deus é a ingratidão. Digo-vos isso, senhores, porque vistes pela própria experiência o que receberam de mim; em troca eu gostaria que, carregando essa corrente de que livrei vossos pescoços, em seguida vades para a cidade de El Toboso e ali vos apresenteis ante a senhora Dulcineia del Toboso, dizendo-lhe que seu cavaleiro, o da Triste Figura, envia a ela seus cumprimentos, e deveis ainda lhe contar tudo o que aconteceu nessa famosa aventura, tintim por tintim, até que vos levei à desejada liberdade. Feito isso, podereis ir para onde quiserdes, a vosso bel-prazer.

Ginés de Pasamonte respondeu por todos:

— O que vossa mercê nos ordena, nosso senhor e libertador, é absolutamente impossível de cumprir porque não podemos ir juntos pelas estradas, apenas separados e sozinhos, cada um numa direção, procurando se meter no oco do mundo, para não ser achado pela Santa Irmandade, que sem dúvida alguma vai sair a nossa procura. O que vossa mercê pode fazer, e é justo que faça, é trocar esse serviço e tributo à senhora Dulcineia del Toboso por uma certa quantidade de ave-marias e credos, que rezaremos em intenção a vossa mercê, coisa que poderá se fazer de noite e de dia, fugindo ou descansando, em paz ou em guerra. Mas achar que vamos voltar aos velhos tempos, digo, pegar nossa corrente e tocar para

El Toboso, é pensar que agora é noite, quando ainda não são dez horas da manhã, e nos pedir isso é como tentar tirar leite da pedra.

— Pois garanto que ireis — disse dom Quixote, tomado de raiva —, sozinho e com o rabo entre as pernas, com a corrente toda nas costas, dom filho da puta, ou dom Ginesillo de Paropillo, ou seja lá como for!

Pasamonte — nada tolerante e sabendo que dom Quixote não era muito certo, desde o disparate que havia cometido ao libertá-los —, vendo-se tratar daquela maneira, piscou o olho para os companheiros, que se afastaram para um lado e mandaram uma chuva de pedras sobre dom Quixote, a quem faltou mãos para cobrir-se com a rodela, sem falar que o pobre Rocinante fazia tanto caso da espora como se fosse feito de bronze. Sancho escondeu-se atrás do burro, e com ele se defendia da nuvem de granizo que caía. Dom Quixote não pôde se proteger tão bem que não lhe acertassem não sei quantos pedregulhos no corpo, com tanta força que deram com ele no chão; e, mal caiu, veio sobre ele o estudante e lhe tirou a bacia da cabeça e lhe deu com ela três ou quatro golpes nas costas e outros tantos na terra, fazendo-a em pedaços. Arrancaram-lhe um casaco que trazia sobre a armadura e teriam levado as meias, se as grevas não estorvassem. De Sancho tiraram o gabão e, deixando-o quase pelado, depois de repartir entre si os demais despojos da batalha, cada um foi embora para um lado, muito mais preocupados em escapar da Irmandade, que temiam, do que de carregar a corrente para se apresentar ante a senhora Dulcineia del Toboso.

Ficaram sós o jumento e Rocinante, Sancho e dom Quixote — o jumento, cabisbaixo e pensativo, sacudindo de quando em quando as orelhas, achando que ainda não havia acabado a tempestade de pedras que o perseguira; Rocinante, estendido perto do amo, pois também fora ao chão com uma pedrada; Sancho, quase pelado e com medo da Santa Irmandade; dom Quixote, amoladíssimo de se ver tão maltratado pelos mesmos a quem tanto bem tinha feito.

XXIII

DO QUE ACONTECEU AO FAMOSO DOM QUIXOTE NA SERRA MORENA, E QUE FOI UMA DAS MAIS ESTRANHAS AVENTURAS QUE SE CONTA NESTA HISTÓRIA VERÍDICA

Vendo-se tão estropiado, dom Quixote disse a seu escudeiro:

— Sempre ouvi dizer, Sancho, que fazer bem a vilões é jogar água no mar. Se eu tivesse acreditado no que me disseste, teria evitado este sofrimento; mas já está feito: paciência, e que me sirva de lição para o futuro.

— Vai servir tanto de lição quanto eu sou turco — respondeu Sancho. — Mas, como diz que se tivesse me ouvido teria se evitado este estrago, ouça-me agora e evitará outro maior: garanto que com a Santa Irmandade não adianta falar de cavalarias, pois ela não dá dois tostões por todos os cavaleiros andantes. E olhe que parece que suas flechas já me zumbem nas orelhas.

— És covarde por natureza, Sancho — disse dom Quixote —, mas, para que não digas que sou teimoso e que jamais faço o que me dizes, desta vez quero seguir teu conselho e me afastar da fúria que tanto temes, com uma condição, porém: jamais, eu vivo ou morto, deves dizer a quem quer que seja que eu me retirei por medo desse perigo, mas apenas para atender a tuas súplicas. Se disseres outra coisa, estarás mentindo, e te desminto desde agora até o fim e do fim até agora e digo mentes e mentirás todas as vezes que pensares ou falares. E não me contradigas mais, que só de pensar que me afasto e fujo de algum perigo, especialmente desse que parece conter uma leve sombra de medo, estou pronto para ficar e aguardar aqui sozinho, não apenas a Santa Irmandade de que falas, como os irmãos das doze tribos de Israel, os sete Macabeus, Castor e Pólux e todos os irmãos e irmandades que há no mundo.

— Olhe, meu senhor — respondeu Sancho —, a retirada não é fuga, nem a espera é covardia quando o perigo é maior que a esperança: é próprio dos sábios se guardarem hoje para amanhã e não arriscar tudo num lance. Saiba que eu, embora camponês ignorante, entendo um pouco disso que chamam bom governo. Assim, não se arrependa de seguir meu conselho e monte no Rocinante, se puder, se não eu o ajudarei, e vamos lá, que a mioleira me diz que agora precisamos mais dos pés que das mãos.

Dom Quixote montou sem dizer mais nada, e, com Sancho na frente em seu burro, se meteram num lado da Serra Morena, que ficava perto dali. Sancho tinha a intenção de atravessá-la toda para sair no Viso, ou em Almodóvar del Campo, e esconder-se alguns dias por aquelas brenhas, onde não seriam achados se a Irmandade os procurasse. Animou-se mais ao ver que a comida, que carregava sobre o burro, tinha escapado ilesa da refrega, coisa que considerou milagrosa, à vista do que os galeotes procuraram e levaram.[1]

Assim que dom Quixote chegou àquelas montanhas, seu coração se alegrou, pois lhe pareceu o lugar certo para as aventuras que buscava. Vinham-lhe à memória os maravilhosos acontecimentos que sucediam aos cavaleiros andantes em semelhantes brenhas e solidões. Ia pensando nessas coisas, tão distraído e enlevado nelas, que não se lembrava de mais nada. Nem Sancho tinha outra preocupação, depois que lhe pareceu pisar terreno seguro, que satisfazer o estômago com os restos do despojo clerical: ia atrás de seu amo, sentado no jumento como uma mulher, tirando de um saco e embutindo na pança. Enquanto andasse assim, não daria um tostão para deparar com outra aventura.

Nisso, levantou os olhos e viu que seu amo estava parado, procurando erguer com a ponta do chuço não sei que coisa caída no chão. Por isso se apressou para ajudá-lo, se fosse preciso; quando chegou, ele já levantava com a ponta do chuço um coxim e uma maleta presa a ele, meio podres, ou totalmente podres e desfeitos; mas pesavam tanto que foi necessário que Sancho apeasse para pegá-los. E seu amo mandou que visse o que havia na maleta.

Sancho o fez com muita presteza; a maleta estava fechada com uma corrente e seu cadeado, mas, pelas partes podres e arrebentadas, viu o que ela continha: quatro camisas de linho fino e outras coisas de algodão não menos curiosas que limpas, e num lenço achou um punhado de escudos de ouro. Mal os viu, disse:

— Bendito seja o céu, que enfim nos dá uma aventura proveitosa!

E, procurando mais, achou um livrinho de anotações, ricamente guarnecido. Dom Quixote o pediu, mandando que guardasse o dinheiro — e ficasse com ele. Sancho lhe beijou as mãos pela generosidade e, esvaziando a maleta, pôs seu conteúdo no saco das provisões, sob o olhar de dom Quixote, que disse:

— Parece-me, Sancho, e não é possível que seja outra coisa, que algum caminhante extraviado, ao passar por esta serra, deve ter sido assaltado por malfeitores. Certamente o mataram, trazendo-o para enterrar neste lugar inacessível.

— Acho que não — respondeu Sancho —, porque, se fossem ladrões, não teriam deixado o dinheiro.

— É verdade — disse dom Quixote. — Mas então não entendo nem adivinho o que possa ter acontecido. Espera, vejamos se neste livrinho há alguma coisa escrita que nos dê uma pista para compreender o que desejamos.

Abriu-o e a primeira coisa que achou nele, escrita como um rascunho, embora com letra muito boa, foi um soneto, que leu em voz alta para que Sancho também ouvisse:

*Ou falta ao Amor conhecimento
ou lhe sobra crueldade, ou não é minha pena
igual à situação que me condena
ao mais duro gênero de tormento?*

*Mas, se o Amor é deus, é argumento
que nada ignora, e é razão muito boa
que um deus não seja cruel. Pois quem ordena
a terrível dor que adoro e sinto?*

*Se digo que sois vós, Fílis, não acerto,
pois tanto mal em tanto bem não cabe
nem do céu me vem esta ruína.*

*Logo haverei de morrer, isso é o mais certo:
pois para um mal que a causa não se sabe
milagre é acertar a medicina.**

— Por essa trova — disse Sancho — não pode se saber nada, a menos que pelo fio que está aí se desenrole o novelo todo.

---

* Cervantes incluiu este soneto em *La casa de los celos*, Jornada III: *"O le falta al Amor conocimiento/ o le sobra crueldad, o no es mi pena/ igual a la ocasión que me condena/ al género más duro de tormento.// Pero, si Amor es dios, es argumento/ que nada ignora, y es razón muy buena/ que un dios no sea cruel. Pues ¿quién ordena/ el terrible dolor que adoro y siento?// Si digo que sois vos, Fili, no acierto,/ que tanto mal en tanto bien no cabe/ ni me viene del cielo esta ruina.// Presto habré de morir, que es lo más cierto:/ que al mal de quien la causa no se sabe/ milagro es acertar la medicina".*

— Que fio que está aqui? — disse dom Quixote.
— Parece-me — disse Sancho — que vossa mercê falou em *fio*.
— Eu só disse *Fílis* — respondeu dom Quixote —, que sem dúvida é o nome da dama de quem o autor do soneto se queixa. Garanto que deve ser um poeta razoável, ou sei pouco da arte.
— Então vossa mercê também entende de trovas? — disse Sancho.
— E muito mais do que pensas — respondeu dom Quixote. — Tu verás quando levares uma carta, escrita em verso de cima a baixo, a minha senhora Dulcineia del Toboso. Porque quero que saibas, Sancho, que todos ou a maioria dos cavaleiros andantes de épocas passadas eram grandes trovadores e grandes músicos. Essas duas habilidades ou dotes, para dizer melhor, são inseparáveis dos apaixonados andantes, se bem que os versos dos cavaleiros antigos têm mais vigor que apuro.
— Leia mais, senhor — disse Sancho —, pois talvez ache algo que nos agrade.
Dom Quixote virou a folha e disse:
— Isto é prosa, e parece carta.
— Carta pessoal, senhor? — perguntou Sancho.
— Pelo começo, parece de amores — respondeu dom Quixote.
— Então leia bem alto, senhor — disse Sancho —, que gosto muito dessas coisas de amor.
— Com prazer — disse dom Quixote.
E, lendo-a em voz alta, como Sancho havia pedido, viu que dizia o seguinte:

Tua falsa promessa e minha desventura certa me levam a um lugar de onde mais depressa voltarão a teus ouvidos a notícia de minha morte que as palavras de minhas queixas. Desprezaste-me, oh, ingrata, por quem tem mais, não por quem vale mais que eu; mas, se a virtude fosse riqueza que se estimasse, eu não invejaria a sorte alheia nem choraria minhas próprias tristezas. O que tua formosura construiu, tuas ações derrubaram: por aquela pensei que eras um anjo, por estas sei que és mulher. Fica em paz, causadora de minha guerra, e permita o céu que os enganos de teu esposo fiquem sempre encobertos, para que tu não te arrependas do que fizeste, nem eu me vingue do que não desejo.

Acabando de ler a carta, dom Quixote disse:
— Pela carta pode se ver menos do que pelos versos quem a escreveu, exceto que é um apaixonado desiludido.

E, folheando todo o livrinho, achou mais versos e cartas, dos quais conseguiu ler apenas alguns; mas o que todos continham eram queixas, lamentos, desconfiança, gostos e desgostos, favores e desdéns, uns celebrados e outros chorados.

Enquanto dom Quixote examinava o livro, Sancho examinava a maleta, sem deixar um canto dela nem do coxim em que não procurasse, esquadrinhasse e inquirisse, nem costura que não desmanchasse, nem tufo de lã que não desemaranhasse, para que não escapasse nada por falta de atenção e cuidado: tamanha gulodice tinham despertado nele os escudos, que passavam de cem. E, embora não tenha achado mais nada, deu por bem empregados os voos na manta, o vômito da beberagem, as benzeduras dos bastões, os murros do tropeiro, a perda dos alforjes, o roubo do gabão e toda a fome, a sede e o cansaço que havia passado a serviço de seu bom senhor, parecendo-lhe que estava mais que bem pago com a mercê recebida da entrega do achado.

Era grande o desejo do Cavaleiro da Triste Figura de saber quem era o dono da maleta, conjecturando pelo soneto e pela carta, pelo dinheiro em ouro e pela qualidade das camisas, que devia ser de algum nobre, a quem os maus-tratos de sua dama deviam ter conduzido a algum desfecho desesperado. Mas, como por aquele lugar inabitável e escabroso não aparecia pessoa alguma com quem se informar, não se preocupou mais que em seguir adiante, sem escolher outro caminho que aquele que agradava a Rocinante — que era por onde ele conseguia caminhar —, sempre imaginando que naquelas brenhas não podia faltar alguma aventura estranha.

Ia com esses pensamentos, quando viu num monte que se oferecia diante de seus olhos um homem que saltava de pedra em pedra e de moita em moita, com singular rapidez. Pareceu-lhe que ia com o peito nu, a barba negra e espessa, os cabelos compridos amarrados num rabo de cavalo, os pés descalços e as pernas sem coisa alguma; cobriam as coxas umas calças, pelo jeito de veludo meio marrom, mas tão em farrapos que em muitos lugares se viam as carnes; também não trazia nada na cabeça. Embora tenha passado com a rapidez que se mencionou, o Cavaleiro da Triste Figura percebeu todos esses detalhes; quis segui-lo, mas não pôde, porque aquelas escarpas não tinham sido feitas para a fraqueza de Rocinante, ainda mais sendo ele lerdo e pachorrento. Dom Quixote logo imaginou que aquele era o dono do coxim e da maleta e decidiu procurá-lo, mesmo que tivesse de andar um ano por aquelas montanhas até achá-lo; então ordenou que Sancho apeasse do burro e atalhasse por um lado do monte, que ele iria pelo outro; poderia ser que com essa manobra topassem com aquele homem que tinha sumido com tanta pressa.

— Isso é que não — respondeu Sancho —, porque, mal me afasto de vossa mercê, o medo me agarra com mil sobressaltos e visões. Que isso lhe sirva de aviso: daqui por diante não me afasto um dedo do senhor.

— Está bem — disse o da Triste Figura. — Até fico muito alegre por desejares te valer de minha coragem, que não há de te faltar, mesmo que te falte a alma ao corpo. E agora vem atrás de mim bem devagarinho, ou como puderes, e faz dos olhos candeeiros. Vamos contornar essa serrinha: talvez topemos com aquele homem que vimos. Sem dúvida ele deve ser o dono de nosso achado.

Ao que Sancho respondeu:

— Seria muito melhor não procurar por ele, porque, se o acharmos e se por acaso for o dono do dinheiro, é claro que o tenho de devolver. Seria melhor, sem essa providência inútil, que eu ficasse com ele de boa-fé até que, por outro meio menos zeloso e diligente, aparecesse seu verdadeiro senhor; e aí talvez eu já o tivesse gasto e então o rei me tornaria isento por não ter posses.

— Estás enganado nisso, Sancho — respondeu dom Quixote —, pois, se já suspeitamos quem é o dono, quase o tendo diante de nós, estamos obrigados a procurá-lo e lhe devolver o dinheiro; e, se não o procurássemos, a forte suspeita que temos de que ele seja o dono nos torna tão culpados como se verdadeiramente o fôssemos. Assim, meu amigo Sancho, não fique triste por procurá-lo, pois minha tristeza se aliviará se o achar.

Então esporeou Rocinante, e Sancho o seguiu com o costumeiro jumento; e, tendo rodeado parte do monte, acharam caída num riacho, morta, meio comida pelos cachorros e picada pelos corvos, uma mula encilhada, com o freio e as rédeas. Tudo isso aumentou neles a suspeita de que aquele que fugia era o dono da mula e do coxim.

Enquanto a olhavam, ouviram um assobio, como de pastor que cuida do rebanho, e de repente surgiu uma boa quantidade de cabras do lado esquerdo, e atrás dela, sobre o monte, apareceu um homem velho. Dom Quixote gritou para ele, pedindo-lhe que descesse de onde estava. Ele respondeu aos berros: quem os trouxera para aquele lugar, nunca ou poucas vezes pisado a não ser por cabras ou lobos e outras feras que andavam por ali? Sancho disse que descesse, que lhe contariam tudo. O pastor desceu e, chegando onde dom Quixote estava, disse:

— Aposto que estão olhando a mula de aluguel. Juro que já faz seis meses que está morta nessa ribanceira. Digam-me: toparam por aí com o dono dela?

— Não encontramos ninguém — respondeu dom Quixote —, a não ser um coxim e uma maletinha que não estavam longe daqui.

— Eu também achei — respondeu o pastor —, mas nunca quis pegá-la nem chegar perto dela, com medo que desse azar e de que me acusassem de ladrão, pois o diabo é manhoso, bota coisa diante dos pés do homem para que tropece e caia sem saber como nem por quê.

— É isso mesmo que eu digo — respondeu Sancho. — Eu também achei a maletinha e não quis chegar perto dela nem cutucá-la com vara curta: ali a deixei e ali está como estava, que não quero andar com rabo de palha.

— Dizei-me, bom homem — disse dom Quixote —, sabeis quem é o dono dessas coisas?

— Tudo que posso dizer — disse o pastor — é que há uns seis meses mais ou menos chegou a um abrigo de pastores, que deve estar a umas três léguas daqui, um rapaz distinto e de boa aparência, montado nessa mesma mula que está morta aí, e com o mesmo coxim e a maleta que dizes que achastes e não tocastes. Perguntou para nós que parte desta serra era a mais selvagem e inacessível; dissemos que era esta onde estamos agora, o que é verdade, porque se fordes mais meia légua adiante talvez não consigais sair, e estou espantado de como chegastes aqui, porque não há estrada nem trilha que traga a este lugar. Enfim, ouvindo nossa resposta, o rapaz virou as rédeas e se encaminhou para o lugar que lhe indicamos, deixando-nos a todos encantados com sua distinção e surpresos com sua pergunta e com a pressa com que se encaminhava para a serra. Não o vimos mais desde então, até que uns dias depois cortou o caminho de um de nossos pastores e, sem dizer nada, saltou sobre ele e o encheu de murros e pontapés, e depois foi até a mulinha de carga e pegou todo o pão e o queijo que ela trazia; feito isso, com singular rapidez, voltou a se esconder na serra. Quando soubemos disso, andamos quase dois dias à procura dele nos lugares mais impenetráveis desta serra, achando-o por fim metido no oco de um grosso e valente sobreiro. Veio ao nosso encontro com muita mansidão, em farrapos, o rosto desfigurado e queimado pelo sol, enfim, de um modo que mal dava para reconhecê-lo se não fossem as roupas, pois, embora rasgadas, correspondiam ao que nos lembrávamos e nos levaram a pensar que aquele rapaz era quem procurávamos.

"Ele nos cumprimentou cortesmente e nos disse em poucas mas bem escolhidas palavras que não nos surpreendêssemos de vê-lo daquele jeito, porque assim lhe convinha para cumprir certa penitência imposta por seus muitos pecados. Suplicamos que nos dissesse quem era, mas jamais conseguimos que falasse. Também pedimos a ele que nos dissesse onde poderíamos encontrá-lo, para lhe levar comida quando precisasse, já que não poderia viver sem ela. Faríamos isso com todo o carinho e atenção, mas, se não gostasse disso, que fosse pelo menos pedir e não roubar dos pastores. Agradeceu nosso oferecimento, pediu perdão pelos assaltos passados e garantiu que dali por diante ia pedir pelo amor de Deus, sem incomodar mais ninguém. Quanto a onde morava, disse que não tinha outro lugar além daquele que o acaso lhe oferecia onde o alcançava a noite. Acabou de falar com um pranto tão sentido que nós, que o havíamos escutado, seríamos de pedra se não o acompanhássemos nele, considerando como o tínhamos visto na primeira vez e como o víamos agora. Porque, como já disse, era um rapaz muito galante e simpático, e com suas palavras claras e corteses mostrava ser bem-nascido e pessoa muito educada; sua distinção era tanta que bastava para ser reconhecida pela própria grosseria.

"Estando no melhor da conversa, de repente parou e emudeceu; cravou os olhos no chão por um bom tempo, em que ficamos todos quietos e suspensos, à espera de onde ia parar aquele alheamento, com não pouca tristeza de vê-lo, pois, pelo que fazia — abrir os olhos, estar fixo olhando o chão sem mover uma pestana por um longo momento, e outras vezes fechá-los, apertando os lábios e arqueando as sobrancelhas —, facilmente percebemos que tivera algum acesso de loucura. Depressa ele nos confirmou a verdade do que pensávamos, porque se levantou com grande fúria do chão, onde havia se atirado, e investiu contra o primeiro que achou perto de si, com tanta intrepidez e raiva que, se não o segurássemos, mataria o outro a murros e dentadas; e fazia tudo isso dizendo: 'Ah, Fernando, traidor! Aqui, seu desgraçado, aqui pagarás a injustiça que me fizeste! Estas mãos te arrancarão o coração, onde se aninham e têm morada todas as maldades juntas, principalmente a fraude e o engano'. E a essas acrescentava outras palavras, mas todas tratavam de falar mal daquele Fernando, tachando-o de infiel e traidor.

"Enfim, nós o afastamos, não sem muita dificuldade, e ele, sem dizer mais nada, correu e se enfiou nestes matos e brenhas, de modo que foi impossível segui-lo. Por isso pensamos que a loucura o assaltava de tempos em tempos e que alguém chamado Fernando devia lhe ter feito alguma maldade, tão pesada quanto demonstrava o estado em que ficara. Isso tudo se confirmou depois, nas muitas vezes em que ele apareceu, umas para pedir aos pastores que lhe dessem o que levavam para comer e outras tirando deles à força; porque, quando está num acesso de loucura, mesmo que os pastores lhe ofereçam o que têm de bom grado, não aceita, tomando tudo a murros; e quando está em seu juízo, pede pelo amor de Deus, cortês e comedidamente, agradecendo muito e não sem lágrimas. Para vos dizer a verdade, senhores — prosseguiu o pastor —, ontem decidimos, eu e quatro pastores, dois criados e dois amigos meus, procurá-lo até o encontrarmos e depois levá-lo à força ou de bom grado para a vila de Almodóvar, que fica a oito léguas daqui. Lá o curaremos, se é que seu mal tem cura, ou pelo menos vamos saber quem é quando estiver em seu juízo, e se tem parentes a quem dar notícia de sua desgraça. É isto, senhores, o que posso dizer sobre o que me perguntastes; e sabei que o dono das coisas que achastes é o mesmo que vistes passar, tão ligeiro quanto nu" — pois dom Quixote já lhe dissera como tinha visto aquele homem saltando pela serra.

O fidalgo ficou admirado com o que ouvira do pastor e mais desejoso ainda de saber quem era aquele louco miserável, e resolveu continuar com o que tinha decidido: procurá-lo por toda a montanha, sem deixar de olhar nenhum recanto ou caverna até achá-lo. Mas o destino fez melhor do que ele poderia imaginar ou esperar, porque naquele mesmo instante surgiu por uma quebrada da serra, que começava onde eles estavam, o rapaz que procurava: vinha falando sozinho coisas que não podiam ser entendidas nem de perto, quanto mais de longe. O traje dele era como tinha sido pintado, só que quando o rapaz se aproximou dom Quixote pôde ver que o colete em farrapos que o cobria era de camurça e cheirava a âmbar, o que o levou a concluir que uma pessoa que usava tais roupas não podia ser de baixa condição.

Ao chegar, o rapaz os cumprimentou com voz áspera e desafinada, mas com muita cortesia. Com educação nada menor, dom Quixote devolveu os cumprimentos e, apeando-se de Rocinante, foi abraçá-lo com desembaraço e amabilidade, mantendo-o apertado entre seus braços por um longo instante, como se o conhecesse havia muito tempo. O outro, a quem podemos chamar de o Esfarrapado da Má Figura (como a dom Quixote o da Triste), depois de haver se deixado abraçar, afastou-o um pouco e, com as mãos postas nos ombros de dom Quixote, esteve olhando-o como se quisesse ver se o conhecia, talvez não menos admirado de ver o rosto, o porte e a armadura de dom Quixote do que dom Quixote estava de vê-lo a ele. Enfim, o primeiro que falou depois do abraço foi o Esfarrapado, que disse o que se verá adiante.

XXIV

ONDE SE PROSSEGUE A AVENTURA
DA SERRA MORENA

Conta a história que era grandíssima a atenção com que dom Quixote escutava o desgraçado Cavaleiro da Serra, que assim falava:

— Com certeza, meu senhor, quem quer que sejais, pois não vos conheço, eu vos agradeço as mostras de cortesia com que me tratou e gostaria de me achar em condições de retribuir com algo mais que minhas intenções a boa acolhida que me dispensastes; mas meu destino não quer me dar outra coisa com que responder às gentilezas que me fazem além do desejo sincero de retribuí-las.

— Meu desejo — respondeu dom Quixote — é vos servir, tanto que tinha decidido não sair destas serras até vos encontrar e saber de vós se para a dor que mostrais sofrer, pela estranheza de vossa vida, poderia se achar algum tipo de remédio, e, se fosse necessário procurá-lo, procurá-lo o mais rápido possível. E, mesmo que vossa desventura fosse daquelas que têm fechadas as portas a todo gênero de consolos, pensava vos ajudar a chorá-la e lamentá-la como melhor pudesse, pois é sempre um alívio nas desgraças achar quem se condoa delas. Agora, se minhas boas intenções merecem ser agradecidas com alguma cortesia, eu vos suplico, senhor, por toda a que percebo em vós e ao mesmo tempo vos imploro pela coisa que mais amastes, ou amais nesta vida, que me digais quem sois e a causa que vos trouxe a viver e morrer nestas solidões como um animal selvagem, pois morais entre eles tão alheio a vós mesmo como demonstram vosso traje e pessoa. E juro — acrescentou dom Quixote — pela ordem de cavalaria que recebi, embora indigno e pecador, e pela profissão de cavaleiro andante, que se me satisfizerdes nisso, senhor, hei de vos servir com a honestidade a que me obriga o ser quem sou, ou remediando vossa desgraça, se tem remédio, ou ajudando-a a chorá-la como vos prometi.

O Cavaleiro da Floresta, ouvindo o da Triste Figura falar assim, apenas o olhava, olhava de novo e olhava outra vez de cima a baixo; e, depois que o olhou bem olhado, disse:

— Se têm algo de comer para me dar, pelo amor de Deus me deem, que depois de ter comido farei tudo o que me mandam, em agradecimento às boas intenções que demonstraram.

Logo tiraram — Sancho do saco e o pastor de seu bornal — alguma coisa com que o Esfarrapado matou a fome, comendo como pessoa atordoada, tão depressa que não dava espaço entre um bocado e outro, pois mais devorava que comia. Enquanto isso, nem ele nem os que o observavam disseram uma palavra. Assim que acabou de comer, fez sinal para que o seguissem, o que eles fizeram, e os levou a um campinho verde que ficava depois de um penhasco, não muito longe dali. Chegando lá, estendeu-se no chão sobre a grama, e os demais também, sem que ninguém falasse, até que o Esfarrapado, achando-se confortável, disse:

— Se quereis, senhores, que vos diga em poucas palavras a enormidade de minhas desventuras, haveis de me prometer que não ireis interromper com nenhuma pergunta, nem outra coisa, o fio de minha triste história, porque, no ponto em que o fizerdes, nele ficará o que foi contado.

Essas palavras do Esfarrapado trouxeram à memória de dom Quixote a fábula que seu escudeiro havia contado, quando não acertou o número das cabras que tinham atravessado o rio, ficando pendente a história. Mas o Esfarrapado prosseguiu:

— Faço essa advertência porque quero passar rapidamente pelo relato de minhas desgraças, pois lembrar delas não me serve senão para acrescentar outras; e, quanto menos me perguntardes, mais depressa acabarei de contá-las, embora sem deixar de fora nada que tenha importância para satisfazer inteiramente vosso desejo.

Dom Quixote prometeu não interromper em nome dos demais, e ele, com essa garantia, começou assim:

— Meu nome é Cardênio; minha terra, uma das melhores cidades desta Andaluzia; minha linhagem, nobre; meus pais, ricos; minha desventura, tanta, que devem tê-la chorado meus pais e sentido toda a minha linhagem, sem poder aliviá-la com sua riqueza, pois, para remediar desgraças vindas do céu, de pouco valem os bens da fortuna. Vivia nessa mesma terra uma criatura celeste, onde o amor pôs toda a glória que eu pudesse desejar: tamanha é a formosura de Lucinda, donzela tão nobre e tão rica como eu, contudo mais feliz e menos constante do que mereciam minhas honradas intenções. A essa Lucinda quis, amei e adorei desde meus verdes anos, e ela também me amou com aquela simplicidade e arrebatamento que sua pouca idade permitia. Nossos pais sabiam de nossas intenções, e isso não os preocupava, porque viam muito bem que, se elas fossem adiante, não podiam nos levar a outro fim que não o de nos casarmos, coisa que quase aconselhava a igualdade de nossa linhagem e riqueza. Crescemos e, com a idade, cresceu o amor entre nós, tanto que o pai de Lucinda achou que por uma questão de respeito estava obrigado a me negar a entrada em sua casa, quase imitando nisso aos pais daquela Tisbe tão celebrada pelos poetas. Essa negação foi botar mais lenha na fogueira e desejo no desejo, porque, embora tenham imposto silêncio às línguas, não puderam impor às penas, que, com mais liberdades que as línguas, costumam mostrar aos que amam o que na alma está encerrado, pois muitas vezes a presença do objeto amado perturba e emudece a intenção mais determinada e a língua mais atrevida.

"Ai, céus, quantas cartinhas escrevi para ela! Quantas recatadas e doces respostas tive! Quantas canções compus e quantos versos amorosos, onde a alma declarava e transmitia seus sentimentos, pintava seus desejos inflamados, animando suas memórias e revivendo sua paixão!

"Enfim, vendo-me agoniado, e que minha alma se consumia com o desejo de vê-la, resolvi fazer de uma vez o que me pareceu mais conveniente para ganhar meu almejado e merecido prêmio: pedi-la ao pai por legítima esposa. Assim fiz, e ele me respondeu que me agradecia a intenção que mostrava de honrá-lo e de querer me honrar com seu precioso tesouro, mas que, sendo meu pai vivo, a ele competia o justo direito de fazer aquele pedido, porque Lucinda não era mulher para se tomar nem se entregar às escondidas, se não fosse com sua total concordância e gosto.

"Eu lhe agradeci a boa intenção, parecendo-me que tinha razão no que dizia e que meu pai concordaria quando eu lhe falasse; e assim, naquele mesmo instante, fui falar com ele sobre o que desejava, mas, quando entrei no aposento em que meu pai estava, achei-o com uma carta aberta na mão, que me entregou logo, antes que eu dissesse uma palavra, dizendo-me: 'Verás por essa carta, Cardênio, a mercê que o duque Ricardo deseja te fazer'.

"Esse duque Ricardo, como vós, senhores, já deveis saber, é um grande de Espanha, que tem seus domínios no melhor desta Andaluzia. Peguei a carta e li: eram tantas súplicas e louvações que a mim mesmo pareceu mal se meu pai deixasse de atender o pedido, que era me enviar em seguida para onde ele vivia, pois desejava que eu fosse companheiro, não criado, de seu filho mais velho, e que ele se encarregava de me pôr numa situação que correspondesse à estima em que me tinha. Fiquei mudo com a leitura e mais ainda quando ouvi que meu pai dizia: 'Daqui a dois dias partirás, Cardênio, para cumprir a vontade do duque, e dá graças a Deus, que assim te vai abrindo caminho para chegares onde sei que mereces'. A estas, acrescentou outras palavras de pai conselheiro.

"Chegou o momento da partida, falei uma noite com Lucinda: disse-lhe tudo o que se passava, e o mesmo fiz com o pai dela, suplicando-lhe que esperasse alguns dias para anunciar o casamento até que eu visse o que o duque Ricardo queria de mim. Ele me prometeu que sim, e ela concordou com mil juras e mil desfalecimentos. Por fim, parti para onde o duque Ricardo vivia. Fui tão bem recebido e tratado por ele que em seguida a inveja começou a exercer seu ofício, começando pelos criados antigos, que acharam que as mostras de preferência que o duque me dava haviam de redundar em prejuízo deles. Mas quem mais se regozijou com minha ida foi o segundo filho do duque, chamado Fernando, moço distinto, aristocrático, generoso e namorador: em pouco tempo quis que eu fosse tão seu amigo que a todos dava o que falar. Embora o mais velho me quisesse bem e me cumulasse de favores, não chegou ao extremo com que dom Fernando me tratava e queria.

"O caso é que, como entre amigos não há segredo que não se comunique, e a convivência que eu tinha com dom Fernando já se tornara amizade, ele me contava tudo, especialmente um problema amoroso que o trazia meio preocupado. Gostava de uma camponesa, vassala de seu pai, e ela tinha apaixonados tão ricos e era tão formosa, recatada, inteligente e honesta que ninguém que a conhecesse sabia dizer ao certo qual dessas coisas era a melhor nem mais se salientava. Esses belos dotes da formosa camponesa levaram os desejos de dom Fernando a tal ponto que ele se decidiu, para poder alcançar e conquistar a virgindade dela, dar-lhe a palavra de que seria seu esposo, porque de outra forma era procurar o impossível.[1] Eu, obrigado por sua amizade, com os melhores argumentos que encontrei e com os mais vivos exemplos que me ocorreram, procurei dissuadi-lo e afastá-lo desse propósito; vendo, porém, que não me escutava, decidi contar tudo ao duque Ricardo, seu pai. Mas dom Fernando, astuto e inteligente, receou e temeu isso, por achar que era minha obrigação na qualidade de bom criado não manter oculta uma coisa tão prejudicial à honra de meu senhor, o duque; e assim, para me confundir e me enganar, disse-me que não achava solução melhor, para poder tirar da memória a formosura que o cativara tanto, do que se ausentar por alguns meses; queria então que nós dois fôssemos para a casa de meu pai, pretextando ao duque que íamos à feira ver e comprar uns cavalos muito bons que havia em minha cidade, que é mãe dos melhores do mundo.

"Mal o ouvi dizer isso, movido por meus sentimentos, aprovei sua decisão, embora não fosse muito boa, como uma das mais acertadas que se podiam imaginar, porque vi naquela circunstância a ótima oportunidade que me era oferecida de ver minha Lucinda. Com esse pensamento e desejo, não só aprovei como reforcei seu propósito, dizendo-lhe que o pusesse em execução o mais cedo possível, porque, realmente, a ausência fazia sua parte, apesar dos ânimos mais fortes. Quando veio me dizer isso, como depois se soube, ele já tinha possuído a camponesa com a promessa de casamento e esperava a hora de revelar isso sem perigo, temeroso do que o duque, seu pai, faria quando soubesse daquele disparate.

"Mas na maioria das vezes o amor nos moços não é senão apetite, que, tendo como único fim a satisfação, acaba ao alcançá-la, deixando para trás aquilo que parecia amor, porque não pode ir adiante do limite que lhe impôs a natureza, limite que não há para o verdadeiro amor. O que quero dizer é que, apenas dom Fernando possuiu a camponesa, seus desejos se aplacaram e esfriaram seus ímpetos; e, se no começo fingia querer se ausentar para contorná-los, agora na verdade procurava ir-se para não realizá-los. O duque lhe deu permissão e me ordenou que o acompanhasse. Fomos para minha cidade, meu pai o recebeu como devia pelo que era, logo vi Lucinda, reviveram meus desejos (embora não estivessem mortos nem amortecidos) e, para meu mal, falei deles a dom Fernando, por me parecer que eu não podia lhe ocultar nada, em nome da grande amizade que mostrava. Gabei a formosura, graça e inteligência de Lucinda de tal maneira que meus elogios despertaram nele o desejo de conhecer donzela dotada de tão belos predicados. Concordei, para meu azar, mostrando-a uma noite, à luz de uma vela, por uma janela por onde costumávamos nos falar. Viu-a usando saia de baixo, tão bela, que todas as belezas vistas por ele até aí foram relegadas ao esquecimento. Emudeceu, perdeu o senso, ficou pensativo e, finalmente, tão apaixonado como vereis no curso da história de minha desventura. E, para lhe acender ainda mais o desejo (que calava para mim e que apenas ao céu, sozinho, revelava), quis o destino que um dia achasse um bilhete dela me rogando que a pedisse por esposa ao pai; tão inteligente, tão honesto e tão apaixonado era o bilhete, que, lendo-o, me disse que só em Lucinda se encerravam todas as graças da formosura e da inteligência que estavam repartidas entre as demais mulheres do mundo.

"Na verdade quero confessar agora que, ainda que visse como eram justos os elogios que dom Fernando fazia a Lucinda, me agoniava ouvi-los em sua boca; comecei a ter receio dele, porque não passava um instante em que não quisesse falar sobre Lucinda, e puxava a conversa nem que tivesse de forçar a mão, coisa que despertava em mim um não sei quê de ciúmes, não porque eu temesse algum revés da afeição e fidelidade de Lucinda, mas, apesar disso, minha sorte me fazia temer o que ela mesma me proporcionava. Dom Fernando sempre procurava ler as cartinhas que eu enviava a Lucinda e as que ela me respondia, com a desculpa de que apreciava muito nossa inteligência. Aconteceu, então, que Lucinda, tendo-me pedido um livro de cavalarias para ler (gênero que ela adorava), que era o de *Amadís de Gaula*..."

Nem bem dom Quixote ouviu falar em livro de cavalarias, disse:

— Se vossa mercê tivesse me dito, no começo da história, que sua mercê a senhora Lucinda era aficionada por livros de cavalarias, não seriam necessários outros elogios para me fazer compreender a grandeza de seu espírito, pois não o teria tão bom como vós o haveis pintado, senhor, se carecesse do gosto por leitura tão deliciosa. Portanto, comigo não é preciso gastar mais palavras me falando de sua formosura, valor e sabedoria, pois, apenas sabendo de sua predileção, considero-a a mais bela e a mais inteligente mulher do mundo. Eu gostaria, senhor, que vossa mercê tivesse enviado junto com *Amadís de Gaula* o bom *Don Rogel de Grecia*,[2] pois sei que a senhora Lucinda gostaria muito de Daraida e Garaya,[3] das sábias palavras do pastor Darinel e daqueles admiráveis versos de suas bucólicas, cantadas e representadas por ele com toda a graça, sagacidade e desenvoltura. Mas algum dia poderá se corrigir essa falha, coisa que não levará muito tempo se vossa mercê vir comigo a minha aldeia, pois ali poderei lhe dar mais de trezentos livros, que são o deleite de minha alma e a diversão de minha vida, embora me pareça que já não tenho nenhum, devido à malícia de magos malvados e invejosos. E perdoe-me vossa mercê ter infringindo a promessa de não interromper a narrativa, porque, ouvindo coisas de cavalaria e de cavaleiros andantes, não está em meu poder deixar de falar nelas como não está no poder dos raios do sol deixar de aquecer, nem nos da lua de umedecer. Portanto, perdoe-me e prossiga, que isso é o que interessa agora.

Enquanto dom Quixote falava tudo isso, a cabeça de Cardênio tinha caído sobre o peito, dando mostras de estar profundamente pensativo. E, apesar de dom Quixote lhe dizer por duas vezes que prosseguisse a história, nem levantava a cabeça nem respondia nada; mas ao cabo de um bom tempo a levantou e disse:

— Não me sai do pensamento, nem haverá no mundo quem me livre dele, nem quem me convença do contrário, pois seria um tolo quem pensasse ou acreditasse em outra coisa, senão que aquele grande velhaco do cirurgião Elisabat estava de caso com a rainha Madásima.[4]

— Essa não, com mil... — respondeu dom Quixote com muita raiva e praguejando com todas as letras, como de costume. — Essa é uma grande maldade, ou velhacaria, digamos melhor: a rainha Madásima foi uma dama das mais ilustres, e é impossível pensar que uma princesa tão nobre teria um caso com um curandeiro. Quem pensa o contrário, mente, como um canalha miserável, e isso eu lhe farei entender a pé ou a cavalo, armado ou desarmado, de noite ou de dia, ou como o senhor preferir.

Cardênio estava olhando o fidalgo muito atentamente e, já tomado por novo acesso de loucura, não queria saber de continuar a história, nem tampouco dom Quixote a ouviria, zangado como ficara com o que tinha ouvido sobre Madásima. Caso estranho, pois se exaltou por ela como se realmente fosse sua verdadeira e natural senhora — a tal ponto o tinham levado seus livros excomungados! Enfim, digo que Cardênio, como já estava louco e ouviu ser tratado de mentiroso e velhaco, com outros insultos semelhantes, não gostou da brincadeira e pegou uma pedra que achou por perto, atirando-a com tanta força no peito de dom Quixote que o fez cair de costas. Sancho Pança, vendo como ficara seu senhor, investiu contra o louco de punhos cerrados, mas o Esfarrapado o recebeu de tal modo que com um murro deu com ele a seus pés e logo saltou sobre ele, trabalhando-lhe as costelas como bem entendeu. O pastor, que quis defendê-lo, sofreu o mesmo castigo. Depois de submeter e espancar a todos, deixou-os e, com a maior e mais garbosa calma, foi se esconder na montanha.

    Sancho levantou-se e, com a raiva que sentia por se ver surrado tão injustamente, resolveu se vingar do pastor, dizendo-lhe que ele era culpado por não ter avisado que aquele homem tinha acessos de loucura de tempos em tempos, pois se soubessem disso teriam ficado prevenidos para se defender. O pastor respondeu que tinha falado, sim, que não era culpa sua se ele não tinha ouvido. Sancho Pança replicou, o pastor voltou a replicar — de réplica em tréplica acabaram por se agarrar pelas barbas e por trocar tantos murros que teriam se despedaçado, se dom Quixote não os apaziguasse. Sancho dizia, atracado com o pastor:

— Deixe-me vossa mercê, senhor Cavaleiro da Triste Figura, que este é um camponês como eu e não foi armado cavaleiro: sem perigo nenhum posso me desforrar do agravo que me fez, brigando com ele mano a mano, como homem honrado.

— Muito bem — disse dom Quixote —, mas eu sei que ele não tem nenhuma culpa pelo que aconteceu.

Assim dom Quixote os apaziguou e de novo perguntou ao pastor se seria possível achar Cardênio, porque ficara com um enorme desejo de saber o final da história. O pastor lhe repetiu o que tinha dito antes, que não se sabia ao certo onde se escondia, mas, se andasse um tempo por aquelas paragens, não deixaria de encontrá-lo, ou são ou louco.

XXV

QUE TRATA DAS COISAS ESTRANHAS QUE
ACONTECERAM NA SERRA MORENA AO VALENTE
CAVALEIRO DA MANCHA, E DA IMITAÇÃO
QUE ELE FEZ DA PENITÊNCIA DE BELTENEBROS

Dom Quixote se despediu do pastor e, montando outra vez em Rocinante, mandou que Sancho o seguisse, o que ele fez com seu jumento, muito contrariado. Pouco a pouco foram entrando na parte mais escarpada da montanha, e Sancho ia morto de vontade de falar com seu amo, mas desejava que ele começasse a conversa, para não desobedecer à ordem que lhe fora dada; mas, não podendo suportar tanto silêncio, disse:

— Senhor dom Quixote, dê-me vossa mercê sua bênção e licença, pois quero voltar para minha casa, para minha mulher e meus filhos, com quem pelo menos falarei e discutirei tudo o que desejar, porque vossa mercê querer que eu vá por estas solidões, de dia e de noite, sem lhe falar quando tenho vontade, é me enterrar em vida. Não seria tão ruim se o destino quisesse que os animais falassem, como falavam no tempo das fábulas, porque eu falaria com meu jumento o que me desse na telha e assim distrairia minha má sorte, porque é coisa dura, que exige uma paciência de santo, andar buscando aventuras a vida toda e não achar senão pontapés e manteamentos, pedradas e murros, e, para completar, temos de costurar a boca, sem ousar dizer o que o homem tem no coração, como se fosse mudo.

— Já entendi, Sancho: morres de desejo que eu tire a trava que te pus na língua — respondeu dom Quixote.

— Considera-a tirada e diz o que quiseres, com a condição de que este consentimento dure apenas enquanto andarmos por estas serras.

— Que assim seja — disse Sancho. — Vou falar agora, porque o futuro a Deus pertence. Desfrutando desse salvo-conduto, pergunto: o que vossa mercê ganha por defender aquela rainha Magimasa, ou seja lá como se chama? O que importa que aquele abade fosse seu amigo ou não? Se vossa mercê tivesse deixado isso para lá, pois não era juiz no caso, acho que o louco seguiria adiante com sua história e teríamos poupado a pedrada, os pontapés, além de mais de seis sopapos.

— Garanto, Sancho — respondeu dom Quixote —, que se soubesses como eu o quanto foi nobre e honrada a rainha Madásima, sei que dirias que tive muita paciência, pois não arrebentei a boca de onde saíram essas blasfêmias. Porque é uma grande blasfêmia dizer, ou até pensar, que uma rainha está de caso com um cirurgião. O certo é que aquele cirurgião Elisabat, de que o louco falou, foi um homem muito sensato e muito bom conselheiro, e serviu de preceptor e de médico da rainha; mas pensar que ela era sua amante é disparate que merece um bom e grande castigo. E, para que vejas que Cardênio nem soube o que disse, deves lembrar que falou quando já estava sem juízo.

— É por isso que digo — disse Sancho — que não havia por que levar a sério as palavras de um louco. Agora, se a boa sorte não ajudasse vossa mercê e dirigisse a pedra para a cabeça em vez do peito, íamos ficar bem arrumados por ter tomado as dores daquela minha senhora, que o diabo a carregue. E duvido que Cardênio não escapasse da justiça por louco!

— Contra sãos ou contra loucos, qualquer cavaleiro andante tem obrigação de defender a honra das mulheres, quaisquer que sejam, principalmente das rainhas de tão alta condição e importância como foi a rainha Madásima, por quem tenho particular afeto, por suas boas qualidades; porque, além de ter sido formosa, foi muito sensata e muito sofrida em suas adversidades, pois as teve muitas; e os conselhos e a companhia do cirurgião Elisabat foram de grande proveito e alívio, para que pudesse agir com prudência e paciência. E isso levou a plebe ignorante e mal-intencionada a pensar e dizer que ela era sua amante. Mas mentem, repito, e mentirão mais duzentas vezes todos os que assim pensarem e disserem.

— Eu nem digo nem penso — respondeu Sancho. — Eles lá que se entendam e colham o que plantaram. Se foram amantes ou não, a Deus terão prestado contas. Eu não estava lá: não sei de nada, não quero saber e tenho raiva de quem sabe. Em caso de homem e mulher, não meto a colher, pois aquele que compra e mente, em seu bolso sente. Sem falar que nasci nu e nu me encontro: não perco nem ganho. Mas, se fossem amantes, o que é que eu tenho com isso? E nem tudo que balança cai. Mas quem pode botar rédeas ao vento? Além do mais, até de Deus falaram mal.

— Valha-me Deus! — disse dom Quixote. — Quantas asneiras vais desfiando, Sancho! O que é que tem a ver o que tratamos com os ditados que desembuchas? Pelo amor de Deus, Sancho, cala-te, e daqui por diante trata de meter a espora em teu burro, não no que não te interessa. E fica sabendo, com todos os teus cinco sentidos, que tudo o que eu fiz, faço e farei está coberto de razão e de acordo com as regras da cavalaria, que sei melhor do que qualquer cavaleiro que as professou no mundo.

— Senhor — respondeu Sancho —, é uma boa regra de cavalaria que andemos perdidos por estas montanhas, sem rumo nem destino, procurando um louco que, depois de achado, talvez tenha vontade de acabar o que começou, não em sua história, mas na cabeça de vossa mercê e em minhas costelas, acabando de arrebentar com tudo?

— Cala a boca, Sancho, te digo mais uma vez — disse dom Quixote. — Saibas que não me traz a estas paragens apenas o desejo de achar o louco, mas o de realizar uma façanha com que hei de ganhar nome e fama eternos em toda terra conhecida, uma façanha que será um marco de tudo o que pode tornar perfeito e famoso um cavaleiro andante.

— E essa façanha será muito perigosa? — perguntou Sancho.

— Não — respondeu o da Triste Figura —, embora a moeda possa dar cara e não coroa. Mas tudo depende de tua diligência.

— De minha diligência?

— Sim — disse dom Quixote —, porque se voltares depressa de onde penso te enviar, depressa se acabará minha pena e depressa começará minha glória. E, como não fica bem que eu te mantenha em suspenso, à espera de onde vão parar minhas palavras, quero que saibas, Sancho, que o famoso Amadis de Gaula foi um dos mais perfeitos cavaleiros andantes. Expressei-me mal: não *foi um*, ele foi ímpar, o primeiro e único, o senhor de todos quantos houve em seu tempo no mundo. Tanto pior para dom Belianis e para todos aqueles que disserem que se igualaram em alguma coisa, porque se enganam, juro por Deus. Vê, quando algum pintor quer ficar famoso em sua arte, procura imitar os originais dos pintores mais exímios que conhece, e essa mesma regra vale para todos os demais ofícios ou atividades de monta que servem de adorno às repúblicas. Assim, quem quer alcançar nome de astuto e sofrido, deve imitar e imita Ulisses, em cuja pessoa e atribuições Homero nos pinta um retrato vivo da astúcia e do sofrimento, como também nos mostrou Virgílio, na pessoa de Eneias, o valor de um filho piedoso e a sagacidade de um corajoso e experiente capitão, não os pintando nem os descrevendo como eles foram, mas como deveriam ser, para que suas virtudes servissem de exemplo aos homens do futuro. Desse mesmo modo, Amadis foi o norte, a estrela da manhã, o sol dos cavaleiros valentes e apaixonados, a quem todos aqueles que militamos sob a bandeira do amor e da cavalaria devemos imitar. Então, sendo assim como é de fato, eu acho, meu amigo Sancho, que o cavaleiro andante que mais o imitar, mais próximo estará de alcançar a perfeição da cavalaria. E uma das coisas em que esse cavaleiro mais mostrou sua sagacidade, valor, valentia, resignação, firmeza e amor foi quando se retirou, desprezado pela senhora Oriana, para fazer penitência na Peña Pobre, mudando seu nome para Beltenebros, nome sem dúvida significativo e próprio para a vida que voluntariamente ele havia escolhido. Depois, para mim é mais fácil imitá-lo nisso que em partir gigantes ao meio, decepar serpentes, matar dragões, desbaratar exércitos, derrotar armadas e desfazer encantamentos. E como estes lugares são tão propícios para semelhantes coisas, não há por que deixar passar a oportunidade, que agora me oferece sua melena tão convenientemente.[1]

— Mas, enfim — disse Sancho —, o que é que vossa mercê quer fazer num fim de mundo desses?

— Já não te disse? — respondeu dom Quixote. — Quero imitar Amadis, fazendo-me de desesperado, de tolo e de louco furioso, ao mesmo tempo imitando o valente dom Roland, quando achou indícios numa fonte de que Angélica, a Bela, tinha cometido uma vileza com Medoro, cuja mágoa o deixou louco: arrancou árvores, sujou as águas das fontes cristalinas, matou pastores, destruiu rebanhos, incendiou choças, derrubou casas, espantou manadas e outros cem mil desatinos dignos de eterno renome e escrita. E, embora eu não pense imitar Roland, ou Orlando, ou Rotolando (pois tinha todos esses nomes), tintim por tintim em todas as loucuras que cometeu, disse e pensou, farei um resumo, do melhor jeito que puder, das que me parecerem mais essenciais. E até pode ser que eu me contente apenas com a imitação de Amadis, que, sem cometer loucuras de estropícios, mas de lágrimas e sentimentos, alcançou tanta fama como o mais famoso.

— Parece-me — disse Sancho — que esses cavaleiros foram provocados, que tiveram motivo para fazer tantos desatinos e penitências; mas vossa mercê, que razão tem para se tornar louco? Que dama o desprezou, ou que indícios achou que levem a pensar que a senhora Dulcineia del Toboso fez alguma asneira com um mouro ou cristão?

— Este é o ponto! — respondeu dom Quixote. — Vê a sutileza de meu negócio, pois não há prazer nem graça num cavaleiro andante se tornar louco com uma causa: a vantagem está em desatinar sem mais nem menos e dar a entender a minha dama que, se faço isso em seco, imagina no molhado? Sem falar que tenho muitos motivos devido à longa ausência em que tenho estado da sempre minha senhora Dulcineia del Toboso, porque, como já ouviste dizer aquele pastor de antes, Ambrósio: quem está ausente todos os males teme e sente. Assim, meu amigo Sancho, não gastes tempo me aconselhando que abandone tão rara, tão feliz e tão inaudita imitação. Louco sou e louco serei até que voltes com a resposta de uma carta que penso enviar por teu intermédio a minha senhora Dulcineia; e, se for como confio que seja, acaba-se minha loucura e penitência; e, se for o contrário, ficarei louco mesmo e, sendo-o, não sentirei nada. Portanto, de qualquer maneira que ela me responder, sairei da agonia e do padecimento em que me deixares, gozando o bem que me trouxeres, por estar em meu juízo, ou não sentindo o mal de que fores portador, por louco. Mas diz-me, Sancho, trazes bem guardado o elmo de Mambrino? Pois vi que o pegaste no chão quando aquele mal-agradecido quis despedaçá-lo, mas não conseguiu, o que demonstra a qualidade de sua têmpera.

Ao que Sancho respondeu:

— Por Deus, senhor Cavaleiro da Triste Figura, não posso mais aguentar e relevar algumas coisas que vossa mercê diz. Por elas começo a pensar que tudo quanto me fala da cavalaria (ganhar reinos e impérios, dar ilhas e fazer outras mercês e grandezas) é tudo conversa fiada e mentira, tudo pastranha ou patranha, ou sei lá como chamaremos. Porque quem ouve vossa mercê dizer que uma bacia de barbeiro é o elmo de Mambrino, sem sair desse erro por mais de quatro dias, que há de pensar senão que quem diz e afirma isso deve ter os miolos moles? Levo a bacia no saco, toda amassada. Quero consertá-la para poder me barbear em casa, se Deus me conceder a graça de algum dia ver minha mulher e filhos de novo.

— Olha, Sancho, eu te juro pelo mesmo que juraste antes — disse dom Quixote —, tens o mais curto entendimento que jamais teve nem tem escudeiro no mundo. Não é possível que desde que andas comigo não tenhas visto que todas as coisas dos cavaleiros andantes parecem quimeras, tolices e desatinos, e que são todas feitas às avessas! Não é que isso seja assim, é que sempre anda entre nós uma corja de magos que mudam e transformam todas as nossas coisas, e as alteram conforme seu gosto ou conforme lhes dá na veneta de nos favorecer ou nos destruir. Assim, isso que a ti parece bacia de barbeiro, a mim parece o elmo de Mambrino e a outro parecerá outra coisa. Na verdade, foi rara providência do mago que está do meu lado fazer com que pareça bacia a todos o que real e verdadeiramente é o elmo de Mambrino, pois, sendo ele tão precioso, todo o mundo me perseguiria para roubá-lo; mas, como veem apenas uma bacia de barbeiro, não se preocupam com ele, como muito bem se viu com aquele que o quis despedaçar e o deixou atirado no chão. Pois garanto que, se soubesse o que era, nunca que o deixaria. Guarda-o, amigo, que por ora não preciso dele; tenho, isso sim, é de tirar toda a armadura e ficar nu como nasci, se é que não resolva imitar mais a Roland que a Amadis em minha penitência.[2]

[Chegaram naquela noite às entranhas da Serra Morena, onde Sancho achou conveniente passar a noite, ou mesmo alguns dias, pelo menos enquanto durassem os mantimentos que levava, e assim acamparam entre dois penhascos e muitos sobreiros. Mas o destino fatal, que, segundo a opinião dos que não têm as luzes da verdadeira fé, tudo guia, dispõe e compõe a seu modo, ordenou que Ginés de Pasamonte, o famoso embusteiro e ladrão que havia escapado das galés graças à loucura de dom Quixote, levado pelo medo à Santa Irmandade (a quem temia com justa causa), resolveu se esconder naquelas montanhas, levando-o a sorte e seu medo ao mesmo lugar onde dom Quixote e Sancho Pança haviam se refugiado, a tempo de reconhecê-los e deixá-los dormir. E, como os maus são sempre mal-agradecidos, a necessidade leva a fazer o que não se deve e mais vale um pássaro na mão que dois voando, Ginés, que não era nem agradecido nem bem-intencionado, resolveu furtar o burro de Sancho Pança, não se preocupando com Rocinante, coisa tão ruim para empenhar como vender. Roubou-o enquanto Sancho Pança dormia e, antes do amanhecer, já estava muito longe para ser achado.

Raiou a aurora, alegrando a terra e entristecendo Sancho Pança, que não achou o burro. Vendo-se sem ele, começou o mais triste e doloroso pranto do mundo, tanto que dom Quixote despertou com o berreiro e ouviu estas palavras:

— Oh, filho de meu ventre, nascido em minha própria casa, passatempo de meus filhos, deleite de minha mulher, inveja de meus vizinhos, alívio de minhas penas e, finalmente, sustento de metade de minha pessoa, porque, com vinte e seis maravedis que ganhava por dia, eu pagava metade das despesas!

Dom Quixote, vendo o pranto e conhecendo a causa, consolou Sancho com os melhores argumentos que encontrou, rogando-lhe que tivesse paciência e prometendo lhe dar uma ordem escrita para que lhe dessem três dos cinco burros que deixara em casa. Com isso Sancho se consolou, secou as lágrimas, diminuiu os soluços e agradeceu a dom Quixote a mercê que lhe fazia.]

Assim conversando, chegaram ao pé de uma alta montanha, que, quase como um penhasco partido, se levantava sozinha entre muitas outras que a rodeavam. Por sua falda corria um riachinho manso, com um campo a sua volta, tão verde e viçoso que dava prazer aos olhos que o olhavam. Havia por ali muitas árvores silvestres, algumas plantas e flores, que tornavam o lugar agradável. O Cavaleiro da Triste Figura o escolheu para fazer sua penitência — assim, mal o viu, começou a dizer em voz alta, como se estivesse sem juízo:

— Oh, céus! Este é o lugar que escolho e destino ao lamento da desventura em que vós mesmos me pusestes. Este é o lugar onde os humores de meus olhos aumentarão as águas deste pequeno riacho e meus contínuos e profundos suspiros moverão sem descanso as folhas destas árvores agrestes, em testemunho e sinal das penas que meu sofrido coração padece. Oh, vós, quem quer que sejais, rústicos deuses que neste lugar inabitável tendes vossa morada: ouvi as queixas desse infeliz apaixonado, a quem uma longa ausência e ciúmes imaginários trouxeram a estas escarpas para se lamentar, queixando-se da dura condição imposta por aquela ingrata e bela, aspiração e ápice de toda formosura humana! Oh, vós, napeias e dríades, que costumam viver nas matas das montanhas (que os ágeis e lascivos sátiros, de quem sois amadas embora em vão, não perturbem jamais vosso doce sossego), me ajudeis a lamentar meu infortúnio, ou pelo menos não vos canseis de ouvi-lo. Oh, Dulcineia del Toboso, dia de minha noite, glória de minha pena, norte de meus caminhos, estrela de minha ventura (que o céu a conceda boa em tudo que desejares lhe pedir), consideres o lugar e o estado a que tua ausência me conduziu e correspondas, com um final afortunado, ao que minha fidelidade faz jus. Oh, solitárias árvores, que de hoje em diante haveis de fazer companhia a minha solidão, mostrai, com o manso movimento de vossos ramos, que não vos desagrada minha presença! Oh, tu, meu escudeiro, agradável companheiro em minhas mais prósperas ou adversas peripécias, guarda bem na memória o que aqui me verás fazer, para que o contes e recites à causadora única de tudo isso!

E, dizendo isso, apeou de Rocinante e num instante tirou o freio e a sela dele e, dando-lhe uma palmada nas ancas, disse:

— Liberdade te dá o que fica sem ela, oh, cavalo tão excepcional por teus feitos como desgraçado por teu destino! Vai-te por onde quiseres, pois levas escrito na fronte que não te igualou em rapidez o Hipogrifo de Astolfo, nem o célebre Frontino, que tão caro custou a Bradamante.[3]

Vendo isso, Sancho disse:

— Bendito seja quem agora nos evitou o trabalho de desencilhar o burro, pois, por Deus, não faltariam palmadinhas para dar nele nem coisas para dizer em seu louvor; mas, se ele estivesse aqui, eu não consentiria que ninguém o desencilhasse, pois não seria preciso: não lhe caberiam as imputações de estar envolvido com um apaixonado ou desesperado, pois não estava seu amo, que era eu, quando Deus desejava. Na verdade, senhor Cavaleiro da Triste Figura, se minha partida e a loucura de vossa mercê são para valer, seria melhor encilhar Rocinante de novo, para que supra a falta do burro, pois assim se poupa o tempo de minha ida e volta; se for a pé, não sei quando chegarei nem quando voltarei, porque, no fim das contas, não sou um bom caminhante.[4]

— Seja como quiseres, Sancho — respondeu dom Quixote —, pois teu propósito não me parece ruim. Partirás daqui a três dias, porque quero que nesse tempo vejas o que por ela faço e digo, para lhe contares.

— Mas o que mais tenho de ver além do que já vi? — disse Sancho.

— Da missa não sabes metade! — respondeu dom Quixote. — Agora me falta rasgar as vestes, espalhar as partes da armadura por aí, dar cabeçadas nestes rochedos e outras coisas desse tipo, que vão te admirar.

— Pelo amor de Deus — disse Sancho —, olhe bem vossa mercê como vai dar essas cabeçadas, porque, dependendo da pedra e do lugar onde pegar, na primeira talvez acabe com esse projeto de penitência. Já que vossa mercê pensa que as cabeçadas são necessárias e que não se pode tocar esse negócio sem elas, acho melhor que se contentasse com dá-las na água ou em algo macio como algodão, pois tudo isso é fingido, coisa de arremedo e de brincadeira. E deixe por minha conta que eu direi a minha senhora que vossa mercê as dava bem na quina de uma pedra, mais dura que a de um diamante.

— Eu agradeço tua boa intenção, meu amigo Sancho — respondeu dom Quixote —, mas quero que saibas que não faço todas essas coisas na brincadeira, mas muito a sério, porque de outra maneira seria contrariar as regras da cavalaria que nos proíbem qualquer mentira, sob pena de ser julgado como reincidente, e fazer uma coisa por outra é o mesmo que mentir. Assim, minhas cabeçadas devem ser verdadeiras, firmes e legítimas, sem nada de sofístico nem de falso. Será necessário, então, que me deixes algumas ataduras para me tratar, pois quis o destino que nos faltasse o bálsamo que perdemos.

— Pior foi perder o burro — respondeu Sancho —, pois se perderam com ele as ataduras e o resto. E imploro a vossa mercê: não se lembre mais daquela maldita beberagem, que só de ouvir falar dela me revolve a alma, que dirá o estômago. E imploro mais ainda: faça de conta que já se passaram os três dias que me deu de prazo para ver as loucuras que faz, que já as dou por vistas, julgadas e sentenciadas, e direi maravilhas a minha senhora. Escreva a carta e me despache logo, pois estou ansioso para voltar e tirar vossa mercê deste purgatório onde o deixo.

— Chamas isso de purgatório, Sancho? — disse dom Quixote. — Seria melhor que chamasse de inferno, ou coisa pior, se é que existe outra.

— Quem está no inferno — disse Sancho —, *nulla es retencio*,[5] pelo que ouvi dizer.

— Não entendo o que quer dizer *retencio* — disse dom Quixote.

— *Retencio* — respondeu Sancho — quer dizer que quem está no inferno nunca sai dele, nem pode. Mas com vossa mercê será o contrário, ou andarão mal meus pés, se é que não uso esporas para animar Rocinante; de qualquer forma, eu estando em El Toboso, diante de minha senhora Dulcineia, direi tais coisas das asneiras e loucuras (dá tudo na mesma) que vossa mercê fez e ficou fazendo, que a deixarei mais macia que uma luva, mesmo que a encontre mais dura que um carvalho. Com a resposta doce como mel voltarei pelos ares, como um bruxo, e tirarei vossa mercê deste purgatório, que parece inferno mas não é, pois há esperança de sair dele, coisa, como já disse, que não têm os que estão no inferno. Acho que vossa mercê não vai me contradizer.

— É verdade — disse o da Triste Figura. — Mas como faremos para escrever a carta?

— E mais a ordem burresca de entrega — acrescentou Sancho.

— Incluiremos tudo — disse dom Quixote. — Seria bom, já que não há papel, que a escrevêssemos em folhas de árvore ou numas tabuinhas de cera, como faziam os antigos, embora seja tão difícil achar isso por aqui como papel. Mas já me veio à mente onde podemos escrevê-la muito melhor: no livrinho que foi de Cardênio. E tu terás o cuidado de mandar copiá-la, com boa letra, na primeira vila onde achares um mestre-escola, ou um sacristão qualquer. Mas não a dês a nenhum escrivão, pois escrevem com letra processual, que nem Satanás entende.

— Mas o que vamos fazer com a assinatura? — disse Sancho.

— As cartas de Amadis nunca foram assinadas — respondeu dom Quixote.

— Muito bem — respondeu Sancho —, mas a ordem de entrega tem de ser assinada obrigatoriamente; se for copiada, dirão que a assinatura é falsa, e ficarei sem os burrinhos.

— A ordem irá assinada no próprio livrinho; vendo-a, minha sobrinha não dificultará seu cumprimento. Quanto à carta de amores, porás por assinatura: "Vosso até a morte, o Cavaleiro da Triste Figura". Na verdade, não importa que seja assinada por mão alheia, porque, pelo que me lembro, Dulcineia não sabe ler nem escrever e nunca em sua vida viu minha letra nem carta, pois meus amores e os dela sempre foram platônicos, nada além de um simples e recatado olhar. E mesmo isso, tão de quando em quando, que sou capaz de jurar que na verdade, em doze anos que a amo mais que à luz destes olhos que a terra há de comer, não a vi quatro vezes; e até pode ser que dessas quatro vezes ela não tivesse reparado nenhuma que eu a olhava: tal o recato e recolhimento com que seu pai, Lorenzo Carchuelo, e sua mãe, Aldonza Nogales, a criaram.

— Ora, ora! — disse Sancho. — Então a filha de Lorenzo Corchuelo é a senhora Dulcineia del Toboso, conhecida também por Aldonza Lorenzo?

— Essa mesma — disse dom Quixote —, e é quem merece ser senhora de todo o universo.

— Conheço-a muito bem — disse Sancho —, e posso afirmar que numa queda de braço vence o pastor mais forçudo de toda a vila. Benza-a Deus, que é pessoa de fibra, feita e direita e de cabelo nas ventas, que pode ajudar qualquer cavaleiro andante ou por andar que a tiver por senhora a sair do maior aperto! Ah, fiadaputa, que muque que tem, e que voz! Olhe, um dia subiu no campanário da aldeia para chamar uns pastores seus que andavam numas terras de seu pai; e eles, embora estivessem a mais de meia légua dali, ouviram-na como se estivessem ao pé da torre. E o melhor é que não é nada melindrosa, porque tem muito de cortesã: brinca com todos e de tudo zomba e graceja. Por isso eu digo, senhor Cavaleiro da Triste Figura, que vossa mercê não só pode e deve fazer loucuras por ela, como com justa causa pode se desesperar e se enforcar, pois não haverá ninguém que ao saber não diga que fez muito bem, mesmo que o diabo o carregue. Eu gostaria de já estar a caminho, só para vê-la, pois faz muitos dias que não a vejo; deve estar mudada, porque andar sempre no campo, ao sol e ao vento, judia muito do rosto das mulheres. E confesso a vossa mercê uma verdade, senhor dom Quixote: até aqui estive na mais completa ignorância, porque pensava e até podia jurar que a senhora Dulcineia devia ser alguma princesa de quem vossa mercê estava apaixonado, ou alguma pessoa distinta, que merecesse os ricos presentes que vossa mercê lhe enviou, tanto o do basco como o dos condenados às galés, e muitos outros, pois devem ser muitas as vitórias que vossa mercê ganhou no tempo em que eu ainda não era seu escudeiro. Mas, pensando bem, o que interessa à senhora Aldonza Lorenzo, digo, à senhora Dulcineia del Toboso, que vão se prostrar de joelhos diante dela os vencidos que vossa mercê lhe envia e há de enviar? Poderia acontecer que, quando eles chegassem, ela estivesse capinando o linho ou malhando no terreiro, e eles ficassem com vergonha de vê-la, e ela se risse e se amolasse com o presente.

— Já te falei tantas e tantas vezes, Sancho — disse dom Quixote —, que és muito falador e que, embora de espírito rombudo, muitas vezes te mostras agudo; mas, para que vejas o quanto és burro e quanto eu sou sabido, quero que me ouças uma história bem curtinha:

"Uma viúva formosa, moça, livre e rica, mas antes de mais nada desembaraçada, se apaixonou por um frade leigo, grandalhão e gordo; o superior dele veio a saber e um dia disse à boa viúva, em tom de fraternal repreensão: 'Estou admirado, senhora, não sem bons motivos, de que uma mulher tão distinta, tão formosa e tão rica como vossa mercê tenha se apaixonado por um homem tão indigno, tão baixo e tão idiota como fulano, havendo nesta casa tantos mestres, tantos licenciados e tantos teólogos, onde vossa mercê poderia escolher como se escolhesse peras numa fruteira, e dizer: Quero este, não quero aquele'. Mas ela lhe respondeu com muita graça e desenvoltura: 'Vossa mercê, meu senhor, está muito enganado e pensa à moda antiga se acha que eu escolhi mal o fulano, por mais idiota que lhe pareça, pois para o que eu o quero, sabe tanta filosofia ou mais que Aristóteles'.

"Assim, Sancho, para o que eu quero, Dulcineia del Toboso vale tanto como a mais importante princesa da terra. Sim, porque nem todos os poetas que louvam damas sob um nome que eles mesmo escolheram as têm de verdade. Tu pensas que as Amarílis, as Fílis, as Sílvias, as Dianas, as Galateias, as Fílidas e outras como essas de que estão cheios os livros, os romances, os salões dos barbeiros, os teatros das comédias, foram realmente damas de carne e osso, e daqueles que as celebram e celebraram? Não, claro, porque a maioria delas é inventada para servir de assunto a seus versos, e para que se pense que os autores são apaixonados e homens que valem uma paixão. Assim, basta-me pensar e acreditar que a boa Aldonza Lorenzo é formosa e recatada; quanto à linguagem, pouco importa, pois não irão se informar se é cristã-velha para lhe dar um hábito de freira, e eu faço de conta que é a melhor princesa do mundo. Pois deves saber, Sancho, se não o sabes ainda, que apenas duas coisas incitam ao amor mais que outras: a grande formosura e a boa reputação, e essas duas coisas estão inteiramente realizadas em Dulcineia, porque nenhuma a iguala em beleza e poucas se comparam na boa reputação. E, para encerrar, eu imagino que tudo o que digo é assim, sem que sobre nem falte nada, pintando-a em minha imaginação como a desejo, tanto em formosura como em importância; nem Helena a alcança, nem Lucrécia, nem alguma outra das famosas mulheres de antigamente, grega, bárbara ou latina. E que cada um diga o que quiser, pois, se eu for repreendido por isso pelos ignorantes, não serei castigado pelos mais severos."

— Acho que vossa mercê tem toda razão — respondeu Sancho — e que eu é que sou burro. Mas nem sei por que disse burro, pois não se fala em corda na casa de enforcado. Que venha a carta e adeus, que já vou tarde.

Dom Quixote pegou o livro de anotações e, afastando-se para um lado, com toda a calma começou a escrever. Ao acabar, chamou Sancho e disse que gostaria de ler a carta, para que ele a guardasse na memória caso a perdesse pelo caminho, porque de sua falta de sorte podia se esperar qualquer coisa. A isso Sancho respondeu:

— Escreva-a vossa mercê duas ou três vezes aí e me dê o livro, que eu o levarei com todo o cuidado, pois pensar que vou decorá-la é um disparate: tenho a memória tão ruim que às vezes esqueço até como me chamo. Mas, enfim, leia a carta, que terei muito prazer em ouvi-la, pois deve ter saído sob medida.

— Escuta, então — disse dom Quixote.

CARTA DE DOM QUIXOTE A DULCINEIA DEL TOBOSO

Soberana e nobre senhora:
O ferido pela lâmina da ausência e o dilacerado nas fibras do coração, dulcíssima Dulcineia del Toboso, te deseja a saúde que ele não tem. Se tua formosura me despreza, se tua coragem não me ajuda, se teus desdéns são para mim aflição, mesmo que eu seja muito resignado, mal poderei suportar esta angústia, que, além de poderosa, é demasiado duradoura. Meu bom escudeiro Sancho te dirá tudo

— oh, bela ingrata, amada inimiga minha! — sobre como estou por tua causa. Se desejares me socorrer, sou teu; se não, faz o que bem quiseres, pois eu, ao dar cabo de minha vida, terei satisfeito tua crueldade e meu anseio.
Teu até a morte,
O Cavaleiro da Triste Figura

— Quero ver meu pai morto — disse Sancho, ao ouvir a carta —, se não é a melhor coisa que já ouvi! Diacho, se vossa mercê não diz aí tudo o que quer! E como encaixou bem a assinatura "O Cavaleiro da Triste Figura"! A verdade é que vossa mercê é o diabo em pessoa e não tem o que não saiba.

— Tudo é necessário — respondeu dom Quixote — para o ofício que escolhi.

— Eia! — disse Sancho. — Mas agora ponha vossa mercê na outra página a autorização sobre os três burrinhos e assine-a direitinho, para que reconheçam sua letra na hora.

— Com prazer — disse dom Quixote.
E, tendo-a escrito, leu-a:

Por esta primeira requisição de burrinhos, vossa mercê, minha sobrinha, mandará dar a Sancho Pança, meu escudeiro, três dos cinco que deixei em casa e estão a cargo de vossa mercê. Mando pagar os ditos três burrinhos por outros tantos aqui recebidos à vista, pois com este registro e autorização de pagamento serão bem dados.

Feita nas entranhas da Serra Morena, em vinte e dois de agosto do presente ano.

— Está boa — disse Sancho. — Assine-a vossa mercê.
— Não é preciso assiná-la — disse dom Quixote —, basta pôr minha rubrica, que é a mesma coisa que a assinatura. Para três burros, ou até para trezentos, é o suficiente.

— Eu confio em vossa mercê — respondeu Sancho.
— Deixe-me ir encilhar Rocinante e se prepare para me dar a bênção, pois penso partir em seguida. Mesmo sem ver as doidices que vossa mercê vai fazer, direi que vi tantas que já chega.

— Quero que pelo menos me vejas pelado, Sancho, fazendo uma ou duas dúzias de loucuras, no que não levo nem meia hora. É necessário porque, tendo-as visto com teus próprios olhos, podes jurar sem remorsos as outras que quiseres acrescentar; e te garanto que não inventarás tantas quantas penso cometer.

— Pelo amor de Deus, meu senhor, não quero ver vossa mercê pelado, pois sentirei muita pena e não poderei deixar de chorar, e estou com a cabeça de um jeito, por causa das lágrimas de ontem à noite pelo burro, que nem penso me meter em outra choradeira. Se vossa mercê quer mesmo que eu veja algumas loucuras, faça-as vestido, depressa e as que melhor se ajustarem ao caso. Sem falar que para mim não era preciso nada disso e, como já falei, quero poupar o caminho de minha volta, que farei com as notícias que vossa mercê deseja e merece. A senhora Dulcineia que se cuide, pois, se não me responder como deve, juro solenemente a quem devo que lhe arranco a resposta certa nem que seja a pontapé e bofetões. Porque onde já se viu que um cavaleiro andante, tão famoso como vossa mercê, fique louco, sem mais nem menos, por causa de uma...? Não me obrigue a dizer senhora, senão eu perco as estribeiras e boto a boca no mundo, doa a quem doer. Eu sou fogo! O senhor não sabe com quem está falando! Pois, se soubesse, juro que me trataria com luvas de pelica!

— Olha, Sancho — disse dom Quixote —, pelo que se vê, não tens mais juízo que eu.

— Não estou tão louco assim — respondeu Sancho —, estou é mais furioso. Mas, deixando isso para lá, o que vossa mercê vai comer enquanto não volto? Vai roubar os pastores, como Cardênio?

— Não te preocupes com isso — respondeu dom Quixote —, porque, mesmo que tivesse outras coisas, não comeria nada além de ervas e frutos deste campo e destas árvores. Aí é que está a beleza do meu caso: não comer e me entregar a outras barbaridades desse tipo. Assim, adeus.

— Mas vossa mercê sabe do que tenho medo? De não achar este lugar na volta, pois fica muito escondido.

— Marca bem os pontos de referência, que eu procurarei não me afastar daqui — disse dom Quixote — e ainda vou subir nos penhascos mais altos, para ver se te avisto quando voltares. Na verdade, para que me aches e não te percas, o melhor é que cortes algumas dessas giestas que há por aqui e largue-as de tanto em tanto, até saíres em campo aberto. Elas te servirão de marcos e pistas para que me aches quando voltares, como o fio no labirinto de Perseu.

— Farei isso — respondeu Sancho.

Cortando alguns ramos, pediu a bênção a seu senhor e, não sem muitas lágrimas de parte a parte, se despediu dele. Montou Rocinante — que dom Quixote recomendou muito, dizendo que olhasse por ele como por sua própria pessoa — e se pôs a caminho da planície, espalhando de tanto em tanto os ramos da giesta, como o amo havia aconselhado. Assim se foi, embora dom Quixote o amolasse para que visse ao menos umas duas loucuras. Mas, mal andou cem passos, voltou e disse:

— Olhe, senhor, vossa mercê falou muito bem: para que eu possa jurar sem peso na consciência que o vi cometer loucuras, é bom que eu veja ao menos uma, embora já tenha visto uma bem grande com o senhor ficando por aqui.

— Eu não te disse? — respondeu dom Quixote. — Espera, Sancho, que num ai as cometerei.

E, despindo as calças a toda pressa, ficou só de camisa e em seguida, sem mais nem menos, deu duas cabriolas e dois saltos com a cabeça para baixo e os pés para cima, mostrando coisas que Sancho, para não ver, virou as rédeas de Rocinante e se deu por satisfeito: podia jurar que seu amo ficara louco. E assim o deixemos seguir seu caminho, até a volta, que foi rápida.

XXVI

ONDE SE PROSSEGUEM AS DELICADAS
DEMONSTRAÇÕES DE APAIXONADO QUE
DOM QUIXOTE FEZ NA SERRA MORENA

E, voltando a contar o que o Cavaleiro da Triste Figura fez, depois que se viu sozinho, reza a história que mal ele acabou de dar as cabriolas ou cambalhotas — nu na metade de baixo e vestido na metade de cima — e vendo que Sancho havia se ido, sem querer aguardar mais asneiras, foi para o topo de um alto penhasco e ali voltou a pensar o que muitas outras vezes tinha pensado, sem jamais se resolver: o que seria ou lhe cairia melhor, imitar Roland nas loucuras desaforadas ou Amadis nas melancólicas, e, falando para si mesmo, dizia:

— Se Roland foi tão bom cavaleiro e tão valente como todos dizem, qual a vantagem? Era encantado, ninguém o podia matar, a não ser lhe enfiando um alfinete grosso na planta do pé, desses que custam uma moeda de prata, mas ele nunca tirava os sapatos com sete solas de ferro.[1] Em todo caso, as tretas não funcionaram contra Bernardo del Carpio: ele as percebeu e o sufocou entre os braços, em Roncesvalles. Mas, deixando de lado a valentia, vejamos isso de perder o juízo, porque o perdeu mesmo com os indícios que achou na fonte e com o que lhe disse o pastor sobre Angélica ter dormido mais de duas sestas com Medoro, um mourozinho de cabelos encaracolados, pajem de Agramante;[2] e, se pensou que isso era verdade e que sua dama o tinha desonrado, não fez grande coisa se tornando louco. Agora, como eu posso imitá-lo nas loucuras, se não o imitar na causa delas? Porque ousarei jurar: minha Dulcineia del Toboso nunca viu um mouro na vida, assim como ele é, com seu traje de nascença, e garanto também que ela se conserva até hoje como sua mãe a pariu. Seria uma tremenda ofensa se eu, imaginando outra coisa dela, me tornasse louco como Roland, o Furioso.

"Por outro lado, Amadis, sem perder o juízo e sem fazer loucuras, alcançou tanta fama de apaixonado como o melhor de todos. Conforme conta sua história, ao se ver desprezado por sua senhora Oriana, que havia lhe ordenado que não aparecesse em sua presença até que ela quisesse recebê-lo, nada mais fez que se retirar para a Peña Pobre em companhia de um ermitão, e ali se fartou de chorar e de se encomendar a Deus, até que o céu o socorreu, na hora da maior aflição e necessidade. Se foi assim, como sei que foi, por que vou me dar ao trabalho de me despir totalmente e castigar estas árvores, que não me fizeram mal algum? Nem tenho por que sujar as águas límpidas destes riachos, onde beberei quando tiver sede. Viva a memória de Amadis! Seja ele imitado por dom Quixote de la Mancha em tudo o que puder; de Quixote se dirá o que se disse de Amadis: se não realizou grandes feitos, morreu por tentá-los; e, se eu não sou abandonado nem desprezado por Dulcineia del Toboso, basta-me, como já disse, estar longe dela. Então, mãos à obra: vinde-me à memória, coisas de Amadis, e mostrai-me por onde tenho de começar a vos imitar. Já sei que o que ele mais fez foi rezar e se encomendar a Deus; mas que usarei como rosário, já que não tenho um?"

Nisto descobriu como faria: rasgou uma grande tira das fraldas da camisa, que estavam penduradas, dando-lhe onze nós, um mais gordo que os demais. Com esse rosário, no tempo em que esteve de penitência, rezou um milhão de ave-marias.[3]

O que o amargurava era não achar por ali outro ermitão que o confessasse e consolasse. Assim, distraía-se passean-

do pelo pequeno gramado, gravando nas cascas das árvores
e escrevendo na areia miúda muitos versos, todos bem ajustados
a sua tristeza, e alguns em louvor de Dulcineia. Mas
os únicos que foram encontrados inteiros e que puderam
ser lidos depois que o encontraram ali foram estes:

*Árvores, ervas e plantas
que neste lugar estais,
tão altas, verdes e tantas,
se de meu mal não vos rejubilais,
escutai minhas queixas santas.
 Minha dor não vos inquiete,
por mais terrível que seja,
pois para vos pagar sua parte
aqui chorou dom Quixote
ausências de Dulcineia
 del Toboso.*

*Aqui é o lugar onde
o amante mais leal
de sua senhora se esconde,
e veio por tanto mal
sem saber como ou por onde.
 O amor o traz sem sossego,
pois é da pior laia;
e, assim, até encher um pote,
aqui chorou dom Quixote
ausências de Dulcineia
 del Toboso.*

*Em busca de aventuras
por entre os duros penhascos,
maldizendo entranhas duras,
pois entre escarpas e entre brenhas
o triste acha desventuras,
 o amor o feriu com seu chicote,*

> *não com sua macia correia,*
> *e quando lhe tocou o cangote*
> *aqui chorou dom Quixote*
> *ausências de Dulcineia*
>   *del Toboso.**

Não causou pouca graça aos que acharam os referidos versos o acréscimo "del Toboso" ao nome de Dulcineia, porque pensaram que dom Quixote deve ter imaginado que, se ao nomear Dulcineia não dissesse também "del Toboso", não poderia se entender a canção; e foi isso mesmo o que aconteceu, como ele confessou depois. Escreveu muitos outros, mas, como se disse, não puderam se achar nem legíveis nem inteiros mais que os destas três coplas. Distraía-se nisto e em suspirar, em chamar os faunos e silvanos daquelas matas, as ninfas dos rios, a dolorosa e úmida Eco, suplicando que respondessem, consolassem e escutassem. Distraía-se também procurando algumas ervas para se manter enquanto Sancho não voltava — se este não tivesse demorado três dias, mas três semanas, o Cavaleiro da Triste Figura teria se desfigurado tanto que nem a mãe que o pariu o reconheceria.

---

* *Árboles, yerbas y plantas/ que en aqueste sitio estáis,/ tan altos, verdes y tantos,/ si de mi mal no os holgáis,/ escuchad mis quejas santas./ Mi dolor no os alborote,/ aunque más terrible sea,/ pues por pagaros escote/ aquí lloró don Quijote/ ausencias de Dulcinea/ del Toboso.// Es aquí el lugar adonde/ el amador más leal/ de su señora se esconde,/ y ha venido a tanto mal/ sin saber cómo o por dónde./ Tráele amor al estricote,/ que es de muy mala ralea;/ y, así, hasta henchir un pipote,/ aquí lloró don Quijote/ ausencias de Dulcinea/ del Toboso.// Buscando las aventuras/ por entre las duras peñas,/ maldiciendo entrañas duras,/ que entre riscos y entre breñas/ halla el triste desventuras,/ hiriole amor com su azote,/ no con su blanda correa,/ y en tocándole el cogote/ aquí lloró don Quijote/ ausencias de Dulcinea/ del Toboso.*

Mas será melhor deixá-lo entre versos e suspiros, para contar o que aconteceu a Sancho Pança em sua embaixada. Alcançando a estrada real, saiu em busca do caminho para El Toboso e no dia seguinte chegou à estalagem onde tinha lhe acontecido a desgraça da manta; mal a viu, pareceu-lhe que andava pelos ares de novo e não quis entrar nela, embora tenha chegado em hora que podia e devia fazê-lo: era hora de comer e vinha desejoso de provar um prato quente, pois passava a fiambre havia longos dias.

Essa necessidade o forçou a se aproximar da estalagem, mas ainda em dúvida se entraria ou não. Estava nisso, quando saíram dali duas pessoas, e uma disse à outra:

— Diga-me, senhor licenciado, aquele a cavalo não é Sancho Pança? A criada de nosso aventureiro disse que havia saído com ele como escudeiro.

— É sim — disse o licenciado. — E aquele é o cavalo de nosso dom Quixote.

E o reconheceram tão facilmente porque os dois eram o padre e o barbeiro da aldeia, que tinham feito a seleção e o auto de fé dos livros. Eles, logo que reconheceram Sancho Pança e Rocinante, ansiosos para saber de dom Quixote, correram para o escudeiro, e o padre o chamou pelo nome:

— Amigo Sancho Pança, onde está vosso amo?

Sancho Pança também os reconheceu de saída e resolveu ocultar onde e como seu amo ficara; assim, respondeu-lhes que seu amo tinha ficado ocupado em certo lugar e em certa coisa que era de muita importância para ele, mas que, pelo que havia de mais sagrado, não podia lhes revelar.

— Não, não, Sancho Pança — disse o barbeiro —, se não nos dizeis onde está, pensaremos (aliás já pensamos) que vós o matastes e roubastes, pois vindes montado no cavalo dele. A verdade é que ou nos entregais o dono do pangaré ou vos vereis em maus lençóis.

— Comigo não é preciso ameaças, pois não sou homem de roubar nem matar ninguém: a cada um mate seu destino, ou Deus, que o criou. Meu amo está fazendo penitência lá naquelas montanhas, por livre e espontânea vontade.

Em seguida, às pressas e sem tomar fôlego, contou como o deixara, as aventuras que tinha vivido e que levava uma carta para a senhora Dulcineia del Toboso, que era a filha de Lorenzo Corchuelo, por quem estava apaixonado até as raízes dos cabelos.

Os dois ficaram pasmos com o que Sancho Pança contava — mesmo sabendo da loucura de dom Quixote e de que tipo era, sempre que ouviam algo sobre ela pasmavam de novo. Pediram a Sancho Pança que lhes mostrasse a carta que levava para a senhora Dulcineia del Toboso. Ele disse que estava escrita num livro de anotações e que a ordem de seu senhor era que a mandasse copiar em papel na primeira aldeia em que chegasse. O padre pediu que a entregasse, que ele a copiaria com a melhor das letras. Sancho Pança meteu a mão no bolso em busca do livrinho, mas não o achou, nem podia achar, mesmo que procurasse até hoje, porque tinha ficado com dom Quixote, que não lembrara de dá-lo nem Sancho de pedi-lo.

Quando Sancho viu que não achava o livro, seu rosto foi ficando de uma palidez mortal; às pressas, apalpou de novo o corpo todo e de novo viu que não o achava. Então, sem mais nem menos, agarrou as barbas com as duas mãos e arrancou metade delas; depois, com a mesma rapidez, deu-se meia dúzia de murros no rosto, banhando-se de sangue pelo nariz.

Vendo isso, o padre e o barbeiro perguntaram a ele o que tinha acontecido, para ficar tão mal desse jeito.

— O que foi que me aconteceu?! — respondeu Sancho. — Nada, só perdi três burrinhos por entre os dedos, como água, e cada um era como uma joia...

— Que história é essa? — replicou o barbeiro.

— Perdi o livrinho — respondeu Sancho — em que estava a carta para Dulcineia e uma ordem, assinada por meu senhor, para que sua sobrinha me desse três burrinhos, dos quatro ou cinco que tem em casa.

E então lhes contou a perda do burro. O padre o consolou, dizendo que quando encontrasse seu senhor ele o faria confirmar a doação e escrever a ordem de entrega em papel, como era uso e costume, porque jamais se aceitavam ou se cumpriam as que eram feitas em livros de anotação.

Com isso, Sancho se consolou e disse que, se era assim, não se incomodava muito com a perda da carta de Dulcineia, porque ele a sabia quase de cor, podendo ditá-la onde e quando quisessem.

— Dizei-a, então, Sancho — disse o barbeiro —, que depois a escreveremos.

Sancho Pança começou a coçar a cabeça para trazer a carta à memória, ora se apoiando num pé, ora no outro; às vezes olhava o chão, outras o céu; depois de ter roído metade da unha de um dedo, deixando em suspenso os que esperavam, disse ao fim de um longo momento:

— Por Deus, senhor padre, que o diabo a carregue se lembro alguma coisa da carta! Mas no começo dizia assim: "Nobre e *soberbana* senhora".

— Não pode ser *soberbana* — disse o barbeiro —, mas *sobre-humana*, ou *soberana* senhora.

— Isso mesmo — disse Sancho. — Depois, se bem me lembro, continuava... se bem me lembro: "O dilatado e sem sono e o ferido beija as mãos de vossa mercê, ingrata e muito desconhecida formosa", e dizia não sei que mais de saúde e doença que lhe enviava, e por aí ia se debulhando, até que acabava em "Vosso até a morte, o Cavaleiro da Triste Figura".

Os dois não se divertiram pouco ao ver a boa memória de Sancho Pança — elogiaram-na muito e pediram ao escudeiro que repetisse a carta outras duas vezes, para que eles também a decorassem para copiá-la depois. Sancho a repetiu umas três vezes — e outras tantas disse de novo mais três mil disparates. Em seguida contou coisas de seu amo, mas nenhuma palavra sobre o manteamento que havia acontecido naquela estalagem, onde se recusava a entrar. Falou ainda que seu senhor, se a resposta da senhora Dulcineia del Toboso fosse favorável, ia seguir em busca de aventuras para se tornar imperador, ou pelo menos monarca, que assim tinha ficado combinado entre eles, e era coisa muito fácil de acontecer, por causa da coragem de sua pessoa e da força de seu braço; e, sendo imperador, haveria de casá-lo, porque então já seria viúvo, pois não podia ser de outra forma, e haveria de lhe dar como mulher uma aia da imperatriz, herdeira de um rico e grande domínio em terra firme, pois não queria mais saber de ilhas ou ilhotes.

Sancho dizia isso com tanta calma e com tão pouco juízo, limpando de quando em quando o nariz, que os dois se surpreenderam de novo, considerando a força da loucura de dom Quixote, que havia arrastado consigo o bom senso daquele pobre homem. Não quiseram se cansar tirando-o do erro em que estava, parecendo-lhes que, como não lhe perturbava em nada a consciência, era melhor deixar por isso mesmo, sem falar que para eles era mais divertido ouvirem suas asneiras. E, assim, lhe disseram que rogasse a Deus pela saúde de seu senhor, porque era coisa realmente muito provável ele se tornar imperador com o correr do tempo, como dizia, ou pelo menos arcebispo ou alguma outra dignidade semelhante. A isso, Sancho respondeu:

— Senhores, se a roda da fortuna girasse de modo que meu amo tivesse vontade de ser arcebispo, em vez de imperador, gostaria de saber o que os arcebispos andantes costumam dar a seus escudeiros.

— Costumam dar algum cargo simples ou paróquia — disse o padre —, ou emprego de sacristão, que garante uma renda fixa, além das doações ao pé do altar, que costumam dar outro tanto.

— Para isso é preciso que o escudeiro não seja casado — replicou Sancho — e que pelo menos saiba ajudar na missa. Se for assim, estou frito, porque sou casado e não sei nem a primeira letra do ABC! O que será de mim se dá na telha de meu amo ser arcebispo, em vez de imperador, como é uso e costume dos cavaleiros andantes?

— Não vos preocupeis, meu amigo Sancho — disse o barbeiro —, pois nós pediremos a vosso amo e o aconselharemos, e até lhe mostraremos que deve ser imperador e não arcebispo, porque será mais fácil para ele, já que é mais valente que estudioso.

— É o que sempre me pareceu — respondeu Sancho —, embora ele tenha habilidade para tudo. De minha parte, o que penso fazer é rogar a Nosso Senhor que o leve aonde ele se saia melhor e mais mercês me faça.

— Falais como homem sensato — disse o padre — e vos comportais como bom cristão. Mas o que precisamos fazer agora é ver como tirar vosso amo dessa inútil penitência que nos dissestes que está fazendo; e, para pensar em como vamos agir e para comer, que já é hora, será melhor entrarmos nesta estalagem.

Sancho disse que entrassem, que ele esperaria ali fora e depois lhes diria por que não entrava nem convinha entrar nela, mas lhes pedia que trouxessem algo para comer, que fosse coisa quente, e também cevada para Rocinante. Eles entraram, deixando Sancho, e dali a pouco o barbeiro lhe trouxe a comida.

Depois de matutarem muito, ocorreu ao padre um jeito bem ao gosto de dom Quixote e perfeito para o que eles queriam: o que havia pensado era vestir trajes de donzela andante, enquanto o barbeiro se vestiria o melhor que pudesse de escudeiro, e assim iriam aonde estava dom Quixote, fingindo se tratar de uma donzela aflita precisando de socorro, que lhe pediria um favor que ele, como valente cavaleiro andante, não poderia deixar de atender. O favor era que viesse com ela aonde ela o levasse, para desfazer uma afronta que um mau cavaleiro lhe tinha feito; e também suplicaria a ele que não a mandasse tirar seu véu, nem a interrogasse sobre aquele assunto, até que a tivesse vingado daquele mau cavaleiro. Acreditava que sem dúvida nenhuma dom Quixote faria tudo quanto lhe pedisse desse modo — e assim o tirariam dali e o levariam para sua aldeia, onde procurariam ver se sua estranha loucura tinha algum remédio.

XXVII

DE COMO O PADRE E O BARBEIRO FIZERAM DAS SUAS, COM OUTRAS COISAS DIGNAS DE SER CONTADAS NESTA GRANDE HISTÓRIA

O barbeiro não achou má a invenção do padre; pelo contrário, achou-a tão boa que logo a puseram em prática. Pediram à estalajadeira uma saia e umas toucas, deixando-lhe como garantia uma sotaina nova do padre. O barbeiro fez uma grande barba com um rabo de boi, ruço ou vermelho, onde o estalajadeiro pendurava o pente.

A estalajadeira lhes perguntou para que pediam aquelas coisas. O padre lhe contou em poucas palavras a loucura de dom Quixote e como era conveniente aquele disfarce para tirá-lo da montanha, onde estava agora. Os estalajadeiros logo se deram conta de que o louco era seu hóspede, o do bálsamo, o amo do escudeiro manteado, e contaram ao padre tudo o que havia acontecido ali, sem calar o que Sancho tanto calava.

Enfim, era coisa de se ver como a estalajadeira vestiu o padre: vestiu nele uma saia de lã, cheia de franjas de veludo negro de um palmo de largura, abertas de tanto em tanto, e um corpete de veludo verde guarnecido com debruns de cetim branco, que deviam ter sido feitos, corpete e saia, no tempo em que Judas andava na terra. O padre não consentiu que lhe pusessem a touca, mas pôs na cabeça um barretinho de linho acolchoado que usava de noite para dormir, e prendeu na testa uma tira de seda negra, e com outro pedaço de seda fez um véu com que cobriu muito bem as barbas e o rosto. Enfiou o chapéu — que era tão grande que podia lhe servir de guarda-sol —, cobriu-se com sua capa e montou de lado na mula, como uma mulher.

O barbeiro também montou na sua, com a barba que ia até a cintura, entre vermelha e branca, feita do rabo de um boi barroso, como se disse.

Despediram-se de todos, e da boa Maritornes, que prometeu rezar um rosário, mesmo sendo uma pecadora, para que Deus os ajudasse nesse negócio tão árduo e tão cristão como era esse que haviam empreendido.

Contudo, mal tinham saído da estalagem, o padre pensou que não estava certo ter se vestido daquele jeito: era indecente para um sacerdote, por mais necessário que fosse. Disse isso ao barbeiro e pediu que trocassem de trajes, pois era mais justo que o barbeiro fosse a donzela desamparada e ele o escudeiro — assim se profanava menos sua dignidade. Mas, se o barbeiro não quisesse fazer a troca, estava decidido a não seguir em frente, mesmo que dom Quixote fosse para os quintos dos infernos.

Nisso apareceu Sancho e, vendo os dois naqueles trajes, não pôde conter o riso.

O barbeiro concordou com tudo o que o padre quis, e, trocando de disfarce, o padre foi lhe dizendo como devia se comportar, as palavras que tinha de dizer a dom Quixote para incitá-lo e forçá-lo a vir com eles, desapegando-se do lugar que havia escolhido para sua vã penitência. O barbeiro respondeu que faria bem sua parte sem precisar de lições, mas que se vestiria apenas quando chegassem onde estava dom Quixote, e então dobrou os vestidos, e o padre guardou sua barba, e prosseguiram a viagem, guiados por Sancho Pança, que foi contando o que tinha lhes acontecido com o louco que encontraram na serra, mas sem falar do achado da maleta e do que ela continha. Apesar de bobo, o rapaz era meio gananciouso.

No dia seguinte chegaram aonde Sancho tinha deixado os ramos para marcar o lugar em que ficara o fidalgo;

reconhecendo-o, disse que ali ficava a entrada e que já podiam se vestir, se aquilo era mesmo necessário para libertar seu senhor, porque antes eles haviam dito a Sancho que irem disfarçados daquela maneira era da máxima importância para tirar seu amo da má vida que escolhera, e recomendaram muito que não lhe dissesse quem eram eles nem que os conhecia; e se perguntasse, como na certa perguntaria, se entregara a carta a Dulcineia, dissesse que sim e que, por não saber ler, havia respondido verbalmente, ordenando-lhe que viesse vê-la no mesmo instante, porque era coisa muito importante, sob pena de cair em desgraça com ela. Com isso, mais o que pensavam lhe dizer, tinham certeza de levá-lo a uma vida melhor, fazendo com que logo se pusesse a caminho para ser imperador ou monarca, pois isso de arcebispo estava fora de questão.

Sancho ouviu tudo e tudo guardou na memória, e agradeceu muito a eles a intenção que tinham de aconselhar seu senhor a ser imperador e não arcebispo, porque no íntimo achava que para fazer mercês a seus escudeiros mais podiam os imperadores que os arcebispos andantes. Também disse que seria melhor que ele fosse na frente para lhe dar a resposta de sua senhora, o que talvez fosse suficiente para tirá-lo daquele lugar, sem que eles tivessem tanto trabalho. Pareceu-lhes sensato o que Sancho Pança dizia, por isso resolveram aguardá-lo até que voltasse com notícias do encontro com seu amo.

Sancho embrenhou-se nas quebradas da serra, deixando os dois numa delas, onde corria um pequeno e manso riacho, à sombra agradável e fresca de outros penhascos e algumas árvores. O calor, num dia de agosto como aquele e naquelas bandas, era ardente como de costume; a hora, as três da tarde — tudo isso tornava o lugar mais agradável, convidando-os a esperar a volta de Sancho, que foi o que fizeram.

Estavam os dois ali, à sombra, sossegados, quando chegou a seus ouvidos uma voz que, sem instrumento algum acompanhando-a, soava doce e deliciosamente, do que ficaram muito admirados, pois achavam que num lugar como aquele não podia haver quem cantasse tão bem. Embora se costume dizer que nas selvas e campos se encontram pastores de vozes extraordinárias, trata-se mais de exagero de poeta que da verdade. Maior ainda foi o espanto ao perceberem que eram versos o que ouviam — e não de pastores broncos, mas de cultos cortesãos, verdade que estas estrofes confirmam:

Quem menospreza meus bens?
   Desdéns.
E quem aumenta meus queixumes?
   Os ciúmes.
E quem testa minha paciência?
   Ausência.
Desse modo, em minha carência
nenhum remédio se alcança,
pois me matam a esperança
desdéns, ciúmes e ausência.

Quem me causa esta dor?
   Amor.
E quem minha glória repugna?
   Fortuna.
E quem me tem como réu?
   O céu.
Desse modo, eu receio
morrer deste mal estranho,
pois crescem em mim o dano
amor, fortuna e o céu.

Quem melhorará minha sorte?
   A morte.
E o bem do amor, quem o alcança?
   Mudança.

E seus males, quem os cura?
   Loucura.
Desse modo, não é sensato
querer curar a paixão,
quando os remédios são
morte, mudança e loucura.*

A hora, o tempo, a solidão, a voz e a perícia daquele que cantava deixaram admirados e alegres os dois ouvintes, que ficaram imóveis, esperando ouvir mais alguma coisa; percebendo, porém, que o silêncio se prolongava, resolveram sair em busca do músico. Mas a mesma voz os deteve de novo, cantando este soneto:

SONETO

Santa amizade, que com rápidas asas,
tua imagem permanecendo no solo,
entre benditas almas no céu
subiste alegre às divinas salas:

de lá, quando queres, nos mostras
a justa paz coberta com um véu,

---

* *¿Quién menoscaba mis bienes?/ Desdenes./ ¿Y quién aumenta mis duelos?/ Los celos./ ¿Y quién prueba mi paciencia?/ Ausencia./ De ese modo, en mi dolencia/ ningún remedio se alcanza,/ pues me matan la esperanza/ desdenes, celos y ausencia.// ¿Quién me causa este dolor?/ Amor./ ¿Y quién mi gloria repugna?/ Fortuna./ ¿Y quién consiente en mi duelo?/ El cielo./ De ese modo, yo recelo/ morir deste mal extraño,/ pues se aumentan en mi daño/ amor, fortuna y el cielo.// ¿Quién mejorará mi suerte?/ La muerte./ Y el bien de amor, ¿quién le alcanza?/ Mudanza./ Y sus males, ¿quién los cura?/ Locura./ De ese modo, no es cordura/ querer curar la pasión,/ cuando los remedios son/ muerte, mudanza y locura.*

*por quem às vezes transparece o céu
de boas obras que no fim são más.*

*Deixa o céu, oh, amizade!, ou não permitas
que o engano vista tua libré,
com que destrói a intenção sincera;*

*que se tuas aparências não lhe tiras,
logo o mundo há de se ver na luta
da discordante confusão primeira.**

O canto acabou com um profundo suspiro, e os dois ficaram atentos, à espera de que se cantasse mais; mas, vendo que a música se transformara em soluços e gemidos queixosos, resolveram ver quem era o triste sujeito, tão bom na voz como sentido nos lamentos. Não andaram muito quando, ao dobrarem a quina de um penhasco, viram um homem com a mesma aparência que Sancho Pança havia lhes pintado ao contar a história de Cardênio. Ao vê-los, o homem continuou quieto, sem se sobressaltar, com a cabeça inclinada sobre o peito como se estivesse muito pensativo, sem levantar os olhos para olhá-los depois da primeira vez, quando chegaram de repente.

O padre, que era bem-falante e já tinha notícia de seu infortúnio, pois o tinha reconhecido pelos sinais, se aproximou dele e, com poucas mas sábias palavras, lhe rogou

---

* *Santa amistad, que con ligeras alas,/ tu apariencia quedándose en el suelo,/ entre benditas almas en el cielo/ subiste alegre a las empíreas salas:// desde allá, cuando quieres, nos señalas/ la justa paz cubierta con un velo,/ por quien a veces se trasluce el celo/ de buenas obras que a la fin son malas.// Deja el cielo, ¡oh amistad!, o no permitas/ que el engaño se vista tu librea,/ con que destruye a la intención sincera;// que si tus apariencias no le quitas,/ presto ha de verse el mundo en la pelea/ de la discorde confusión primera.*

e persuadiu que deixasse aquela vida miserável, para que ali não a perdesse, o que era a desgraça maior das desgraças. Cardênio estava então em seu perfeito juízo, livre daquele furioso acesso que com tanta frequência o tirava de si mesmo, e assim, vendo os dois em trajes tão diferentes dos que se usam naquelas solidões, não deixou de ficar um tanto surpreso, mais ainda por ouvir falarem de seu caso como de coisa conhecida, como indicavam as palavras do padre. Então respondeu desta maneira:

— Bem vejo, senhores, quem quer que sejais, que o céu, que tem o cuidado de socorrer os bons e muitas vezes até os maus, sem que eu mereça, me envia, neste lugar tão remoto e afastado do convívio humano, algumas pessoas que, pondo-me diante dos olhos com vivos e variados argumentos o quanto ando sem razão ao levar a vida que levo, procuram me levar daqui para uma existência melhor. Mas, como não sabem que eu sei que ao sair desta desgraça vou cair em outra maior, talvez me tomem por homem insensato ou mesmo por homem sem nenhum juízo, o que é pior. E não seria de admirar que fosse assim, porque eu mesmo percebo que a força da imaginação de minhas infelicidades é tão intensa e pode tanto em minha perdição que, sem que eu possa impedir, acabo ficando como pedra, carecendo de todo bom senso e conhecimento; e me dou conta desta verdade quando alguns me dizem e mostram sinais das coisas que fiz sempre que me domina aquele terrível acesso. E nada mais faço além de me arrepender em vão e amaldiçoar sem proveito minha sorte, dando como desculpa de minhas loucuras a história da causa delas a quantos querem ouvi-la; porque, vendo a causa, os inteligentes não se espantarão dos efeitos e, se não me derem a cura, ao menos não me atribuirão a culpa, transformando-se neles a raiva por minhas ações em pena por minhas desgraças. E se vós, senhores, vindes com a mesma intenção com que outros vieram, antes que prossigais em vossas judiciosas alegações, peço-vos que escuteis o relato sem desfecho de minhas desventuras, porque aí talvez vos poupareis o trabalho de me consolar de um mal que não tem consolo.

Os dois, que não desejavam mais nada além de saber do próprio homem a causa de seu estado, pediram que contasse, prometendo-lhe fazer apenas o que ele quisesse, em sua ajuda ou consolo. Com isso, o triste cavalheiro começou sua história lacrimosa, quase com as mesmas palavras e passos com que a tinha contado a dom Quixote e ao pastor poucos dias atrás quando, por causa do cirurgião Elisabat e da presteza de dom Quixote em manter o decoro da cavalaria, ficou interrompida, conforme se registrou. Mas desta vez quis a boa sorte que o acesso de loucura não atrapalhasse, dando oportunidade a Cardênio de contá-la até o fim. Então, ao chegar à passagem do bilhete que dom Fernando havia encontrado entre as páginas de *Amadís de Gaula*, disse que ainda o tinha na memória e que dizia isto:

LUCINDA A CARDÊNIO

Todo dia descubro em vós predicados que me obrigam a vos estimar mais; assim, se quiserdes tirar-me desta dívida sem me prejudicar na honra, podereis fazê-lo muito facilmente. Tenho pai que vos conhece e que me quer bem; ele, sem forçar minha vontade, cumprirá aquela que é justo que tenhais, se é que me estimais como dizeis e como eu acredito.

— Por causa deste bilhete resolvi pedir a mão de Lucinda, como já vos contei; foi por causa dele que dom Fernando achou que Lucinda era uma das mais sensíveis e inteligentes mulheres de seu tempo; foi por causa dele que sentiu o desejo de me destruir antes que eu realizasse o meu. Então eu disse a dom Fernando que o pai de Lucinda exigia que meu pai fizesse o pedido, o que eu não ousava falar para ele, temeroso de que não concordasse, não porque ele não conhecesse bem a condição, bondade, virtude e formosura de Lucinda, tendo méritos suficientes para enobrecer qualquer outra linhagem da Espanha, mas porque eu pensava que ele desejava que não me casasse logo, até ver o que o duque Ricardo iria fazer comigo. Enfim, eu disse que não me arriscava a falar com meu pai, tanto por aquele inconveniente como por muitos outros que me acovardavam, na verdade sem saber quais eram: apenas me parecia que o que eu desejava jamais se tornaria realidade.

"A isso tudo dom Fernando me respondeu que se encarregava de falar a meu pai e de convencê-lo a falar com o de Lucinda. Oh, ambicioso Mário! Oh, cruel Catilina! Oh, criminoso Sila! Oh, embusteiro Galalão! Oh, traidor Vellido! Oh, vingativo Julián! Oh, ganancioso Judas![1] Traidor, cruel, vingativo e embusteiro, que mal te havia feito este infeliz que com tanta franqueza te revelou os segredos e alegrias de seu coração? Que ofensa te fiz? Que palavras te disse, ou que conselhos te dei, que não fossem todos em teu benefício e para aumentar tua honra? Mas, pobre de mim, de que me queixo? Porque se é certo que as desgraças estão escritas nas estrelas, que vêm de cima para baixo, abatendo-se com fúria e com violência, não há força na terra que as detenha nem astúcia humana que possa preveni-las. Quem poderia imaginar que dom Fernando, cavaleiro ilustre, sensato, que me devia tantos favores, com posses para conseguir o que os apetites amorosos lhe pedissem onde quer que fosse, havia de se sujar, como se diz, roubando-me uma única ovelha, e que eu ainda nem possuía? Mas deixemos de lado essas considerações, inúteis e sem proveito, e retomemos o fio de minha história miserável.

"Então, como eu dizia, achando que minha presença era inconveniente para pôr em execução sua falsa e maligna ideia, dom Fernando resolveu me enviar a seu irmão mais velho com o pretexto de pedir dinheiro para pagar seis cavalos que, apenas para me ver ausente e assim facilitar sua desgraçada intenção, comprara de propósito no mesmo dia em que se ofereceu para falar a meu pai. Eu poderia prever essa traição? Poderia sequer imaginá-la? Não, claro que não! Pelo contrário, com todo o prazer me ofereci para partir em seguida, contente com a boa compra. Naquela noite falei com Lucinda e lhe disse o que ficara combinado com dom Fernando, pedindo-lhe que tivesse a firme esperança de que nossos bons e justos desejos iam se realizar. Ela me disse, tão despreocupada como eu da traição de dom Fernando, que procurasse voltar depressa, porque achava que não ia demorar muito a realização de nossas vontades, logo que meu pai falasse com o seu. Não sei por quê, ao acabar de me dizer isso, seus olhos se encheram de lágrimas e um nó lhe atravessou a garganta, impedindo-a de falar muitas coisas que me pareceu que tinha para me dizer.

"Estranhei essa perturbação, que jamais tinha visto nela, pois sempre que nos falávamos, nas vezes em que a boa sorte e minha diligência permitiam, foi com todo o prazer e alegria, sem misturar em nossas conversas lágrimas, suspiros, ciúmes, suspeitas ou temores. Eu vivia exaltando minha boa estrela, por ter me dado Lucinda por senhora: enaltecia sua beleza, admirava-me de seu valor e inteligência. Ela me retribuía com juros, louvando em mim o que, como apaixonada, lhe parecia digno de louvor. Com isso nos contávamos cem mil ninharias e acontecimentos de nossos vizinhos e conhecidos, e ao que mais se atrevia minha desenvoltura era lhe tomar quase à força uma de suas belas e brancas mãos e levá-la a minha boca, o quanto permitia a estreiteza da grade de uma janela baixa que nos separava. Mas, na noite que antecedeu o triste dia de minha partida, ela chorou, gemeu, suspirou e se foi, deixando-me cheio de confusão e angústia, espantado de ver tão inesperadas e tristes mostras de dor e sentimento em Lucinda. Porém, para não destruir minhas esperanças, atribuí tudo à força do amor que me tinha e à dor que a ausência costuma causar nos que se querem bem. Enfim, parti, triste e pensativo, a alma cheia de fantasias e suspeitas, sem saber o que suspeitava nem o que imaginava: indícios claros do triste infortúnio que me estava reservado.

"Cheguei ao lugar onde fora enviado, entreguei as cartas ao irmão de dom Fernando, fui bem recebido, mas não despachado em seguida, porque, para meu desgosto, me mandou esperar oito dias e num lugar onde seu pai, o duque, não me visse, pois seu irmão lhe escrevia que enviasse o dinheiro sem seu conhecimento. Foi tudo invenção do falso dom Fernando, porque não faltavam recursos a seu irmão para me despachar logo. Uma ordem dessas me dava condições para não obedecer e me parecia impossível aguentar tantos dias na ausência de Lucinda, ainda mais tendo-a deixado triste como vos contei; mas, apesar de tudo, obedeci, como bom criado, mesmo que visse que havia de ser à custa de minha saúde.

"Quatro dias depois, chegou um homem a minha procura, trazendo-me uma carta, que pela letra no sobrescrito vi que era de Lucinda. Abri-a, temeroso e sobressaltado, pensando que apenas uma coisa muito importante a moveria a me escrever estando longe, pois mesmo perto poucas vezes o fazia. Perguntei ao homem, antes de lê-la, quem a tinha dado e quanto demorara no caminho. Disse que passando casualmente por uma rua da cidade, ao meio-dia, uma senhora muito formosa o chamou de uma janela, os olhos cheios de lágrimas, e com muita pressa lhe disse: 'Irmão, se sois cristão, como pareceis, pelo amor de Deus vos peço que encaminheis logo esta carta à cidade e à pessoa que constam no sobrescrito, pois são bem conhecidas. Com isso prestareis um grande serviço a Nosso Senhor; e para que tenhais condições de executá-lo, tomai o que há neste lenço'.

"'Dizendo isso', continuou o mensageiro, 'atirou-me um lenço, onde vinham atados cem reais e este anel de ouro que trago aqui, com essa carta que vos entreguei. Em seguida, sem esperar minha resposta, sumiu da janela, embora antes tenha visto que peguei a carta e o lenço, dizendo-lhe por gestos que faria o que me mandava. E assim, vendo-me tão bem pago pelo trabalho que podia ter para entregá-la, e sabendo pelo sobrescrito que se tratava de vós, senhor, que conheço muito bem, e obrigado ainda pelas lágrimas daquela bela senhora, resolvi não confiar em outra pessoa, mas vir eu mesmo vos trazer a mensagem. Ela me foi entregue há dezesseis horas, que foi o tempo que gastei nas dezoito léguas do caminho, como sabeis.'

"Enquanto o novo e agradecido mensageiro me dizia isso, eu estava pendente das palavras dele e me tremiam as pernas de tal modo que eu mal podia continuar de pé. Por fim abri a carta, vendo que continha o seguinte:

> A palavra que dom Fernando vos deu de falar a vosso pai para que falasse ao meu, cumpriu-a mais em proveito próprio que em vosso benefício. Sabei, senhor, que ele me pediu por esposa e que meu pai, levado pela vantagem que ele pensa que dom Fernando tem sobre vós, aceitou o pedido com tanto entusiasmo que daqui a dois dias se fará o casamento, tão secreto e tão a sós que apenas os céus e algumas pessoas de casa serão testemunhas. Como me sinto, imaginai; se quiserdes vir, vinde; se vos amo ou não, o desfecho deste caso vos fará saber. Que esta chegue, com a graça de Deus, a vossas mãos antes que a minha se veja na situação de se unir à de quem cumpre tão mal as promessas que faz.

"Em suma, foram essas as palavras que a carta continha e que me fizeram partir imediatamente, sem esperar resposta alguma nem dinheiro, porque agora estava bem claro que não tinha sido a compra dos cavalos, mas seus próprios interesses, o que levara dom Fernando a me enviar a seu irmão. O ódio que senti contra dom Fernando, junto com o temor de perder a prenda que tinha ganho com tantos anos de trabalho e desejos, me deram asas, pois quase que num voo cheguei no dia seguinte a minha aldeia e na hora certa para falar com Lucinda. Entrei em segredo, deixando a mula em que viera na casa do bom homem que tinha me levado a carta, e quis o destino que eu tivesse a boa sorte de encontrar Lucinda diante da grade testemunha de nossos amores. Reconhecemo-nos de imediato, mas não como ela devia me reconhecer nem eu reconhecê-la. Mas quem no mundo pode se gabar de ter penetrado e conhecido o confuso pensamento e a volúvel condição de uma mulher? Ninguém, certamente.

"Bem, assim que Lucinda me viu, disse: 'Cardênio, estou vestida de noiva; já estão me esperando na sala dom Fernando, o traidor, e meu pai, o ganancioso, com outras testemunhas, que testemunharão minha morte em vez de meu casamento. Não te preocupes, amigo, e procura estar presente a este sacrifício: se não puder evitá-lo com minhas palavras, resta-me a adaga que levo escondida, pronta a enfrentar forças mais poderosas, dando fim a minha vida para que conheças o amor que tive e tenho por ti'. Aturdido e apressado, temendo que me faltasse tempo para lhe responder, disse: 'Senhora, que tuas ações tornem verdadeiras tuas palavras; se levas uma adaga como garantia de tua honra, aqui levo uma espada para te defender ou para me matar, se a sorte nos for contrária'.

"Acho que não pôde ouvir todas essas palavras, porque a chamavam apressados: o noivo a esperava. Com isso caiu a noite de minha tristeza, pôs-se o sol de minha alegria; fiquei com os olhos sem luz e o pensamento sem rumo. Não conseguia entrar em sua casa nem podia me mover para lugar algum; mas, considerando o quanto importava minha presença para o que pudesse acontecer naquela situação, me animei o mais que pude e por fim entrei. Como havia um grande alvoroço por causa do segredo e como eu conhecia muito bem todas as entradas e saídas, ninguém me viu; assim pude ficar no vão de uma janela da própria sala, coberto pelas bordas de duas tapeçarias, por entre as quais eu podia ver, sem ser visto, tudo o que se fazia na sala.

"Quem poderia imaginar agora as comoções que o coração me fez passar enquanto estive ali, os pensamentos que me ocorreram, as considerações que fiz? Foram tantos e tamanhos que nem se poderiam contar nem seria bom que se contassem. Basta saberdes que o noivo entrou na sala sem outra roupa que a que costumava usar todos os dias e trazia por padrinho a um primo-irmão de Lucinda. Não havia pessoas de fora, apenas os criados.

"Dali a pouco, Lucinda saiu de uma antecâmara, acompanhada por sua mãe e duas aias suas, tão bem vestida e composta como sua condição e formosura mereciam, a própria perfeição da pompa e fidalguia cortesã. Em meu enlevo e arrebatamento, não pude ver em detalhe o que vestia: notei apenas as cores, que eram vermelho e branco, e o brilho das pedras e joias do toucado e do traje todo, mas a isso tudo sobrepujava a beleza singular de seus formosos e louros cabelos, que, comparada à das pedras preciosas e das luzes de quatro archotes que havia na sala, mais resplendores oferecia aos olhos.

"Oh, memória, inimiga mortal de meu descanso! De que me serve agora imaginar a incomparável beleza daquela adorada inimiga minha? Não será melhor, cruel memória, que me lembres o que ela então fez para que, movido por tão claro ultraje, procure, se não a vingança, ao menos perder a vida?

"Não vos canseis, senhores, de ouvir essas digressões; minha pena não é daquelas que podem ou devam ser contadas sucintamente, pois cada circunstância me parece digna de um longo discurso."

A isso o padre respondeu que não só não se cansavam, como tinham muito prazer com as minúcias que contava, porque mereciam a mesma atenção que o essencial da história.

— Bem — prosseguiu Cardênio —, com todos na sala, entrou o padre da paróquia e, pegando os dois pelas mãos, para fazer o que tem de ser feito em tais cerimônias, disse: "Quereis, senhora Lucinda, ao senhor dom Fernando, aqui presente, por vosso legítimo esposo, como manda a santa madre Igreja?".

"Tirei a cabeça e o pescoço por entre as tapeçarias e, com ouvidos atentos e alma desconcertada, me pus a escutar o que Lucinda respondia, esperando de sua resposta a sentença de minha morte ou a confirmação de minha vida. Oh, quem se atreveria a sair então, aos gritos: 'Ah, Lucinda, Lucinda! Olha bem o que fazes, lembra o que me deves! És minha, não podes ser de outro! Veja que dizer "sim" e acabar com minha vida é a mesma coisa. Ah, traidor dom Fernando, ladrão de minha glória, morte de minha vida! O que queres? O que pretendes? Considera que não podes cristãmente ir até o fim de teus desejos, porque Lucinda é minha esposa, e eu sou seu marido'.

"Ah, louco de mim! Agora que estou aqui, longe do perigo, digo que tinha de fazer o que não fiz! Agora que deixei roubar minha joia preciosa, amaldiçoo o ladrão, de quem poderia me vingar se tivesse coração para isso, como o tenho para me lamentar! Enfim, como fui então covarde e tolo, agora não é demais que morra de vergonha, arrependido e louco.

"O padre estava à espera da resposta de Lucinda, que demorou um bom tempo para dá-la, e, quando pensei que sacava a adaga para cumprir a promessa, ou desatava a língua para desiludi-lo ou dizer alguma verdade que me fosse favorável, ouço que disse com voz apagada e fraca: 'Sim, aceito'.

"O mesmo disse dom Fernando, que lhe deu a aliança, e assim ficaram ligados por nó indissolúvel. O marido chegou para abraçar sua esposa e ela, pondo a mão sobre o coração, caiu desmaiada nos braços de sua mãe. Agora resta dizer como eu fiquei, vendo naquele 'sim' malogradas minhas esperanças, falsas as palavras e promessas de Lucinda, impossibilitado de recobrar alguma vez o que havia perdido naquele instante. Fiquei desatinado: sem o amparo dos céus, pareceu-me, feito inimigo da terra que me sustentava, o ar me negando o alento para meus suspiros e a água, lágrimas para meus olhos; apenas o fogo se intensificou, tanto que tudo ardia de raiva e de ciúmes.

"Todos se agitaram com o desmaio de Lucinda, e sua mãe, afrouxando-lhe a roupa para que respirasse melhor, descobriu no seio um papel dobrado, que dom Fernando logo pegou e leu à luz de um dos archotes. Em seguida, sentou-se numa cadeira e pôs a mão no queixo, com jeito de quem estava muito pensativo, sem prestar atenção aos cuidados que dispensavam a sua esposa.

"Eu, vendo toda a confusão da casa, me arrisquei a sair, quer fosse visto ou não, resolvido a cometer um desatino se me vissem, de tal modo que todo mundo soubesse da justa indignação de meu peito contra o falso dom Fernando e também contra a inconstância da traidora desmaiada. Mas minha sorte, que deve ter me reservado para males maiores, se isso é possível, ordenou que naquele momento me sobrasse o discernimento que depois me faltou aqui; e assim, sem querer me vingar de meus piores inimigos (o que seria fácil, tão alheios a mim estavam), quis executar contra mim mesmo a vingança que eles mereciam, talvez com mais rigor do que usaria com eles, se os matasse então, pois a morte repentina acaba logo com o sofrimento, mas a que se dilata com torturas mata sem acabar com a vida.

"Enfim, saí e fui para a casa do mensageiro; ordenei-lhe que encilhasse a mula e, sem me despedir dele, montei e me fui da cidade, sem ousar olhar para trás, como outro Lot. Quando me vi sozinho no campo e que a escuridão da noite me encobria e seu silêncio era um convite às minhas queixas, sem prevenção ou medo de ser escutado nem reconhecido, desatei a língua em tantas pragas contra Lucinda e dom Fernando, como se com elas vingasse a injúria que haviam feito. Chamei-a de cruel, ingrata, falsa e mal-agradecida, mas principalmente de gananciosa, pois a riqueza de meu inimigo tinha lhe fechado os olhos do afeto, tirando-o de mim e entregando-o àquele com quem mais generosa e franca a fortuna tinha se mostrado. Mas, no auge dessas pragas e vitupérios, eu a desculpava dizendo que não era estranho que uma donzela que vivia isolada na casa de seus pais, criada para obedecê-los sempre, tivesse desejado concordar com sua vontade, pois lhe davam por marido um cavaleiro tão importante, rico e nobre que, se ela não o aceitasse, podia se pensar ou que não tinha juízo ou que seus sentimentos estavam em outro lugar, coisa muito prejudicial a sua boa reputação e honra.

"Em seguida pensava que, se ela tivesse dito que eu era seu esposo, os pais não achariam a escolha tão má que não a desculpassem, pois, antes de dom Fernando se oferecer, não poderiam desejar outro melhor que eu para esposo de sua filha, se avaliassem bem seu desejo. Quanto a ela, antes de chegar ao imperioso e derradeiro momento de lhe dar a mão, bem poderia dizer que eu já tinha lhe dado a minha, que eu logo apareceria e concordaria com tudo o que ela decidisse simular nesse caso. No fim, achei que pouco amor, pouco discernimento, muita ambição e desejos de grandeza fizeram-na esquecer das palavras com que havia me enganado, entretido e sustentado em minhas firmes esperanças e honestos desejos.

"Com esses pensamentos e com essa aflição caminhei o que restava daquela noite e, ao amanhecer, me achei numa entrada destas serras, por onde vaguei sem rumo mais três dias até que vim parar nuns campos que não sei em que lado destas montanhas estão. Ali perguntei a uns pastores onde ficava o lugar mais selvagem destas serras, e me disseram que era por aqui. Logo vim para cá, com a intenção de acabar com a vida; entrando nestas grotas, minha mula caiu morta de cansaço e de fome, ou para se livrar de carga tão inútil como eu, como penso que realmente foi. Fiquei a pé, à mercê da natureza, varado de fome, sem ter ou pensar em procurar quem me socorresse.

"Estive assim não sei quanto tempo, estendido no chão. Quando levantei, não tinha fome e encontrei perto de mim uns pastores que sem dúvida foram os que remediaram minhas necessidades, pois me contaram como haviam me achado, os disparates e desatinos que eu estava dizendo, os indícios claros de que tinha perdido o juízo. E de lá para cá sinto que nem sempre o tenho todo, mas sim tão desarranjado e fraco que faço mil loucuras, rasgando as roupas, gritando nestas solidões, maldizendo minha sorte e repetindo em vão o nome amado de minha inimiga, sem ter outra intenção ou desejo que acabar com a vida aos berros; e, quando volto a mim, me acho tão exausto e estropiado que mal posso me mover.

"Minha morada mais comum é no oco de um sobreiro, capaz de cobrir este corpo miserável. Os vaqueiros e pastores que andam por estas montanhas, levados pela caridade, me sustentam, deixando-me comida pelos caminhos e penhascos por onde pensam que passarei. Assim, mesmo que então me falte o juízo, a fome me faz reconhecer o alimento, desperta-me o desejo de prová-lo e a vontade de comê-lo. Outras vezes, quando me encontram com juízo, me dizem que saio pelas picadas e tomo à força o que os pastores trazem da vila aqui para as malhadas, mesmo que eles de bom grado queiram me dar.

"Desse modo passo minha vida miserável e descomedida, até que o céu resolva me conduzir ao fim, ou acabar com minha memória, para que não me lembre da formosura e da traição de Lucinda e da injúria de dom Fernando. Se ele fizer isso por mim, sem me tirar a vida, eu encaminharei meus pensamentos a um rumo melhor; se não, só me resta rogar que tenha misericórdia de minha alma, porque não sinto nem coragem nem força para tirar o corpo deste embaraço em que por minha própria vontade me meti.

"É esta, meus senhores, a amarga história de minha desgraça. Dizei-me se posso ter outros sentimentos que os que vistes em mim e não vos canseis em me persuadir ou me aconselhar o que a razão vos disser que pode ser bom para meu caso, porque vou aproveitar tanto como o doente que quer morrer aproveita a medicação receitada pelo médico famoso. Eu não quero saúde sem Lucinda: se ela quis ser de outro, sendo ou devendo ser minha, eu quero ser da desventura, quando podia ter sido da felicidade. Ela quis com sua inconstância tornar estável minha perdição; eu quero, ao procurar me perder, cumprir sua vontade. Que isto sirva de exemplo: a mim só faltou o que sobra a todos os desgraçados, para quem costuma ser consolo a impossibilidade de ser consolado; para mim isso é causa de maiores sofrimentos e males, pois acho que minha miséria não vai acabar nem com a morte."

Neste ponto Cardênio se calou, encerrando sua longa história de amor e desgraça. Quando o padre se preparava para lhe dizer algumas palavras de consolo, deteve-o uma voz que, em tom queixoso, dizia o que se dirá na quarta parte desta narração, pois aqui deu fim à terceira o judicioso e sábio historiador Cide Hamete Benengeli.

QUARTA PARTE

XXVIII

QUE TRATA DA NOVA E AGRADÁVEL
AVENTURA QUE ACONTECEU AO PADRE
E AO BARBEIRO NA MESMA SERRA

Felicíssimos e venturosos foram os tempos em que veio ao mundo o audaz cavaleiro dom Quixote de la Mancha, pois, por haver ele tido a tão nobre determinação de trazer de volta ao mundo a já perdida e quase morta ordem da cavalaria andante, saboreamos agora, nesta nossa época necessitada de alegres entretenimentos, não só da doçura de sua verdadeira história, como dos relatos e episódios que se intercalam nela, que em parte não são menos agradáveis, engenhosos e verídicos. Mas, retomando o fio da meada, contava-se que, mal o padre começou a se preparar para consolar Cardênio, impediu-o uma voz que, em tom muito triste, assim falava:

— Ai, meu Deus! Será que já achei um lugar que possa servir de esconderijo e sepultura à pesada carga deste corpo, que carrego tão contra minha vontade? Sim, achei, se não me engana a solidão que estas serras prometem. Ai, infeliz, como estes penhascos e matagais serão companhias agradáveis a minha intenção, pois aqui terei oportunidade de comunicar minha desgraça ao céu, não a pessoa alguma, porque não há ninguém na terra de quem se possa esperar conselho nas dúvidas, alívio nas queixas, nem ajuda nos males!

O padre e os que estavam com ele ouviram e compreenderam todas essas palavras, e, como lhes pareceu que as diziam ali perto, como realmente diziam, se levantaram para procurar seu dono, e não andaram vinte passos quando viram atrás de um penhasco, sentado sob um freixo, um rapaz vestido como camponês. Mas não puderam divisar seu rosto, porque ele estava inclinado, lavando os pés no riacho que corria ali. Chegaram tão silenciosos que ele não os percebeu, e além disso prestava atenção apenas aos pés que lavava — pés que pareciam dois pedaços de cristal nascidos entre as outras pedras na água. Ficaram enlevados com a brancura e beleza deles, parecendo-lhes que não tinham sido feitos para pisar os torrões das lavouras nem andar atrás do arado e dos bois, como mostravam as vestes de seu dono.

Vendo que não tinham sido percebidos, o padre, que ia na frente, fez sinais para os outros dois que se agachassem ou se escondessem atrás de uns blocos de pedra que havia ali. Assim fizeram, olhando com atenção o rapaz, que usava um capote pardo, curto e aberto dos lados, muito bem ajustado ao corpo por uma faixa branca. Usava também calções e polainas de pano pardo, e na cabeça, um boné igualmente pardo. Tinha as polainas levantadas até a metade das pernas, que, sem dúvida alguma, eram brancas como alabastro. Acabou de lavar os belos pés e depois, ao tirar o lenço que tinha amarrado na cabeça, debaixo do boné, para secá-los, levantou o rosto — e os que olhavam puderam ver uma formosura incomparável, tanto que Cardênio disse ao padre, em voz baixa:

— Esta, já que não é Lucinda, não é criatura humana, mas divina.

O rapaz tirou o boné e, sacudindo a cabeça de um lado para o outro, começou a soltar e espalhar uns cabelos que poderiam dar inveja aos do sol. Compreenderam então que o que parecia camponês era mulher — e delicada, a mais formosa que até ali os olhos deles tinham visto, mesmo os de Cardênio, se não tivessem olhado e conhecido Lucinda: como ele disse depois, apenas a beleza de Lucinda podia rivalizar com aquela. Os cabelos loiros não só lhe cobriam as costas, como a envolviam e ocultavam toda, menos os pés — eram tão bastos e longos que não deixavam ver nenhuma outra parte de seu corpo. Nisso as mãos lhe serviram de pente. Se os pés na água haviam parecido pedaços de cristal, as mãos nos cabelos eram semelhantes a pedaços de neve sólida, o que mais admiração causou e mais atiçou o desejo dos três de saber quem era aquela que olhavam.

Por isso resolveram se mostrar; e ao movimento que fizeram de se pôr de pé, a formosa moça ergueu a cabeça e, afastando os cabelos da frente dos olhos com ambas as mãos, olhou os que faziam o barulho. Mal os viu, levantou-se e, sem esperar para se calçar nem recolher os cabelos, pegou muito apressada uma trouxa talvez de roupa que tinha perto e tratou de fugir, cheia de confusão e medo. Mas não deu seis passos quando, os pés delicados não suportando a aspereza das pedras, deu consigo ao chão. Vendo isso, os três foram até ela, e o padre foi o primeiro que falou:

— Parai, senhora, quem quer que sejais. Os que aqui vedes só têm a intenção de vos servir: não há motivo para fugirdes assim desnecessariamente, porque nem vossos pés poderão aguentar nem nós consentir.

Ela não dizia uma palavra a tudo isso, atônita e confusa. Eles se aproximaram, então, e o padre prosseguiu, pegando-a pela mão:

— O que vosso traje nos nega, senhora, vossos cabelos nos revelam: sinais claros de que não devem ser de pouca monta as causas para disfarçar vossa beleza com roupas tão indignas, trazendo-a a solidão tão grande como esta, onde foi sorte vos achar, se não para consertar vossos males, ao menos para vos aconselhar, pois nenhum mal pode afligir tanto nem chegar a esse extremo (enquanto não acaba a vida) que alguém se recuse pelo menos a escutar o conselho que com boa intenção se dá ao que o padece. Assim, minha senhora, ou meu senhor, ou o que vós quiserdes ser, contenhais o medo que nossa visão vos causou e contai-nos vossa boa ou má sorte, que em todos nós, ou em cada um por si só, achareis quem vos ajude a lamentar vossas desgraças.

Enquanto o padre dizia essas palavras, a moça disfarçada estava embasbacada, olhando para todos, sem mexer os lábios nem dizer coisa alguma, como um aldeão bronco a quem de repente se mostram coisas estranhas que ele jamais viu. Mas, depois que o padre falou de novo, com outros argumentos semelhantes, ela, dando um suspiro profundo, rompeu o silêncio e disse:

— Como a solidão destas serras não bastou para me ocultar e como a liberdade de meus cabelos desarrumados não permitiu que minha língua fosse mentirosa, agora seria inútil que eu fingisse de novo: se acreditassem em mim, seria mais por cortesia que por qualquer outra razão. Dito isto, senhores, agradeço-vos a oferta que me fizestes, o que me pôs na obrigação de vos satisfazer em tudo o que me pedistes, porque temo que o relato de minhas infelicidades vos causará, junto com a compaixão, tristeza, porque não havereis de achar jeito de remediá-las nem consolo para aliviá-las. Mas, apesar disso, para que minha honra não seja suspeita em vossas opiniões, já tendo me reconhecido como mulher e me vendo assim moça, sozinha e nestes trajes, coisas que juntas ou mesmo cada uma por si podem jogar por terra qualquer boa reputação, eu vos direi o que gostaria de calar, se pudesse.

Aquela mulher que parecia tão formosa disse tudo isso sem se interromper, com tanta desenvoltura, com voz tão suave, que eles não se admiraram menos com sua inteligência que com sua beleza. Fizeram outra vez novas ofertas e novos pedidos para que cumprisse o que prometera, e ela, sem se fazer mais de rogada, calçando-se com todo recato e recolhendo os cabelos, se acomodou numa pedra com os três ao redor e, fazendo força para deter algumas lágrimas, com voz calma e clara começou a história de sua vida desta maneira:

— Aqui na Andaluzia há um lugar do qual um duque toma o nome, o que o torna um dos que chamam "grandes" na Espanha. Ele tem dois filhos: o mais velho, herdeiro das propriedades, do título e, pelo visto, de seus bons costumes; não sei do que o mais novo é herdeiro, além das traições de Vellido e das trapaças de Galalão. Desse senhor são vassalos meus pais, de linhagem humilde, mas tão ricos que, se os bens da natureza igualassem aos de sua fortuna, nem eles teriam mais o que desejar nem eu temeria me ver na desgraça em que me vejo, porque minha pouca sorte nasce talvez da que não tiveram eles por não terem nascido ilustres. É bem verdade que não são tão inferiores que devam se envergonhar de sua condição, nem tão superiores que me tirem a convicção de que minha desgraça vem de sua humildade. Enfim, eles são camponeses, gente simples, sem mistura com judeus ou mouros e, como se costuma dizer, cristãos-velhos calejados, mas tão ricos que sua riqueza e educação magnífica vão pouco a pouco lhes dando nome de fidalgos, e até de cavaleiros, mesmo que a maior riqueza e nobreza de que se orgulhavam era de me ter por filha. E assim, por não terem outro herdeiro e por serem pais carinhosos, eu era uma das filhas mais mimadas que pais jamais mimaram. Era o espelho em que se olhavam, o cajado de sua velhice e a pessoa a quem dirigiam, tomando o céu como medida, todos os seus desejos, dos quais, por serem tão bons, os meus não se afastavam um dedo. E do mesmo modo que eu era dona de suas vontades, também era de seus bens: por mim se empregavam e despediam os criados; a relação e cálculo do que se semeava e colhia passava por minhas mãos, os moinhos de azeite, os lagares do vinho, o número do gado graúdo e miúdo, o das colmeias. Enfim, tudo aquilo que um rico camponês como meu pai pode ter e tem, eu conhecia e administrava e era senhora, com tanto interesse meu e prazer seu, que simplesmente não conseguirei exagerar. Os instantes de folga que me sobravam depois de ter tratado com os feitores, capatazes e outros empregados, eu os ocupava em exercícios que são tão lícitos como necessários para as donzelas, como os que oferecem a agulha e o bastidor, e muitas vezes a roca; e se, para distrair o espírito, alguma vez deixava esses exercícios, dedicava-me ao passatempo de ler um livro devoto ou tocar uma harpa, porque a experiência me mostrava que a música recompõe os ânimos transtornados e alivia as preocupações que nascem da alma.

"Esta era, portanto, a vida que eu levava na casa de meus pais, que contei tão detalhadamente não por ostentação nem para dar a entender que sou rica, mas para que se veja como, sem culpa, saí daquela boa situação para a infeliz em que me acho agora. O caso é que passava minha vida cheia de ocupações e enclausurada, tanto que poderia se comparar à de um mosteiro, parece-me que sem ser vista por nenhuma outra pessoa além dos criados da casa, porque nos dias de missa ia muito cedo, tão cercada por minha mãe e outras criadas, eu tão coberta pela mantilha e recatada, que meus olhos não viam mais terra que aquela onde botava os pés. Mas, apesar disso, os olhos do amor ou, digamos melhor, os da ociosidade, a que nem os do lince se igualam, me viram, postos na solicitude de dom Fernando, que este é o nome do filho mais novo do duque de que vos falei."

Nem bem a que contava a história mencionou o nome de dom Fernando, Cardênio empalideceu e começou a transpirar, tão alterado que o padre e o barbeiro, reparando nisso, temeram que o rapaz tivesse aquele acesso de loucura que ouviram dizer que tinha de vez em quando. Mas Cardênio não fez mais que suar e permanecer quieto, olhando fixo para a camponesa, imaginando quem ela era. A moça, sem notar as reações de Cardênio, prosseguiu sua história, dizendo:

— E, mal seus olhos me viram, como ele disse depois, dom Fernando caiu de amores por mim tanto quanto suas demonstrações deram a entender. Mas, para acabar logo a história de minha infelicidade, que não tem fim, quero passar por alto as diligências que dom Fernando fez para me declarar seu desejo: subornou todas as pessoas de minha casa, deu e prometeu presentes e favores a meus parentes; todos os dias eram de festa e alegria em minha rua, as músicas não deixavam ninguém dormir à noite; eram infinitas as cartinhas que, não sei como, chegavam às minhas mãos, cheias de propostas e palavras apaixonadas, com menos letras que juras e promessas. Mas nada disso me abrandava: endurecia-me como se dom Fernando fosse um inimigo mortal, como se tudo o que fazia para me submeter a sua vontade tivesse o efeito contrário, não porque me parecesse mal a galantaria dele nem que achasse impertinente suas pretensões, porque me dava um não sei quê de contentamento me ver tão querida e estimada por um cavaleiro tão importante, e não me desgostava ver os elogios em suas cartas (que nisso, por mais feias que sejamos as mulheres, me parece que sempre temos prazer em ser chamadas de formosas). Mas a tudo isso se opunha meu recato, e os conselhos contínuos que me davam meus pais, que já conheciam muito bem as pretensões de dom Fernando, porque ele não se importava nem um pouco que todo mundo soubesse delas. Meus pais me diziam que deixavam e depositavam suas honra e reputação apenas em minha virtude e caráter, e que considerasse a diferença que havia entre mim e dom Fernando, e que por aí poderia ver que seus pensamentos (mesmo que ele dissesse outra coisa) apontavam mais para seu prazer que meu proveito, e que se eu, de algum modo, quisesse levantar um obstáculo para que ele desistisse de sua pretensão desonesta, que eles me casariam em seguida com quem eu mais gostasse, fosse um dos homens mais distintos de nossa vila ou das vilas da vizinhança toda, pois podia se esperar tudo de sua riqueza e de minha boa reputação. Com essas promessas seguras e com a verdade que elas me mostravam, eu fortificava minha integridade e jamais quis responder a dom Fernando qualquer palavra que pudesse lhe dar, nem de longe, esperança de alcançar seu desejo.

"Todos esses meus recatos, que ele devia tomar por desdéns, devem ter atiçado mais ainda seu apetite lascivo, que assim desejo chamar o interesse que me demonstrava. Esse interesse, se fosse como deveria ser, vós agora não conheceríeis, porque não haveria oportunidade para falar dele. Enfim, dom Fernando soube que meus pais pensavam me casar, para acabar com a esperança dele de me possuir, ou pelo menos para que eu tivesse mais proteção para me defender, e essa notícia ou suspeita foi a causa para que fizesse o que agora ouvireis. Uma noite em que eu estava em meu quarto, em companhia apenas de uma aia que me servia, com as portas bem fechadas por medo que por um descuido minha honestidade se visse em perigo, sem saber nem imaginar como me encontrei diante de dom Fernando, em meio a esses recatos e providências, na solidão desse silêncio e clausura. Sua visão me perturbou de um modo que roubou a de meus olhos e emudeceu minha língua. Por isso, não fui capaz de gritar, nem acho que ele me deixaria fazê-lo, porque em seguida se aproximou de mim e, tomando-me entre seus braços (porque eu, como disse, não tive forças para me defender, de tão perturbada que estava), começou a me dizer tais coisas que não sei como é possível que a mentira tenha tanta habilidade para ajeitá-las de modo que pareçam tão verdadeiras. O traidor fazia com que suas lágrimas dessem crédito às suas palavras e os suspiros, à sua intenção. Coitadinha de mim, só entre os meus, mal preparada para semelhantes casos, não sei como comecei a tomar por verdadeiras tantas falsidades, mas não a ponto de que suas lágrimas e suspiros me levassem a outra coisa que não à compaixão mais casta. Assim, depois daquele primeiro sobressalto, recuperei um pouco a presença de espírito e, com mais coragem do que pensei que poderia ter, lhe disse: 'Se, como estou em teus braços, senhor, estivesse entre as garras de um leão feroz e, para me livrar delas, tivesse de fazer ou dizer alguma coisa prejudicial a minha honestidade, seria tão possível fazê-la ou dizê-la como é possível deixar de ser o que já foi. Assim, se tens apertado meu corpo com teus braços, eu tenho atada minha alma com meus bons propósitos, que são tão diferentes dos teus como verás, se quiseres realizá-los à força. Sou tua vassala, mas não tua escrava; a nobreza de teu sangue não tem nem deve ter poder para desonrar e desprezar a humildade da minha; e tanto me prezo eu, plebeia e camponesa, como tu, senhor e cavaleiro. Comigo teus arrebatamentos não terão efeito algum, nem tuas riquezas terão valor, nem tuas palavras poderão me enganar, nem teus suspiros e lágrimas me enternecer. Se eu visse alguma dessas coisas de que te falei naquele que meus pais me dessem por esposo, minha vontade se ajustaria à dele e não se afastaria dela; de modo que, como ficasse com honra, mesmo sem prazer, de bom grado entregaria a ele o que tu, senhor, buscas agora com tanta violência. Disse tudo isso para que não pense que pode ter de mim qualquer coisa quem não for meu legítimo esposo'.

"'Se não te preocupas com mais nada, belíssima Doroteia (que este é o nome desta infeliz)', disse o cavaleiro desleal, 'olha, aqui te dou a mão para ser teu, e que sejam testemunhas dessa verdade os céus, de que nenhuma coisa se esconde, e esta imagem de Nossa Senhora que aqui tens.'"

Quando Cardênio a ouviu dizer que se chamava Doroteia, assustou-se de novo e acabou por confirmar como verdadeira sua primeira suspeita, mas não quis interromper o relato, para ver aonde ia parar o que ele já quase sabia. Disse apenas:

— Então teu nome é Doroteia, senhora? Eu já ouvi falar a mesma coisa de outra, que talvez viva desventuras semelhantes. Continua, que chegará a hora em que te diga coisas que irão te espantar e te magoar no mesmo grau.

Doroteia reparou nas palavras de Cardênio e em seus trajes esquisitos e descuidados, e rogou a ele que falasse logo, se soubesse alguma coisa de seu caso, porque se o destino lhe deixara algo de bom era a coragem que tinha para aguentar qualquer desastre que lhe acontecesse, certa de que nenhum, em sua opinião, poderia aumentar em nada o que vivia.

— Eu não deixaria de lhe dizer o que penso, senhora — respondeu Cardênio —, se fosse verdade o que imagino; mas não nos faltará oportunidade, e agora tu não precisas saber.

— Seja como for — respondeu Doroteia —, o que acontece em minha história é que dom Fernando, pegando uma imagem que estava no quarto, invocou-a como testemunha de nosso casamento. Com palavras eficacíssimas e juramentos extraordinários me garantiu ser meu marido, mesmo que eu, antes que acabasse de falar, tenha dito a ele que olhasse bem o que fazia e que considerasse o desgosto que seu pai ia ter ao vê-lo casado com uma plebeia, vassala sua; que minha formosura não o cegasse porque, por maior que fosse, não era tanta para achar nela desculpa para seu erro, e que se queria me fazer algum bem, pelo amor que me tinha, deixasse correr minha sorte como permitia minha condição, porque casamentos tão desiguais nunca são desfrutados nem persistem naquele gosto com que começaram. Disse tudo isso e muitas outras coisas de que não me lembro, mas não foram suficientes para que ele abandonasse suas intenções, assim como quem não pensa pagar não repara nos inconvenientes, ao planejar a trapaça. Nessa altura fiz um rápido discurso a mim mesma:

"'Não, não serei a primeira que por meio do casamento muda de condição, nem será dom Fernando o primeiro a quem a formosura, ou cega paixão, digamos melhor, tenha feito escolher companhia desigual a sua distinção. Portanto, se esse costume é velho como o mundo, não é mau me entregar a essa honra que a sorte me oferece, mesmo que em dom Fernando o desejo que demonstra não dure mais que sua satisfação, porque, enfim, para Deus serei sua esposa. E, se eu tentar afastá-lo com desdéns, em vez de se comportar como deve, usará da força, e ficarei desonrada, sem desculpa para a culpa que poderá me atribuir aquele que não souber como não a tive: pois que argumentos serão bons o bastante para persuadir meus pais e outras pessoas que este cavaleiro entrou em meu quarto sem meu consentimento?'

"Num instante revolvi todas essas perguntas e respostas em minha mente, mas o que começou a me forçar e me levar para o que foi minha perdição, sem que eu pensasse nisso, foram principalmente as juras de dom Fernando, as testemunhas que invocava, as lágrimas que derramava e, por fim, sua disposição e gentileza, que, acompanhadas de tantas mostras de amor verdadeiro, poderiam render qualquer outro coração tão livre e recatado como o meu. Chamei minha criada, para que alguém na terra acompanhasse as testemunhas do céu; dom Fernando voltou a reiterar e confirmar seus juramentos; juntou aos primeiros novos santos como testemunhas; rogou mil pragas futuras a si mesmo se não cumprisse o que me prometia; umedeceu os olhos de novo, aumentou os suspiros e me apertou mais em seus braços, que jamais haviam me deixado. Assim, e com minha donzela saindo do quarto, eu deixei de ser uma e ele se tornou infiel e traidor.

"O dia que se seguiu à noite de minha desgraça não vinha tão rápido como acho que dom Fernando desejava porque, depois de satisfeito o que o apetite pede, o maior prazer que se pode ter é ir embora de onde ele foi aplacado. Digo isso porque dom Fernando se apressou em se afastar de mim. E, ajudado pelos ardis de minha criada, a mesma que o tinha trazido, antes que amanhecesse se viu na rua. E, ao se despedir de mim, embora sem muito empenho e veemência como antes, disse-me que estivesse certa de sua promessa e da firmeza e verdade de seus juramentos; e, para maior confirmação de suas palavras, tirou do dedo um anel muito valioso e o pôs no meu. Então ele se foi, e eu fiquei não sei se triste ou alegre; disto tenho certeza: fiquei confusa e pensativa, quase fora de mim com o novo acontecimento, e não tive ânimo ou não me lembrei de repreender minha criada pela traição cometida de meter dom Fernando em meu quarto, porque ainda não sabia se era bom ou ruim o que havia me acontecido. Como eu já era sua, disse a dom Fernando, quando ele partiu, que podia vir me ver outras noites pelo mesmo caminho daquela, até que quisesse tornar público o fato. Mas ele não veio mais, a não ser na noite seguinte, nem eu pude vê-lo na rua ou na igreja por mais de um mês. Inutilmente me cansei de chamá-lo, já que estava na vila e que na maioria dos dias ia caçar, exercício de que gostava muito. Eu sei muito bem que esses dias e essas horas foram infelizes e mesquinhos, que neles comecei a duvidar ou mais, a não acreditar nas promessas de dom Fernando. Sei também que minha aia ouviu então as palavras de repreensão que não tinha ouvido antes por seu atrevimento, e que tive de conter as lágrimas e manter a compostura de meu rosto, para não dar a chance de meus pais me perguntarem por que andava triste e me obrigarem a inventar mentiras. Mas tudo isso se acabou num instante, quando o respeito foi atropelado e as boas intenções se esfumaram, quando se perdeu a paciência e o segredo de meus sentimentos veio à luz. Isso aconteceu porque poucos dias depois se comentou que numa cidade perto dali dom Fernando havia se casado com uma donzela lindíssima ao extremo e de pais eminentes, embora não tão rica, que pelo dote pudesse aspirar a casamento tão nobre. Comentou-se que se chamava Lucinda, entre outras coisas dignas de admiração que aconteceram em seu casamento."

Cardênio ouviu o nome de Lucinda e não fez nada além de encolher os ombros, morder os lábios, arquear as sobrancelhas e, dali a pouco, deixar cair dos olhos duas fontes de lágrimas. Mas nem por isso Doroteia deixou de continuar seu relato:

— Essa notícia triste chegou a meus ouvidos, mas, em vez de gelar, meu coração se incendiou de tanta cólera e raiva que faltou pouco para que eu não saísse gritando pelas ruas, anunciando a perfídia e a traição que me fora feita. Mas essa fúria se aplacou quando pensei vestir, naquela mesma noite, esta roupa, que me deu um desses que em casa de camponeses chamam de pastor, que era criado de meu pai. Revelei a ele toda a minha desventura e roguei que me acompanhasse até a cidade onde entendi que meu inimigo estava. Depois de repreender meu atrevimento e censurar minha determinação, vendo-me inflexível em minha decisão, ofereceu-se para me fazer companhia até o fim do mundo, como ele disse. No mesmo instante, pus numa fronha de linho um vestido de mulher, algumas joias e dinheiro, para alguma necessidade, e no silêncio daquela noite, sem avisar minha aia traidora, saí de minha casa, acompanhada do criado e de muitas especulações, e me pus a caminho da cidade, a pé, mas voando com o desejo de chegar: já que não podia impedir o que dava por feito, queria ao menos pedir a dom Fernando que me dissesse por que agira como agira.

"Cheguei em dois dias e meio onde queria. Entrando na cidade, perguntei ao primeiro morador pela casa dos pais de Lucinda, e ele me respondeu mais do que eu queria ouvir: indicou-me a casa e me contou tudo o que havia acontecido no casamento, coisa tão notória na cidade que se formavam grupinhos por toda parte para comentá-la. Disse-me que, na noite em que dom Fernando se casou com Lucinda, depois de ela ter dado o 'sim', havia caído desmaiada, e que seu marido, aproximando-se para desabotoá-la para que respirasse melhor, achou no peito dela um bilhete, escrito com a própria letra de Lucinda, em que ela declarava que não podia ser a mulher de dom Fernando porque o era de Cardênio, um cavaleiro importante da mesma cidade, pelo que o homem me disse; e que, se havia dado o 'sim' a dom Fernando, fora para não desobedecer aos pais. Enfim, essas eram as palavras que o bilhete continha, o que levava a pensar que ela havia tido a intenção de se matar depois do casamento, dando ali os motivos de haver tirado a vida. Dizem que tudo isso foi confirmado por um punhal que encontraram não sei em que parte das roupas dela. Diante disso tudo, dom Fernando, achando que Lucinda o tinha enganado e ridicularizado e menosprezado, investiu contra ela antes mesmo que se recobrasse do desmaio, e com o mesmo punhal que encontraram com ela quis golpeá-la, e o teria feito se os pais de Lucinda e outras pessoas não o impedissem. Disseram ainda que dom Fernando desapareceu em seguida, e que Lucinda só tinha voltado a si no outro dia, quando contou a seus pais como era a verdadeira esposa daquele Cardênio de que falei. Soube mais: que Cardênio, conforme diziam, esteve no casamento e que, vendo-a casada, coisa que ele jamais imaginara, saiu desesperado da cidade, antes escrevendo a Lucinda uma carta em que explicava a afronta que havia sofrido e que ia para onde ninguém o visse. Tudo isso era público e notório na cidade, todos comentavam, e mais comentaram quando souberam que Lucinda havia sumido da casa de seus pais e da cidade, pois não a acharam em toda ela, e que seus pais perdiam o juízo e não sabiam que providência tomar para achá-la.

"Ao saber disso, minhas esperanças voltaram, e achei melhor não ter encontrado dom Fernando que encontrá-

-lo casado, parecendo-me que não estava totalmente fechada a porta para minha reparação, porque considerei que bem poderia ser que o céu tivesse arranjado aquele empecilho ao segundo casamento para levar dom Fernando a reconhecer o que devia ao primeiro e se dar conta de que era cristão, que devia mais obrigação a sua alma que à opinião das pessoas. Eu revolvia todas essas coisas em minha mente e me consolava sem ter consolo, fingindo umas esperanças compridas e desanimadas, para levar uma vida que já detesto.

"Assim, estando na cidade sem saber o que fazer, pois não encontrava dom Fernando, chegou a meus ouvidos uma proclamação pública, em que se prometia grande recompensa a quem me achasse, dando indicações como a idade e a própria roupa que eu trajava. Ouvi que diziam que o moço que veio comigo havia me tirado da casa de meus pais, coisa que me calou na alma, por ver como andava em descrédito minha reputação, pois não bastava perdê-la com minha fuga, como piorar isso com um sujeito tão baixo e indigno de minha afeição. Mal ouvi a proclamação, saí da cidade com meu criado, que já começava a dar mostras de hesitação na promessa de fidelidade que me fizera, e naquela noite entramos na mata fechada destas montanhas, com medo de sermos achados. Mas, como se diz, um mal chama outro e o fim de uma desgraça costuma ser o começo de outra maior. Foi o que aconteceu comigo, porque meu bom criado, até então fiel e confiável, logo que me viu nesta solidão, incitado mais por sua própria velhacaria que por minha formosura, quis se aproveitar da oportunidade que em sua opinião estes ermos lhe proporcionavam e, com pouca vergonha e menos temor a Deus ou respeito por mim, solicitou meu amor. Vendo que eu respondia com palavras desdenhosas e justas às desavergonhadas palavras de seu propósito, deixou de lado os pedidos, com que antes pensou tirar vantagem, e começou a usar da força.

Mas a justiça celeste, que poucas vezes ou nenhuma deixa de olhar e favorecer as intenções justas, favoreceu as minhas, de modo que quase sem forças e sem trabalho eu o empurrei num despenhadeiro, onde o deixei, nem sei se morto ou vivo. Depois, com mais rapidez que meu susto e cansaço poderiam prever, me embrenhei nestas montanhas, sem outro pensamento ou desígnio que fugir e me esconder de meu pai e daqueles que andam me procurando por ordens suas.

"Com esse desejo, não sei há quantos meses estou por aqui, onde encontrei um fazendeiro que me levou como seu criado para um lugar que fica nas entranhas desta serra, a quem servi de pastor todo este tempo, procurando estar sempre no campo para esconder estes cabelos que descobristes agora tão inesperadamente. Mas toda a minha argúcia e todo o meu cuidado foram inúteis, porque meu amo acabou descobrindo que eu não era homem, e nasceu nele o mesmo mau pensamento que em meu criado. Como nem sempre o destino dá o agasalho conforme o frio, não encontrei despenhadeiro nem barranco onde derrubar meu amo e acabar com as penas dele, como encontrei para meu criado. Assim, achei menos inconveniente deixá-lo e me embrenhar de novo neste lugar inóspito que medir com ele minhas forças ou minhas desculpas. Em resumo, eu me escondi de novo e voltei a procurar onde, sem empecilho algum, pudesse com suspiros e lágrimas rogar ao céu que se compadeça de minha infelicidade e me dê argúcia e amparo para sair dela, ou para deixar a vida nestas solidões, sem que fique memória desta criatura triste, que sem culpa nenhuma deu motivo para que se fale mal e mexerique dela na sua e em outras terras."

XXIX

QUE TRATA DA SAGACIDADE DA FORMOSA
DOROTEIA, COM OUTRAS COISAS MUITO
SABOROSAS E DIVERTIDAS

— Senhores, esta é a verdadeira história de minha tragédia: vede e julgai agora se os suspiros que escutastes, as palavras que ouvistes e as lágrimas que brotavam de meus olhos não tinham motivo suficiente para se mostrar em maior abundância. Considerando o tipo de minha desgraça, vereis que o consolo será em vão, pois é impossível o reparo dela. Apenas vos peço, o que com facilidade podereis e deveis fazer, que me aconselheis onde poderei passar a vida sem que acabem comigo a preocupação e o medo que tenho de ser achada pelos que me procuram. Embora eu saiba que o grande amor que meus pais têm por mim me assegure que serei bem recebida por eles, sinto tanta vergonha só de pensar que tenho de me apresentar diante deles não como esperavam que eu continuasse sendo, que me parece melhor desaparecer para sempre de suas vistas que lhes ver o rosto e pensar que olham o meu alheio ao recato que deviam encontrar em mim.

Dizendo isso, ela se calou, e seu rosto se cobriu de uma cor que mostrou com clareza o sentimento e a vergonha da alma. Os que a tinham escutado sentiram tanta pena como surpresa por sua desgraça, e, embora o padre quisesse consolá-la e aconselhá-la em seguida, Cardênio tomou a dianteira, dizendo:

— Então, senhora, tu és a formosa Doroteia, filha única do rico Clenardo.

Doroteia ficou admirada ao ouvir o nome do pai e ver a humildade de quem o pronunciava, porque já se mencionou como Cardênio estava malvestido. Mas lhe disse:

— E quem sois vós, irmão, que sabeis o nome de meu pai? Porque eu, se me lembro bem, até agora não o mencionei em toda a minha história.

— Sou aquele infeliz de quem, segundo dissestes, senhora — respondeu Cardênio —, Lucinda disse que era seu marido. Sou o desgraçado Cardênio, a quem a canalhice daquele que vos pôs na situação em que estais me deixou como me vedes, esfarrapado, quase nu, sem consolo nenhum e, o pior de tudo, sem juízo, pois não o tenho a não ser quando o céu deseja me dar algum por um instante. Doroteia, eu sou aquele que presenciou as patifarias de dom Fernando e esperou para ouvir o "sim" que Lucinda pronunciou, aceitando ser sua esposa. Eu sou aquele que não teve coragem para ver como acabava seu desmaio, nem aguardar as consequências do bilhete que lhe acharam no seio, porque minha alma não teve força para ver tantas desgraças juntas. Assim, abandonei a casa e a têmpera, e deixei uma carta com meu hospedeiro, a quem pedi que a entregasse em mãos a Lucinda, e vim para estes ermos com a intenção de pôr fim à vida, que desde aquele momento detestei como minha inimiga mortal.

"Mas o destino não a quis tirar de mim, contentando-se em me tirar o juízo, talvez para me preservar para a boa sorte que tive de vos encontrar. Pois, se for verdade o que contastes aqui, como acho que é, bem poderia ser que o céu tivesse reservado para nós dois um final melhor do que esperávamos para nossos desastres. Porque, se for certo que Lucinda não pode se casar com dom Fernando por ser minha, nem dom Fernando com ela, por ser vosso, tendo ela afirmado com tanta clareza, bem podemos esperar que o céu nos restitua o que é nosso, pois continua sendo, e não foi cedido nem desfeito. E, como temos este consolo, nascido não de uma esperança remota, nem fundado em fantasias desvairadas, eu vos suplico, senhora, que reconsidereis vossos honrados pensamentos e tomeis outra decisão, pois eu penso reconsiderar os meus, e vos prepareis para melhor sorte, porque vos juro, pela fé de cavaleiro e de cristão, não vos desamparar até vos ver em poder de dom Fernando. E, se com palavras não puder atraí-lo para que reconheça o que vos deve, então vos juro usar a liberdade que me concede o fato de ser cavaleiro e poder com justa causa desafiá-lo, em razão da afronta que vos fez, sem me lembrar de minhas humilhações, cuja vingança deixarei ao céu, para socorrer na terra as vossas."

Doroteia se admirou mais ainda com o que Cardênio disse e, sem saber como agradecer oferecimentos tão generosos, quis lhe tomar os pés para beijá-los. Mas Cardênio não o consentiu. E o licenciado interveio, respondendo pelos dois: aprovou as boas palavras de Cardênio e, acima de tudo, rogou, aconselhou e os persuadiu a irem com ele para sua aldeia, onde poderiam se abastecer das coisas que lhes faltavam e combinar como procurar dom Fernando ou como levar Doroteia a seus pais ou fazer o que achassem mais conveniente. Cardênio e Doroteia agradeceram e aceitaram a ajuda oferecida. O barbeiro, que havia assistido a tudo perplexo e calado, também entrou na conversa e se pôs à disposição para tudo o que fosse necessário para servi-los, não menos animado que o padre.

Com brevidade, o barbeiro falou também da causa que os levara até ali, da esquisitice da loucura de dom Quixote e de como esperavam seu escudeiro, que tinha ido buscá-lo. Veio então à memória de Cardênio, como num sonho, a briga que havia tido com dom Quixote, e a contou aos demais, mas não soube dizer qual foi o motivo do desentendimento.

Nisso ouviram gritos e perceberam que eram de Sancho Pança, que os chamava em altos brados, porque não os havia achado onde os deixara. Foram ao encontro dele e perguntaram por dom Quixote, e Sancho lhes contou como o encontrara: só de camisa, magro, amarelo, morto de fome e suspirando por sua senhora Dulcineia. Apesar de lhe ter dito que ela mandava que saísse daquele lugar e fosse a El Toboso, onde ficava a sua espera, ele respondera que estava decidido a não aparecer diante de sua formosura enquanto não executasse façanhas que o tornassem digno de seu favor; e que, se aquilo continuasse assim, corria o risco de não se tornar imperador, como estava determinado, nem mesmo arcebispo, que era o que menos podia ser: por isso, que vissem bem o que havia de se fazer para tirá-lo dali.

O licenciado respondeu que não se preocupasse, que eles o tirariam dali, por mais que isso o desgostasse. Depois contou a Cardênio e Doroteia o que tinham pensado para recuperar dom Quixote, ou pelo menos para levá-lo para casa. Então Doroteia disse que ela se passaria por donzela em apuros melhor que o barbeiro e que, além disso, tinha ali roupas para fazer tudo com mais realismo, e que deixassem com ela a responsabilidade de saber representar tudo aquilo que fosse necessário para levar a coisa adiante, porque ela havia lido muitos livros de cavalaria e conhecia bem o estilo que as donzelas em desgraça tinham quando pediam mercês aos cavaleiros andantes.

— Então — disse o padre — só é preciso pôr mãos à obra, porque sem dúvida a boa sorte se mostra a nosso favor, pois de repente, senhores, as portas começaram a se abrir a vossa reparação, e a nós facilitou o que necessitávamos.

Doroteia tirou logo de sua fronha um vestido da melhor lãzinha e uma mantilha de um tecido vistoso, verde, e, de uma caixinha, um colar e outras joias com que se enfeitou, de maneira que num instante parecia uma senhora rica e nobre. Isso tudo e mais um pouco, disse, tinha pegado em sua casa para algum contratempo que surgisse, mas até ali não havia se apresentado nenhuma ocasião em que os necessitasse. Todos se encantaram ao extremo com sua graça, distinção e formosura, e tacharam dom Fernando de ignorante, pois desdenhava uma mulher como essa.

Mas quem mais se admirou foi Sancho Pança, porque lhe pareceu, o que era verdade, que jamais tinha visto em toda a sua vida uma criatura tão linda. Assim, muito entusiasmado, perguntou ao padre quem era aquela formosa senhora e o que queria naqueles ermos.

— Esta formosa senhora, meu caro Sancho — respondeu o padre —, é, para dizer muito pouco, a herdeira por linha direta masculina do grande reino de Micomicão. Ela vem em busca de vosso amo para lhe pedir uma mercê, acabar com uma injúria ou desacato que um gigante malvado lhe fez. Devido à fama de bom cavaleiro que vosso amo tem em todo o mundo conhecido, esta princesa veio da Guiné procurá-lo.

— Bendita busca e bendito achado — disse então Sancho Pança. — Mais bendito ainda se meu amo tiver a sorte de liquidar essa injúria e desacatar esse desacato, matando o fiadaputa desse gigante de que vossa mercê fala. Claro que o matará se o encontrar, a menos que seja fantasma, porque contra fantasmas meu amo não tem poder algum. Mas uma coisa quero suplicar a vossa mercê, entre outras, senhor licenciado: como a coisa que mais temo é que dê na veneta de meu amo se tornar arcebispo, peço que lhe aconselhe que se case logo com esta princesa. Assim ficará impossibilitado de receber as ordens arcebispais e chegará com facilidade a seu império, e eu à realização de meus desejos. Sondei bem isso e, em minha opinião, não é bom para mim que meu amo seja arcebispo, porque eu sou inútil para a Igreja, pois sou casado, e andar agora atrás de dispensas para poder ter renda pela Igreja, tendo como tenho mulher e filhos, seria uma enfiada de complicações. Então, senhor, este é o ponto: que meu amo se case com esta senhora. Como até agora não sei sua graça, não a chamo pelo nome.

— Ela se chama princesa Micomicona — respondeu o padre —, porque, chamando-se seu reino Micomicão, está claro que ela deve se chamar assim.

— Sem dúvida — respondeu Sancho. — Vi muita gente adotar o apelido ou sobrenome do lugar onde nasceram, chamando-se Pedro de Alcalá, Juan de Úbeda e Diego de Valladolid. Isso também deve acontecer lá na Guiné, as rainhas adotarem os nomes de seus reinos.

— Certamente — disse o padre. — Quanto a vosso amo se casar, farei tudo o que puder.

Com isso, Sancho ficou tão contente quanto o padre espantado com sua tolice e de ver como tinha os mesmos disparates do amo bem encaixados na imaginação, pois acreditava piamente que ele se tornaria imperador.

Enquanto isso Doroteia havia montado a mula do padre e o barbeiro ajeitara no rosto a barba de rabo de boi. Ordenaram a Sancho que os guiasse até onde estava dom Quixote, prevenindo-o de que não dissesse que conhecia o licenciado nem o barbeiro, porque tudo dependia disso para que seu amo se tornasse imperador. Nem o padre nem Cardênio quiseram ir com eles — o padre porque sua presença não era necessária então e Cardênio para que dom Quixote não se lembrasse da rixa que havia tido com ele. Assim, deixaram que fossem na frente e os seguiram a pé, devagarinho. O padre não deixou de insistir sobre o que Doroteia devia fazer, mas ela disse que não se preocupassem, que faria tudo ponto por ponto, como pintavam e pediam os livros de cavalaria.

Teriam andado uns três quartos de légua quando avistaram dom Quixote num emaranhado de penhascos, já vestido, embora sem a armadura. Mal Doroteia o viu e foi informada por Sancho de que aquele era dom Quixote, chicoteou sua montaria, seguida pelo barbeiro bem barbudo. Chegando perto dele, o escudeiro saltou da mula e correu para ajudar Doroteia, que, apeando com grande desenvoltura, foi cair de joelhos diante dos joelhos de dom Quixote. Embora ele lutasse para levantá-la, ela, ainda ajoelhada, lhe falou deste modo:

— Daqui não me levantarei, oh, valente e brioso cavaleiro!, até que vossa generosidade e cortesia me conceda uma mercê, que redundará em honra e glória de vossa pessoa e proveito da mais desconsolada e ofendida donzela que o sol já viu. E, se o valor de vosso braço forte corresponde ao prestígio de vossa fama imortal, estais obrigado a socorrer esta desventurada que vem de terras tão longínquas, no rastro de vosso célebre nome, vos procurando para reparar suas desgraças.

— Não vos responderei uma palavra, formosa senhora — disse dom Quixote —, nem ouvirei mais nada de vosso caso, até que vos levanteis.

— Não me levantarei, senhor — respondeu a donzela aflita —, se antes não me for concedida a mercê que peço a vossa cortesia.

— Eu vos cedo e concedo a mercê — respondeu dom Quixote —, desde que não seja em prejuízo e desonra de meu rei, de minha pátria e daquela que tem a chave de meu coração e liberdade.

— Não será em prejuízo nem em desonra desses que mencionastes, meu bom senhor — replicou a donzela sofrida.

Então se aproximou Sancho Pança ao ouvido de seu senhor e lhe disse muito baixinho:

— Bem pode vossa mercê, senhor, dar a ajuda que ela pede, que não é grande coisa: apenas matar um gigantão. E quem pede é a nobre princesa Micomicona, rainha do grande reino Micomicão da Etiópia.

— Seja quem for — respondeu dom Quixote —, farei o que sou obrigado e o que me dita a consciência, de acordo com o que professei.

E, virando-se para a donzela, disse:

— Levante-se vossa grande formosura, que eu lhe concedo a mercê que quiser me pedir.

— O que peço — disse a donzela — é que vossa magnânima pessoa venha já comigo para onde eu vos levar e me prometa que não irá se meter em outra aventura nem disputa alguma até me vingar de um traidor que, contra todo direito divino e humano, usurpou meu reino.

— Digo que assim a concedo — respondeu dom Quixote. — Portanto, senhora, de agora em diante podeis abandonar a melancolia que vos aflige e fazer com que vossa desalentada esperança ganhe novos brios e forças, porque, com a ajuda de Deus e a de meu braço, prestes vos vereis restituída a vosso reino e sentada no trono de vosso antigo e grande Estado, apesar e a despeito dos canalhas que quiserem se opor. E mãos à obra, porque é na demora que costuma estar o perigo, como se diz.

A donzela desamparada lutou com teimosia para beijar as mãos dele, mas dom Quixote, que em tudo era um cavaleiro comedido e cortês, não o permitiu de modo algum; pelo contrário, fez com que ela se levantasse e a abraçou com muita polidez e comedimento. Depois mandou que Sancho examinasse os arreios de Rocinante e trouxesse a armadura de uma vez. Sancho examinou os arreios e pegou a armadura, que, como um troféu, estava pendurada numa árvore. Num instante vestiu seu senhor, que, vendo-se pronto, disse:

— Vamos embora daqui, em nome de Deus, socorrer esta nobre senhora.

O barbeiro ainda estava de joelhos, tendo grande cuidado em disfarçar o riso e não deixar a barba cair, porque com a queda dela talvez todos ficassem sem realizar suas boas intenções. Vendo que a mercê já fora concedida e com que prontidão dom Quixote se preparava para executá-la, levantou-se e segurou a outra mão de sua senhora, e ambos a ajudaram a montar na mula. Depois dom Quixote montou em Rocinante e o barbeiro se ajeitou em sua cavalgadura, ficando Sancho a pé, o que de novo avivou a perda do burro, com a falta que então lhe fazia. Mas ele suportava tudo de bom grado, por achar que seu senhor já estava a caminho e a pique de ser imperador. Sem dúvida alguma julgava que havia de se casar com aquela princesa e ser pelo menos rei de Micomicão. Só se entristecia ao pensar que aquele reino era em terra de negros e que as pessoas que lhe dessem por vassalos haveriam de ser todas negras. Mas logo imaginou uma boa solução e disse a si mesmo:

— Que me importa que meus vassalos sejam negros? Que mais posso fazer que embarcar com eles e trazê-los para a Espanha, onde poderei vendê-los e onde me pagarão à vista? Com esse dinheiro, poderei comprar algum título de nobreza ou algum cargo oficial com que viver descansado o resto de meus dias. Ora, Sancho, se ides dormir no ponto, se não tendes astúcia nem habilidade para ajeitar as coisas e para vender trinta ou dez mil vassalos num piscar de olhos! Por Deus, que os passarei nos cobres, por atacado ou como puder. E, por mais negros que sejam, vou torná-los brancos como prata ou amarelos como ouro. Vinde, para ver se chupo o dedo!

Por isso andava tão solícito e tão contente que se esquecia do desgosto de caminhar a pé.

Do meio de um matagal, Cardênio e o padre olhavam tudo isso, sem saber o que fazer para se reunir a eles. Mas o padre, que era muito ladino, logo imaginou como conseguir o que desejavam. Com umas tesouras que carregava num estojo, cortou rapidamente a barba de Cardênio e o vestiu com um capotinho pardo que trazia, depois lhe deu uma capa preta com capuz, ficando ele apenas de calça e gibão. Tanto Cardênio parecia outro que ele próprio não se reconheceria mesmo que se olhasse num espelho.

Feito isso, embora os outros já tivessem se afastado enquanto se disfarçavam, com facilidade chegaram antes deles à estrada real, porque os matagais e os caminhos acidentados daqueles lugares não permitiam que se andasse tão depressa a cavalo como a pé. Assim, logo eles estavam na planície, no sopé da serra, e, mal surgiram dom Quixote e seus camaradas, o padre começou a olhar de modo muito demorado para ele, dando sinais de que o estava reconhecendo. Por fim, depois de tê-lo olhado um bom tanto, aproximou-se dele de braços abertos, dizendo aos gritos:

— Salve o espelho da cavalaria, meu bom compatriota dom Quixote de la Mancha, a flor e a nata da cortesia, o amparo e socorro dos necessitados, a quintessência dos cavaleiros andantes!

Enquanto dizia isso, tinha abraçado pelo joelho a perna esquerda de dom Quixote, que, espantado com o que via e ouvia dizer e fazer aquele homem, se pôs a olhá-lo com atenção. Por fim o reconheceu e, admirado de vê-lo, se esforçou para apear, mas o padre não o consentiu, ao que dom Quixote dizia:

— Deixe-me vossa mercê, senhor licenciado. Não há razão para que eu esteja a cavalo e uma pessoa reverenda como vossa mercê esteja a pé.

— Não consentirei nisso de jeito nenhum — disse o padre. — Permaneça vossa grandeza a cavalo, pois a cavalo realiza as maiores façanhas e aventuras que se viram em nossa época. A mim, sacerdote indigno, basta montar na garupa de uma das mulas destes senhores que caminham com vossa mercê, se não levarem a mal, e até farei de conta que vou montado no cavalo Pégaso ou sobre o garanhão ou alfaraz que cavalgava aquele famoso mouro Muzaraque, que até hoje jaz encantado na encosta do monte Zulema, perto do grande Compluto.[1]

— Não havia pensado nisso, meu senhor licenciado — respondeu dom Quixote —, mas sei que, por amor a mim, minha senhora a princesa se dignará a mandar que seu escudeiro dê a vossa mercê a sela de sua mula, que ele poderá se acomodar na garupa, se é que o bicho aguenta.

— Acho que aguenta sim — respondeu a princesa. — Sei também que não será necessário dar ordens a meu escudeiro, que é tão cortês e tão cortesão que não consentirá que uma pessoa eclesiástica vá a pé podendo ir a cavalo.

— Certamente — respondeu o barbeiro.

E, apeando num instante, ofereceu a sela ao padre, que aceitou sem se fazer muito de rogado. O problema foi que, quando o barbeiro montou na garupa, a mula, que era mesmo de aluguel — o que basta para dizer como era ruim —, levantou um pouco a traseira e deu dois coices no ar, que, se pegassem no peito de mestre Nicolás, ou na cabeça, ele mandaria ao diabo a ajuda a dom Quixote. Com isso, ele se assustou tanto que rolou no chão, e tão despreocupado com as barbas que elas caíram também. Ao se ver imberbe, não teve outro remédio além de cobrir o rosto com ambas as mãos e se lamentar que tinha quebrado os dentes. Dom Quixote, mal viu aquele punhado de barbas sem o queixo e sem sangue, longe do rosto do escudeiro caído, disse:

— Santo Deus, a mula é milagrosa! Arrancou-lhe as barbas do rosto e as jogou longe como se tivesse planejado!

O padre, que viu o perigo de ser descoberto o disfarce, correu para as barbas e se foi com elas aonde jazia mestre Nicolás, que ainda gritava. Puxando a cabeça dele contra o peito num repente, botou-as no lugar, murmurando umas palavras que, disse, eram uma reza própria para colar barbas, como veriam; quando as teve ajeitadas, afastou-se, e o escudeiro ficou tão barbudo e tão saudável como antes. Dom Quixote se admirou muito disso e pediu ao padre que lhe ensinasse aquela reza quando tivesse tempo, porque ele entendia que sua virtude devia ir mais longe que colar barbas, pois estava claro que o lugar de onde fossem arrancadas as barbas havia de ficar em carne viva. Então, curava tudo, além de beneficiar barbas.

— É verdade — disse o padre, e prometeu lhe ensinar na primeira oportunidade.

Combinaram que por enquanto o padre montasse e de tanto em tanto os três se revezassem até chegarem à estalagem, que devia ficar a umas duas léguas dali. Com três a cavalo — isto é, dom Quixote, a princesa e o padre — e três a pé — Cardênio, o barbeiro e Sancho Pança —, dom Quixote disse à donzela:

— Guie vossa grandeza, minha senhora, por onde mais vos agradar.

Mas, antes que ela respondesse, o licenciado disse:

— Para que reino quer ir vossa senhoria? Por acaso é para o de Micomicão? Sim, deve ser este, ou nada sei de reinos.

Ela, que estava bem enfronhada no assunto, entendeu como devia responder:

— Sim, senhor, meu caminho é para esse reino.

— Então — disse o padre —, vamos passar por minha aldeia e de lá vossa mercê tomará a rota para Cartagena, onde com sorte poderá embarcar. Se houver vento favorável, mar calmo e sem tempestades, em pouco menos de nove anos poderá avistar a grande lagoa Mijótis, digo, Meótis,[2] que está a pouco mais de cem dias do reino de vossa grandeza.

— Meu senhor, vossa mercê está enganado — disse ela —, porque não faz dois anos que parti dele, e na verdade nunca tive bom tempo. Mesmo assim aqui estou para ver o que tanto desejava, o senhor dom Quixote de la Mancha, cujas notícias chegaram a meus ouvidos mal botei os pés na Espanha, e me levaram a procurá-lo para me encomendar a sua cortesia e confiar minha justiça ao valor de seu braço invencível.

— Alto lá: chega de elogios — disse dom Quixote nesse ponto —, porque sou inimigo de todo tipo de adulação; embora esta não o seja, conversas desse tipo ofendem minhas castas orelhas. O que posso dizer, minha senhora, é que, tenha eu coragem ou não, a que tiver ou não tiver vou empregar a vosso serviço, até eu perder a vida. Mas, deixando isso para seu devido tempo, peço ao senhor licenciado que me diga o que o trouxe para estas bandas tão sozinho, sem criados e sem bagagens, que me espanta.

— Serei sucinto — respondeu o padre. — Saiba vossa mercê, senhor dom Quixote, que eu e mestre Nicolás, nosso amigo e nosso barbeiro, íamos a Sevilha cobrar certo dinheiro que um parente meu que se foi para as Índias me enviou há muitos anos. E não é tão pouco que não passe de sessenta mil pesos de prata pura, o que vale outro tanto por aqui. E anteontem, passando por estas bandas, quatro salteadores nos atacaram e nos levaram até as barbas, e nos arrancaram de um jeito que o barbeiro teve de pôr umas postiças, e até este rapaz que vai aqui — apontou para Cardênio — ficou parecendo outro. O melhor de tudo é que é público e notório por estas vizinhanças que esses salteadores são de um bando de galeotes que, dizem, foi libertado quase nesse mesmo lugar por um homem tão valente que nem o beleguim e os guardas puderam impedir. Sem dúvida alguma ele devia estar louco, ou deve ser tão velhaco como eles, ou algum homem sem alma e sem consciência, pois quis soltar o lobo entre as ovelhas, a raposa entre as galinhas, a mosca no mel: quis burlar a justiça, ir contra seu rei e senhor natural, pois foi contra ordens justas dele; quis, digo, tirar a força das galés, pôr em alvoroço a Santa Irmandade, que descansava havia muitos anos; quis, enfim, realizar uma façanha em que perde sua alma e nada ganha seu corpo.

Sancho havia contado ao padre e ao barbeiro a aventura com os galeotes, que seu amo vivera com tanta glória; por isso o padre carregava nas tintas ao se referir a ela, para ver o que fazia e dizia dom Quixote, que mudava de cor a cada palavra e não ousava dizer que ele tinha sido o libertador daquelas boas pessoas.

— Foram esses os que nos roubaram — disse o padre. — Que Deus, em sua misericórdia, perdoe aquele que não deixou que os levassem ao devido castigo.

XXX

QUE TRATA DA ENGRAÇADA TRAMOIA
QUE COMBINARAM PARA TIRAR NOSSO
CAVALEIRO APAIXONADO DA PENITÊNCIA
DURÍSSIMA EM QUE HAVIA SE METIDO

Nem bem o padre tinha acabado, quando Sancho disse:
— Por Deus, senhor licenciado, quem cometeu essa façanha foi meu amo, e não por falta de aviso, pois eu lhe disse que olhasse bem o que fazia, que era pecado libertá-los, porque todos ali não passavam de uns grandessíssimos velhacos.
— Linguarudo — disse então dom Quixote. — Não compete nem diz respeito aos cavaleiros averiguar se os aflitos, acorrentados e oprimidos que encontram pelos caminhos vão daquela maneira ou estão naquela aflição devido a suas culpas ou por seus méritos: a eles só toca ajudá-los como a desvalidos, pondo os olhos em suas penas e não em suas velhacarias. Eu topei com um rosário ou enfiada de homens miseráveis e desgraçados, e fiz o que minha religião pede, e o resto que se dane. E a quem achou isso condenável, exceto a santa dignidade do senhor licenciado e sua honrada pessoa, digo que sabe pouco em matéria de cavalaria e que mente como um fiadaputa malnascido: e isto o farei conhecer com minha espada, quando o assunto será mais longamente debatido.
Disse isso se firmando nos estribos e ajeitando o morrião, porque levava a bacia de barbeiro, que em sua opinião era o elmo de Mambrino, pendurada no arção dianteiro, até consertá-la dos maus-tratos dos galeotes.

Doroteia, que era arguta e muito brincalhona, sabendo dos miolos moles de dom Quixote e que todos zombavam dele, menos Sancho Pança, não quis ficar atrás e, vendo-o tão irritado, lhe disse:

— Senhor cavaleiro, lembre-se vossa mercê a ajuda que me prometeu e que, conforme o combinado, não pode se meter em outra aventura por mais urgente que seja. Acalme vosso coração, senhor, porque, se o licenciado soubesse que os galeotes tinham sido libertos por esse braço invicto, ele costuraria a boca com três pontos e ainda morderia a língua três vezes antes de dizer uma palavra que redundasse em desprezo de vossa mercê.

— Juro que sim — disse o padre —, e ainda daria um fio de bigode como garantia.

— Eu me calarei, minha senhora — disse dom Quixote —, e reprimirei a justa cólera que já ardia em meu peito, indo quieto e pacífico até que vos cumpra a mercê prometida. Mas em troca dessa boa intenção vos suplico, me digais, se não for incômodo, qual é vossa aflição, e quantas, quem e de que tipo são as pessoas de quem tenho de vos dar a devida, satisfatória e inteira vingança.

— Farei isso de bom grado — respondeu Doroteia —, se é que não vos amola ouvir queixas e desgraças.

— Não me amolará, minha senhora — respondeu dom Quixote.

Então Doroteia disse:

— Se é assim, prestem-me atenção vossas mercês.

Mal falou isso, Cardênio e o barbeiro se puseram ao lado dela, ansiosos para ver como a arguta Doroteia fingiria sua história, e a mesma coisa fez Sancho, que ia tão enganado como seu amo. E a moça, depois de se acomodar bem na sela, de tossir preparando a garganta e de outras coisas, tudo com muita graça, começou desta maneira:

— Antes de mais nada, quero que vossas mercês saibam, meus senhores, que me chamam...

E aqui se deteve um instante porque havia esquecido o nome que o padre tinha lhe dado, mas ele veio em seu socorro, porque compreendeu o que acontecera:

— Não admira, minha senhora, que vossa grandeza se perturbe e se embarace contando suas desventuras, porque às vezes elas costumam ser tantas que fazem perder a memória aos que maltratam, de tal maneira que não se lembram nem de seus próprios nomes, como fizeram com vossa senhoria, que se esqueceu que se chama princesa Micomicona, herdeira legítima do grande reino Micomicão. Agora, depois deste esclarecimento, vossa mercê pode restituir facilmente à sua memória ferida tudo aquilo que quiser contar.

— É verdade — respondeu a donzela. — E acho que daqui por diante não será necessário me esclarecer nada, que eu chegarei a bom porto com minha verdadeira história: o rei meu pai, que se chamava Tinácrio, o Sabido,[1] foi muito instruído nisto que chamam de artes mágicas e descobriu com sua ciência que minha mãe, que se chamava rainha Jaramilla, morreria antes dele, e que em pouco tempo ele também deixaria esta vida e eu ficaria órfã de pai e mãe. Mas ele dizia que isso não o angustiava tanto quanto o deixava confuso saber com toda a certeza das intenções de um gigante descomunal, senhor de uma grande ilha que quase faz fronteira com nosso reino, chamado Pandafilando do Olhar Medonho, porque é coisa sabida que, embora tenha os olhos no lugar e sem defeitos, sempre olha atravessado, como se fosse vesgo, e faz isso de maligno, para espantar e meter medo aos que olha. Então, sabendo de minha orfandade, esse gigante haveria de invadir meu reino com grande poderio e me roubar tudo, sem me deixar nem uma pequena aldeia onde me abrigar, mas que eu poderia evitar toda esta ruína e desgraça se aceitasse me casar com ele. Agora, pelo que sabia de mim, meu pai achava que eu jamais teria vontade de fazer um casamento tão desigual. Com isso ele disse a pura verdade, pois jamais me passou pela cabeça me casar com aquele gigante, nem com nenhum outro, por maior e descomunal que fosse. Meu pai disse também que, depois que ele morresse e eu visse que Pandafilando começava a invadir meu reino, que não esperasse para me defender, mas que livremente deixasse o reino desimpedido, se quisesse evitar a morte e total destruição de meus bons e leais vassalos, porque não seria possível me defender da força endiabrada do gigante. Devia, com alguns dos meus, me pôr a caminho das Espanhas, onde acharia remédio para meus males ao encontrar um cavaleiro andante cuja fama, nessa época, se espalharia por todo esse reino, e que devia se chamar dom "Chicote" ou dom "Peixote", se me lembro bem.

— "Dom Quixote" deve ter dito, senhora — disse então Sancho Pança —, conhecido também pela alcunha de Cavaleiro da Triste Figura.

— É isso mesmo — disse Doroteia. — Disse mais: que devia ser alto, com o rosto seco, e que no lado direito, embaixo do ombro esquerdo, ou perto dali, devia ter uma pinta parda com alguns cabelos duros como cerdas.

Ouvindo isso, dom Quixote disse a seu escudeiro:

— Vem cá, Sancho, meu filho, ajuda-me a tirar a armadura. Quero ver se sou o cavaleiro profetizado por aquele sábio rei.

— Mas para que quer vossa mercê se despir? — disse Doroteia.

— Para ver se tenho essa pinta que vosso pai mencionou — respondeu dom Quixote.

— Não precisa se despir — disse Sancho —, porque sei que vossa mercê tem uma pinta assim no meio do espinhaço, sinal de ser homem forte.

— Isso basta — disse Doroteia —, porque com os amigos não se deve reparar em ninharias. Pouco importa que esteja no ombro ou no espinhaço: basta que a pinta exista, esteja onde estiver, pois é tudo uma mesma carne. Sem dúvida meu bom pai acertou, e eu acertei em me encomendar ao senhor dom Quixote, porque é dele que meu pai falou: os sinais do rosto vêm com os da boa fama que este cavaleiro tem, não só na Espanha, mas em toda a Mancha, pois, mal desembarquei em Osuna, ouvi contar tantas façanhas suas que logo tive a sensação de que era ele mesmo que vinha procurar.

— Mas como vossa mercê desembarcou em Osuna, minha senhora — perguntou dom Quixote —, se não é porto de mar?

Mas, antes que Doroteia respondesse, o padre se antecipou e disse:

— A senhora princesa deve querer dizer que, depois que desembarcou em Málaga, o primeiro lugar onde ouviu notícias de vossa mercê foi em Osuna.

— Sim, foi o que quis dizer — disse Doroteia.

— É o que parece — disse o padre. — Mas prossiga vossa majestade.

— Não há mais o que falar — respondeu Doroteia —, a não ser que por fim minha sorte foi tão boa ao achar o senhor dom Quixote que já me conto e me tenho por rainha e senhora de toda a minha terra, pois ele, com sua cortesia e magnificência, prometeu ir comigo aonde quer que eu o leve, e este lugar não será outro que aquele em que vou pô-lo cara a cara com Pandafilando do Olhar Medonho, para que o mate e me restitua o que tão descaradamente me foi usurpado. Tudo isso deve acontecer conforme minha esperança, pois assim o deixou profetizado Tinácrio, o Sabido, meu bom pai, que também disse e escreveu em letras caldeias ou gregas, que eu não sei ler, que se este cavaleiro da profecia, depois de degolar o gigante, quisesse se casar comigo, que eu concordasse sem contestação alguma em ser sua legítima esposa e lhe desse posse de meu reino junto com o de minha pessoa.

— E aí, meu amigo Sancho? — disse dom Quixote nesse ponto. — Não ouviste o que acontece? Eu não te disse? Veja se não temos reino em que mandar e rainha com quem casar.

— Desgraçado seja o puto que não se casar depois de abrir a goela do senhor Pandadesfiando! — disse Sancho. — Por Deus, que a rainha não é de se jogar fora! Assim fossem as pulgas de minha cama!

E, dizendo isso, deu duas cabriolas, com mostras de grande contentamento, e depois foi pegar as rédeas da mula de Doroteia, fazendo-a se deter. Caiu de joelhos diante da moça e suplicou que lhe desse as mãos para beijar, em sinal de que a recebia por sua rainha e senhora. Quem entre os presentes não haveria de rir, vendo a loucura do amo e a simplicidade do criado? Doroteia realmente as deu, prometendo torná-lo grande senhor em seu reino, quando o céu fosse tão benévolo que lhe permitisse reavê-lo e desfrutar dele. Sancho lhe agradeceu com tais palavras que todos riram de novo.

— Esta, senhores — prosseguiu Doroteia —, é minha história. Só me resta vos dizer que de todas as pessoas do séquito que vieram comigo de meu reino não me sobrou ninguém, fora este escudeiro bem barbudo, porque todas naufragaram numa grande tempestade que tivemos à vista do porto, e ele e eu chegamos a terra em duas tábuas, como que por milagre. Assim é minha vida, como tereis notado: toda milagre e mistério. E se me excedi em alguma coisa, ou não fui tão exata como deveria, culpai àquilo que o senhor licenciado disse antes: os sofrimentos contínuos e extraordinários acabam com a memória dos que os padecem.

— Com a minha não acabarão, oh, grande e corajosa senhora — disse dom Quixote —, por maiores e incríveis que sejam quantos eu padecer ao vos servir! E assim confirmo de novo a mercê que lhe prometi e juro ir convosco ao fim do mundo, até me encontrar com vosso feroz inimigo, a quem, com a ajuda de Deus e de meu braço, penso decepar a cabeça soberba com os fios desta... não quero dizer "boa" espada, graças a Ginés de Pasamonte, que levou a minha. — Isso ele resmungou para si mesmo, e então prosseguiu: — E depois de tê-lo decapitado e vos dar posse pacífica de vosso reino, ficará à vossa vontade fazer de vossa pessoa o que mais vos aprouver, porque enquanto eu tiver a memória ocupada, a vontade cativa e a razão perdida por aquela... Não falo mais... Não é possível que eu me atreva a me casar, nem em pensamento, mesmo que fosse com a ave fênix.

Sancho achou tão ruim o que seu amo disse sobre não se casar que, com grande irritação, levantou a voz e disse:

— Juro e esconjuro, senhor dom Quixote: vossa mercê não tem um pingo de juízo! Pois como é possível que vossa mercê tenha dúvida de se casar com princesa tão nobre como esta? Pensa que o destino vai lhe oferecer outra sorte dessas a cada esquina? Por acaso minha senhora Dulcineia é mais formosa? Não, com certeza que não, nem mesmo a metade, e vou mais longe, não chega aos pés da que está aí. Assim, chegarei a meu condado no dia de São Nunca, se vossa mercê andar procurando chifre em cabeça de cavalo. Case, case logo, em nome de Satanás, e tome posse desse reino que oferecem de bandeja, e, quando for rei, me faça marquês ou governador, e o resto que o diabo carregue.

Dom Quixote, ao ouvir essas blasfêmias contra sua senhora Dulcineia, não pôde aguentar e, levantando o chuço, sem aviso e sem dizer A nem B, deu duas bordoadas em Sancho que o derrubaram na hora; e, se Doroteia não pedisse aos gritos que não lhe batesse mais, sem dúvida o teria matado.

— Pensais, bronco desgraçado — disse-lhe depois de um instante —, que podeis fazer e acontecer em minhas barbas e tudo será erro vosso e perdão meu? Pois vos enganais, velhaco excomungado; sem dúvida fostes excomungado, porque difamastes a sem-par Dulcineia. Não sabeis, camponês grosseirão, biltre miserável, que se não fosse pela coragem que ela infunde a meu braço eu não teria força para matar uma pulga? Dizei-me, patife linguarudo, quem pensais que ganhou este reino e cortou a cabeça deste gigante e vos fez marquês? Porque para mim isso tudo é passado, são favas contadas. Dizei-me se não é a coragem de Dulcineia, tomando meu braço por instrumento de suas façanhas? Ela luta em mim e vence em mim, e eu vivo e respiro nela, e tenho vida e sou. Oh, velhaco fiadaputa, como sois ingrato: saístes da sarjeta para ser grande senhor e agradeceis essa boa ação falando mal de quem a fez!

Sancho não estava tão estropiado que não ouvisse todo o discurso do amo; e, levantando-se sem muita demora, foi para trás do palafrém de Doroteia e dali falou:

— Só me diga uma coisa, senhor: se vossa mercê está decidido a não se casar com esta princesa, é claro que o reino não será seu; então, que benefícios pode me dar? É disso que eu me queixo. Case vossa mercê com esta rainha, case logo, que a temos aqui como quem caiu do céu, e depois pode voltar para minha senhora Dulcineia, porque antes deve ter havido reis amantes. Quanto à formosura, não me meto, pois, para falar a verdade, ambas me parecem perfeitas, já que nunca vi a senhora Dulcineia.

— Como não a viu, seu herege traidor? — disse dom Quixote. — Pois não acabas de me trazer um recado dela?

— Digo que não a vi direito — disse Sancho —, para ter notado sua formosura e seus traços tintim por tintim, mas de vista me pareceu perfeita.

— Então te desculpo — disse dom Quixote —, e me perdoa a sova que te dei, que os primeiros impulsos não estão nas mãos dos homens.

— Isso eu já sabia — respondeu Sancho. — Comigo o primeiro impulso é sempre a vontade de falar: nunca posso deixar de dizer o que me vem à língua, uma vez que seja.

— Mesmo assim — disse dom Quixote —, olha o que falas, Sancho, porque tantas vezes vai o cântaro à fonte... Não te digo mais nada.

— Muito bem — respondeu Sancho —, mas Deus está no céu, vê as trapaças todas e julgará quem faz mais mal: eu por não falar bem ou vossa mercê por não o fazer.

— Chega de conversa — disse Doroteia. — Correi, Sancho, e beijai a mão de vosso senhor e pedi perdão a ele, e daqui por diante andai mais atento em vossos elogios e insultos, e não falai mal dessa senhora Tobosa, que eu não conheço a não ser para servi-la, e tende confiança em Deus, que não há de vos privar de um lugar onde vivereis como um príncipe.

Cabisbaixo, Sancho foi pedir a mão a seu amo, que a estendeu calmamente; depois que Sancho a beijou, deu-lhe a bênção e disse que se aproximasse um pouco, porque tinha de perguntar e discutir com ele coisas de muita importância. Assim fez Sancho; os dois se afastaram um pouco, e dom Quixote disse:

— Depois que vieste, não tive tempo nem oportunidade para te pedir os pormenores de tua missão e a resposta que trouxeste a minha carta, mas agora, que a sorte nos concedeu os dois, não me negues a felicidade que podes me dar com tão boas notícias.

— Pergunte vossa mercê o que quiser — respondeu Sancho —, que vendo pelo que comprei. Mas suplico a vossa mercê, meu senhor, que não seja tão vingativo daqui por diante.

— Por que dizes isso, Sancho? — disse dom Quixote.

— Digo — respondeu Sancho — porque essas pauladas de agora foram mais pela contenda que o diabo travou naquela noite contra nós, lá no moinho dos pisões, do que pelo que eu disse contra minha senhora Dulcineia, a quem amo e reverencio como a uma relíquia, embora minha obrigação com ela seja apenas porque é assunto de vossa mercê.

— Por tua vida, Sancho, deixa para lá essa conversa, que me enche de desgosto — disse dom Quixote. — Já te perdoei antes, e sabes muito bem que se costuma dizer: "Para pecado novo, nova penitência".²

[Enquanto isso acontecia, viram vir pela estrada um homem a cavalo num jumento, e quando chegou perto acharam que era um cigano. Mas Sancho Pança, que onde quer que via burros perdia os olhos e a alma, mal tinha divisado o homem reconheceu Ginés de Pasamonte, e pelo fio do cigano desenrolou o novelo de seu burro, no que não faltou com verdade, pois era sobre seu ruço que Pasamonte vinha. É que, para não ser reconhecido e poder vender o burro, ele havia se vestido de cigano, cuja língua sabia falar, entre muitas outras, como se fossem suas. Sancho o viu e o reconheceu; e, mal o viu e o reconheceu, disse aos berros:

— Ah, Ginesillo! Vamos, seu ladrão, deixa minha joia, solta minha vida, não te fartes com meu descanso, deixa meu burro, deixa meu deleite! Foge, seu puto! Some, ladrão! E larga o que não é teu!

Não foram necessárias tantas palavras nem ofensas, porque na primeira delas Ginés saltou e, saindo num trote que parecia corrida, num instante se afastou de todos e desapareceu.

Sancho se aproximou de seu ruço e, abraçando-o, disse:

— Como tens andado, meu querido, rucinho do meu coração, meu companheiro?

E o beijava e acariciava, como se fosse uma pessoa. O burro calava e se deixava beijar e acariciar por Sancho, sem responder palavra alguma. Chegaram todos e lhe deram os parabéns pelo achado do ruço, especialmente dom Quixote, que disse que nem por isso anulava a ordem dos três burrinhos. Sancho o agradeceu.]

Enquanto os dois estavam nessa conversa, o padre disse a Doroteia que havia se desempenhado com muito tino, tanto na história como na brevidade dela e na semelhança que tinha com as dos livros de cavalaria. Ela disse que havia se distraído muitas horas lendo-os, mas que não sabia onde ficavam as províncias nem os portos de mar, por isso dissera às cegas que tinha desembarcado em Osuna.

— Eu me dei conta — disse o padre — e tratei logo de dizer o que disse, com o que tudo se ajeitou. Mas que coisa estranha, não, ver com que facilidade este fidalgo desgraçado acredita em todas essas invenções e mentiras, só porque têm o estilo das tolices dos livros dele?

— É, sim — disse Cardênio. — Tão incrível e esquisita que não sei se alguém, querendo inventá-la e vivê-la fantasiosamente, teria imaginação tão afiada que pudesse topar com ela.

— Mas há outra coisa nisso — disse o padre. — Excetuando-se os absurdos que esse bom fidalgo diz no que se refere a sua loucura, argumenta muito bem se tratam com ele de outras coisas e mostra ter uma mente clara e serena; assim, se não se falar de cavalaria, não haverá quem o julgue sem juízo.

Enquanto eles estavam nessa conversa, dom Quixote prosseguiu com a sua, dizendo a Sancho:

— Amigo Pança, vamos botar uma pedra sobre nossas discórdias, e me diz de uma vez, sem levar em conta nem raiva nem rancor algum: onde, como e quando encontraste Dulcineia? O que ela fazia? O que lhe disseste? O que te respondeu? Que cara fez quando leu minha carta? Quem a transcreveu para ti? E tudo mais que achares que é digno de se saber neste caso, de se perguntar e que dê satisfação, sem acrescentar nada ou mentir para me dar prazer, e muito menos te omitas para não me tirá-lo.

— Senhor — respondeu Sancho —, se devo dizer a verdade, ninguém transcreveu a carta, porque não levei carta alguma.

— É verdade — disse dom Quixote —, porque dois dias depois de tua partida achei comigo o livrinho onde a escrevi. Isso me deixou muito preocupado, pois fiquei sem saber o que tu farias quando te visses sem a carta, mas pensei sempre que voltarias quando desses por falta dela.

— Assim seria — respondeu Sancho —, se eu não a tivesse guardado na memória quando vossa mercê a leu para mim, de modo que a disse a um sacristão, que a copiou de meus miolos tintim por tintim tão bem que disse que nunca em sua vida, embora houvesse lido muitas cartas de excomunhão, havia visto nem lido uma tão linda como aquela.

— E ainda a tens na memória, Sancho? — disse dom Quixote.

— Não, senhor — respondeu Sancho —, porque, depois que a ditei, vi que não tinha mais proveito e comecei a esquecê-la, e se me lembro de alguma coisa é daquilo de "soberbana", digo de "soberana senhora", e do fim: "Vosso até a morte, o Cavaleiro da Triste Figura". E entre essas duas coisas meti mais de trezentas almas, vidas e olhos meus.

XXXI

DAS SABOROSAS CONVERSAS ENTRE DOM QUIXOTE E SANCHO PANÇA, SEU ESCUDEIRO, E OUTROS ACONTECIMENTOS

— Nada disso me desagrada; continua — disse dom Quixote. — Chegaste, e então, que fazia aquela rainha da formosura? Aposto que a encontraste ensartando pérolas num cordão ou bordando com ouro uma divisa para este seu cavaleiro cativo.

— Nada disso — respondeu Sancho. — Estava peneirando duas sacas de trigo num terreiro da casa.

— Pois faz de conta — disse dom Quixote — que os grãos de trigo eram pérolas, quando tocados pelas mãos dela. E reparaste, meu amigo, se o trigo era candial ou tremês?

— Era só trigo-mourisco — respondeu Sancho.

— Pois eu te garanto — disse dom Quixote — que, peneirado por suas mãos, deu pão branco do melhor, sem dúvida nenhuma. Mas vamos em frente: quando deste minha carta, ela a beijou? Levou-a ao coração? Fez alguma cerimônia digna de tal carta, ou o quê?

— Quando eu a ia dar — respondeu Sancho —, ela estava peneirando firme uma boa porção de trigo, e me disse: "Bota a carta em cima daquele saco, amigo, que não posso ler até que acabe de peneirar isso tudo".

— Que tino! — disse dom Quixote. — Com certeza fez isso para ler com calma e se regozijar com ela. Adiante, Sancho. E, enquanto estava trabalhando, que falou contigo? O que te perguntou de mim? E tu, o que respondeste? Vamos, conta-me tudo, não deixes de lado a menor bagatela.

— Ela não me perguntou nada — disse Sancho —, mas eu lhe disse de que maneira vossa mercê tinha ficado, por causa dela, fazendo penitência, nu da cintura para baixo, metido nessas serras como um selvagem, dormindo no chão, sem comer seu pão à mesa nem pentear as barbas, chorando e amaldiçoando sua sorte.

— Erraste ao dizer que amaldiçoava minha sorte — disse dom Quixote —, porque antes a abençoo e abençoarei todos os dias de minha vida, por me fazer digno de merecer amar tão elevada senhora como Dulcineia del Toboso.

— Com certeza — respondeu Sancho —, tão elevada que me passa em mais de meio palmo.

— O quê, Sancho? — disse dom Quixote. — Tu te mediste com ela?

— Foi assim: aproximando-me para ajudar a botar um saco de trigo sobre um jumento — disse Sancho —, ficamos tão perto que deu para ver que me passava mais de um bom palmo.

— E não é verdade — disse dom Quixote — que acompanha e adorna essa grandeza com mil milhões de graças do espírito? Mas não me negarás uma coisa, Sancho: quando chegaste perto dela, não sentiste um perfume de Sabá, uma fragrância aromática e um não sei quê de bom, que não atino como chamar? Digo, uma emanação ou eflúvio como se estivesse numa loja requintada de luvas acondicionadas com âmbar e almíscar?

— O que eu sei — disse Sancho — é que senti um cheirinho um tanto másculo, mas devia de ser porque ela, com tanto exercício, estava suada e meio sebosa.

— Não, isso não — respondeu dom Quixote. — Devias estar resfriado ou então deves ter cheirado a ti mesmo, porque sei muito bem ao que aquela rosa entre espinhos cheira, aquele lírio do campo, aquele âmbar líquido.

— Pode ser — respondeu Sancho —, porque muitas

vezes eu tenho aquele cheiro que me pareceu então vir de sua mercê, a senhora Dulcineia, mas não há do que se admirar, pois um diabo se parece com outro.

— Muito bem — prosseguiu dom Quixote —, então ela acabou de limpar seu trigo e de enviá-lo ao moinho. O que fez quando leu a carta?

— Não leu a carta — disse Sancho —, porque disse que não sabia ler nem escrever. Rasgou-a em pedacinhos, dizendo que não a queria dar para ninguém ler, para que não se soubesse de seus segredos na vila, e que bastavam as palavras que eu havia lhe dito sobre o amor que vossa mercê tinha por ela e da penitência extraordinária que por causa dela estava fazendo. E por fim me disse que dissesse a vossa mercê que lhe beijava as mãos e que ali ficava com mais desejo de vê-lo que de lhe escrever, e que então, em vista disso tudo, lhe suplicava e ordenava que saísse daqueles matagais e deixasse de fazer tolices e pegasse de uma vez a estrada para Toboso, se não lhe acontecesse alguma outra coisa mais importante, porque tinha grande desejo de ver vossa mercê. Ela riu muito quando lhe contei como vossa mercê se chamava de Cavaleiro da Triste Figura. Perguntei se havia aparecido por lá aquele basco; disse que sim e que era um homem de bem. Perguntei também pelos galeotes, mas me disse que, até aí, não havia visto nenhum.

— Vai tudo bem até agora — disse dom Quixote. — Mas me diz: que joia ela te deu, na hora da despedida, pelas notícias que levaste de mim? Porque é um costume antigo e comum entre cavaleiros e damas andantes dar aos escudeiros, criadas ou anões que levam notícias (dos cavaleiros para elas, delas para os cavaleiros) alguma rica joia como recompensa, em agradecimento pela missão.

— Isso bem pode ter sido assim e me parece um bom costume, mas deve ter sido em tempos passados, porque agora só se usa dar um pedaço de pão com queijo, que foi o que me deu minha senhora Dulcineia, pela cerca de um pátio, quando me despedi dela. Se quiseres os detalhes, o queijo era feito de leite de ovelha.

— É generosa ao extremo — disse dom Quixote —, se não te deu uma joia de ouro sem dúvida deve ter sido porque não a tinha à mão; mas antes tarde do que nunca: eu a verei, e tudo se ajeitará. Sabes o que mais me admira, Sancho? Parece que andaste pelos ares, pois levou pouco mais de três dias para ir e vir daqui a El Toboso, que fica a mais de trinta léguas. Por isso me parece que aquele mago necromante meu amigo, que se encarrega de minhas coisas (porque forçosamente deve e deverá existir, senão eu não seria um bom cavaleiro andante), te ajudou a caminhar sem que tu o percebesses. Pois há magos desses que pegam um cavaleiro andante dormindo em sua cama e o sujeito, sem saber de que maneira, no outro dia amanhece a mais de mil léguas de onde anoiteceu. E, se não fosse por isso, os cavaleiros andantes não poderiam se socorrer uns aos outros em seus perigos, como se socorrem a cada passo. Às vezes acontece de um estar lutando nas serras da Armênia com algum dragão ou ogro feroz, ou com outro cavaleiro, onde enfrenta o pior momento da batalha e está a ponto de morrer, aí, quando menos se espera, aparece lá, em cima de uma nuvem ou sobre um carro de fogo, outro cavaleiro amigo seu, que pouco antes se achava na Inglaterra, que o ajuda e o livra da morte, e à noite se encontra numa pousada, jantando muito à vontade; e um lugar costuma ficar a duas ou três mil léguas do outro, e tudo isso se faz por astúcia e encantamentos desses magos que cuidam desses valorosos cavaleiros. Então, amigo Sancho, não é difícil para mim acreditar que em tempo tão curto tenhas ido e vindo daqui a El Toboso, pois, como já disse, algum mago amigo deve ter te levado flutuando sem que tu o sentisses.

— Deve ter sido assim — disse Sancho —, porque, juro por minha alma, Rocinante andava como se fosse burro de cigano, com azougue nos ouvidos.[1]

— E como! — disse dom Quixote. — Levava azougue e mais uma legião de demônios, que é gente que caminha e faz caminhar sem cansaço tudo o que lhes der na veneta. Mas, deixando isso de lado, que achas que devo fazer agora acerca do que me ordena minha senhora: que a vá ver? Pois, embora eu me veja obrigado a obedecer as ordens dela, também me vejo impossibilitado por causa da mercê prometida à princesa que vem conosco, e a lei da cavalaria me força a cumprir a palavra antes que minha vontade. Por um lado, o desejo de ver minha senhora me persegue e me aflige; por outro, incita-me e chama-me à palavra empenhada e à glória que alcançarei nessa empresa. Mas o que penso fazer será andar mais depressa e chegar logo onde está esse gigante. Chegando lá, cortarei a cabeça dele e porei a princesa pacificamente em seu trono, e num instante voltarei para ver a luz que ilumina meus sentimentos, a quem darei tais desculpas que ela irá considerar boa minha demora, porque verá que tudo resulta em aumento de sua glória e reputação, pois tudo o que alcancei, alcanço e alcançarei pelas armas nesta vida me vem do favor que ela me concede e de eu a ela pertencer.

— Ai, como vossa mercê anda com os miolos moles! — disse Sancho. — Diga-me, senhor, vossa mercê pensa fazer todo esse caminho em vão e deixar passar e perder um casamento tão rico e importante como esse, que lhe dará um reino de dote? Olhe que ouvi de fonte segura que tem mais de vinte mil léguas de contorno e que tem em abundância todas as coisas necessárias para o sustento da vida humana e que é maior que Portugal e Castela juntos. Cale-se, pelo amor de Deus, e tenha vergonha do que disse, ouça meu conselho e me perdoe: case-se na primeira vila em que houver padre. Se não, aí está nosso licenciado, que o fará a capricho. E note que já tenho idade para dar conselhos, e que este que lhe dou vem sob medida, e que mais vale um pássaro na mão que dois voando, porque o bem é mal conhecido, enquanto não é perdido.

— Olha, Sancho — respondeu dom Quixote —, se o conselho que me dás de que me case é para que, depois de matar o gigante, seja logo rei e tenha como te fazer mercês e te dar o prometido, faço-te saber que sem me casar poderei realizar teu desejo muito facilmente, porque antes de entrar na batalha pedirei como benefício uma parte do reino para dar a quem eu quiser, se sair vencedor, já que não me caso. Se eu a ganhar, a quem queres tu que a dê senão a ti?

— Isso está claro — respondeu Sancho —, mas tenha vossa mercê o cuidado de escolhê-la na costa, para que, se não me agradar a morada, eu possa embarcar meus vassalos negros e fazer deles o que já disse. E vossa mercê nem pense em ir agora ver minha senhora Dulcineia: vá matar o gigante, para fecharmos logo esse negócio. Porque, por Deus, me parece que vai ser muito honrado e proveitoso.

— Digo-te, Sancho — disse dom Quixote —, que estás certo e que ouvirei teu conselho sobre ir com a princesa em vez de ver Dulcineia antes. E te recomendo, não digas nada a ninguém, nem aos que vêm conosco, sobre o que discutimos e tratamos aqui; como Dulcineia é tão recatada que não quer que se conheçam seus pensamentos, não fica bem que eu ou outro por mim os revele.

— Mas, se é assim — disse Sancho —, por que vossa mercê manda que todos aqueles que vence com seu braço se apresentem diante de minha senhora Dulcineia, se isto é como assinar seu nome numa declaração de que a quer bem e que é seu amado? E, se é forçoso que os que forem lá devem cair de joelhos em sua presença e dizer que vão de parte de vossa mercê lhe prestar obediência, como podem se esconder os pensamentos de ambos?

— Ah, como és tolo e ignorante! — disse dom Quixote. — Não vês, Sancho, que tudo isso é para maior glória dela? Deves saber que no modo de vida cavaleiresca é grande honra uma dama ter muitos cavaleiros andantes que a sirvam, sem que os pensamentos deles vão além de servi-la apenas por ela ser quem é, sem esperar outro prêmio de seus muitos e bons desejos a não ser que a dama se contente em aceitá-los como cavaleiros seus.

— Com essa espécie de amor — disse Sancho — eu ouvi pregar que se deve amar Nosso Senhor, por si só, sem que nos mova esperança de glória ou medo de castigo, embora eu preferisse amá-lo e servi-lo pelo que pode me dar.

— Que o diabo te guarde, desgraçado! — disse dom Quixote. — Que coisas tu dizes às vezes! Até parece que estudaste.

— Pois juro que não sei ler — respondeu Sancho.

Nisso mestre Nicolás gritou a eles que esperassem um pouco, pois queriam beber numa fontezinha que havia ali. Dom Quixote se deteve, para satisfação de Sancho, que já estava cansado de mentir tanto e temia que seu amo o pegasse pela palavra, porque, embora soubesse que Dulcineia era uma camponesa de El Toboso, nunca a tinha visto na vida.

Nesse meio-tempo, Cardênio havia vestido as roupas que Doroteia usava quando a encontraram, que eram bem melhores que as que tirara, embora não fossem muito boas. Apearam perto da fonte e, com o que o padre tinha arranjado na estalagem, mataram um pouco da grande fome que todos sentiam.

Então, um rapaz que por acaso estava de passagem se pôs a olhar com muita atenção os que estavam na fonte e dali a pouco correu para dom Quixote. Abraçando-o pelas pernas, muito apropriadamente começou a chorar, enquanto dizia:

— Ai, meu senhor! Vossa mercê não me reconhece? Pois me olhe bem, sou aquele rapaz, Andrés, que vossa mercê desamarrou da azinheira.

Reconhecendo-o, dom Quixote o pegou pela mão, virou-se para os presentes e disse:

— Para que vossas mercês vejam como é importante haver cavaleiros andantes no mundo, que desfaçam injúrias e afrontas cometidas pelos insolentes e homens maus que vivem nele, saibam que dias atrás, passando perto de um matagal, ouvi uns gritos e queixas muito sofridas, como de pessoa aflita e necessitada. Corri logo, levado por minha obrigação, para o lugar de onde me pareceu que vinham as queixas, e achei amarrado numa azinheira este rapaz aqui, coisa que me alegra a alma, porque será testemunha que não me deixará mentir em nada. Digo que estava amarrado à azinheira, nu da cintura para cima, e um camponês, que depois soube que era o amo dele, estava lhe curtindo o lombo com as rédeas de uma égua. Mal o vi, perguntei a causa de flagelo tão atroz; o bronco me respondeu que o surrava porque era criado dele, e que certos descuidos que tinha eram mais por ser ladrão que bobo. Mas este menino disse: "Senhor, só me surra porque lhe peço meu salário". O amo respondeu não sei que lenga-lenga e desculpas, que não aceitei, embora as tenha ouvido. Em suma, fiz o camponês desatá-lo e jurar que o levaria consigo e lhe pagaria um real sobre outro, e benzidos ainda por cima. Andrés, meu filho, não é verdade isso tudo? Não notaste com que autoridade dei as ordens, e com que humildade ele prometeu fazer tudo quanto lhe impus e notifiquei e quis? Não te perturbes nem hesites em nada: responde, diz o que aconteceu a esses senhores, para que se veja e se considere como é proveitoso o que digo, haver cavaleiros andantes pelos caminhos.

— Tudo o que vossa mercê disse é a pura verdade — respondeu o rapaz —, mas o fim do negócio foi justamente o contrário do que vossa mercê imagina.

— Como o contrário? — replicou dom Quixote. — Então o camponês não te pagou?

— Não só não me pagou — respondeu o rapaz —, como, assim que vossa mercê foi embora e ficamos sozinhos, me amarrou de novo na mesma azinheira e me deu outra sova que fiquei como um são Bartolomeu esfolado; e, a cada lambada que me dava, me dizia um gracejo e uma pilhéria para zombar de vossa mercê, coisas que até me fariam rir, se eu não sentisse tanta dor. Na verdade, ele me deixou em tal estado que estive até agora me tratando num hospital dos males que esse bandido desgraçado me causou então. Toda a culpa é de vossa mercê, porque se tivesse seguido seu caminho e não fosse aonde não era chamado, se não se metesse nos negócios alheios, meu amo teria se contentado em me dar uma ou duas dúzias de açoites, e logo teria me soltado e pagado tudo o que me devia. Mas, como vossa mercê o desacatou sem necessidade e lhe disse tantas grosserias, atiçou a cólera dele e, como não pôde se vingar em vossa mercê, quando se viu só descarregou o temporal sobre mim, e de um modo que me parece que não serei mais homem pelo resto de minha vida.

— O erro foi eu ter ido embora — disse dom Quixote. — Devia ter ficado até que ele te pagasse, pois devia saber por longa experiência que não há camponês que mantenha a palavra, se não tirar proveito disso. Mas te lembras, Andrés, que eu jurei que, se não te pagasse, havia de ir atrás dele e de achá-lo mesmo que se escondesse no ventre da baleia.

— É verdade — disse Andrés —, mas não lucrei nada com isso.

— Agora verás se lucra — disse dom Quixote.

E se levantou a toda pressa e mandou que Sancho botasse o freio em Rocinante, que estava pastando enquanto eles comiam.

Doroteia perguntou a ele o que pretendia fazer. Ele respondeu que ia procurar o camponês, castigá-lo por tão mau comportamento e fazê-lo pagar a Andrés até o último centavo, a despeito e apesar de quantos camponeses houvesse no mundo. Ao que ela respondeu que lembrasse que não podia, conforme tinha prometido, se meter em nenhuma empresa até acabar a sua, e que isto ele sabia melhor do que ninguém, que acalmasse o coração até voltar de seu reino.

— É verdade — respondeu dom Quixote. — É preciso que Andrés tenha paciência até minha volta, como dizeis, senhora, mas eu juro e prometo de novo não sossegar até que ele seja vingado e pago.

— Não me fio nesses juramentos — disse Andrés. — Agora eu trocaria todas as vinganças do mundo por ter com que chegar a Sevilha. Se tem aí alguma coisa para eu comer e levar, dê-me e fique com Deus sua mercê e todos os cavaleiros andantes, que tão bem-andantes sejam eles consigo como foram comigo.

Sancho tirou de seu farnel um pedaço de pão e outro de queijo e, dando-os ao moço, disse:

— Pegai, meu caro Andrés, que parte de vossa desgraça cabe a todos nós.

— Mas que parte vos cabe? — perguntou Andrés.

— Esta parte de queijo e pão que vos dou — respondeu Sancho. — Sabe Deus se vai me fazer falta ou não. Porque vos garanto, meu amigo, que nós escudeiros dos cavaleiros andantes estamos sujeitos a muita fome e má sorte, além de outras coisas que melhor se sentem que se dizem.

Andrés pegou seu pão e seu queijo e, vendo que ninguém lhe dava mais nada, baixou a cabeça e botou o pé na estrada, como se diz. Mas é verdade que disse a dom Quixote, ao partir:

— Pelo amor de Deus, senhor cavaleiro andante, se me encontrar outra vez, não me socorra, mesmo que alguém esteja me fazendo em pedaços: deixe-me com minha desgraça, que não será tanta que não seja maior a que me virá com a ajuda de vossa mercê, que o diabo vos carregue, e a todos os cavaleiros andantes que tenham nascido no mundo.

Dom Quixote ia se levantar para castigá-lo, mas ele saiu correndo de modo que ninguém nem tentou persegui-lo. Dom Quixote ficou muito envergonhado com a história de Andrés, e os demais precisaram se esforçar para não rir e encabulá-lo de todo.

XXXII

QUE TRATA DO QUE ACONTECEU NA ESTALAGEM
A TODO O GRUPO DE DOM QUIXOTE

Acabada a boa refeição, encilharam as montarias e no outro dia, sem que lhes acontecesse nada digno de nota, chegaram àquela estalagem, espanto e terror de Sancho Pança; e, embora ele não quisesse entrar nela, não pôde fugir. O estalajadeiro, sua mulher, sua filha e Maritornes, que viram dom Quixote e Sancho chegar, foram recebê-los com mostras de muita alegria, e dom Quixote os recebeu com expressão grave de aprovação e disse que lhe arranjassem outra cama melhor que a da última vez. A estalajadeira respondeu que, se lhe pagasse mais que na outra, ela lhe daria uma digna de príncipes. Dom Quixote disse que pagaria, sim, e então lhe arrumaram uma razoável no mesmo sótão de sempre, e ele se deitou logo, porque vinha muito abatido e transtornado.

Mal havia se recolhido, quando a estalajadeira investiu contra o barbeiro e, agarrando-o pela barba, disse:

— Por Deus, nunca mais irás te aproveitar do meu rabo para tua barba, e trates de me devolver logo o negócio, porque o do meu marido anda pelo chão, que é uma vergonha. Digo, o pente, que costumava pendurar no meu rabo.

O barbeiro não queria entregá-lo, por mais que ela puxasse, até que o licenciado disse a ele que o entregasse, que aquele disfarce não era mais necessário, que se descobrisse e se mostrasse a dom Quixote com sua própria cara e dissesse que tinha fugido para aquela estalagem quando os galeotes o roubaram, e que, se ele perguntasse pelo escudeiro da princesa, diriam que ela o havia enviado à frente para anunciar aos seus no reino que voltava levando consigo o libertador de todos. Com isso, o barbeiro devolveu de boa vontade o rabo para a estalajadeira, e devolveram também todos os adereços que ela havia emprestado para a libertação de dom Quixote. Todos, na estalagem, se admiraram com a formosura de Doroteia e com a boa aparência do pastor Cardênio. O padre mandou que preparassem a comida com o que houvesse na estalagem, e o estalajadeiro, na esperança de melhor pagamento, com rapidez preparou uma refeição passável. Enquanto isso, dom Quixote dormia, e preferiram não despertá-lo, porque seria mais proveitoso para ele dormir que comer.

Depois da refeição, diante do estalajadeiro, sua mulher, sua filha, Maritornes e todos os viajantes, falaram da estranha loucura de dom Quixote e de como o tinham achado. A estalajadeira contou o que havia acontecido com ele e o tropeiro, depois, como não visse Sancho por perto, contou toda a brincadeira da manta, que ouviram com muito prazer. E, como o padre dissesse que os livros de cavalaria que dom Quixote havia lido tinham virado a cabeça dele, o estalajadeiro disse:

— Não entendo como pode ser assim, porque na verdade me parece que não há melhor leitura no mundo: tenho dois ou três deles, com outros papéis, que realmente me animaram a vida. Não apenas a minha, mas a de muitos outros, porque, quando é tempo de colheita, muitos trabalhadores se reúnem aqui nos feriados, e sempre há algum que sabe ler e pega um desses livros. Então, mais de trinta o rodeamos e ficamos ouvindo com tanto prazer que perdemos mais de mil aflições. Eu pelo menos, quando ouço descrever aqueles golpes furiosos e terríveis que os cavaleiros desferem, sinto vontade de fazer a mesma coisa, e gostaria de ficar ouvindo-os dias e noites.

— Comigo também, sem tirar nem pôr — disse a estalajadeira —, porque só tenho sossego em minha casa quando estais ouvindo a leitura: ficais tão embasbacado que nem vos lembrais de reclamar.

— É a pura verdade — disse Maritornes. — Palavra que eu também gosto muito de ouvir aquelas coisas, que são muito lindas, e mais ainda quando contam que a outra senhora está embaixo das laranjeiras abraçada com seu cavaleiro, com uma aia de sentinela, morta de inveja e toda assustada. Isto para mim é de dar água na boca.

— E vós, senhora donzela, que achais? — disse o padre, falando com a filha do estalajadeiro.

— Não sei, senhor, não sei mesmo — respondeu ela. — Eu também ouço e, embora na verdade não os entenda, tenho prazer em ouvi-los. Mas não gosto das lutas de que meu pai gosta e sim das queixas dos cavaleiros quando estão longe de suas damas, tanto que às vezes me fazem chorar de compaixão.

— Então os consolaria, senhora donzela — disse Doroteia —, se chorassem por vós?

— Não sei o que faria — respondeu a moça. — Sei apenas que algumas dessas senhoras são tão cruéis que seus cavaleiros as chamam de tigres, leões e outras mil imundícies. Santo Deus, eu não sei que gente é essa tão desalmada, tão impiedosa, que para não olhar para um homem honrado deixam que ele morra ou que fique louco. Não sei para que tantos melindres: se o fazem por ser honradas, casem-se com eles, que eles não desejam outra coisa.

— Cala-te, menina — disse a estalajadeira. — Parece que sabes muito dessas coisas, e não fica bem para as donzelas saber nem falar tanto.

— Como perguntava este senhor — respondeu ela —, não pude deixar de responder.

— Pois bem, senhor estalajadeiro — disse o padre —, trazei-me esses livros, que os quero ver.

— Será um prazer — respondeu ele.

Entrou em seu quarto e trouxe uma maleta velha, fechada com uma correntinha. Abrindo-a, viram-se nela três livros grandes e uns papéis, escritos à mão, com muito boa letra. O primeiro livro que abriu era *Don Cirongilio de Tracia*,[1] o segundo, *Felixmarte de Hircania*, e o outro, a *Historia del Gran Capitán Gonzalo Hernández de Córdoba, con la vida de Diego García de Paredes*.[2] Logo que o padre leu os dois primeiros títulos, virou o rosto para o barbeiro e disse:

— Que falta fazem a criada e a sobrinha de meu amigo.

— Não fazem — respondeu o barbeiro. — Eu também posso levá-los para o pátio ou para o fogão, que na verdade está bem aceso.

— O quê?! Vossa mercê quer queimar mais livros? — disse o estalajadeiro.

— Mais não — disse o padre —, só estes dois, o de dom Cirongílio e o de Felixmarte.

— Mas por acaso meus livros são hereges ou fleumáticos — disse o estalajadeiro —, para que sejam queimados?

— Quereis dizer "cismáticos", meu amigo — disse o barbeiro —, não "fleumáticos".

— Isso — replicou o estalajadeiro. — Mas, se quiser queimar algum, que seja o do grande capitão e desse Diego García, pois prefiro queimar um filho que algum desses outros.

— Meu irmão — disse o padre —, estes dois livros são mentirosos, estão cheios de disparates e fantasias. Mas este do grande capitão é história verdadeira, conta os feitos de Gonzalo Hernández de Córdoba, que por suas grandes e variadas façanhas mereceu ser chamado por todo mundo de "grande capitão", alcunha ilustre e luminosa, merecida apenas por ele. E este Diego García de Paredes foi um cavaleiro importante, natural da cidade de Trujillo, na Estremadura, soldado muito valente e tão forte que parava com um dedo uma roda de moinho rodando em plena fúria. Parado com um montante na entrada de uma ponte, impediu que todo um exército inumerável passasse por ela; e fez tantas outras coisas que ele mesmo conta e escreve com a modéstia própria de cavaleiro e de cronista como se as escrevesse outro, livre e desapaixonado, que deixariam no esquecimento as dos Heitores, Aquiles e Rolands.

— E eu com isso?! — disse o estalajadeiro. — Olhai só o que vos espanta, parar uma roda de moinho! Por Deus, vossa mercê devia ler o que fez Felixmarte da Hircânia, que com apenas um golpe decepou cinco gigantes pela cintura, como se fossem feitos de favas, como os bonequinhos com que as crianças brincam.[3] E outra vez atacou um grandíssimo e poderosíssimo exército, enfrentando mais de um milhão e seiscentos mil soldados, todos armados até os dentes, e os desbaratou a todos, como se fossem um rebanho de ovelhas. E que me dirão do bom Cirongílio da Trácia? Foi tão valente e arrojado como se verá no livro, onde conta que navegava por um rio quando saltou do meio da água uma serpente de fogo. Mal ele a viu, atirou-se sobre ela e, montado nas costas cheias de escamas, apertou com tanta força sua garganta com ambas as mãos que a serpente, vendo-se sufocada, não teve mais remédio que se deixar ir ao fundo do rio, levando junto o cavaleiro, que não a quis soltar. E, quando chegaram lá embaixo, se encontrou num palácio e nuns jardins tão lindos que era uma maravilha, e então a serpente se transformou num velho ancião que lhe disse tantas coisas que só ouvindo para crer. Calai, senhor, que, se ouvísseis isso, ficaríeis louco de prazer. Duas figas para o grande capitão e para esse tal de Diego García!

Ouvindo isso, Doroteia disse baixinho para Cardênio:

— Falta pouco para nosso estalajadeiro seguir dom Quixote.

— É o que me parece — respondeu Cardênio —, porque dá mostras de que acredita piamente que as coisas aconteceram como estão descritas nos livros, e nem se jurarmos sobre a Bíblia pensará o contrário.

— Vede, meu caro: nunca houve no mundo Felixmarte da Hircânia, nem dom Cirongílio da Trácia — disse o padre de novo —, nem outros cavaleiros semelhantes como se conta nos livros de cavalaria. São invenções, ficções de mentes ociosas, que os criaram, como dizeis, para passar o tempo, como passam vossos trabalhadores quando os leem. Porque vos juro: esses cavaleiros jamais existiram, nem essas façanhas e disparates aconteceram.

— Jogue esse osso para outro cachorro! — respondeu o estalajadeiro. — Como se eu não soubesse que dois mais dois são quatro e onde me aperta o sapato! Não pense vossa mercê que caio nessa, que não tenho um pingo de tonto. Muito me admira que vossa mercê queira me convencer de que tudo aquilo que esses bons livros dizem são tolices e patranhas, estando impressos com a licença dos senhores do Conselho Real, como se eles fossem gente que iria deixar imprimir tanta mentira junta, e tantas batalhas e tantos encantamentos que viram a cabeça!

— Já vos disse, meu amigo — replicou o padre —, que isso é feito para entreter nossos pensamentos ociosos. Assim como se permite, nas repúblicas bem organizadas, que haja jogos de xadrez, de pelota e de bilhar, para divertir os que não têm, nem devem, nem podem trabalhar, assim se permite a impressão desses livros, acreditando, com razão, que não haverá ninguém tão ignorante que considere verdadeira alguma história deles. E, se me fosse lícito agora e os presentes me pedissem, eu diria algumas coisas sobre o que devem ter os livros de cavalaria para ser bons, o que talvez para algumas pessoas fosse de proveito e mesmo um prazer; mas tenho esperança de algum dia poder falar com quem possa dar um jeito nisso. Por ora, crede no que vos disse, senhor estalajadeiro, e tomai vossos livros e entendei-vos com suas verdades ou mentiras, e bom proveito, e queira Deus que não coxeeis do pé que coxeia vosso hóspede dom Quixote.

— Isso não — respondeu o estalajadeiro. — Não sou louco a ponto de me tornar cavaleiro andante, pois sei muito bem que agora não se faz o que se fazia naquele tempo, quando se diz que andavam pelo mundo esses famosos cavaleiros.

Sancho chegou no meio dessa conversa e ficou meio confuso, pensando no que tinha ouvido, que agora não havia mais cavaleiros andantes e que todos os livros de cavalaria eram tolices e mentiras. Decidiu então esperar para ver no que dava aquela viagem com seu amo — se não acontecesse a felicidade que esperava, ele o deixaria e voltaria ao trabalho de sempre, com sua mulher e seus filhos.

O estalajadeiro levava a maleta com os livros, mas o padre lhe disse:

— Esperai. Quero ver que papéis são esses escritos com tão boa letra.

O estalajadeiro os pegou e alcançou ao padre, que viu cerca de oito cadernos manuscritos, com um título grande no começo: *História do curioso impertinente*. O padre leu para si mesmo três ou quatro linhas e disse:

— Na verdade não me parece mau este título e fiquei com vontade de ler a história toda.

Ao que o estalajadeiro respondeu:

— Pode lê-la, sim, sua reverência, e garanto ao senhor que agradou muito a uns hóspedes que a leram, e muitas vezes me imploraram do fundo do coração que a desse, mas eu não quis, pensando em devolvê-la a quem esqueceu esta maleta, pois bem pode acontecer de que o dono volte por aqui algum dia, e eu, embora saiba que os livros me farão falta, juro que vou devolvê-los: sou cristão, apesar de estalajadeiro.[4]

— Tendes toda razão, meu amigo — disse o padre. — Mas, se eu gostar da história, haveis de deixar que a copie.

— De muito bom grado — respondeu o estalajadeiro.

Enquanto os dois falavam, Cardênio havia pegado os cadernos e começado a ler; como achou a mesma coisa que o padre, pediu a ele que lesse a história de modo que todos a ouvissem.

— Eu a leria, sim — disse o padre —, se não fosse melhor gastar esse tempo com o sono.

— Será um belo descanso para mim passar o tempo ouvindo algum conto — disse Doroteia —, pois ainda não tenho o espírito tão sereno que me deixe pegar no sono como preciso.

— Assim sendo — disse o padre —, vou ler, nem que seja por curiosidade. Talvez aqui tenha alguma coisa interessante.

Mestre Nicolás e Sancho também insistiram para que lesse. Com isso, o padre entendeu que todos teriam prazer como ele mesmo e disse:

— Bem, então fiquem atentos, que a história começa assim:

XXXIII

ONDE SE CONTA A HISTÓRIA DO "CURIOSO IMPERTINENTE"

Em Florença, cidade rica e famosa da Itália, na província da Toscana, viviam dois cavalheiros importantes e ricos, Anselmo e Lotário. Eram tão amigos que todos os que os conheciam chamavam-nos principalmente pela alcunha: "os dois amigos". Eram solteiros, moços, com a mesma idade e os mesmos costumes, o que era motivo suficiente para que a amizade fosse recíproca. É bem verdade que Anselmo era um pouco mais inclinado aos passatempos amorosos que Lotário, que era atraído pelos da caça; mas às vezes Anselmo deixava de lado seus prazeres para seguir os de Lotário, e Lotário deixava os seus pelos de Anselmo, e assim andavam suas vontades, mais ajustadas que o relógio mais pontual.

Anselmo andava perdido de amores por uma donzela da mesma cidade, nobre e formosa, de tão boa família e tão boa ela mesma que ele decidiu pedi-la em casamento a seus pais, o que foi feito, com a concordância de seu amigo Lotário, sem o qual nada fazia. E quem se encarregou da missão foi Lotário, que concluiu o negócio tão ao gosto do amigo que em pouco tempo ele se viu de posse do que desejava, e Camila tão contente de ter Anselmo por marido que não cessava de dar graças aos céus e a Lotário, por meio de quem havia alcançado tanta felicidade.

Nos primeiros dias, alegres como os de todos os casamentos, Lotário continuou frequentando a casa de seu amigo Anselmo, procurando honrá-lo, festejá-lo e agradá-lo com tudo aquilo que lhe era possível. Mas, acabadas as festas e diminuídas as visitas e os parabéns, cuidadosamente Lotário começou a evitar aparecer, por pensar — como é razoável que pensem todos os que forem sensatos — que não se deve frequentar as casas dos amigos casados da mesma maneira que quando eram solteiros, pois, embora a amizade boa e verdadeira não pode nem deve ser suspeita em nada, a honra do casado é tão delicada que parece que pode se ofender até com os próprios irmãos, quanto mais com os amigos.

Anselmo notou o retraimento de Lotário e se queixou muito, dizendo-lhe que, se ele soubesse que o casamento seria motivo para não confraternizarem como de costume, jamais teria se casado, e que, se haviam conseguido ser chamados de "os dois amigos" de modo tão doce, pela boa camaradagem que tinham nos tempos de solteiro, não permitisse que tão famosa e agradável alcunha se perdesse, sem outra razão que se fazer de circunspecto. Então, suplicava, se era lícito que se usasse um termo desses entre eles, que voltasse a ser senhor de sua casa, que entrasse e saísse dela como antes, garantindo-lhe que sua esposa Camila não tinha outro gosto nem outra vontade que os que ele queria que tivesse. E mais, como ela sabia a que ponto os dois se gostavam, estava confusa ao vê-lo tão arisco.

A todos esses e muitos outros argumentos que Anselmo usou para persuadi-lo, Lotário respondeu com tanta prudência, sensatez e discernimento que Anselmo ficou satisfeito com a boa intenção de seu amigo, e combinaram que Lotário viria jantar com ele dois dias por semana e nos feriados. Apesar dessa combinação entre os dois, Lotário decidiu fazer apenas aquilo que mais convinha à honra de seu amigo, cuja reputação prezava mais que a sua. Ele dizia, com toda razão, que o marido a quem o céu havia concedido mulher formosa devia ter tanto cuidado com os amigos que levava para casa como com as amigas com que sua esposa conversava, porque o que não se faz nem se combina nas praças nem nos templos, nem nas festas públicas nem nas visitas à igreja (coisas que nem sempre os maridos podem negar a suas mulheres), se combina e se facilita na casa da amiga ou da parenta em que se deposita a maior confiança.

Lotário também dizia que os casados precisavam, cada um, de um amigo que apontasse os descuidos no comportamento deles, porque, devido ao grande amor que o marido tem pela mulher, costuma acontecer de ele não perceber ou não lhe dizer, para não incomodá-la, que faça ou deixe de fazer algumas coisas, quando fazê--las ou não seria honroso ou aviltante. Então, sendo advertido pelo amigo, facilmente poderia se remediar tudo. Mas onde se achará amigo tão sensato, leal e verdadeiro como esse que Lotário pede? Eu, com certeza, não sei. Somente Lotário era assim, pois com toda solicitude e discernimento olhava pela honra de seu amigo e procurava rarear, espaçar e limitar os dias combinados de ir a sua casa, para que não parecesse mal ao vulgo ocioso e aos olhos vagabundos e maliciosos a entrada de um rapaz rico, bonito e bem-nascido, com as boas qualidades que ele achava que tinha, na casa de uma mulher tão bela como Camila. Mesmo que a virtude e o valor dela pudessem frear toda língua maledicente, não queria pôr em dúvida sua reputação nem a de seu amigo, e por isso ocupava com outras diversões a maioria dos dias combinados, dando a entender serem irrecusáveis. Assim, com queixas de um e desculpas do outro, passavam muitas horas do dia.

Então, num desses dias, quando os dois andavam passeando num campo fora da cidade, Anselmo disse a Lotário as seguintes palavras:

— Vê bem, meu amigo Lotário, não posso retribuir as graças que Deus me concedeu ao me fazer filho de

pais como foram os meus e ao me dar bens com mãos
pródigas, tanto os que chamam naturais como os da riqueza, com uma gratidão que iguale ou supere à que tenho pelo bem que recebi quando me deu a ti por amigo
e a Camila por mulher, duas dádivas que estimo, se não
no grau em que devo, pelo menos no que posso. Pois,
apesar disso, que costuma ser tudo que os homens ne-
cessitam para viver felizes, vivo como a criatura mais
ressentida e desgraçada em todo o universo. Não sei desde quando me atormenta um desejo tão estranho, tão
fora do comum, que me surpreendo comigo mesmo, e
a sós me culpo e me censuro, e procuro sufocá-lo e escondê-lo de meus próprios pensamentos. Mas ando com
esse segredo como se de propósito procurasse anunciá-lo
a todo o mundo. E, como cedo ou tarde ele acabará reve-
lado, quero que seja para teu silêncio, porque confio que,
com o empenho que empregarás em resolvê-lo, como
meu amigo verdadeiro, logo me verei livre da angústia
que me causa, e minha alegria por teu desvelo chegará
ao grau que chegou minha tristeza por minha loucura.

   Lotário estava pendente das palavras de Anselmo.
Ele não sabia aonde ia parar essa longa preparação ou
preâmbulo e, embora remexesse em sua mente que desejo poderia ser aquele que tanto atormentava o amigo,
deu sempre muito longe do alvo da verdade; e, para sair
depressa daquela agonia, disse a Anselmo que insultava
sua grande amizade andar com rodeios para lhe contar
seus pensamentos mais secretos, pois sabia muito bem o
que podia esperar dele: ou consolo para amenizá-los ou
um modo para realizá-los.

   — Tens razão, meu amigo — respondeu Anselmo. —
E com essa confiança te conto que o desejo que me atormenta é pensar se Camila, minha esposa, é tão virtuosa
e tão perfeita como me parece, e não posso me convencer
dessa verdade a não ser demonstrando de maneira que
a prova indique os quilates de sua excelência, como o

fogo mostra as do ouro. Porque eu acho, meu amigo, que a virtude de uma mulher está em quanto foi ou não foi galanteada: só é forte aquela mulher que não se dobra às promessas, aos presentes, às lágrimas e às impertinências contínuas dos apaixonados diligentes. O que há para agradecer — dizia ele — no fato de que uma mulher seja boa se ninguém pede a ela que seja má? Se está recolhida e amedrontada, sem que lhe deem oportunidade de se soltar? Ou se sabe que tem marido que acabará com a vida dela, se a flagrar no primeiro atrevimento? De modo que a mulher que é virtuosa por temor ou por falta de oportunidade não terá de mim a estima que terei pela assediada e perseguida que saiu com os louros da vitória. Assim, por essas razões e por muitas outras que poderia te dar para corroborar e fortalecer minha opinião, desejo que minha esposa, Camila, passe por estas dificuldades, depure-se e se avalie no fogo de se ver cortejada e perseguida, e por quem tenha valor para atiçar nela seus desejos. E, se ela sair triunfante dessa batalha, como penso que sairá, poderei considerar inigualável meu destino: poderei dizer que está repleta a taça de meus desejos, poderei dizer que por sorte me coube a mulher forte, de quem o sábio Salomão diz: "Quem a encontrará?". E, se isso acontecer ao contrário do que espero, o prazer de ver que minha opinião foi correta me fará carregar sem pena a que com certeza essa experiência tão árdua irá me causar. E, como nada do que disseres contra meu desejo pode me impedir de executá-lo, quero, meu amigo Lotário, que te disponhas a ser o instrumento que irá cinzelar essa obra de minha vontade. Eu te facilitarei tudo para que a faças, sem que te falte nada do que me pareça necessário para cortejar uma mulher recatada, virtuosa, modesta e abnegada. O que me leva a confiar a ti empresa tão árdua é, entre outras coisas, saber que, se Camila for vencida, a conquista não chegará às últimas consequências, mas apenas, por respeito a mim, a considerar consumado o que deveria se consumar. Assim, não ficarei ofendido mais que com o desejo, e minha injúria ficará oculta na virtude de teu silêncio, que, pelo que me toca, bem sei que será eterno como o da morte. Então, se queres que eu tenha uma vida digna desse nome, deves entrar nessa batalha amorosa neste mesmo instante, não com indiferença ou indolência, mas com o empenho e a tenacidade que meu desejo pede e com a confiança que nossa amizade me assegura.

Foram essas as palavras de Anselmo. Lotário prestou tanta atenção a elas que — exceto pelo que se mencionou que ele disse antes — não abriu a boca até que seu amigo houvesse acabado. Então, vendo que não dizia mais nada, ficou um bom tempo olhando para ele, como se olhasse uma coisa que jamais tivesse visto e que lhe causasse admiração e espanto, e lhe disse:

— Não posso acreditar, meu amigo Anselmo, que não dizes essas coisas para zombar de mim, pois, se pensasse que as dizias a sério, não consentiria que fosses tão longe, porque evitaria tua longa arenga não te ouvindo. Sem dúvida acho que ou tu não me conheces ou eu não te conheço. Mas não, bem sei que és Anselmo e tu sabes que sou Lotário; o problema está em que eu penso que não és o Anselmo que costumavas ser e tu deves ter pensado que tampouco eu sou o Lotário que devia ser, porque as coisas que disseste não são daquele Anselmo meu amigo, nem as que me pedes seriam pedidas àquele Lotário que tu conheces, porque os bons amigos devem pôr à prova seus amigos e se valer deles *usque ad aras*,[1] como disse um poeta, para mostrar que não haviam de se servir de sua amizade para coisas que fossem contra Deus. Pois se um pagão sentiu isso da amizade, imagina um cristão, que não há de perder a amizade divina por uma humana? E se o amigo fosse além da conta, deixando de lado a obediência ao céu para obedecer a seu amigo, não deveria ser por ninharias e caprichos passageiros, mas por coisas em que estão em jogo a honra e a vida de seu amigo. Então, Anselmo, me diz agora: qual das duas tens em perigo, para que eu me aventure a te agradar fazendo uma coisa tão detestável como me pedes? Nenhuma, sem dúvida; pelo que entendi, é o contrário, quer que eu tente te tirar a honra e a vida, perdendo junto a minha, porque, se eu tentar te tirar a honra, é claro que te tiro a vida, pois o homem sem honra é pior que um morto; e eu, sendo o instrumento de todo esse mal para ti, como queres que eu seja, não venho a ficar desonrado e, portanto, sem vida? Escuta, Anselmo, meu amigo: tem paciência e não me respondas até que acabe de te dizer o que sinto sobre o que me pediu teu desejo, pois não faltará tempo para que tu me respondas e eu te escute.

— Muito bem — disse Anselmo —, diz o que quiseres.

E Lotário prosseguiu:

— Parece-me, Anselmo, que nesse momento estás com a mente como a dos mouros, a quem não podemos apontar o erro de sua seita com comentários da Santa Escritura, nem com argumentos que permitam o exercício da inteligência, nem que estejam fundados em artigos de fé. Devemos, isso sim, dar a eles exemplos palpáveis, fáceis, inteligíveis, demonstrativos, indubitáveis, com demonstrações matemáticas que não podem negar, como quando se diz: "Se de duas partes iguais tiramos partes iguais, as que sobram também são iguais". E, quando não entendem isso com palavras, que é exatamente o que acontece, deves mostrar a eles com as mãos e pôr diante de seus olhos, e mesmo assim ninguém consegue persuadi-los das verdades de nossa sagrada religião. Penso que me convém usar esse mesmo recurso e método contigo, porque o desejo que nasceu em ti anda tão extraviado, tão longe de tudo aquilo que tenha sombra de razoável, que me parece tempo perdido te apontar tua tolice, que por ora não quero chamar por outro nome, e quase me leva a te abandonar a teu desatino, como castigo por esse desejo perverso. Mas minha amizade por ti me impede de ser severo assim, não consente que te deixe em perigo tão evidente de te perder. E, para que vejas com clareza, Anselmo, diz-me: tu não me disseste que tenho de cortejar uma mulher recatada, persuadir uma honesta, oferecer-me a uma desinteressada, seduzir uma sensata? Sim, foi o que me disseste. Pois se sabes que tens uma mulher recatada, honesta, desinteressada e sensata, o que queres? E, se pensas que ela vai sair vitoriosa de todas as minhas investidas, como sem dúvida sairá, que melhores qualificativos pretendes lhe dar além dos que tem agora? Ou pensas que ela será melhor do que é agora? Ou tu não acreditas no que dizes, ou não sabes o que me pedes. Se não acreditas que ela é o que dizes, para que queres pô-la à prova, em vez de, como a uma mulher má, fazer dela o que mais te agrade? Mas, se é virtuosa como acreditas, será uma coisa impertinente demonstrar a verdade mesma, porque depois se ficará com a mesma estimativa que se tinha antes. Portanto, a conclusão é óbvia: tentar coisas que podem nos causar mais danos que proveito é próprio de mentes temerárias e sem discernimento, e mais ainda tentar coisas a que não se é forçado nem compelido e que de muito longe mostram que tentá-las é uma loucura rematada.

"As coisas difíceis se empreendem por Deus ou pelo mundo ou por ambos: as que se executam por Deus são as dos santos, que tentam viver vida de anjos em corpos humanos; as que se executam por causa do mundo são as daqueles que enfrentam águas infinitas, climas diversos, povos estranhos, para adquirir esses bens que chamam de riqueza. E as que se executam, ao mesmo tempo, por Deus e pelo mundo são aquelas dos soldados valentes, que, mal vendo aberta na muralha inimiga uma brecha do tamanho da que pode ser feita por uma bala de artilharia, deixando de lado o medo, sem pensar nem dar atenção ao evidente perigo que os ameaça, levados em voo pelas asas do desejo de combater por sua fé, por sua nação e por seu rei, se lançam intrepidamente em meio a mil diferentes mortes que os esperam. São essas coisas que se costumam empreender, e há honra, glória e proveito em tentá-las, embora tão cheias de inconvenientes e perigos.

"Mas a que tu dizes querer empreender, nem te fará alcançar a glória de Deus, nem riqueza, nem fama entre os homens, porque, mesmo que saias dela como desejas, não deverás ficar nem orgulhoso, nem mais rico, nem mais honrado do que és agora; e, se não saíres, deverás te ver na maior miséria que se possa imaginar, porque não terás proveito em pensar então que ninguém conhece a desgraça que te aconteceu, porque bastará para te afligir e aniquilar que tu mesmo a conheças. E, para ratificação dessa verdade, gostaria de te recitar uma estrofe que fez o famoso poeta Luigi Tansillo, no fim da primeira parte de *As lágrimas de são Pedro*,[2] que diz assim:

> *Cresce a dor e cresce a vergonha*
> *em Pedro, quando o dia despontou,*
> *e mesmo sem ver ninguém ali se envergonha*
> *de si mesmo, por ver que havia pecado:*
> *pois para um peito nobre ter vergonha*
> *não só deve movê-lo o ser olhado,*
> *que de si se envergonha quando erra,*
> *embora outro só veja céu e terra.**

---

* *Crece el dolor y crece la vergüenza/ en Pedro, cuando el día se ha mostrado,/ y aunque allí no ve a nadie, se avergüenza/ de sí mismo, por ver que había pecado:/ que a un magnánimo pecho a haber vergüenza/ no sólo ha de moverle el ser mirado,/ que de sí se avergüenza cuando yerra,/ si bien otro no ve que cielo y tierra.*

"Como vês, não evitarás tua dor com o segredo; pelo contrário, terás de chorar sempre, se não lágrimas dos olhos, lágrimas de sangue do coração, como as chorava aquele doutor estúpido que fez a prova da taça, como nos conta nosso poeta, mas que com melhor discernimento recusou fazer o prudente Reinaldos.[3] Embora isso seja ficção poética, encerra em si segredos morais dignos de ser notados e entendidos e imitados. Além disso, com o que agora penso te dizer acabarás entendendo o grande erro que queres cometer.

"Diz-me, Anselmo, se o céu ou a boa sorte te houvesse feito dono de um diamante esplêndido, de cuja qualidade e valor estivessem convencidos quantos entendidos o vissem, e que todos dessem em coro a mesma opinião de que em quilates, valor e perfeição chegava ao máximo que a natureza pode proporcionar a uma pedra dessas, e tu mesmo acreditasses que era assim, sem nada que te contradissesse, seria justo que sentisses o desejo de pegar aquele diamante e pô-lo sobre uma bigorna para, com um martelo, à força de golpes, provar que é tão duro e perfeito como dizem? Mas digamos que houvesses executado prova tão tola. Então, se a pedra resistisse, nem por isso ela teria mais valor nem mais fama, e, caso se quebrasse, coisa que poderia acontecer, não se perderia tudo? Claro que sim, sendo seu dono julgado estúpido por todos.

"Pois faz de conta, meu amigo Anselmo, que Camila é um diamante perfeito, tanto em tua opinião como na dos outros, e que não há motivo para arriscá-la a se quebrar, porque mesmo que continue inteira não pode ser mais perfeita do que é agora; e, se falhasse e não resistisse, considera desde já como ficarias sem ela e com quanta razão poderias te queixar de ti mesmo, por ter sido a causa da perdição dela e da tua.

"Olha que não há no mundo joia que valha tanto como a mulher casta e honrada, e que toda a honra das mulheres consiste na boa opinião que se tem delas; e, se a de tua esposa é tanta que chega ao extremo que bem conheces, para que queres pôr essa verdade em dúvida? Lembra, meu amigo, que a mulher é um animal imperfeito, e que não se devem pôr obstáculos para que tropece e caia, mas sim tirá-los, desimpedir o caminho de qualquer inconveniente, para que sem aflições ela corra ligeira para alcançar a perfeição que lhe falta, que consiste em ser virtuosa.

"Os naturalistas contam que os arminhos têm o pelo branquíssimo e que os caçadores, quando desejam pegá-los, usam deste artifício: conhecendo os lugares por onde costumam passar ou aparecer, enchem-nos com lama e depois, açulando os bichos, encaminham-nos para aqueles lugares, e assim que chega à lama o arminho fica parado e se deixa capturar, para não passar por ela e perder e sujar sua brancura, que aprecia mais que a liberdade e a vida. A mulher pura e casta é como um arminho, e a virtude da honestidade é mais branca e limpa que a neve, e o homem que não quiser que a mulher a perca, mas pelo contrário a guarde e conserve, deve agir de modo diferente que o caçador de arminho, porque não se deve pôr diante dela a lama dos presentes e desvelos dos pretendentes importunos, porque talvez, ou mesmo sem talvez, não tenha tanta virtude e força natural que possa por si mesma atropelar e deixar para trás aqueles embaraços, e é necessário tirá-los e pôr diante dela a limpeza da virtude e da beleza que encerra em si sua boa reputação.

"A mulher pura também é como um espelho de cristal límpido e brilhante, mas que está sujeito a embaçar e obscurecer com qualquer sopro que o toque. É preciso agir com as mulheres do mesmo modo que com as relíquias: adorá-las e não tocá-las. É preciso ter e apreciar a mulher pura como se tem e aprecia um belo jardim cheio de rosas e outras flores, cujo dono não permite que ninguém passeie por ele nem o toque: basta que de longe, por entre as grades de ferro, desfrutem de sua fragrância e formosura.

Por fim, quero te recitar uns versos que me vieram à memória; eu os ouvi numa comédia moderna e me parecem sob medida ao que vamos tratando. Um velho prudente aconselhava outro, pai de uma donzela, a encerrá-la em casa e vigiá-la, e entre outros argumentos lhe deu estes:

> *É de vidro a mulher,*
> *mas não se deve testar*
> *se pode ou não quebrar,*
> *porque tudo pode acontecer.*
>
> *E é mais fácil o quebrar-se,*
> *e não é sensato pôr-se*
> *em perigo de romper-se*
> *o que não se pode soldar.*
>
> *E nesta opinião estejam*
> *todos, e em bom motivo a fundo:*
> *se há Dânaes no mundo,*
> *há chuvas de ouro também.**

"Tudo o que te disse até aqui, Anselmo, se refere a ti, e agora é bom que ouças alguma coisa sobre o que me toca, e me perdoa se eu me alongar, pois assim exige o labirinto em que entraste e de onde queres que eu te salve. Tu me consideras amigo, mas queres me desonrar, coisa que é contra toda amizade; e não só pretende isso como procuras que eu também te desonre. Que queres me desonrar é evidente, pois, quando Camila vir que eu a cortejo, como

---

* *Es de vidrio la mujer,/ pero no se ha de probar/ si se puede o no quebrar,/ porque todo podría ser.// Y es más fácil el quebrarse,/ y no es cordura ponerse/ a peligro de romperse/ lo que no puede soldarse.// Y en esta opinión estén/ todos, y en razón la fundo:/ que si hay Dánaes en el mundo,/ hay pluvias de oro también.*

me pedes, claro que irá me considerar homem sem honra e sem escrúpulos, pois tento e faço uma coisa tão fora daquilo que sou e tua amizade me obriga. De que queres que te desonre não há dúvida, porque vendo Camila que eu a cortejo deverá pensar que eu vi nela alguma leviandade que encorajou meu atrevimento a lhe mostrar meu desejo perverso. Então, achando-se desonrada, tu és atingido pela desonra dela, por Camila ser coisa tua. E aqui nasce o que comumente acontece: embora nada saiba, nem tenha dado oportunidade para que sua mulher não seja a que deveria ser, nem tenha estado em suas mãos nem em sua falta de cuidado e decência impedir sua desgraça, chamam o marido da mulher adúltera com nome baixo e injurioso, e os que sabem da maldade de sua mulher olham-no de certa maneira, com os olhos do menosprezo em vez de com os da compaixão, sabendo que não é por sua culpa, mas pela vontade de sua companheira perversa, que está naquela desventura.

"Mas gostaria de te falar da causa pela qual, com justa razão, o marido da mulher pecadora é desonrado, embora ele não saiba que é, nem tenha culpa, nem tenha sido parte, nem dado oportunidade para que ela o seja. E não te canses de me ouvir, pois tudo deve reverter em teu proveito.

"Quando Deus criou nosso primeiro pai no Paraíso terrestre, a divina Escritura diz que Deus deixou Adão com sono e, quando ele dormiu, tirou de seu lado esquerdo uma costela, com que fez nossa mãe Eva. Quando Adão acordou e a viu, disse: 'Esta é carne de minha carne e osso de meus ossos'; e Deus disse: 'Por esta o homem deixará seu pai e sua mãe, e serão dois numa mesma carne'. E assim foi instituído o divino sacramento do matrimônio, com esses laços que apenas a morte pode desatar. E este milagroso sacramento tem tanta força e virtude que faz com que duas pessoas diferentes sejam uma mesma carne, e faz mais ainda com as boas pessoas casadas: embora tenham duas almas, não têm mais que uma vontade. Disso decorre que, como a carne da esposa é uma só com a do esposo, as manchas que nela surgem ou os defeitos que adquire aparecem na carne do marido, embora ele não haja dado, como se disse, oportunidade para a desgraça. Porque, assim como o corpo todo sente a dor do pé ou de qualquer outro membro, por ser a carne única, e a cabeça sente a ferida do tornozelo sem que ela a tenha causado, assim o marido é participante da desonra da mulher, por ser uma coisa só com ela; e como as honras e desonras do mundo sejam todas e nasçam de carne e sangue, e as da mulher pecadora sejam desse gênero, é forçoso que ao marido caiba parte delas e seja tido por desonrado sem que ele o saiba. Olha, portanto, amigo Anselmo, o perigo a que te expões ao querer perturbar o sossego em que tua boa esposa vive; olha o quanto é vã e impertinente a curiosidade que te leva a querer atiçar paixões que agora estão quietas no peito de tua casta esposa; percebe que o que arriscas a ganhar é pouco e que o que perderás será tanto que nem direi mais nada, porque me faltam palavras para louvá-lo. Mas, se tudo o que te disse não basta para demover-te desse propósito indigno, bem podes buscar outro instrumento para tua desonra e desgraça, que eu não penso sê-lo mesmo que por isso perca tua amizade, que é a maior perda que posso imaginar."

Calou-se então o virtuoso e prudente Lotário, e Anselmo ficou tão confuso e pensativo que por um bom tempo não pôde responder uma palavra. Mas, por fim, disse:

— Viste, meu amigo Lotário, a atenção com que escutei tudo o que quiseste me dizer, e em teus argumentos, exemplos e comparações vi a grande sensatez que tens e o extremo aonde chega tua amizade verdadeira. E também percebo e confesso que, se não sigo tua opinião e vou atrás da minha, fujo do bem e corro para o mal. Assim sendo, deves considerar que eu sofro da doença que costuma atingir algumas mulheres que têm o capricho de comer terra, gesso, carvão e outras coisas piores, muito nojentas de se olhar, quanto mais de comer. Então é necessário usar algum estratagema para que eu me cure, e poderia se fazer isso com facilidade começando, embora tímida e fingidamente, a cortejar Camila, que não deve ser tão branda que bote a perder sua honestidade aos primeiros encontros; e apenas com essa amostra ficarei contente e terás cumprido com o que deves a nossa amizade, não somente me dando a vida, como me persuadindo a não me ver sem honra. E tens a obrigação de fazer isso por uma única razão: estando eu como estou, determinado a pôr em prática essa prova, não deves consentir que eu dê conta de meu desatino a outra pessoa, com que poria em perigo a honra pela qual tu lutas para que eu não perca; e se a tua for malvista por Camila, enquanto a cortejares, pouco ou nada importa, pois em seguida, vendo nela a inteireza que esperamos, poderás lhe contar a verdade nua e crua de nosso estratagema, voltando assim tua reputação ao que era antes. E, como te arriscarias muito pouco, mas me contentarias muito com essa aventura, não a deixes de empreender, por mais inconvenientes que surjam por diante, pois, como já disse, mal tu a comeces darei a causa por concluída.

Lotário, vendo a vontade decidida de Anselmo e não sabendo mais que exemplos dar nem que argumentos mostrar para que não a seguisse, e vendo a ameaça de falar a outro de seu desejo perverso, para evitar um mal maior resolveu contentá-lo e fazer o que lhe pedia, com o propósito e a intenção de guiar aquele negócio de modo que, sem alterar os pensamentos de Camila, ficasse Anselmo satisfeito. Assim respondeu que não comunicasse seu pensamento a ninguém, que ele se encarregava de tudo e que começaria quando ele achasse melhor. Anselmo o abraçou, terna e amorosamente, e lhe agradeceu sua promessa como se houvesse feito um grande favor.

Combinaram dar início àquela empresa já no dia seguinte, e que Anselmo daria um jeito para que Lotário pudesse falar a sós com Camila, mais dinheiro e joias para lhe dar e oferecer. Aconselhou-o que fizesse música e escrevesse versos em seu louvor; e, se ele não quisesse se dar ao trabalho de fazê-los, ele mesmo os faria. Lotário concordou com tudo, mas com intenção bem diferente da que Anselmo imaginava.

E com esse acordo voltaram à casa de Anselmo, onde encontraram Camila ansiosa e preocupada à espera do esposo, porque naquele dia demorara mais que de costume.

Lotário foi para casa, e Anselmo ficou tão contente como ele pensativo, sem saber o que fazer para se sair bem daquele caso impertinente. Mas naquela noite atinou com o modo de enganar Anselmo sem ofender Camila, e no dia seguinte foi almoçar com seu amigo. Foi bem recebido por Camila, que o acolhia com a maior boa vontade, por conhecer a afeição que seu esposo tinha por ele.

Quando acabaram de almoçar e tirar a mesa, Anselmo disse a Lotário que ficasse ali com Camila enquanto ele ia resolver um negócio urgente, que dentro de uma hora e meia estaria de volta. Camila rogou ao marido que não fosse, e Lotário se ofereceu para acompanhá-lo, mas nada conseguiu com Anselmo, que, pelo contrário, insistiu para que Lotário ficasse e o aguardasse, porque tinha de tratar de um assunto muito importante com ele. Também disse a Camila que não deixasse Lotário sozinho até que voltasse. Ele realmente soube fingir tão bem a necessidade ou necedade de sua ausência que ninguém poderia perceber que era fingida. Anselmo se foi, e Camila e Lotário ficaram a sós à mesa, porque o resto das pessoas da casa fora almoçar. Lotário se viu então na enrascada que seu amigo desejava, com o inimigo pela frente — inimigo que, apenas com sua beleza, poderia vencer um esquadrão de cavaleiros armados: olhai se não era sem razão que Lotário o temia.

Mas o que fez foi apoiar o cotovelo sobre o braço da cadeira e o rosto na mão aberta e, pedindo perdão a Camila pela falta de cortesia, disse que queria repousar um pouco até que Anselmo voltasse. Camila respondeu que descansaria melhor no sofá que na cadeira, que fosse dormir nele. Lotário preferiu ficar ali. Ao voltar, Anselmo encontrou Camila em seu quarto e Lotário dormindo, e pensou que, como havia demorado muito, os dois deviam ter tido tempo de falar e até de dormir, e não via a hora que Lotário acordasse para sair com ele e lhe perguntar por sua sorte.

Tudo aconteceu como ele quis: mal Lotário acordou, os dois saíram da casa, e então Anselmo perguntou o que tanto desejava, e Lotário respondeu que não lhe parecera acertado mostrar o jogo na primeira vez, de modo que não tinha feito outra coisa que elogiar Camila, dizendo que na cidade só se falava de sua formosura e inteligência, e que tinha achado esse um bom começo para lhe ganhar a confiança e prepará-la para que o escutasse com prazer na próxima vez, usando nisso o estratagema que o demônio usa quando quer enganar alguém muito prevenido: transforma-se em anjo de luz, mesmo ele sendo de trevas, e, surgindo com boa aparência, por fim mostra quem é e demonstra suas intenções, se sua trapaça não foi descoberta desde o princípio. Isso tudo agradou muito a Anselmo, que disse que todo dia daria a mesma oportunidade, embora não saísse de casa, porque se ocuparia de coisas que não levassem Camila a desconfiar de seu artifício.

Assim se passaram muitos dias: sem que Lotário dissesse uma palavra a Camila, respondia a Anselmo que a elogiava sempre, mas que jamais conseguia arrancar dela o menor sinal de algum sentimento suspeito, nem mesmo a sombra de uma esperança; pelo contrário, ela ameaçava contar a seu esposo, se não se livrasse daqueles maus pensamentos.

— Muito bem — disse Anselmo. — Até aqui Camila resistiu às palavras; é preciso ver como resiste às ações. Amanhã te darei dois mil escudos de ouro para que ofereças a ela, ou presenteies até, e outros tantos para que compres joias para tentá-la. As mulheres, por mais castas que sejam, costumam gostar muito de se vestir bem e se ornamentar, ainda mais se forem formosas. Se Camila resistir a essa tentação, ficarei satisfeito e não te incomodarei mais.

Lotário respondeu que, já que tinha começado, iria até o fim, apesar de sair cansado e vencido daquela empresa. No outro dia recebeu os quatro mil ducados e com eles quatro mil confusões, porque não sabia o que dizer para mentir de novo. Mas, por fim, resolveu dizer que Camila resistira tão bem aos presentes e promessas como às palavras, e que não havia mais motivo para se cansar, que era um desperdício de tempo.

Mas o destino, que guiava as coisas de outra maneira, ordenou que Anselmo, tendo deixado Lotário e Camila a sós, como de outras vezes, se trancasse num aposento e pelo buraco da fechadura ficasse olhando e ouvindo o que acontecia com os dois. Ele viu que em mais de meia hora Lotário não disse uma palavra a Camila, nem falaria se ficasse ali um século, e se deu conta de que tudo o que seu amigo havia dito das respostas de Camila era ficção e mentira. E, para ver se era isso mesmo, saiu do aposento e, chamando Lotário à parte, perguntou pelas novidades e pela disposição de Camila. Lotário respondeu que não pensava mais levar aquele negócio adiante, porque ela respondia tão áspera e desagradavelmente que não teria ânimo para voltar a lhe dizer alguma coisa.

— Ah, Lotário, Lotário! — disse Anselmo. — Como correspondes mal ao que me deves e à confiança toda que tenho em ti! Agora mesmo estive te olhando pelo lugar que permite a entrada desta chave e vi que não disseste uma palavra a Camila. Disso concluo que ainda tens de lhe dizer as primeiras. E, se isso for verdade, como sem dúvida é, por que me enganas ou por que queres, com tua astúcia, me tirar os meios que eu poderia ter para alcançar meu desejo?

Anselmo não disse mais nada, mas bastou o que tinha dito para deixar Lotário envergonhado e confuso. Como que ferido em seu amor-próprio por ter sido pego mentindo, ele jurou a Anselmo que a partir daquele momento se encarregava de contentá-lo e não lhe mentir, como veria se tivesse curiosidade e o espiasse, ainda mais que não seria necessário usar de nenhum subterfúgio, porque ele havia imaginado um que o deixaria satisfeito, livrando-o de todas as suspeitas. Anselmo acreditou nele e, para deixá-lo mais à vontade e seguro, resolveu se ausentar por oito dias, indo para a casa de um amigo seu, que ficava numa aldeia não muito longe da cidade. Combinou com o amigo que o mandasse chamar com urgência, para justificar a Camila sua partida.

Miserável e imprudente Anselmo! O que fazes? O que tramas? O que ordenas? Olha o que fazes contra ti mesmo, tramando tua desonra e ordenando tua perdição. Tua esposa Camila é uma boa mulher; tu a tens pacata e serenamente; ninguém ameaça tua satisfação; os pensamentos dela não ultrapassam as paredes de tua casa; para ela, tu és o céu na terra, o alvo de seus desejos, a realização de seus anseios e a medida de sua vontade, ajustando-a em tudo à tua e à do céu. Pois se a mina de sua honra, formosura, honestidade e recato te dá sem nenhum trabalho toda a riqueza que encerra e tu podes desejar, para que queres cavar a terra e buscar novos veios de um novo e incrível tesouro, arriscando que tudo venha abaixo, porque afinal se sustenta sobre as bases frágeis de sua débil natureza? Olha, é justo que o possível seja negado a quem busca o impossível, como disse melhor um poeta:

*Busco na morte a vida,
saúde na doença,
na prisão, liberdade,
no fechado, saída
e, no traidor, lealdade.
Mas minha sorte, de quem
jamais espero algum bem,
com o céu estabeleceu
que, se o impossível peço,
nem o possível me deem.**

Anselmo foi para a aldeia no dia seguinte, dizendo a Camila que, durante o tempo em que estivesse ausente, Lotário viria olhar pela casa e almoçar com ela, que tivesse o cuidado de tratá-lo como à sua própria pessoa. Camila, mulher sensata e honrada, ficou aflita com a ordem do marido e disse a ele que notasse que não ficava bem que outro homem ocupasse a cadeira de sua mesa com ele ausente. Disse também que, se agia assim por não confiar que ela saberia governar a casa, experimentasse aquela vez e veria como se bastava até para responsabilidades maiores. Anselmo respondeu que aquela era sua vontade e que nada mais tinha a fazer que baixar a cabeça e obedecê-lo. Camila disse que assim o faria, embora a contragosto.

Tendo Anselmo partido, no outro dia Lotário veio à sua casa, onde foi recebido por Camila com afetuosa e honesta consideração, mas jamais ficando onde Lotário pudesse vê-la a sós, porque sempre andava rodeada por seus criados e criadas, especialmente por uma aia chamada Leonela, de

---

* *Busco en la muerte la vida,/ salud en la enfermedad,/ en la prisión libertad,/ en lo cerrado salida/ y en el traidor lealtad./ Pero mi suerte, de quien/ jamás espero algún bien,/ con el cielo ha estatuido/ que, pues lo imposible pido,/ lo posible aun no me den.*

quem gostava muito, por terem as duas se criado juntas desde meninas na casa dos pais de Camila, que a trouxe consigo quando se casou com Anselmo. Nos três primeiros dias, Lotário não disse nada, embora pudesse, quando se tirava a mesa e os criados saíam a toda pressa para comer, porque assim Camila havia determinado. Leonela tinha recebido ordens para almoçar antes de Camila e de jamais abandoná-la, mas a moça, que andava com o pensamento em outras coisas de seu agrado e necessitava daqueles instantes para se ocupar delas, nem sempre cumpria a resolução de sua senhora, deixando-os sós, como se isso lhe tivessem mandado. Mas a presença recatada de Camila, a gravidade de seu rosto, a dignidade de sua pessoa eram tantas que freavam a língua de Lotário.

Mas o bem que as muitas virtudes de Camila fizeram, silenciando a língua de Lotário, acabou por prejudicar mais os dois, porque, se a língua calava, o pensamento corria solto e havia tempo para se contemplar, ponto por ponto, todas as extremas qualidades e formosuras de Camila, suficientes para apaixonar uma estátua de mármore, quanto mais um coração de carne.

No tempo em que devia falar com ela, Lotário a olhava — e considerava como era digna de ser amada, pensamento que começou pouco a pouco a corroer o respeito que tinha por Anselmo. Mil vezes quis ir embora da cidade, ir para onde Anselmo jamais o visse nem ele visse Camila, mas o prazer que encontrava em olhá-la o impedia e retinha. Esforçava-se e lutava consigo mesmo para afastar e não sentir a alegria que tinha ao contemplar Camila; sozinho, culpava-se por seu desatino; chamava-se mau amigo e inclusive mau cristão; argumentava e fazia comparações entre ele e Anselmo, mas concluía sempre que a loucura e confiança de Anselmo haviam sido piores que sua fidelidade hesitante, e, se assim estivesse desculpado pelo que pretendia fazer, tanto perante Deus como perante os homens, não temeria castigo por sua culpa.

Efetivamente, a formosura e a meiguice de Camila, aliadas às circunstâncias que o marido ignorante lhe pusera nas mãos, deram com a lealdade de Lotário por terra; e, sem olhar outra coisa que aquela a que seu desejo o arrastava, ao fim de três dias da ausência de Anselmo, quando esteve em batalha contínua para resistir à tentação, começou a cortejar Camila, com tanta timidez e com palavras tão amorosas que ela ficou surpresa e não fez nada além de se levantar de onde estava e ir para seu quarto sem lhe responder coisa alguma. Mas essa secura não desencorajou a esperança de Lotário — esperança que sempre nasce juntamente com o amor —, pelo contrário, ele estimou Camila mais ainda. Ela, vendo em Lotário o que jamais imaginara, não sabia o que fazer, mas, considerando não ser coisa segura nem conveniente dar outra chance para que lhe falasse, decidiu enviar naquela mesma noite, como realmente o fez, um criado seu com um bilhete a Anselmo, onde lhe escreveu estas palavras:

XXXIV

ONDE SE PROSSEGUE A HISTÓRIA
DO "CURIOSO IMPERTINENTE"

Assim como se costuma dizer que são maus o exército sem general e o castelo sem castelão, eu digo que me parece muito pior a mulher casada e moça sem seu marido, quando razões justas não o impedem. Eu me encontro tão mal sem vós e tão impossibilitada de suportar esta ausência que, se não voltardes logo, terei de ir para a casa de meus pais, mesmo que deixe a vossa sem guardião, porque me parece que o que me deixastes, se é que merece esse título, olha mais por sua satisfação que pelo que vos diz respeito. Como sois inteligente, nada mais tenho a vos dizer, nem fica bem que vos diga mais.

Por essa carta, Anselmo entendeu que Lotário já havia começado a empresa e que Camila havia reagido como ele desejava; muito alegre com essas notícias, respondeu a Camila, por um mensageiro, que não se mudasse de casa de jeito nenhum, porque ele voltaria em seguida. Camila ficou surpresa com a resposta de Anselmo, que a deixou mais confusa que antes, porque nem se atrevia a ficar em casa nem ir para a dos pais — numa situação sua honestidade corria perigo, na outra desobedecia às ordens de seu esposo.

Por fim se decidiu pelo pior, que foi ficar, determinada a não fugir da presença de Lotário, para não dar o que falar a seus criados, e já a preocupava ter escrito o que escrevera a seu esposo, temerosa de que pensasse que Lotário havia visto nela alguma leviandade que o tivesse levado a não lhe guardar o devido respeito. Mas, confiante na própria pureza e em suas boas intenções, entregou-se a Deus, pensando resistir em silêncio a tudo que Lotário quisesse lhe dizer, sem contar mais nada ao marido, para não o levar a alguma discórdia e sofrimento; e até andava procurando uma maneira de desculpar Lotário, quando Anselmo lhe perguntasse sobre o que a tinha levado a escrever aquela carta. Com esses pensamentos, mais honrados que corretos ou vantajosos, passou outro dia ouvindo Lotário, que insistiu tanto que a firmeza de Camila começou a vacilar, e sua honestidade teve muito que fazer para chegar aos olhos e não permitir que transparecesse alguma compaixão amorosa que as lágrimas e as palavras de Lotário haviam despertado em seu peito. Lotário percebia isso tudo, e isso tudo o inflamava.

Então ele achou que era preciso, aproveitando a ausência de Anselmo, apertar o cerco àquela fortaleza: assim atacou o orgulho dela com os elogios de sua formosura, porque não há coisa que penetre e renda mais depressa as torres fortificadas da vaidade das formosas que a própria vaidade, posta nas línguas da adulação. Realmente, ele, com todo o empenho, minou a rocha de sua inteireza com tais ferramentas que Camila não resistiria mesmo que fosse de bronze. Lotário chorou, rogou, prometeu, adulou, insistiu e fingiu com tanta emoção que deu por terra com o recato de Camila e veio a ganhar o que menos esperava e mais desejava.

Rendeu-se Camila, Camila se rendeu — mas qual a vantagem, se a amizade de Lotário não ficou de pé? Exemplo claro que nos mostra que só se vence a paixão amorosa fugindo dela e que ninguém deve encarar inimigo tão poderoso, porque é preciso forças divinas para vencer as humanas.

Apenas Leonela soube da fraqueza de sua senhora, porque os dois maus amigos e novos amantes não puderam dissimular. Lotário não quis contar a Camila o plano de Anselmo, nem que ele havia lhe dado a oportunidade de chegar àquele ponto, para que não julgasse menor seu amor e achasse que, por acaso e sem pensar, e não de propósito, a tinha cortejado.

Anselmo voltou dali a poucos dias e não se deu conta do que faltava em casa: o que menos tinha e mais estimava. Em seguida foi ver Lotário e o achou em casa; os dois se abraçaram, e Anselmo perguntou pelas notícias de sua vida ou de sua morte.

— As notícias que posso te dar, meu amigo Anselmo — disse Lotário —, são de que tens uma mulher que dignamente pode ser exemplo e meta de todas as boas mulheres. As palavras que eu disse a ela foram levadas pelo vento; as promessas foram desprezadas, os presentes recusados; minhas lágrimas fingidas foram motivo de grande zombaria. Em resumo, assim como Camila é a soma de toda beleza, é a morada onde reside a honestidade e vive o comedimento e o recato e todas as virtudes que podem tornar louvável e feliz uma mulher honrada. Toma teu dinheiro de volta, meu amigo, que aqui o tenho, sem ter precisado tocar nele, que a integridade de Camila não se rende a coisas tão baixas como presentes e promessas. Alegra-te, Anselmo, e não queiras mais provas que essas; e, como atravessaste com pés enxutos o mar das dificuldades e suspeitas que se costumam e podem se ter das mulheres, não queiras entrar outra vez nas águas profundas de novos inconvenientes, nem queiras fazer experiências com outro piloto da qualidade e fortaleza do navio que o céu por sorte te deu para que nele cruzasses o mar deste mundo. Faz de conta que estás já em porto seguro, lança as âncoras da boa consideração e deixa-te estar até que te venham cobrar a dívida que não há fidalguia humana que possa se negar a pagar.

Anselmo ficou contentíssimo com as palavras de Lotário e acreditou nelas como se tivessem sido ditas por um oráculo, mas, apesar de tudo, implorou a ele que não abandonasse a empresa, ainda que fosse apenas por curiosidade e diversão, sem se valer dali por diante de expedientes tão tenazes como até aquele momento, e que só queria que escrevesse alguns versos elogiosos para ela, sob o nome de Clori, pois ele daria a entender a Camila que o amigo andava apaixonado por uma dama a quem havia posto esse nome, para poder celebrá-la com o decoro que se devia a sua honestidade. E, se Lotário não quisesse se dar ao trabalho de escrever os ditos versos, ele mesmo os faria.

— Não, isso não será necessário — disse Lotário —, pois as musas não são tão inimigas minhas que não me visitem algumas vezes por ano. Fala a Camila sobre o fingimento de meus amores que farei os versos: se não forem tão bons quanto ela merece, pelo menos serão os melhores que eu puder.

Assim ficaram de acordo o impertinente e o amigo traidor. Voltando para casa, Anselmo perguntou a Camila o que ela já achava estranho que ainda não tivesse perguntado: o que havia acontecido para que escrevesse o bilhete enviado? Camila respondeu que achara que Lotário a olhava com mais atrevimento que quando ele estava em casa, mas já não acreditava mais nisso e pensava que tinha sido imaginação sua, pois em seguida Lotário passou a evitar vê-la e ficar sozinho com ela. Anselmo disse que não precisava ficar preocupada com aquela suspeita, porque ele sabia que Lotário andava apaixonado por uma donzela muito distinta da cidade, a quem ele celebrava sob o nome de Clori, mas que, mesmo que não estivesse, não precisava ter medo da sinceridade de Lotário e da grande amizade que tinham entre eles. E, se Camila não houvesse sido avisada por Lotário que eram fingidos aqueles amores com Clori, e que ele dissera a Anselmo para poder se ocupar com os elogios à própria Camila, ela sem dúvida cairia na desesperada rede dos ciúmes; mas, por ter sido avisada, recebeu a notícia sem susto nem aflição.

No dia seguinte, estando os três na hora da sobremesa, Anselmo implorou a Lotário que recitasse alguma coisa das que escrevera para sua amada Clori, pois, como Camila não a conhecia, ele podia dizer sem preocupações o que quisesse.

— Mesmo que a conhecesse — respondeu Lotário —, eu não ocultaria nada, porque, quando um apaixonado canta sua dama por formosa e a tacha de cruel, não faz nenhuma afronta a sua boa reputação. Mas, seja como for, o que posso dizer é que ontem fiz um soneto à ingratidão dessa Clori. É assim:

SONETO

*No silêncio da noite, quando
aos mortais ocupa o doce sono,
a pobre conta de meus ricos males
ao céu e a minha Clori estou prestando.*

*E na hora em que o sol vai se mostrando
pelas rosadas portas orientais,
com suspiros e em tons desiguais
a antiga queixa vou renovando.*

*E quando o sol, de seu trono brilhante
retos raios à terra envia,
o pranto cresce e dobro os gemidos.*

*Volta a noite, e volto à triste conta
e sempre acho, em minha luta mortal,
o céu surdo e Clori sem ouvidos.**

---

* *En el silencio de la noche, cuando/ ocupa el dulce sueño a los mortales,/ la pobre cuenta de mis ricos males/ estoy al*

Camila gostou do soneto, mas Anselmo muito mais, pois o elogiou e disse que era demasiado cruel a dama que não correspondia a verdades tão evidentes. Ao que Camila disse:

— Então, tudo o que os poetas apaixonados dizem é verdade?

— Não, como poetas não a dizem — respondeu Lotário. — Mas, como apaixonados, sempre ficam tão parcos como verdadeiros.

— Sem dúvida — replicou Anselmo, tudo para apoiar e confirmar os pensamentos de Lotário com Camila, tão ignorante do estratagema de Anselmo quanto apaixonada por Lotário.

E assim, com o prazer que tinha pelas coisas dele e mais, tendo percebido que seus desejos e escritos se dirigiam a ela, que ela era a verdadeira Clori, pediu a Lotário que, se soubesse outro soneto ou outros versos, que os recitasse.

— Sei sim — respondeu Lotário —, mas não acho que seja tão bom como o primeiro, ou, digamos melhor, menos ruim. Bem, podeis julgá-lo, pois é este:

SONETO

Eu sei que morro e, como não me acreditam,
a morte é mais certa, como é mais certo
ver-me morto a teus pés, oh, bela ingrata!
antes que arrependido de te adorar.

---

cielo y a mi Clori dando.// Y al tiempo cuando el sol se va mostrando/ por las rosadas puertas orientales,/ con suspiros y acentos desiguales/ voy la antigua querella renovando.// Y cuando el sol, de su estrellado asiento/ derechos rayos a la tierra envía,/ el llanto crece y doblo los gemidos.// Vuelve la noche, y vuelvo al triste cuento/ y siempre hallo, en mi mortal porfía,/ al cielo sordo, a Clori sin oídos.

*Poderei me ver na região do esquecimento,
de vida e glória e de favor privado,
e ali poderá se ver em meu peito aberto
como teu formoso rosto está esculpido.*

*Que esta relíquia guardo para a dura
aflição que ameaça minha luta,
que em teu próprio rigor se fortalece.*

*Ai daquele que navega, o céu escuro,
por mar ignoto e caminho perigoso,
onde norte ou porto não se oferece!**

Anselmo também elogiou esse segundo soneto como havia feito com o primeiro — assim fortalecia, elo a elo, a corrente com que enlaçava e sujeitava sua própria desonra, pois, quanto mais Lotário o desonrava, mais lhe dizia que era honrado; assim, a cada degrau que Camila descia para o centro de seu menosprezo, na opinião de seu marido subia ao topo da virtude e de sua boa reputação.

Aconteceu uma vez, entre outras, que Camila disse a sua aia, ao se verem sozinhas:

— Estou envergonhada, amiga Leonela, de ver como me valorizei pouco, pois nem mesmo fiz Lotário comprar com o tempo a posse completa de minha vontade, entregando-a tão prontamente. Temo que desdenhe mi-

---

* *Yo sé que muero, y si no soy creído,/ es más cierto el morir, como es más cierto/ verme a tus pies, ¡oh bella ingrata!, muerto,/ antes que de adorarte arrepentido.// Podré yo verme en la región de olvido,/ de vida y gloria y de favor desierto,/ y allí verse podrá en mi pecho abierto/ como tu hermoso rostro está esculpido.// Que esta reliquia guardo para el duro/ trance que me amenaza mi porfía,/ que en tu mismo rigor se fortalece.// ¡Ay de aquel que navega, el cielo escuro,/ por mar no usado y peligrosa vía,/ adonde norte o puerto no se ofrece!*

nha pressa ou leviandade, sem considerar a força com que quebrou minha resistência.

— Não te preocupes com isso, minha senhora — respondeu Leonela —, que o valor de algo não sobe nem desce por ser dado rápido, se o que se dá é realmente bom e por si só digno de ser apreciado. E, como se costuma dizer, quem dá antes dá duas vezes.

— Mas também costuma se dizer — disse Camila — que aquilo que custa pouco é menos estimado.

— Esse ditado não serve para ti — respondeu Leonela —, porque o amor, pelo que ouvi dizer, às vezes voa, às vezes anda: com este corre e com aquele se arrasta; a uns amorna e a outros, abrasa; a uns fere e a outros, mata; num mesmo ponto começa a corrida de teus desejos e naquele mesmo ponto ela se esgota e acaba; pela manhã se cerca uma fortaleza e à noite ela está rendida, porque não há força que resista a ele. Então, de que te espantas ou o que temes, se o mesmo deve ter acontecido com Lotário, tendo o amor tomado a ausência de meu senhor como instrumento para rendê-los? E era forçoso que nessa ausência ocorresse o que o amor tinha determinado, sem dar tempo ao tempo para que Anselmo pudesse voltar e com sua presença deixar a obra inacabada; porque o amor não tem melhor agente para executar o que deseja que a oportunidade: da oportunidade se serve em todas as suas façanhas, principalmente no início. Conheço isso tudo muito bem, mais por experiência que por ouvir dizer, e algum dia te contarei, minha senhora, pois também sou jovem e de carne e osso.

"Ainda mais, senhora Camila, que não te entregaste tão depressa assim, sem antes ter visto nos olhos, nos suspiros, nas palavras, nas promessas e nos presentes de Lotário toda a alma dele, vendo nela e em suas virtudes o quanto Lotário era digno de ser amado. Então, se isso é verdade, não permitas que te assaltem a mente esses escrúpulos melindrosos, mas te assegures de que Lotário te ama como tu o amas, e vive alegre e satisfeita porque, já que caíste no laço amoroso, quem te cinge é cavalheiro digno e valioso, e que não só é sábio, solitário, solícito e segredista, enfim, não só tem os quatro 's' que dizem que devem ter os bons amantes, como todo um ABC inteiro: se não, ouve-me e verás que te digo de cor. Ele é, pelo que eu vi e me pareceu, agradecido, bom, cavalheiro, dadivoso, enamorado, firme, galante, honrado, ilustre, leal, moço, nobre, honesto, portentoso, querido, rico e, além dos 's' mencionados, tácito e verdadeiro. O 'x' não lhe cai bem, porque é letra áspera; o 'y' já está no 'i'; o 'z', em zeloso de tua honra."

Camila riu do ABC da aia e achou-a mais experiente nas coisas do amor do que admitia, e então ela confessou, revelando a Camila que mantinha amores com um moço bem-nascido, da mesma cidade. Camila se perturbou, com medo que esse fosse o caminho por onde sua honra podia correr perigo, e apertou a moça para saber se suas conversas não passavam disso. Ela, com pouca vergonha e muita desenvoltura, respondeu que passavam sim — porque é coisa sabida que os descuidos das patroas acabam com a vergonha das criadas, que, ao vê-las tropeçar, não se importam de coxear nem que se fique sabendo.

Camila não pôde fazer mais nada que implorar a Leonela que não contasse nada àquele que dizia ser seu amante, que mantivesse seu caso em segredo, para que não chegasse ao conhecimento de Anselmo nem ao de Lotário. Leonela respondeu que assim faria, mas agiu de maneira que confirmou o temor de Camila de que por ela havia de se perder sua reputação. Porque a desonesta e petulante Leonela, depois de ver que o comportamento de sua patroa não era mais o mesmo, se atreveu a deixar o amante entrar na casa, confiando em que, ainda que sua senhora o visse, não ousaria reclamar. Pois essa miséria, entre outras, acarreta os pecados das senhoras: tornam-se escravas de suas próprias criadas e se obrigam a desculpar suas desonestidades e vilezas, como aconteceu com Camila, que, embora tenha visto muitas e muitas vezes que Leonela estava com o amante num quarto de sua casa, não só não tinha coragem de ralhar com ela, como até a ajudava a escondê-lo, eliminando todos os estorvos, para que não fosse descoberto por seu marido.

Mas não pôde evitar que Lotário o visse sair uma vez ao raiar do dia. E ele, sem saber quem era, pensou primeiro que devia ser algum fantasma, mas, ao vê-lo caminhar, embuçar-se e ocultar-se com cuidado e prudência, caiu daquele pensamento simplório e foi parar em outro, que seria a perdição de todos se Camila não desse um jeito. Lotário achou que o homem que tinha visto sair tão fora de hora da casa de Anselmo não havia entrado lá por Leonela, nem mesmo se lembrou que Leonela existia: só pensou que Camila, da mesma forma que fora fácil e leviana com ele, agora o era com outro, pois consequências assim traz consigo a maldade de uma mulher pecadora, que tem sua honra desacreditada com aquele mesmo a quem a entregou, cortejada e seduzida; e ele ainda pensa que ela se entrega a outros com mais facilidade e confia infalivelmente em qualquer suspeita que tenha disso. Ao que parece, nesse ponto Lotário perdeu todo e qualquer bom senso e se evaporou da mente dele toda a inteligência, pois, sem ter um pensamento que prestasse ou fosse razoável, sem mais nem menos, antes que Anselmo se levantasse, impaciente e cego pela raiva ciumenta que lhe consumia as entranhas, morrendo de vontade de se vingar de Camila, que em nada o tinha ofendido, foi ver Anselmo e lhe disse:

— Olha, Anselmo, há muitos dias ando lutando comigo mesmo, fazendo força para não te dizer o que já não é possível nem justo que te oculte mais. Sabe que a fortaleza de Camila foi conquistada e está sujeita a tudo aquilo que eu quiser fazer com ela; e, se demorei a te revelar essa verdade, foi para ver se não era algum capricho seu, ou se o fazia para me pôr à prova e ver se eu tratava com propósito firme os amores que comecei com tua licença. Acreditei também que ela, se fosse quem devia e que nós dois achávamos, já teria te falado de meus galanteios; mas, tendo visto que se demora, penso que são verdadeiras as promessas que me fez de me falar no quarto onde guarda suas roupas — e era ali mesmo que costumava falar com Camila —, quando outra vez te ausentares de casa. E não quero que corras precipitadamente a perpetrar alguma vingança, pois o pecado ainda não foi cometido a não ser em pensamento, e poderia ser que daqui até lá o pensamento de Camila mudasse e em seu lugar nascesse o arrependimento. Então, já que em tudo ou em parte tens seguido sempre meus conselhos, acata e segue um que te darei agora, para que sem engano e com prudência receosa te satisfaças com aquilo que mais te convir. Finge que te ausentas por dois ou três dias, como de outras vezes, e fica escondido naquele quarto, pois as tapeçarias e outras coisas que há ali podem te ocultar com muita facilidade, e então verás com teus próprios olhos, e eu com os meus, o que Camila quer; se for a maldade que se pode temer antes que esperar, em silêncio, com sagacidade e cautela poderás ser o carrasco de tua desgraça.

As palavras de Lotário deixaram Anselmo alheado de surpresa e assombro, porque o pegaram quando menos as esperava: já tinha Camila por vencedora dos ataques fingidos de Lotário e começava a desfrutar da glória do triunfo. Esteve calado por um bom tempo, olhando para o chão, sem mover uma pestana, mas por fim disse:

— Tu fizeste, Lotário, como eu esperava de tua amizade; vou seguir teu conselho em tudo: faz o que quiseres e guarda aquele segredo que julgares conveniente em caso tão impensado.

Lotário concordou e, afastando-se dele, se arrependeu totalmente de tudo que tinha dito, percebendo como havia agido como um tolo, pois ele poderia se vingar de Camila, mas não de um modo tão cruel e tão infame.

Amaldiçoava o próprio julgamento, acusava a leviandade de sua decisão e não sabia de que modo desfazer o que estava feito ou achar uma saída razoável. Por fim, resolveu contar tudo a Camila; e, como não faltava oportunidade, naquele mesmo dia encontrou-a sozinha, e ela, mal viu que podia falar com ele, disse:

— Olha, amigo Lotário, tenho uma agonia que me aperta o coração de um jeito que parece que ele quer arrebentar no peito, e será uma surpresa se não o fizer, pois a falta de vergonha de Leonela chegou a tanto que toda noite se encerra com seu amante nesta casa e fica com ele até de manhã, à custa de minha reputação, tanto que, se alguém o vir saindo de minha casa em hora tão inusitada, terá campo livre para pensar o que bem quiser. E o que me aflige é que não posso castigá-la nem ralhar com ela, pois, sendo a guardiã de nossos segredos, me pôs um freio na boca para calar os seus, e temo que disso nasça alguma desgraça.

No começo, Lotário achou que o que Camila dizia era um artifício para aparentar que o homem que ele havia visto sair era de Leonela, não seu; mas, vendo-a chorar e se afligir, pedindo ajuda, veio a acreditar na verdade e, acreditando, se sentiu confuso e arrependido de tudo. No entanto, respondeu a Camila que não se preocupasse, que ele daria um jeito de acabar com a insolência de Leonela. Disse-lhe também o que, instigado pela furiosa raiva dos ciúmes, tinha dito a Anselmo e como tinham combinado de ele se esconder no quarto para ver às claras a falta de lealdade dela. Pediu-lhe perdão por essa loucura e conselho para poder remediá-la e sair bem de labirinto tão emaranhado como esse em que suas miseráveis palavras o haviam posto.

Camila ficou espantada ao ouvir Lotário e, com muita exasperação, porém com muitas palavras sensatas, repreendeu e censurou sua péssima opinião dela e a decisão simplória e má que havia tomado; mas, como a mulher tem naturalmente a inventiva mais rápida que o homem, tanto para o bem como para o mal, embora costume lhe faltar de propósito quando se põe a argumentar, num instante Camila achou um modo de remediar esse caso que parecia tão irremediável, e disse a Lotário que desse um jeito para que Anselmo se escondesse no outro dia onde tinham combinado, porque ela pensava aproveitar a situação para dali por diante os dois se divertirem sem susto algum. E, sem revelar de todo suas intenções, o preveniu para ter cuidado: estando Anselmo escondido, devia vir quando Leonela o chamasse e responder a tudo o que ela lhe dissesse como responderia mesmo que não soubesse que Anselmo o escutava. Lotário insistiu que ela revelasse seu intuito, para fazer tudo o que visse ser necessário com mais tino e segurança.

— Não precisa saber mais nada, apenas responder ao que eu te perguntar — disse Camila, não querendo contar antecipadamente o que pretendia fazer, receosa de que ele não quisesse seguir o plano que a ela parecia tão bom e tentasse outros que poderiam ser piores.

Depois disso Lotário se foi; e Anselmo, no outro dia, com o pretexto de ir àquela aldeia de seu amigo, partiu e voltou para se esconder, o que pôde fazer com facilidade, porque Camila e Leonela a proporcionaram de propósito.

Então Anselmo, escondido com aquela ansiedade que bem se pode imaginar em quem esperava ver com os próprios olhos fazerem farrapos das entranhas de sua honra, via-se a pique de perder o bem mais precioso que ele pensava que tinha em sua querida mulher. Camila e Leonela, seguras e certas de que Anselmo estava no esconderijo, entraram no quarto; e, mal havia posto os pés nele, Camila, dando um grande suspiro, disse:

— Ai, minha amiga Leonela! Não seria melhor, antes que eu executasse o que não quero que saibas, para que não procures impedi-lo, que pegasses a adaga de Anselmo que te pedi e trespassasses com ela este meu peito infame? Mas não, não faças isso, que não há razão para que eu seja castigada pela culpa alheia. Primeiro quero saber o que viram em mim os olhos atrevidos e desonestos de Lotário que pudesse instigar nele o descaramento a ponto de me declarar seu tão mau desejo, desprezando seu amigo e minha honra. Vai até essa janela e chama-o, Leonela, porque sem dúvida ele deve estar na rua, à espera para executar suas más intenções. Mas antes executarei a minha, tão cruel quanto honrada.

— Ai, minha senhora! — respondeu a sagaz e prevenida Leonela. — E o que queres fazer com esta adaga? Por acaso queres te matar ou matar Lotário? Qualquer uma dessas coisas causará teu descrédito, a perda de tua reputação. É melhor que disfarces tua desgraça e não dês oportunidade para que esse malfeitor entre agora nesta casa e nos encontre sozinhas. Olha, senhora, somos mulheres fracas, e ele é homem e decidido: como vem com aquele propósito vil, cego e apaixonado, quem sabe, antes que tu consigas fazer alguma coisa, ele terá feito o que seria muito pior que a morte. Desgraçado seja meu senhor Anselmo, que abriu as portas da casa a esse canalha! E, depois que o matares, senhora, como penso que pretendes, o que faremos com o cadáver?

— Ora, minha amiga — respondeu Camila —, deixaremos para que Anselmo o sepulte, pois será justo que tenha por descanso o trabalho de pôr sua própria infâmia embaixo da terra. Vai logo, chama-o, que todo o tempo que levo para vingar meu ultraje parece que ofendo a lealdade que devo a meu esposo.

Anselmo escutava tudo isso e, a cada palavra que Camila dizia, seus pensamentos se alteravam; mas, quando entendeu que ela estava disposta a matar Lotário, desejou sair do esconderijo, para que não fizesse uma coisa dessas, mas foi detido pelo desejo de ver até aonde ia determinação tão corajosa e honesta, com o propósito de se mostrar a tempo de impedi-la.

Nisso, Camila caiu desmaiada, e Leonela, jogando-se sobre uma cama que estava ali, começou a chorar amargamente e a dizer:

— Pobre de mim, se me acontece a desgraça de morrer entre meus braços a flor da honestidade do mundo, a meta das mulheres honestas, o exemplo da castidade...

Leonela continuou com outras coisas semelhantes a essas. Ninguém a ouviria sem a considerar a mais aflita e leal aia do mundo, e sua senhora por uma nova e perseguida Penélope.

Camila pouco demorou para se recuperar do desmaio e, ao voltar a si, disse:

— Leonela, por que não vais chamar o mais desleal amigo de quantos amigos viu o sol ou encobriu a noite? Vai, anda, corre, apressa-te: não sufoques com a demora o fogo de minha cólera nem deixes que se apague em ameaças e pragas a justa vingança que espero.

— Já vou chamá-lo, minha senhora — disse Leonela —, mas antes deves me dar essa adaga, para que não faças nada durante minha ausência que leve todos os que te amam a chorar pelo resto da vida.

— Não te preocupes, Leonela, não farei — respondeu Camila —, porque, apesar de em tua opinião eu ser capaz de me tornar imprudente e simplória por causa de minha honra, nunca me tornarei tanto como aquela Lucrécia de quem contam que se matou sem ter cometido erro nenhum e sem ter matado antes o causador de sua desgraça. Se eu morrer, morrerei satisfeita, vingada de quem me trouxe aqui para chorar seus atrevimentos, nascidos sem nenhuma culpa minha.

Leonela muito se fez de rogada, mas por fim foi chamar Lotário; enquanto isso, Camila ficou dizendo, como se falasse consigo mesma:

— Valha-me Deus! Não teria sido melhor ter despedido Lotário, como fiz muitas outras vezes, em vez de correr o risco, como agora, de que me considere má e desonesta, mesmo que seja durante esse tempo que vou levar para desenganá-lo? Seria melhor, sem dúvida, mas eu não seria vingada nem a honra de meu marido ficaria quite se eu lavasse as mãos e ele saísse de alma leve de onde seus maus pensamentos o levaram. Pague o traidor com a vida o que tentou com desejo tão lascivo: saiba o mundo, se por acaso chegar a sabê-lo, que Camila não só manteve a lealdade a seu esposo como o vingou daquele que se atreveu a ofendê-lo. Mesmo assim, acho que seria melhor contar tudo a Anselmo; mas já sugeri na carta que lhe mandei à aldeia, e ele não veio tomar satisfação pela afronta; penso que de pura bondade e confiança não quis nem pôde acreditar que no peito de seu grande amigo pudesse caber qualquer tipo de pensamento contra sua honra; nem eu mesma acreditei por muitos dias, nem o acreditaria jamais, se sua insolência não chegasse a tanto, se os presentes ostensivos, as promessas intermináveis e as lágrimas contínuas não tivessem me convencido. Mas para que desfio agora todas essas razões? Por acaso uma decisão corajosa necessita de argumentos? Não, claro que não. Então, fora traidores! Para cá, vingança! Que entre o falso: venha, chegue, morra. Será o fim, aconteça o que acontecer! Cheguei pura ao homem que o céu me concedeu e pura vou permanecer; quando muito, banhada em meu sangue casto e no sangue impuro do amigo mais falso que a amizade viu no mundo.

Enquanto dizia isso, andava pelo quarto com a adaga desembainhada, dando passos tão frenéticos e desorientados, fazendo tais gestos que parecia ter perdido o juízo e que não era mulher delicada, mas um valentão desesperado.

Anselmo observava tudo, oculto atrás de umas tapeçarias onde havia se escondido, e de tudo se surpreendia. Já pensava que tinha visto e ouvido o suficiente para apaziguar suspeitas maiores e que a prova da vinda de Lotário não era necessária, temendo algum desastre repentino. Estava para se manifestar e sair, abraçar e dissuadir sua esposa, mas se deteve porque viu que Leonela voltava com Lotário pela mão.

Mal o viu, Camila riscou o assoalho diante de si com a adaga e disse:

— Lotário, ouve bem o que te digo: se por acaso te atreveres a cruzar esta linha ou até te aproximares dela, no mesmo instante em que eu vir que irás tentar, trespassarei meu peito com esta adaga. E, antes que me digas uma palavra, quero que ouças algumas outras; depois responderás como quiseres. Primeiro, Lotário, quero que me digas se conheces Anselmo, meu marido, e que opinião tens dele; e, segundo, quero saber também se conheces a mim. Responde-me isso e não te embaraces nem penses muito, porque não te pergunto nada difícil.

Lotário não era tão estúpido que, desde quando Camila lhe disse que tratasse de esconder Anselmo, não houvesse se dado conta do que ela pensava fazer e, assim, se ajustou a sua intenção tão astuta e prontamente que os dois fizeram aquela mentira passar pela mais pura verdade. Então respondeu a Camila desta maneira:

— Eu não pensei, formosa Camila, que me chamavas para me perguntar coisas tão diferentes da intenção com que venho aqui. Se o fazes para retardar os favores prometidos, poderias adiá-los de mais longe, porque quanto mais perto está o bem desejado mais atormenta a esperança de possuí-lo. Mas, para que não digas que não respondo a tuas perguntas, digo que conheço teu esposo Anselmo: nós dois nos conhecemos desde nossos anos mais tenros; e não preciso dizer o que tu tão bem sabes de nossa amizade, para não me tornar testemunha da injúria que o amor me faz cometer, desculpa poderosa de erros maiores. Eu te conheço também e te quero tanto quanto ele te quer, pois, se não fosse assim, por menos predicados que os teus eu não haveria de ir contra o que devo ser por ser quem sou e contra as próprias leis santas da verdadeira amizade, que rompi e violei agora por causa de tão poderoso inimigo como o amor.

— Se confessas isso — respondeu Camila —, inimigo mortal de tudo aquilo que justamente merece ser amado, com que cara ousas aparecer diante de quem sabes que é o espelho onde se olha aquele em quem deverias te olhar, para que visses como o ofendes com tão poucos motivos? Ai, desgraçada de mim, agora me dou conta do que te fez levar em tão pouca conta o que a ti mesmo deves: só pode ter sido alguma leviandade minha, que não quero chamar desonestidade, pois não procedeu de uma decisão deliberada, mas de algum descuido daqueles que as mulheres, que pensam que não têm de quem se prevenir, costumam cometer inadvertidamente. Se não, diz-me: quando, oh, traidor!, respondi a tuas súplicas com alguma palavra ou sinal que pudesse despertar em ti alguma sombra de esperança de realizar teus desejos infames? Quando tuas palavras amorosas não foram desprezadas e censuradas pelas minhas com rigor e aspereza? Quando acreditei em tuas muitas promessas? Quando foram aceitos teus presentes maiores ainda? Mas, como me parece que ninguém pode perseverar na intenção amorosa por longo tempo, se não for sustentado por alguma esperança, quero me atribuir a culpa de tua impertinência, pois sem dúvida algum descuido meu sustentou por tanto tempo tua atenção, e por isso quero me castigar e sofrer a pena que tua culpa merece. E para que visses que, sendo comigo mesma tão impiedosa, não era possível deixar de sê-lo contigo, quis te trazer para testemunhar o sacrifício que penso fazer à honra ofendida de meu digno marido, injuriado por ti com a maior aplicação que te foi possível, e de mim também com o pouco recato que tive de evitar a oportunidade, se alguma te dei, de favorecer e considerar boas tuas más intenções. Afirmo de novo que as suspeitas que tenho de que algum descuido meu engendrou em ti tão desvairados pensamentos é a que mais me aflige e a que eu mais desejo castigar com minhas próprias mãos, porque, castigando-me outro carrasco, talvez se tornasse mais pública minha culpa. Mas, antes de fazer isso, quero matar morrendo: levar comigo quem enfim me sacie o desejo de vingança que tenho e concebo, vendo aí, onde quer que eu vá, a pena que a justiça desinteressada e inflexível dá a quem me pôs em situação tão desesperada.

E, dizendo essas palavras, com rapidez e força incríveis arremeteu contra Lotário com a adaga desembainhada, dando tantas mostras de querer cravá-la em seu peito que ele quase teve dúvida se aquelas demonstrações eram falsas ou verdadeiras, pois foi obrigado a se valer de sua astúcia e de sua força para impedir que Camila o ferisse. Ela fingia tão vivamente aquele estranho embuste e falsidade que, para lhe dar uma cor verdadeira, quis tingi-lo com o próprio sangue dele. Mas, vendo que não podia alcançar Lotário ou fingindo que não podia, disse:

— Como o destino não quer saciar totalmente meu justo desejo, pelo menos não será tão poderoso que impeça que eu sacie parte dele.

Depois de fazer muita força, conseguiu soltar a mão que Lotário mantinha presa e, guiando a adaga para onde pudesse se ferir superficialmente, cravou sua ponta um pouco acima da axila do lado esquerdo, perto do ombro, e em seguida se deixou cair no chão, como que desmaiada.

Leonela e Lotário estavam pasmos, ainda com dúvidas sobre a veracidade dos fatos, vendo Camila estendida no assoalho e banhada em seu sangue. Lotário se aproximou com rapidez, apavorado e sem fôlego, para sacar a adaga. Mas ao ver a pequena ferida perdeu o medo que padecia e de novo se admirou da sagacidade, prudência e discernimento da bela Camila, e, para fazer a parte que lhe tocava, começou uma longa e triste lamentação sobre o corpo de Camila, como se ela estivesse morta, rogando muitas pragas, tanto contra si mesmo como ao que o tinha levado àquela situação. E como sabia que seu amigo Anselmo o escutava, dizia coisas que fariam o ouvinte ter muito mais pena dele que de Camila, embora a julgasse morta.

Leonela a tomou nos braços e a pôs sobre a cama, suplicando a Lotário que fosse buscar alguém que tratasse de Camila em segredo; também pediu sua opinião e conselho sobre o que diriam a Anselmo daquela ferida de sua senhora, se por acaso ele voltasse antes que estivesse curada. Ele respondeu que dissessem o que bem entendessem, que não estava em condições de dar conselhos aproveitáveis; disse apenas que procurasse estancar o sangue, porque ele ia embora para onde ninguém o visse. E, com mostras de grande sofrimento, saiu da casa e, ao se encontrar sozinho e onde ninguém poderia vê-lo, desatou a fazer o sinal da cruz, maravilhado com a astúcia de Camila e o desempenho tão convincente de Leonela. Pensava no quanto Anselmo ficaria convencido de que tinha por mulher uma segunda Pórcia e desejava vê-lo para celebrarem a mentira e a verdade mais dissimulada que jamais poderia se imaginar.

Como se disse, Leonela estancou o sangue de sua senhora, que não era mais que o necessário para assegurar seu embuste, e, lavando a ferida com um pouco de vinho, enfaixou-a o melhor que pôde, dizendo tais coisas enquanto fazia o curativo que, mesmo que outras não as tivessem precedido, bastariam para fazer Anselmo acreditar que tinha em Camila a imagem viva da honestidade.

Juntaram-se às palavras de Leonela outras de Camila, chamando-se de covarde, pois a coragem havia lhe faltado justo no instante mais necessário, para tirar a própria vida, que odiava tanto. Pedia conselho a sua aia: contava ou não aqueles acontecimentos todos a seu querido esposo? Ela disse que não contasse, porque o poria na obrigação de se vingar de Lotário, o que não se faria sem grande risco para Camila, e que a mulher honesta estava obrigada a não dar oportunidade para censuras do marido, mas sim eliminar todas aquelas que lhe fosse possível.

    Camila respondeu que achava muito bom o conselho e que ela o seguiria, mas, de qualquer forma, era conveniente saber o que dizer a Anselmo para justificar a ferida, que ele não poderia deixar de ver. A isso, Leonela respondeu que nem de brincadeira sabia mentir.

    — E eu então, minha querida? — replicou Camila. — Eu que não me atrevo a inventar nem sustentar uma mentira nem que disso dependa minha vida? Olha, se não sabemos o que fazer para resolver isso, será melhor contar a verdade nua e crua que sermos pegas mentindo.

    — Calma, minha senhora, calma: até amanhã pensarei alguma coisa para dizermos — respondeu Leonela. — E talvez, por ser a ferida aí, possas escondê-la sem que ele a veja, e que o céu nos proteja em nossa causa, tão justa e honrada. Acalma-te, minha senhora, e procura não te preocupar tanto, para que meu senhor não te encontre sobressaltada, e deixa o resto comigo e com Deus, que sempre ajuda as boas intenções.

    Com toda a atenção, Anselmo havia escutado e visto a tragédia da morte de sua honra, que os personagens representaram com emoções tão surpreendentes e eficazes que pareceu que eles haviam se transformado na própria verdade do que fingiam. Estava ansioso pela chegada da noite para poder sair de sua casa e se encontrar com seu bom amigo Lotário, congratulando-se com ele pela pérola perfeita que havia achado na descoberta da virtude de sua mulher. As duas tiveram o cuidado de lhe facilitar a saída, e ele, sem perder tempo, se foi em busca de Lotário; e não se podem contar facilmente os abraços que deu nele ao encontrá-lo, as coisas que disse sobre sua satisfação, os elogios que fez a Camila. Lotário escutou tudo sem poder dar mostra alguma de alegria, porque se lembrava de como seu amigo estava enganado e do quanto ele injustamente o ofendia. E, embora Anselmo visse que Lotário não se alegrava, pensava que era por ter deixado Camila ferida e ter sido ele a causa; e então, entre outras coisas, disse a ele que não se preocupasse com o estado de Camila, porque sem dúvida a ferida não era grave, pois tinham combinado escondê-la dele — assim sendo, não havia o que temer; pelo contrário, dali por diante devia celebrar e se alegrar com ele, porque por seu intermédio e com sua astúcia ele se via elevado à mais alta felicidade que se poderia desejar, e queria que seus divertimentos fossem apenas fazer versos em louvor de Camila, versos que a tornassem eterna na memória dos séculos futuros. Lotário elogiou essa bela decisão e disse que ele, por sua vez, ajudaria a construir tão ilustre edificação.

Assim Anselmo se tornou entre todos o homem mais deliciosamente enganado: ele mesmo levava pela mão a sua casa a ruína total de sua reputação, acreditando que levava o instrumento de sua glória. Camila recebia Lotário de nariz torcido, pelo que se via, mas com a alma risonha. Esse engano durou algum tempo, mas, ao fim de uns poucos meses, a Roda da Fortuna girou e veio a público a maldade oculta até ali com tanta astúcia, e Anselmo pagou com a vida sua curiosidade impertinente.

XXXV

ONDE SE TERMINA A HISTÓRIA DO "CURIOSO IMPERTINENTE"

Pouco mais restava para ler da história, quando Sancho Pança saiu todo alvoroçado do sótão onde repousava dom Quixote, dizendo aos gritos:

— Vinde depressa, senhores! Socorrei meu senhor, que está metido na mais renhida e cruenta batalha que meus olhos viram ser travada. Por Deus, ele deu uma cutilada no gigante inimigo da senhora princesa Micomicona, que lhe cortou a cabeça pela raiz, como se fosse um nabo!

— Que dizeis, meu irmão? — disse o padre, largando os cadernos da história. — Estais fora de si, Sancho? Como diabos pode ser isso, se o gigante está a duas mil léguas daqui?

Nisso ouviram um grande barulho no aposento e dom Quixote falando aos gritos:

— Fica aí, ladrão, velhaco, canalha, que já te pego! E de nada te servirá tua cimitarra!

E parecia que dava grandes espadadas pelas paredes.

— Não fiqueis aí parados ouvindo — disse Sancho. — Entrai logo para apartar a contenda ou para ajudar meu amo, mesmo que não seja mais preciso, porque nessas alturas sem dúvida o gigante já está morto e prestando contas a Deus de sua vida pregressa de maldades, pois vi correr sangue pelo chão, e a cabeça cortada e caída de um lado, do tamanho de um grande odre de vinho.

— Raios me partam — disse o estalajadeiro nesse ponto — se dom Quixote ou dom diabo não atacou algum de meus odres de vinho tinto que estavam à cabeceira de sua cama! Deve ser o vinho derramado o que este bom homem achou que era sangue.

E então entrou no aposento, e todos atrás dele, e encontraram dom Quixote no mais estranho traje do mundo. Estava de camisa, que na frente não era tão comprida que lhe cobrisse as coxas e por trás era mais curta em seis dedos; as pernas eram muito longas e finas, peludas e nada limpas; tinha na cabeça uma touca vermelha, sebosa, que era do estalajadeiro; no braço esquerdo tinha enrolado a manta da cama — que Sancho detestava, sabendo muito bem por quê — e, na mão direita, a espada desembainhada com que dava cutiladas pelas paredes, falando como se realmente estivesse lutando com algum gigante. E o melhor de tudo é que não tinha os olhos abertos, pois dormia e sonhava que estava numa batalha com o gigante: era tão intensa em sua imaginação a aventura que ia viver, que o fez sonhar que já chegara ao reino de Micomicão e que já enfrentava seu inimigo; e havia dado tantas cutiladas nos odres, pensando que dava no gigante, que o quarto todo estava cheio de vinho. O estalajadeiro, ao ver isso, foi tomado de tanta raiva que se atirou contra dom Quixote e com os punhos fechados começou a dar tantos golpes nele que, se Cardênio e o padre não o agarrassem, ele acabaria a guerra do gigante. Apesar de tudo, o pobre cavaleiro não acordava, até que o barbeiro trouxe um grande caldeirão de água fria do poço e lhe despejou de repente por todo o corpo, o que despertou dom Quixote, mas não o suficiente para se dar conta do estado em que se achava.

Doroteia, que viu os trajes tão curtos e vaporosos de seu paladino, não quis entrar para assistir à batalha contra seu inimigo.

Sancho andava procurando a cabeça do gigante pelo assoalho e, como não a encontrasse, disse:

— Já sei, tudo nesta casa é encantamento, como da outra vez. Neste mesmo lugar onde estou agora, deram-me muitos murros e bofetões, sem que eu soubesse quem os dava: nunca pude ver ninguém. E agora não aparece por aqui essa cabeça, que vi cortar por meus próprios olhos, e o sangue corria do corpo como de uma fonte.

— Mas de que sangue e fonte me falas, inimigo de Deus e de todos os santos?! — disse o estalajadeiro. — Ladrão miserável, não vês que o sangue e a fonte nada mais são que esses odres furados e o vinho tinto que empapa este quarto? Que eu possa ver empapada nos infernos a alma de quem os furou!

— Não sei de nada — respondeu Sancho —, mas sei que serei tão desgraçado, se não achar essa cabeça, que meu condado irá se desfazer como o sal na água.

Sancho estava pior acordado que seu amo dormindo: a esse ponto o levaram as promessas de seu senhor. O estalajadeiro se desesperava ao ver a pachorra do escudeiro e o estrago feito pelo senhor e jurava que não havia de ser como da outra vez, que foram embora sem pagar: agora os privilégios de sua cavalaria não o livrariam de pagar as dívidas de ontem e de hoje, sem falar no que pudessem custar os remendos que teria de fazer nos odres escangalhados.

O padre segurava dom Quixote pelas mãos, e ele, pensando que a aventura já havia acabado e que se encontrava diante da princesa Micomicona, caiu de joelhos, dizendo:

— A partir de hoje, bem pode vossa grandeza, excelsa e formosa senhora, viver segura de que essa malnascida criatura não pode mais lhe fazer mal. E eu também, a partir de hoje, estou quite da palavra que vos empenhei, pois, com a ajuda do bom Deus e com o favor daquela por quem eu vivo e respiro, tão bem a cumpri.

— Eu não disse? — disse Sancho, ao ouvir isso. — Claro que eu não estava bêbado: vejam bem se meu amo já não botou o gigante na salmoura! Certo como a morte: meu condado está no papo!

Quem não haveria de rir dos disparates dos dois, amo e criado? Todos riam, menos o estalajadeiro, que espumava de raiva, encomendando-se a Satanás. Por fim, mas não sem muito trabalho, o barbeiro, Cardênio e o padre conseguiram botar dom Quixote na cama. Ele ficou dormindo, com sinais de um grandíssimo cansaço. Ali o deixaram e foram para o átrio da estalagem consolar Sancho Pança por não ter achado a cabeça do gigante, embora tenham tido muito mais trabalho para acalmar o estalajadeiro, que estava desesperado com a morte repentina de seus odres. E a mulher dele dizia, em altos brados:

— Maldito segundo e hora condenada em que entrou em minha casa esse cavaleiro andante: melhor seria nunca ter posto os olhos nele, pois me custa caro. Na primeira vez, se foi sem pagar o preço de uma noite, do jantar, da cama, palha e cevada, para ele e para seu escudeiro, mais o pangaré e o jumento, dizendo que era cavaleiro em busca de aventuras (que má ventura Deus lhe dê em dobro e a quantos aventureiros haja no mundo), e que por isso não tinha obrigação de pagar nada, que assim estava escrito no regulamento da cavalaria andante. E agora, por causa dele, apareceu esse outro senhor que levou meu rabo e me devolveu com mais de dois tostões de prejuízo, tão pelado que já não vai servir para o que meu marido o quer. E por fim, para arrematar tudo, estropiaram meus odres e derramaram meu vinho. Que derramado eu veja seu sangue! Pois juro pelos ossos de meu pai e pela vida eterna de minha mãe que, se não vão me pagar um tostão em cima do outro, eu não me chamo como me chamo nem sou filha de meus pais!

A estalajadeira desfiava essas e outras coisas semelhantes com muita irritação, ajudada por sua boa criada Maritornes. A filha se calava e sorria, de quando em quando. O padre acalmou a todos, prometendo compensar o prejuízo o melhor que pudesse, tanto da perda dos odres como do vinho e principalmente do estrago do rabo, pelo qual tinham tanta consideração. Doroteia consolou Sancho Pança dizendo a ele que, logo que se confirmasse que seu amo tinha realmente decapitado o gigante e ela se visse em paz em seu reino, prometia lhe dar o melhor condado que houvesse nele. Com isso, Sancho se consolou e garantiu à princesa que podia ter certeza de que ele tinha visto a cabeça do gigante, que o sinal mais destacado era uma barba que lhe chegava à cintura, e que se ela não aparecia era porque tudo naquela casa acontecia por meio de encantamentos, como ele sentira na pele na outra vez que havia pousado ali. Doroteia disse que acreditava nele, sim, e que não se preocupasse, que tudo daria certo como pedido de encomenda.

Serenados os ânimos, o padre quis terminar a história do curioso, porque viu que faltava pouco. Cardênio, Doroteia e os demais insistiram para que a lesse. Como desejava agradar a todos e se divertia ele mesmo ao lê-la, prosseguiu a narrativa, que assim dizia:

"Aconteceu que Anselmo, convencido da virtude de Camila, vivia uma vida alegre e despreocupada, e Camila de propósito fechava a cara a Lotário, para que Anselmo entendesse ao contrário o desejo que sentia por ele; e, para maior confirmação da trama, Lotário pediu licença para não vir mais a sua casa, pois claramente transparecia o desagrado com que era recebido por Camila. Mas o enganado Anselmo disse a ele que de jeito nenhum fizesse isso; e, dessa maneira, por mil maneiras Anselmo era o construtor de sua desonra, acreditando que o era de sua felicidade.

"Enquanto isso, o prazer que Leonela sentia por se ver autorizada em seus amores chegou a tanto que, sem olhar mais nada, ia atrás dele de rédea solta, fiada em que sua senhora lhe daria cobertura e ainda lhe diria como poderia executá-lo com pouco receio. Mas enfim, uma noite, Anselmo ouviu passos no quarto de Leonela e, querendo entrar para ver quem caminhava, percebeu que a porta o detinha, coisa que lhe deu mais vontade de abri-la, e fez tanta força que conseguiu entrar a tempo de ver que um homem saltava pela janela para a rua. A toda pressa, tentou alcançá-lo ou reconhecê-lo, mas não conseguiu nem uma coisa nem outra, porque Leonela o abraçou, dizendo: 'Calma, meu senhor! Por Deus, não te zangues nem sigas o homem que fugiu: é problema meu; na verdade, é meu esposo'.

"Anselmo não quis acreditar; pelo contrário: cego de raiva, sacou a adaga e quis ferir Leonela, dizendo-lhe que falasse a verdade ou a mataria. Ela, com medo, sem saber o que dizia, falou: 'Não me mates, senhor, que te direi coisas mais importantes do que podes imaginar'.

"'Fala logo', disse Anselmo. 'Se não, estás morta.'

"'Agora é impossível', disse Leonela, 'estou muito confusa. Dá-me até amanhã, que te espantarás com o que saberás de mim. Mas podes crer, quem saltou pela janela foi um rapaz desta cidade que se comprometeu a ser meu esposo.'

"Com isso Anselmo se acalmou e resolveu aguardar o prazo que ela pedia, porque não pensava ouvir nada contra Camila — estava muito satisfeito e seguro de sua virtude. Assim, saiu do quarto e deixou Leonela trancada, dizendo-lhe que ficaria ali até que dissesse o que tinha de lhe dizer.

"Em seguida foi ver Camila para contar o que havia acontecido com sua aia e que ela prometera lhe revelar coisas tremendas. Se Camila se perturbou ou não, não é preciso dizer, porque foi tanto o medo que teve, como devia ter, acreditando que Leonela realmente iria dizer tudo o que sabia a Anselmo sobre sua modesta fidelidade, que não teve ânimo para esperar se sua suspeita se mostrava falsa ou não. Naquela mesma noite, quando lhe pareceu que Anselmo dormia, juntou as melhores joias que tinha e algum dinheiro e, sem ser percebida por ninguém, saiu de casa e foi à de Lotário, a quem contou o que acontecia e pediu que a pusesse a salvo ou que fugissem de Anselmo para onde pudessem ficar em segurança. A confusão em que Camila mergulhou Lotário foi tanta que ele não sabia o que responder, muito menos pensar no que faria.

"Por fim resolveu levar Camila a um mosteiro, onde uma irmã sua era prioresa. Camila concordou com isso, e Lotário a levou com a urgência que o caso pedia, deixando-a lá. Em seguida ele também foi embora da cidade, sem avisar ninguém de sua ausência.

"Quando amanheceu, Anselmo, sem se dar conta de que Camila não estava a seu lado, ansioso para saber o que Leonela queria lhe dizer, se levantou e foi até o quarto onde a deixara trancada. Abriu a porta e entrou, mas não achou Leonela, apenas uns lençóis amarrados na janela, sinal de que havia descido por ali e ido embora. Muito triste, voltou para falar a Camila e, não a encontrando na cama nem no resto da casa, ficou assustado. Perguntou por ela aos criados, mas ninguém soube responder o que ele queria.

"Estando à procura de Camila, por acaso viu seus cofres abertos e que faltava a maioria das joias — então se deu conta de sua desgraça e de que a aia não era a causa dela. Assim como estava, sem terminar de se vestir, triste e pensativo, foi contar sua infelicidade a seu amigo Lotário. Mas, quando não o encontrou e os criados dele disseram que naquela noite havia se ausentado de casa, levando consigo todo o dinheiro que tinha, pensou que perdia o juízo. E, para coroar tudo, quando voltou, não achou nenhum criado ou criada, mas a casa vazia e solitária.

"Não sabia o que pensar, o que dizer nem o que fazer, e pouco a pouco ia perdendo o juízo. Imaginava-se e se via num instante sem mulher, sem amigo e sem criados, desamparado até do céu que o cobria, em sua opinião, mas principalmente sem honra, porque na ausência de Camila divisou sua perdição.

"Enfim, depois de um bom tempo, resolveu ir à aldeia de seu amigo, onde estivera quando facilitou a tramoia de toda aquela desgraça. Trancou as portas da casa, montou no cavalo e, com o ânimo abatido, partiu; mal percorrera metade do caminho, quando, perseguido por seus pensamentos, se viu forçado a apear e prender o cavalo pelas rédeas numa árvore, e se deixou cair contra o tronco, com suspiros débeis e dolorosos. Ficou ali até quase anoitecer, quando viu que vinha da cidade um homem a cavalo; depois de cumprimentá-lo, perguntou que notícias trazia de Florença. O cidadão respondeu: 'As mais estranhas que se ouviram por lá em muitos dias. Todo mundo diz que Lotário, aquele grande amigo de Anselmo, o rico, que vivia perto de São João, fugiu esta noite com Camila, a mulher de Anselmo, que também desapareceu. Quem contou isso tudo foi uma criada de Camila, que o governador encontrou ontem à noite descendo por um lençol amarrado numa janela da casa de Anselmo. Na verdade não sei tintim por tintim como se passou o negócio: só sei que toda a cidade está admirada com o caso, porque não se podia esperar uma coisa dessas da grande e íntima amizade dos dois. Dizem que era tanta que os chamavam "os dois amigos".'

"'Por acaso', disse Anselmo, 'se sabe que rumo Lotário e Camila tomaram?'

"'Nem por sombras', disse o cidadão, 'embora o governador tenha dado ordens urgentes para procurá-los.'

"'Ide com Deus, senhor', disse Anselmo.

"'Com Ele fiqueis', respondeu o cidadão e se foi.

"Com essas notícias atrozes, Anselmo esteve perto não só de perder o juízo, como de acabar com a vida. Levantou-se como pôde e chegou à casa de seu amigo, que ainda não sabia de nada, mas que, ao vê-lo macilento, fraco e abatido, entendeu que um grande mal o afligia. Anselmo pediu para se deitar e que lhe trouxessem material para escrever. Assim se fez, e o deixaram deitado, com a porta trancada, porque foi o que ele quis. Quando se viu sozinho, começou a pensar tanto em sua desgraça que entendeu claramente que era o fim e então decidiu explicar os motivos de sua estranha morte. Começou a escrever, mas, antes de dizer tudo o que queria, perdeu a coragem e deixou a vida nas mãos da dor causada por sua curiosidade impertinente.

"Vendo o dono da casa que já era tarde e que Anselmo não chamava, resolveu entrar para saber se sua indisposição continuava e o achou estendido de bruços, ainda com a pena na mão, metade do corpo na cama e a outra sobre a mesinha, onde estava a carta aberta. O hospedeiro se aproximou, depois de chamá-lo, e lhe segurou a mão, mas, vendo que não respondia e que estava frio, percebeu que havia morrido. Muito aflito e espantado, chamou as pessoas da casa para que vissem a desgraça que acontecera a Anselmo e finalmente leu a carta, que, notou, tinha sido escrita pela própria mão do amigo. Estas eram as palavras que continha:

> Um tolo e impertinente desejo me tirou a vida. Se as notícias de minha morte chegarem aos ouvidos de Camila, saiba que eu a perdoo, porque ela não era obrigada a fazer milagres, nem eu tinha necessidade de querer que ela os fizesse; e como eu fui o construtor de minha desonra, não há razão para que...

"Anselmo escrevera até ali — assim se viu que naquele ponto, sem poder acabar a carta, acabou sua vida. No dia seguinte, o amigo de Anselmo avisou os parentes dele, que já sabiam da desgraça e do mosteiro onde Camila estava a ponto de acompanhar o marido naquela viagem forçada, não por causa das notícias de sua morte, mas pelas que soube do amigo ausente. Dizem que, mesmo viúva, não quis sair do mosteiro nem se tornar monja enquanto não lhe chegaram, dali a muitos dias, notícias de que Lotário havia morrido numa batalha que o senhor de Lautrec travava naquele tempo com o grande capitão Gonzalo Hernández de Córdoba no reino de Nápoles,[1] onde havia ido parar o amigo arrependido tardiamente. Ao saber disso, Camila adotou o hábito e entregou a vida, em poucos dias, às severas mãos da tristeza e da melancolia. Esse foi o fim que tiveram todos, nascido de um princípio tão desatinado."

— Essa história me parece boa — disse o padre —, mas não posso me convencer de que seja verdadeira. Se foi inventada, o autor inventou mal, porque não se pode imaginar que haja marido tão burro que queira fazer uma experiência penosa como essa de Anselmo. Se o caso fosse entre um conquistador e sua amante, poderia se tolerar, mas entre marido e mulher tem alguma coisa de impossível. Agora, quanto ao modo de contá-la, não me desagrada.

XXXVI

QUE TRATA DA BRAVA E DESCOMUNAL
BATALHA QUE DOM QUIXOTE TRAVOU COM UNS ODRES
DE VINHO TINTO,[1] COM OUTRAS
COISAS ESTRANHAS QUE ACONTECERAM
COM ELE NA ESTALAGEM

Estavam nisso, quando o estalajadeiro, que fora até a porta da estalagem, disse:

— Aí vem uma bela tropa de hóspedes; se eles pararem aqui, teremos uma boa farra.

— Quem são? — disse Cardênio.

— Quatro homens — respondeu o estalajadeiro — vêm a cavalo, à gineta, com lanças e adargas, e todos com máscaras negras;[2] e junto com eles vêm mais dois criados a pé e uma mulher vestida de branco, num silhão,[3] também com o rosto coberto.

— Estão perto? — perguntou o padre.

— Tanto que já estão aqui — respondeu o estalajadeiro.

Ao ouvirem isso, Doroteia cobriu o rosto e Cardênio foi para o quarto de dom Quixote, mas quase não tiveram tempo, porque chegaram todos os que o dono anunciara. Os quatro a cavalo apearam, todos com porte e modos refinados, e foram ajudar a mulher que vinha no silhão. Um deles a tomou nos braços e a sentou numa cadeira que estava à entrada do quarto onde Cardênio havia se escondido. Durante todo esse tempo, nem ela nem eles haviam tirado as máscaras, nem falado palavra alguma: apenas a mulher, ao se sentar na cadeira, deu um suspiro profundo e deixou cair os braços, como pessoa doente e desalentada. Os criados levaram os cavalos para a estrebaria.

O padre, ansioso para saber quem eram aquelas pessoas naqueles trajes e naquele silêncio, foi para a estrebaria e perguntou o que desejava a um dos criados, que lhe respondeu:

— Por Deus, senhor, não sei vos dizer quem são: sei apenas que aparentam ser muito importantes, principalmente aquele que apeou a senhora, como vistes. Digo isso porque todos os outros o respeitam e só se faz o que ele ordena e manda.

— E a senhora, quem é? — perguntou o padre.

— Também não sei — respondeu o criado —, porque não vi o rosto dela a viagem toda; suspirar sim, eu a ouvi muitas vezes, e gemer de um modo que a cada gemido parecia querer entregar a alma ao Criador. E não é de espantar que não saibamos mais do que dissemos, porque não faz mais que dois dias que meu companheiro e eu os acompanhamos, pois, quando nos encontramos pelo caminho, nos imploraram e convenceram a que viéssemos com eles até a Andaluzia, prometendo nos pagar muito bem.

— E ouvistes o nome de algum deles? — perguntou o padre.

— Não, nunca — respondeu o criado —, porque todos andam num silêncio inacreditável: entre eles não se ouve nada exceto os suspiros e soluços da pobre senhora, que é de dar pena. Sem dúvida achamos que a levam à força, seja lá para onde for que a levam; e, pelo que dá para ver pelo hábito, ela é freira ou vai sê-lo, que é o mais provável, e vai triste, como se vê, talvez porque a vida religiosa não tenha sido escolha sua.

— Bem pode ser o caso — disse o padre.

E, deixando-os, voltou para onde estava Doroteia, que, como havia ouvido os suspiros da mascarada, movida por natural compaixão se aproximou dela e disse:

— Que mal sentis, minha senhora? Olhai se é algum desses que as mulheres costumam ter experiência de tratar, que de boa vontade vos ofereço meus serviços.

Mas a senhora mortificada permanecia calada; Doroteia insistiu com favores maiores, mas ela não saiu de seu silêncio. Então chegou o cavaleiro mascarado que os outros obedeciam, conforme o criado, e disse a Doroteia:

— Não vos canseis, senhora, oferecendo coisa alguma a essa mulher, porque costuma não agradecer nada que se faz por ela, nem espereis que vos responda, se não quereis ouvir alguma mentira de sua boca.

— Jamais menti — disse nesse ponto a mulher que até ali estivera calada. — É justamente por ser honesta e incapaz de mentiras que agora me vejo infeliz assim; e disso quero que vós mesmo sejais testemunha, pois minha verdade, pura e simples, vos torna falso e mentiroso.

Cardênio ouviu essas palavras bem clara e distintamente, porque estava muito perto de quem as dizia, apenas com a porta do quarto de dom Quixote entre eles; e, mal as ouviu, disse aos gritos:

— Valha-me Deus! O que ouço? Que voz é essa que chegou a meus ouvidos?

A senhora virou a cabeça, toda sobressaltada; não vendo quem gritava, levantou-se para ir até o quarto, mas o cavaleiro a deteve, sem deixá-la dar um passo. Ela, na confusão e nervosismo, deixou cair o véu com que se ocultava, revelando um rosto de incomparável e miraculosa formosura, apesar de pálido e amedrontado; os olhos dela rodavam, examinando todos os lugares que podia, com tanta obstinação que parecia pessoa fora de si — esse comportamento encheu de pena Doroteia e aos demais que a olhavam, pois não sabiam o motivo dele. O cavaleiro, muito ocupado em segurá-la fortemente pelos ombros, não conseguiu levantar a máscara que ameaçava cair e que por fim acabou realmente caindo; e Doroteia, que também estava abraçada à senhora, ao erguer os olhos viu que o homem era seu esposo dom Fernando — mal o reconheceu, deixou escapar do íntimo de suas entranhas um longo e tristíssimo "ai!" e caiu de costas, desmaiada.

Se o barbeiro não estivesse perto para ampará-la nos braços, ela teria se estatelado no chão.

O padre veio logo tirar o véu dela, para lhe jogar água no rosto, e, apenas a descobriu, reconheceu-a dom Fernando (porque era ele mesmo) e ficou como morto ao vê-la, mas nem por isso deixou de segurar Lucinda, que era quem procurava escapar de seus braços, pois havia reconhecido os gritos de Cardênio, como ele também a tinha reconhecido. Cardênio, ao ouvir o "ai!" de Doroteia quando caiu desmaiada, pensou que era de Lucinda e saiu apavorado do quarto, e a quem viu primeiro foi dom Fernando, que ainda tinha Lucinda nos braços. Dom Fernando também reconheceu Cardênio imediatamente — e todos os três, Lucinda, Cardênio e Doroteia, ficaram mudos de surpresa, quase sem saber o que havia acontecido com eles.

Todos se calaram e todos se olhavam, Doroteia a dom Fernando, dom Fernando a Cardênio, Cardênio a Lucinda, e Lucinda a Cardênio. Mas quem primeiro quebrou o silêncio foi Lucinda, falando a dom Fernando desta maneira:

— Senhor dom Fernando, pelo que vos obriga vossa nobreza, já que por outra deferência não o faríeis, deixai-me chegar ao muro de quem sou hera, à proteção de quem não puderam me afastar vossas impertinências, vossas ameaças, vossas promessas nem vossos presentes. Notai como o céu, por vias extraordinárias e ocultas para nós, pôs diante de mim meu verdadeiro esposo, e bem sabeis por mil experiências penosas que só a morte seria suficiente para apagá-lo de minha memória. Como não podeis fazer outra coisa, que desenganos tão cristalinos lhe sirvam, portanto, para que transformeis o amor em raiva, o desejo em despeito, e acabai-me com a vida, que, desde que eu a renda diante de meu bom esposo, a darei por bem empregada. Talvez com minha morte ele se convença que mantive minha fidelidade até o último instante.

Nesse meio-tempo, Doroteia havia se recuperado e escutara todas as palavras de Lucinda, e assim descobriu quem ela era. Mas, vendo que dom Fernando não a soltava nem respondia, se esforçou o mais que pôde para levantar e foi cair de joelhos a seus pés — então, derramando quantidade de formosas e doloridas lágrimas, começou a dizer:

— Meu senhor, se os raios desse sol que tens eclipsado entre os braços não ofuscam a luz de teus olhos, já terás visto que a mulher que está ajoelhada a teus pés é Doroteia, desgraçada e infeliz enquanto tu assim quiseres. Eu sou aquela camponesa humilde a quem tu, por generosidade ou por desejo, quiseste elevar à grandeza de poder chamar-se tua; sou aquela que, encerrada nos limites da virtude, viveu vida contente até que (diante dos apelos de tua insistência e, ao que parece, justos e amorosos sentimentos) abriu as portas de seu recato e te entregou as chaves de sua liberdade, dádiva por ti tão mal correspondida como o mostra com clareza ter sido inevitável me encontrar no lugar onde me encontras e eu te ver da maneira que te vejo. Mas, apesar disso tudo, não gostaria que pudesses pensar que me trouxeram aqui os passos de minha desonra, tendo-me trazido apenas os da dor e do sentimento de me ver esquecida por ti. Quiseste que eu fosse tua e quiseste de maneira que, mesmo que agora não queiras mais, já não será possível que deixes de ser meu.

"Olha, meu senhor, a formosura e a nobreza daquela por quem me deixas bem podem ser compensadas pelo incomparável amor que tenho por ti. Tu não podes ser da formosa Lucinda, porque és meu, nem ela pode ser tua, porque é de Cardênio, e será mais fácil, se pensares nisso, limitar teu desejo a querer quem te adora, que obrigar quem te detesta a te querer. Tu assediaste minha fraqueza, tu imploraste a minha integridade, mas não ignoraste minha condição e sabes bem de que maneira me entreguei a teu desejo: não há como alegares engano em nossa relação. Se isso é verdade, como sei que é, e tu és tão cristão quanto nobre, por que tantos rodeios e demoras para me fazer feliz no final como me fizeste no princípio? E, se não me queres pelo que sou, tua verdadeira e legítima esposa, ao menos me queiras ou me aceites como tua escrava, pois me julgarei feliz e bem-aventurada estando em teu poder. Não permitas, ao me deixar abandonada, que minha desonra alimente os mexericos; não dês a meus pais velhice tão ruim, pois não merecem os leais serviços que, como bons vassalos, sempre prestaram aos teus.

"E, se pensas que vais aniquilar teu sangue por misturá-lo com o meu, considera que pouca ou nenhuma nobreza há no mundo que não tenha trilhado este caminho, e a que se toma das mulheres não é a que importa nas descendências ilustres, tanto mais que a verdadeira nobreza consiste na virtude, e se esta falta a ti negando-me o que com tanta justiça me deves, eu terei mais atributos de nobreza do que tu tens. Enfim, senhor, para encerrar te digo que, queiras ou não queiras, eu sou tua esposa: testemunhas são tuas palavras, que não são nem devem ser mentirosas, se é que prezas a nobreza pela qual me desprezas; testemunha será o anel que puseste em meu dedo, e testemunha o céu, a quem tu invocaste para selar tuas promessas. E, se tudo isso faltar, não deverá faltar tua própria consciência, que clamará calando tuas alegrias, trazendo de volta toda a verdade, perturbando teus melhores prazeres e diversões."

A desolada Doroteia disse isso e muito mais com tanto sentimento e lágrimas que choraram até os que acompanhavam dom Fernando e as outras pessoas que se encontravam ali. Dom Fernando escutou-a sem responder uma palavra, até que ela deu fim às suas e início a tantos soluços e suspiros que só não se enterneceria com essas demonstrações de dor alguém que tivesse o coração de bronze. Lucinda estava olhando-a, não menos comovida com sua desolação que admirada com sua grande formosura e bom senso; e, ainda que quisesse se aproximar dela e lhe dizer algumas palavras de consolo, não a deixavam os braços de dom Fernando, que a mantinham presa. Mas ele, cheio de confusão e espanto, depois de um bom tempo em que esteve olhando Doroteia atentamente, abriu os braços e, deixando Lucinda livre, disse:

— Venceste, formosa Doroteia, venceste; não é possível ter coragem para negar tantas verdades juntas.

Assim que dom Fernando soltou Lucinda, ela desmaiou e ia quase caindo, mas Cardênio — que estava perto, às costas de dom Fernando para não ser reconhecido —, vencendo todo temor e se expondo a todo perigo, conseguiu segurar Lucinda e, com ela nos braços, disse:

— Se o céu piedoso desejar e decidir que tenhas agora algum descanso, minha leal, dedicada e formosa senhora, acredito que em parte alguma o terás mais seguro que nestes braços que neste instante te recebem e que em outro tempo te receberam, quando o destino quis que eu pudesse te chamar minha.

A essas palavras, Lucinda pôs os olhos em Cardênio — havia começado a reconhecê-lo pela voz, mas então, tendo certeza de que era ele pela vista, quase sem sentidos e sem levar em conta nenhum recato ou conveniência, lançou-lhe os braços ao pescoço e, colando seu rosto ao dele, disse:

— Sim, meu senhor, sois o verdadeiro dono desta cativa, por mais adverso que seja o destino e mais ameace esta vida, que na vossa se ampara.

Foi uma visão estranha para dom Fernando e para todos os que estavam ali, admirados com acontecimentos tão incríveis. Doroteia achou que dom Fernando perdera a cor do rosto e fazia menção de querer se vingar de Cardênio, porque o viu levar a mão à espada; mal pensou isso, atirou-se a seus joelhos, beijando-os e abraçando-os com força, impedindo assim o cavaleiro de se mover; e, sem parar um instante de derramar suas lágrimas, dizia:

— Dom Fernando, meu único amparo: que pensas fazer em situação tão inesperada? Tens tua esposa a teus pés, e a que queres está nos braços de seu marido. Vê se fica bem ou te será possível desfazer o que o céu fez, ou se é mais conveniente desejares elevar à estatura de tua nobreza aquela que, vencendo todo obstáculo, confirmada em sua virtude e fidelidade, diante de teus olhos tem os seus, banhados pelo licor amoroso o rosto e o peito de seu verdadeiro esposo. Por quem Deus é eu imploro e por quem tu és eu suplico, não deixes que esta revelação clara da verdade aumente tua ira; pelo contrário, deixa que a abrande de tal maneira que com calma e tranquilidade permitas que esses dois amantes tenham, sem tua interferência, todo o tempo que o céu quiser lhes conceder, e nisso mostrarás a generosidade de teu ilustre e nobre coração, e o mundo verá que contigo a razão tem mais força que o desejo.

Enquanto Doroteia dizia isso, Cardênio, embora abraçasse Lucinda, não tirava os olhos de dom Fernando, à espera de algum movimento contra si, decidido a se defender e atacar como melhor pudesse a todos aqueles que se mostrassem hostis, mesmo que isso lhe custasse a vida. Mas então acudiram os amigos de dom Fernando, além do padre e do barbeiro, que presenciaram tudo, sem que faltasse o bom Sancho Pança, e todos cercaram dom Fernando, suplicando a ele que olhasse com compaixão as lágrimas de Doroteia. Se era verdade o que ela havia dito, como sem dúvida eles achavam que sim, não permitisse então que ficasse frustrada em suas justas esperanças; que considerasse que não foi por acaso que todos haviam se reunido num lugar inimaginável desses, como parecia, mas devido à particular providência do céu. O padre disse que apenas a morte podia separar Lucinda de Cardênio, mas, mesmo assim, ainda que fossem separados pelo fio de uma espada, julgariam a morte uma felicidade, e que, nos casos sem remédio como esse, forçando-se e vencendo a si mesmo, a suprema sensatez era mostrar um coração generoso, permitindo que, por sua exclusiva vontade, os dois gozassem o bem que o céu já havia lhes concedido. Também disse que, se contemplasse a beleza de Doroteia, veria que poucas mulheres podiam se comparar a ela, ou nenhuma, quanto mais ultrapassá-la, e que somasse à sua formosura sua humildade e o amor extremo que lhe dedicava, mas que notasse antes de mais nada que não podia fazer outra coisa que cumprir a palavra dada, se se orgulhava de ser cavaleiro e cristão, e que, cumprindo-a, estaria quite com Deus e satisfaria as pessoas sensatas, que sabem e conhecem que é prerrogativa da beleza, mesmo em gente humilde, desde que acompanhada de virtude, poder se elevar e se igualar a qualquer nobreza, sem um traço de desprezo por quem se eleva e iguala a si mesmo; e, quando obedecem as leis violentas do prazer, desde que nisso não intervenha o pecado, não deve sentir culpa aquele que as segue.

A esses argumentos, todos acrescentaram tantos outros que o valente coração de dom Fernando — como que por fim alimentado com sangue azul — se abrandou e se deixou vencer pela verdade, que ele não poderia negar nem que quisesse; e o sinal de sua rendição aos bons conselhos dados foi se abaixar e abraçar Doroteia, dizendo a ela:

— Levantai-vos, minha senhora, que não é justo que estejais ajoelhada a meus pés aquela que eu tenho em minha alma; e, se até aqui não dei mostras do que digo, talvez tenha sido por determinação do céu, para que vendo eu em vós a fidelidade com que me amais saiba vos estimar como mereceis. O que vos imploro é que não repreendais minha má conduta e negligência, pois a mesma condição e força que me levou a aceitar-vos como minha me impeliu a procurar não ser vosso. Para comprovardes a verdade disso, virai-vos e olhai os olhos da agora contente Lucinda, e neles encontrareis desculpa a todos os meus erros. Então, como ela achou e alcançou o que desejava, e eu achei em vós o que me cabe, viva ela segura e alegre longos e felizes anos com seu Cardênio, que eu rogarei ao céu que me deixe viver outros tantos com minha Doroteia.

E, dizendo isso, abraçou-a de novo e colou o rosto ao dela com tanta emoção que lhe foi necessário se conter para que as lágrimas não acabassem por dar sinais indubitáveis de seu amor e arrependimento. Não foi assim com as de Lucinda e Cardênio, nem com as de quase todos os presentes, porque começaram a derramar tantas, uns por causa da própria alegria e outros por causa da alegria alheia, que parecia que havia acontecido a todos alguma coisa grave e má. Até Sancho Pança chorava, embora tenha dito depois que só chorava por ver que Doroteia não era, como ele pensava, a rainha Micomicona, de quem ele esperava tantos benefícios. O choro e o espanto duraram algum tempo, e depois Cardênio e Lucinda foram cair de joelhos diante de dom Fernando, agradecendo com palavras tão corteses a mercê que lhes havia feito que dom Fernando não sabia mais o que lhes responder; levantou-os, então, e os abraçou com mostras de muito amor e de muita cortesia.

Em seguida pediu que Doroteia dissesse como havia vindo parar ali, tão longe de sua aldeia. Com poucas e medidas palavras, ela contou tudo o que havia contado antes a Cardênio, o que agradou tanto a dom Fernando e aos que o acompanhavam que gostariam que a história durasse mais tempo, tal era a graça com que Doroteia narrava suas desventuras. Quando ela terminou, dom Fernando disse o que havia acontecido com ele na cidade depois que encontrou a carta no seio de Lucinda, na qual declarava ser esposa de Cardênio e não poder ser sua: quis matá-la e o teria feito se não fosse impedido pelos pais dela. Então saiu de casa ressentido e envergonhado, disposto a se vingar num momento mais favorável; e no dia seguinte soube que Lucinda havia sumido da casa de seus pais, sem que ninguém soubesse dizer para onde fora; enfim, depois de alguns meses, veio a saber que estava num mosteiro, decidida a ficar lá toda a vida, se não pudesse passá-la com Cardênio. Assim que soube disso, escolhendo como companhia aqueles três cavaleiros, foi para lá, mas não quis falar com ela, com medo de que reforçassem a guarda ao saber da presença dele. Então, esperando um dia em que a portaria estivesse aberta, deixou dois de sentinela na entrada e com o outro entrou no mosteiro procurando Lucinda, que acharam no claustro falando com uma freira, e, arrebatando-a, sem lhe dar chance para nada, tinham ido a uma aldeia se abastecer daquilo que era necessário para levá-la. Puderam fazer tudo isso com facilidade porque o mosteiro ficava no campo, a uma boa distância da aldeia. Finalmente, disse que Lucinda, mal se viu em seu poder, perdeu os sentidos e que depois de voltar a si não havia feito mais nada além de chorar e suspirar, sem dizer uma palavra, e que, assim, acompanhados de silêncio e de lágrimas, haviam chegado àquela estalagem, que para ele era como ter chegado ao céu, onde culminam e têm fim todas as desventuras da terra.

XXXVII

ONDE PROSSEGUE A HISTÓRIA
DA FAMOSA INFANTA MICOMICONA, COM
OUTRAS AVENTURAS DIVERTIDAS

Sancho escutava tudo isso não sem grande dor no coração, vendo que se transformavam em fumaça as esperanças de seu título nobiliárquico, que a linda princesa Micomicona se transformara em Doroteia e o gigante, em dom Fernando, e seu amo estava dormindo a sono solto, perfeitamente despreocupado com tudo isso. Doroteia não tinha certeza de que essa felicidade não era um sonho; Cardênio pensava a mesma coisa, como Lucinda também. Dom Fernando agradecia ao céu a graça alcançada e tê-lo tirado daquele intrincado labirinto, onde se achava a pique de perder a reputação e a alma. Enfim, todos os que estavam na estalagem se sentiam alegres e satisfeitos com a boa solução que negócios tão enrolados e desesperados tiveram.

Homem inteligente, o padre comentava tudo com acerto e a cada um dava os parabéns pela felicidade alcançada. Mas quem estava mais satisfeita e mais se rejubilava era a estalajadeira, por causa da promessa que Cardênio e o padre haviam feito de lhe pagar as perdas e danos causados por dom Quixote. Apenas Sancho, como já se disse, estava aflito, infeliz e triste; e assim, com o semblante melancólico, abordou seu amo, que acabava de acordar:

— Bem pode vossa mercê, senhor da Triste Figura, dormir o quanto quiser, sem se preocupar em matar gigante nenhum nem devolver o reino à princesa, pois tudo já está feito e concluído.

— Acredito piamente — respondeu dom Quixote —, porque travei com o gigante a mais cruenta e descomunal batalha que penso travar em todos os dias de minha vida. Com um revés, zás!, derrubei a cabeça dele no chão, e jorrou tanto sangue que os riachos corriam pela terra como se fossem de água.

— Como se fossem de vinho tinto, poderia dizer melhor vossa mercê — respondeu Sancho. — Pois gostaria que vossa mercê soubesse, se é que ainda não sabe, que o gigante morto é um odre furado, e o sangue, quase cem litros de vinho tinto que encerrava no ventre, e a cabeça cortada é a puta que me pariu, e o resto que o diabo carregue!

— Que dizes, louco? — replicou dom Quixote. — Tens a cabeça no lugar?

— Levante-se vossa mercê — disse Sancho — e verá o belo serviço que fez e quanto teremos de pagar, e verá a rainha transformada numa plebeia e outras coisas que irão espantá-lo, se conseguir entender.

— Nada disso me surpreenderia — replicou dom Quixote —, pois, se bem te lembras, da outra vez que estivemos neste castelo te disse que tudo o que acontecia aqui eram coisas de encantamento, e não seria de estranhar que agora acontecesse de novo.

— Eu acreditaria em tudo — respondeu Sancho —, se meu manteamento fosse coisa desse tipo, mas não foi, não, aconteceu realmente. Eu vi o estalajadeiro que está aqui hoje segurar uma ponta da manta; ele me atirava para o céu com muita graça e brio, e com tantas risadas quanto força. Embora eu seja tolo e pecador, parece-me que, se a gente reconhece as pessoas, não há encantamento algum, mas muita pancadaria e má sorte.

— Tudo bem, Deus dará um jeito — disse dom Quixote. — Ajuda-me a me vestir e irei lá fora, pois quero ver essas coisas e transformações de que falaste.

Sancho o ajudou. Enquanto isso, o padre contou a dom Fernando e aos outros as loucuras de dom Quixote, e o artifício que haviam usado para tirá-lo da Peña Pobre, onde ele pensava estar por ter sido desprezado por sua senhora. Também contou a eles quase todas as aventuras que Sancho havia relatado, do que não se admiraram nem riram pouco, por acharem o que todos achavam: ser a espécie mais esquisita de loucura que podia caber numa mente desvairada. O padre disse ainda: como o desfecho feliz do caso da senhora Doroteia impedia prosseguir com o plano, era necessário arrumar outro para poder levá-lo a sua terra. Cardênio se ofereceu para continuar o que tinham começado, com Lucinda representando o personagem de Doroteia.

— Não, não vamos fazer assim — disse dom Fernando —, pois quero que Doroteia continue com a farsa. Desde que a aldeia desse bom cavaleiro não seja muito longe daqui, terei prazer em poder ajudá-lo.

— Não fica a mais de duas jornadas.

— Bem, mesmo que ficasse mais longe, eu gostaria de ir, para fazer tão boa ação.

Nisso surgiu dom Quixote, armado com todos os seus apetrechos, com o elmo de Mambrino na cabeça — mesmo amassado —, a rodela no braço e apoiado em seu galho de azinheira ou chuço. Dom Fernando e os demais ficaram pasmos com a estranha figura de dom Quixote — o rosto mais comprido que esperança de pobre, seco e amarelo; suas armas e armadura desemparelhadas; e sua atitude severa —, e ficaram em silêncio, até ver o que ele diria. Com muita calma e gravidade, os olhos pousados na formosa Doroteia, ele disse:

— Fui avisado, formosa senhora, por este meu escudeiro que vossa grandeza se aniquilou e que vosso ser se desfez, porque de rainha e grande senhora que éreis de costume vos transformastes numa donzela plebeia. Se isso foi por ordem de vosso pai, o rei necromante, temeroso de que eu não vos desse a necessária e devida ajuda, digo que não soube nem sabe da missa a metade e que foi pouco versado em histórias de cavalaria. Se ele as tivesse lido e repassado tão atenta e demoradamente como eu as li e repassei, encontraria a cada passo como outros cavaleiros de menor fama que a minha realizaram coisas mais difíceis, não sendo muito matar um gigantinho, por mais arrogante que seja, pois não faz muitas horas que eu me encontrei com ele. Mas prefiro me calar, para que não digam que minto. Que o tempo, revelador de todas as coisas, diga tudo no instante menos esperado.

— Vós vos encontrastes com dois odres, não com um gigante — disse o estalajadeiro nesse ponto.

Dom Fernando mandou que ele se calasse e não interrompesse dom Quixote de jeito nenhum.

— Enfim, excelsa e deserdada senhora — prosseguiu dom Quixote —, se foi por isso que vosso pai fez essas metamorfoses em vossa pessoa, não lhe deis crédito algum, porque não há no mundo perigo em que minha espada não abra caminho: decepando com ela a cabeça de vosso inimigo, em poucos dias porei na vossa a coroa de vossa terra.

Dom Quixote não disse mais nada e esperou que a princesa respondesse; ela, ciente da decisão de dom Fernando de que se prosseguisse com a farsa até levar dom Quixote para casa, com muita distinção e gravidade respondeu:

— Quem quer que vos tenha dito, valoroso Cavaleiro da Triste Figura, que eu havia me aniquilado e mudado meu ser, não vos disse a verdade, porque sou hoje a mesma que fui ontem. Decerto mudei em algumas coisas por causa de acontecimentos que me trouxeram boa sorte, a melhor que eu poderia desejar; mas nem por isso deixei de ser a de antes e de ter o mesmo desejo que sempre tive de me valer de vosso corajoso e invulnerável braço. Assim, meu senhor, devolva vossa grandeza a honra ao pai que me gerou, tendo-o por homem sagaz e prudente, pois com sua ciência achou caminho tão fácil e tão verdadeiro para resolver minha desgraça, pois acredito que, se não fosse por vós, meu senhor, jamais encontraria a felicidade que tenho; e esses senhores que estão aqui são boas testemunhas de toda a verdade que há no que vos digo. Agora, o que nos resta fazer é seguirmos viagem amanhã, porque hoje já não poderemos ir longe; quanto ao desfecho feliz que espero para nossa aventura, deixarei à vontade de Deus e à coragem de vosso coração.

Depois de ouvir a ponderada Doroteia, dom Quixote se virou para Sancho e, com mostras de grande exasperação, disse:

— Ouve-me, Sanchinho: és o maior velhaquinho que há na Espanha. Diz-me, ladrão, vagabundo, não acabaste de me dizer que esta princesa havia se transformado numa donzela chamada Doroteia, e que a cabeça do gigante que acho que cortei era a puta que te pariu, com outros absurdos que me puseram na maior confusão em que jamais estive em todos os dias de minha vida? Juro... — e olhou para o céu e apertou os dentes — que estou por um fio para te dar uma sova que vai enfiar juízo na cachola de quantos escudeiros mentirosos de cavaleiros andantes houver daqui por diante!

— Acalme-se vossa mercê, meu senhor — respondeu Sancho. — É bem possível que eu houvesse me enganado sobre a transformação da senhora princesa Micomicona, mas, por Deus, no que toca à cabeça do gigante, ou pelo menos no caso da perfuração dos odres e do vinho tinto ser sangue, não me engano, não, porque os odres estão ali, feridos, à cabeceira da cama de vossa mercê, e o vinho tinto fez um lago do quarto. Se não acredita, verá no frigir dos ovos, quer dizer, quando o senhor estalajadeiro lhe apresentar a conta do estrago. Agora, que a senhora rainha esteja como estava, alegra-me a alma, porque aí levo minha parte, que também sou filho de Deus.

— Olha, Sancho, perdoa-me, mas tu és um imbecil! — disse dom Quixote. — E agora chega.

— Isso mesmo — disse dom Fernando —, não se fala mais nisso. Bem, a senhora princesa diz para partirmos amanhã, porque já é tarde. Façamos assim, e esta noite poderemos passar numa boa conversa até raiar o dia, quando todos acompanharemos o senhor dom Quixote, pois queremos ser testemunhas das arrojadas e inauditas façanhas que deverá cometer no desenrolar dessa grande empresa de que se encarregou.

— Sou eu que tenho de vos servir e acompanhar — respondeu dom Quixote —, e agradeço muito a mercê que me faz e a boa opinião que se tem de mim. Tentarei não desmenti-la, ou me custará a vida, ou mais ainda, se mais puder me custar.

Dom Quixote e dom Fernando trocaram muitas palavras de cortesia e muitas vezes se puseram ao dispor um do outro, mas se calaram quando entrou na estalagem um viajante, que pelo traje mostrava ser cristão recém-chegado de terras mouras, pois usava uma casaca de tecido azul, de abas curtas, com meias mangas e sem gola; os calções também eram de tecido azul, com um gorro da mesma cor; trazia umas botas cor de tâmara e um alfanje mourisco, posto a tiracolo num talim. Atrás dele, num jumento, vinha uma mulher vestida à mourisca, com o rosto coberto e uma touca na cabeça, com um adorno de brocado, e vestida com uma túnica que a cobria dos ombros aos pés.

O homem era belo e forte, com pouco mais de quarenta anos, o rosto um tanto moreno, bigodes longos e a barba bem cuidada; enfim, pela postura indicava que, se não estivesse vestido como um cativo, seria julgado por pessoa ilustre e bem-nascida.

Pediu um quarto, mas, como disseram que não havia, mostrou-se preocupado. Depois se aproximou da mulher vestida de moura e ajudou-a a apear, estendendo-lhe os braços. Lucinda, Doroteia, a estalajadeira, sua filha e Maritornes, atraídas pelas roupas que nunca tinham visto, rodearam a moura. E Doroteia, que sempre foi graciosa, educada e sensível, achando que tanto ela como seu acompanhante se afligiam com a falta do quarto, disse a ela:

— Não vos entristeça muito, minha senhora, com a falta de conforto, porque as estalagens são assim mesmo. Mas, se quiserdes ficar conosco — e apontou Lucinda —, não achareis talvez tão boa acolhida ao longo dessa viagem.

A mulher velada não respondeu, nem fez outra coisa que se levantar de onde havia sentado e, com ambas as mãos cruzadas sobre o peito, a cabeça inclinada, dobrar o corpo em sinal de agradecimento. Por seu silêncio imaginaram que, sem dúvida alguma, devia ser moura e não sabia falar a língua cristã. Nisso chegou o cativo, que estivera tratando de outra coisa, e, vendo que todas cercavam sua senhora e que ela se calava a tudo o que lhe falavam, disse:

— Minhas senhoras, esta donzela mal entende minha língua e só fala a de sua terra, por isso não respondeu e sem dúvida não responderá o que perguntaram.

— Perguntamos apenas, com a cortesia que obriga a servir a todos os estrangeiros necessitados, especialmente se for uma mulher — respondeu Lucinda —, se quer passar esta noite em nossa companhia e dividir o quarto em que nos acomodaremos, onde terá o conforto possível.

— Por ela e por mim, beijo-vos as mãos, minha senhora — respondeu o cativo. — E, como é justo, agradeço muito a ajuda oferecida, pois nessas circunstâncias, vinda de pessoas como vossa aparência manifesta, bem se vê que deve ser muito grande.

— Dizei-me, senhor: essa senhora é cristã ou moura? — disse Doroteia. — Pois as roupas e o silêncio nos fazem pensar que é o que não gostaríamos que fosse.

— É moura nas roupas e no corpo, mas na alma é grande cristã, porque tem muita vontade de sê-lo.

— Então não é batizada? — replicou Lucinda.

— Não teve oportunidade para isso depois que saiu de Argel, sua pátria — respondeu o cativo —, e até agora não se viu em perigo de morte iminente que obrigasse a se batizar sem antes aprender todas as cerimônias que nossa santa madre Igreja manda; mas queira Deus que logo seja batizada, com a dignidade devida à condição de sua pessoa, que é maior do que mostram suas roupas e as minhas.

Essas palavras atiçaram o desejo de todos os ouvintes de saber quem eram a moura e o cativo, mas por ora ninguém quis perguntar nada, pois viam que o momento era mais propício para lhes proporcionar descanso que de ouvir sua história. Doroteia tomou a mulher pela mão e a levou para se sentar a seu lado, pedindo-lhe que tirasse o véu. Ela olhou para o cativo, como se perguntasse o que lhe diziam e o que devia fazer. Ele disse em árabe que pediam que tirasse o véu e aconselhou que obedecesse. Então ela o tirou, revelando um rosto tão formoso que Doroteia a achou mais formosa que Lucinda, e Lucinda mais formosa que Doroteia, e todos os presentes pensaram que se alguma beleza poderia se comparar à das duas era a da moura, e alguns até lhe deram um pouco de vantagem. E, como a beleza tem a prerrogativa e a graça de reconciliar os ânimos e atrair as atenções, logo todos se renderam ao desejo de servir e tratar com carinho a formosa moura.

Dom Fernando perguntou ao cativo como a moura se chamava. Ele respondeu que *Lela*[1] *Zoraida*; ela, mal ouviu isso, entendeu o que haviam perguntado ao cristão e disse a toda pressa, cheia de aflição e graça:

— Não, não *Zoraida*: *Maria, Maria*! — dando a entender que se chamava *Maria*, e não *Zoraida*.

Essas palavras e a grande emoção com que a moura as disse fizeram alguns dos ouvintes derramar mais de uma lágrima, principalmente as mulheres, que são ternas e compassivas por natureza. Lucinda a abraçou, muito amorosa, dizendo-lhe:

— Sim, sim, Maria, Maria.

Ao que a moura respondeu:

— Sim, sim, Maria: Zoraida *macange*! — que quer dizer "não".

Começava a anoitecer, e, por ordem dos acompanhantes de dom Fernando, o estalajadeiro havia tratado às pressas de preparar o melhor jantar que lhe era possível. Chegada a hora, todos se sentaram a uma mesa comprida como a dos criados, porque não havia nem redonda nem quadrada na estalagem. Apesar de seus protestos, deram o lugar de honra, a cabeceira, a dom Quixote, que quis que sentasse a seu lado a senhora Micomicona, pois ele era seu protetor. A seguir se sentaram Lucinda e Zoraida; diante delas dom Fernando e Cardênio, ladeados pelos outros cavaleiros e o cativo; junto às senhoras, o padre e o barbeiro. Jantaram com grande satisfação, mas ficaram mais satisfeitos ainda vendo que dom Quixote, parando de comer, movido por espírito semelhante ao que o levou a falar no jantar com os pastores de cabras, começou a dizer:

— Realmente, meus senhores, se considerarmos bem, os que professam a ordem da cavalaria andante veem coisas inauditas e admiráveis. Se não, quem, caso entrasse agora pela porta deste castelo e nos visse assim como estamos, poderia julgar ou acreditar que nós somos quem somos? Quem poderá dizer que esta senhora que está ao meu lado é a grande rainha que todos sabemos e que eu sou aquele Cavaleiro da Triste Figura, cuja fama anda na boca do povo? Não há mais dúvida de que essa arte e esse exercício ultrapassam a todas aquelas e aqueles que os homens inventaram, e tanto mais devem ser apreciados quanto a maiores perigos se expõem. Tirem da minha frente os que afirmarem que as letras levam vantagem sobre as armas, pois direi a eles, sejam quem forem, que não sabem o que dizem. Porque o argumento que eles costumam esgrimir e a que mais se agarram é que os trabalhos do espírito ultrapassam os do corpo e que apenas com o corpo se exercitam as armas, como se esse exercício fosse coisa de burro de carga, para quem não é necessário mais que ter força física, ou como se nisso que nós, que as professamos, chamamos armas não se encerrassem atos de fortaleza, cuja execução exige muita sabedoria, ou como se a coragem do guerreiro encarregado de um exército ou da defesa de uma cidade sitiada não trabalhasse tanto com o espírito como com o corpo. Se não, vejamos se apenas com a força física se pode conjecturar e descobrir a intenção do inimigo, os desígnios, os estratagemas, as dificuldades, prever os ataques que se temem; pois todas essas coisas são ações da inteligência, em que o corpo não tem participação nenhuma.

"Assim, se as armas requerem tanto espírito como as letras, vejamos agora qual dos dois espíritos, o do letrado ou o do guerreiro, trabalha mais. Saberemos disso pelo objetivo que cada um persegue, porque se deve considerar melhor aquela intenção que tem por objetivo o fim mais nobre. O objetivo das letras, digo das letras humanas (pois não falo agora das letras divinas, que têm por alvo encaminhar as almas ao céu, porque a um fim tão sem fim como esse nenhum outro pode ser comparado), é entender e fazer com que as boas leis sejam obedecidas, isto é, pôr em pratos limpos a justiça distributiva e dar a cada um o que é seu. Um objetivo certamente generoso e elevado, digno de grande louvor, mas não tanto quanto merece aquele que as armas buscam, que é a paz, o maior bem que os homens podem desejar nesta vida. Assim, as primeiras boas notícias que o mundo teve e tiveram os homens foram as que os anjos anunciaram na noite que se tornou nosso grande dia, quando cantaram nos céus: 'Glória a Deus nas alturas, e paz na terra aos homens de boa vontade';[2] e a saudação que o melhor mestre da terra e do céu ensinou a seus discípulos e favorecidos foi lhes dizer que, ao entrarem em alguma casa, dissessem: 'Que a paz esteja nesta casa'; e muitas outras vezes disse: 'Minha paz vos dou, minha paz vos deixo; que a paz esteja convosco',[3] como joia preciosa dada por tal mão: sem ela na terra nem no céu pode haver bem algum. Essa paz é o verdadeiro objetivo da guerra, pois dizer armas e guerra é a mesma coisa. Estabelecida, portanto, essa verdade, que o objetivo da guerra é a paz, e que esse objetivo leva vantagem ao objetivo das letras, vamos agora aos trabalhos do corpo do letrado e aos do corpo de quem professa as armas, e vejamos quais são maiores."

Dom Quixote ia desenvolvendo seu discurso de modo tão lúcido e organizado que, naquele momento, nenhum dos ouvintes podia considerá-lo louco; pelo contrário, como a maioria era de cavaleiros, homens ligados às armas, escutavam-no de muito bom grado. E ele prosseguiu assim:

— Afirmo então que os trabalhos do estudante são estes: principalmente pobreza, não porque todos sejam pobres, mas para dar o exemplo extremo a que pode chegar este caso; bem, dito que padecem de pobreza me parece que não seria necessário dizer mais nada de sua má sorte, porque quem é pobre não tem nada que preste. Eles padecem essa pobreza por partes, seja na fome, no frio, na nudez, ou toda de uma vez; mas, apesar disso, não é tanta que não comam, embora seja um pouco mais tarde que o costume, embora sejam as sobras dos ricos, que é a maior miséria do estudante, coisa que chamam de viver de esmola; e não lhes falta algum braseiro ou fogão alheio, que, se não esquenta, pelo menos amorna seu frio, e, enfim, à noite dormem embaixo de um teto. Não quero descer a outras minúcias, como a falta de camisas e a ausência de sapatos, o vestuário ralo e puído, nem o prazer de se empanturrarem quando a boa sorte lhes depara algum banquete.

"Por esse caminho que pintei, áspero e complicado, tropeçando aqui, caindo ali, levantando-se lá, caindo de novo, chegam aonde desejam; aí, vimos muitos que, tendo passado por essas Sirtes, Cilas e Caribdes,[4] como que levados pelos ares pela sorte favorável, digo, nós os vimos mandar e governar o mundo desde uma cadeira, trocada a fome pela fartura, o frio pela fresca, a nudez pelo luxo e o sono numa esteira pelo repouso em leitos forrados de linho e damasco, prêmio justamente merecido por sua perseverança. Mas esses trabalhos, contrapostos e comparados aos da atividade guerreira, ficam muito atrás em tudo, como demonstrarei agora."

XXXVIII

QUE TRATA DO CURIOSO
DISCURSO QUE DOM QUIXOTE FEZ
SOBRE AS ARMAS E AS LETRAS

Prosseguindo, dom Quixote disse:

— Começamos examinando a pobreza do estudante, em suas várias facetas; examinemos agora se o soldado é mais rico. Bem, logo veremos que não há ninguém mais pobre entre os pobres, porque depende da miséria de seu soldo que recebe tarde ou nunca ou do que suas mãos afanarem, com grande perigo para sua vida e sua consciência. E às vezes sua nudez chega a tanto que um colete esfarrapado lhe serve de agasalho e traje de festa, e em pleno inverno, quando está em campo aberto, costuma se defender das inclemências do céu apenas com a própria respiração, que por sair de lugar vazio deve sair fria, como verifiquei, contrariando todas as leis da natureza. Então espera a chegada da noite para se recuperar na cama de todos esses incômodos: se não for por sua culpa, ela jamais pecará pelo tamanho, pois ele pode medir muito bem na terra quantos metros quiser e se virar e se revirar à vontade, sem medo de que os lençóis fiquem curtos.

"Depois disso tudo, chega a vez e a hora de receber o certificado de seu ofício: um dia de batalha, quando lhe porão na cabeça o barrete de doutor, feito de ataduras, para curar algum balaço que lhe raspou as têmporas ou lhe deixou estropiado de um braço ou perna. E, se não acontecer isso, se o céu piedoso o guardar e o conservar são e salvo, poderá ser para que continue na mesma pobreza em que estava antes e que seja necessário um ou outro combate, uma ou outra batalha, em que tem de sair sempre vencedor para ganhar algo; mas poucas vezes se veem estes milagres. Agora, dizei-me, senhores, se reparastes nisso: não são muito menos os premiados pela guerra que os que pereceram nela? Sem dúvida respondereis que não tem comparação nem se pode contar o número dos mortos, mas que os premiados vivos podem ser contados em três algarismos. É exatamente o contrário com os letrados: todos recebem o pagamento de mão beijada, e nem falemos de mão molhada. De modo que, embora seja maior o trabalho do soldado, o prêmio é muito menor. Claro que a isso se pode responder que é mais fácil premiar dois mil letrados que trinta mil soldados, porque se premiam os letrados dando empregos que por força devem ser dados aos de sua profissão, e os soldados não podem ser premiados a não ser com os próprios bens do senhor a quem servem, coisa certamente impossível, o que mais fortifica minha opinião.

"Mas deixemos isso de lado, que é labirinto de saída complicada, e voltemos à primazia das armas sobre as letras, matéria que até agora está para ser discutida, conforme os argumentos que cada um dos lados alega. Entre eles, dizem os partidários das letras que sem elas as armas não poderiam se sustentar, porque a guerra também tem suas leis e está sujeita a elas, e que as leis são o território das letras e dos letrados. Os partidários das armas respondem que as leis não poderão se sustentar sem elas, porque com as armas se defendem as repúblicas, conservam-se os reinos, protegem-se as cidades, asseguram-se as estradas, limpam-se os mares de piratas e, finalmente, se não fosse por elas, as repúblicas, os reinos, as monarquias, as cidades, os caminhos de mar e terra estariam sujeitos ao rigor e à confusão que traz consigo a guerra no tempo que dura e tem licença de usar de seus privilégios e de suas forças.

"E se sabe que, aquilo que mais custa, mais se aprecia e mais se deve apreciar. Para alguém ser proeminente em letras, custa em tempo, vigília, fome, nudez, dores de cabeça, indigestões e outras coisas a elas vinculadas, que já referi em parte; mas para alguém chegar nos mesmos termos a ser um bom soldado custa tudo o que custou ao estudante, em grau muito maior, que nem tem comparação, porque ele está a pique de perder a vida a cada passo. E que medo de miséria e pobreza pode atingir e angustiar o estudante que possa se comparar ao que tem o soldado que, cercado em alguma fortaleza, está de sentinela numa guarita ou atalaia e sente que os inimigos estão escavando um túnel para explodir o lugar onde ele está, e não pode se afastar dali de jeito nenhum, nem fugir do perigo que o ameaça tão de perto? A única coisa que pode fazer é avisar seu capitão do que acontece, para que revide com uma contramina, e ficar quieto em seu posto, com medo, à espera de repentinamente subir às nuvens sem ter asas e descer a contragosto para as profundezas.

"Bem, se esse perigo parece pequeno, vejamos se ele se iguala ou leva vantagem ao ataque de duas galeras no meio da imensidão do mar: com as duas mutuamente presas por ganchos, não resta ao soldado mais espaço que os três palmos da tábua de abordagem na proa, mas, mesmo vendo que tem diante de si tantos agentes da morte que o ameaçam quantos canhões são apontados do lado contrário, a menos de uma lança de distância de seu corpo, mesmo vendo que ao primeiro descuido dos pés iria visitar os abismos profundos de Netuno, mesmo assim, com coração intrépido, levado pela honra que o incita, expõe-se como alvo a tantos arcabuzes e procura avançar por essa passagem tão estreita para o barco inimigo. E o que mais espanta é que, mal um soldado caiu onde não poderá se levantar até o fim do mundo, outro ocupa o mesmo lugar, e, se este também cai nas águas, que o aguardam como inimigo, outro e mais outro o sucedem, sem dar tempo ao tempo de suas mortes: a maior valentia e atrevimento que se pode encontrar em todas as aflições da guerra.

"Abençoados sejam aqueles séculos que careceram da espantosa fúria desses instrumentos endemoniados de artilharia. Penso que seu inventor está no inferno recebendo a recompensa por sua obra maligna, pois com ela permitiu que um braço infame e covarde tire a vida de um cavaleiro corajoso e que, sem que se saiba como ou vinda de onde, em meio à coragem e brio que inflama os corações valentes, chegue uma bala perdida (desfechada talvez por alguém que fugiu espantado com o resplendor do fogo que fez ao disparar a máquina maldita) que corta e acaba num instante os pensamentos e a vida de quem a merecia gozar longos séculos. Então, considerando isso, sou capaz de dizer que me pesa na alma ter aderido a esse ofício de cavaleiro andante em época tão detestável como esta em que vivemos, porque, embora a mim nenhum perigo meta medo, me deixa receoso pensar que a pólvora e o chumbo poderão me impedir de me tornar ilustre e famoso pelo valor de meu braço e pelo fio de minha espada, em todos os quatro cantos do mundo conhecido. Mas que seja o que o céu determinar, pois serei muito mais estimado, se conseguir o que pretendo, quanto maiores forem os perigos que correr do que os perigos que correram os cavaleiros andantes dos séculos passados."

Dom Quixote fez toda essa longa arenga enquanto os demais jantavam, esquecendo de provar a comida, mesmo que algumas vezes Sancho Pança tenha dito que comesse, que depois haveria tempo para dizer tudo o que quisesse. Os que o escutavam sentiram pena de novo ao ver que homem pelo visto inteligente, capaz de argumentar com clareza sobre todas as coisas de que tratava, perdia o juízo completamente quando o assunto era sua maldita e condenada cavalaria. O padre lhe disse que tinha muita razão em tudo quanto dissera a favor das armas e que ele, embora letrado e diplomado, tinha a mesma opinião.

Acabaram de jantar, tiraram a mesa e, enquanto a estalajadeira, sua filha e Maritornes arrumavam o sótão de dom Quixote, onde haviam decidido que somente as mulheres passariam a noite, dom Fernando pediu ao cativo que lhes contasse a história de sua vida, porque só poderia ser estranha e agradável, a julgar pela amostra, a chegada em companhia de Zoraida. O cativo respondeu que sim, de muito boa vontade; temia apenas que a história não lhes agradasse como ele desejava, mas que a contaria assim mesmo, para não desobedecê-lo. O padre e todos os outros lhe agradeceram, pedindo de novo que a contasse logo. Ele, diante de tanta insistência, disse que não era necessário pedir quando tinham o poder de mandar.

— Então, prestem atenção vossas mercês e ouvirão uma história verídica, e talvez as fantasiosas, que costumam ser inventadas com cuidado e astúcia, não possam se comparar a ela.

Assim, fez com que todos se acomodassem e, vendo que aguardavam o que ia dizer em silêncio total, começou a falar desta maneira, com voz calma e agradável:

XXXIX

ONDE O CATIVO CONTA SUA VIDA E AVENTURAS

— Numa aldeia das montanhas de León teve início minha linhagem, com quem a natureza foi mais favorável e generosa que a fortuna, embora no acanhamento daqueles povoados meu pai tivesse fama de rico, e realmente seria se tivesse tanta destreza para conservar suas posses como a tinha para gastá-las. Sua propensão a ser liberal e perdulário começou nos anos de juventude, quando foi soldado, pois a tropa é a escola onde o mesquinho se torna desprendido e o desprendido, pródigo, e, caso se encontre alguns soldados miseráveis, são como monstros, que poucas vezes são vistos. Meu pai ultrapassava os limites da generosidade e beirava os do esbanjamento, coisa que não é de nenhum proveito para homem casado e que tem filhos que devem herdar o nome e a posição dele. Meu pai tinha três, todos homens e todos em idade de casar. Então, vendo que não podia contrariar facilmente sua propensão, resolveu se privar do instrumento e causa que o fazia um esbanjador generoso, quer dizer, privou-se de suas posses. Sem elas até o próprio Alexandre pareceria avarento. Assim, um dia chamou a nós três em particular num quarto e nos disse mais ou menos o que repetirei agora: "Filhos, para saberdes que vos quero bem basta dizer que sois meus filhos; e para compreender que vos quero mal basta saber que não está ao meu alcance conservar vossas posses. Então, para que daqui por diante entendais que vos quero como pai e que não quero vos destruir como padrasto, gostaria de fazer uma coisa convosco que venho pensando há muitos dias e que decidi com consideração madura. Vós já estais em idade de casar, ou pelo menos de escolher uma profissão que os honre e beneficie, quando fordes mais velhos. E o que pensei foi dividir minhas posses em quatro partes iguais: vos darei três, uma para cada um, sem diferença alguma, e ficarei com a quarta para me manter enquanto o céu se comprazer em me conservar com vida. Mas gostaria que, depois que cada um tivesse em seu poder a parte que lhe toca, seguisse um dos caminhos que indicarei. Há um ditado em nossa Espanha, muito verdadeiro em minha opinião, como são todos, por serem sentenças breves tiradas de longa e judiciosa experiência; e este que digo reza: 'Igreja ou mar ou casa real', como se dissesse com mais clareza que quem quiser prosperar e ser rico siga ou a Igreja ou navegue, exercitando a arte do comércio, ou entre a serviço dos reis em suas casas, porque dizem: 'Mais vale migalha de rei que mercê de senhor'. Digo isso porque meu desejo é que um de vós seguisse as letras, o outro o comércio e o último servisse ao rei na guerra, pois é muito difícil servir em sua casa; embora a guerra não dê muitas riquezas, costuma dar muito prestígio e muita fama. Dentro de oito dias vos darei toda a vossa parte em dinheiro, sem enganá-los num tostão, como vereis por vós mesmos. Dizei-me agora se quereis seguir minha opinião e conselho no que vos propus".

"Ele mandou que eu respondesse, por ser o mais velho. Depois de ter dito a ele que não se desfizesse de suas posses, mas que gastasse tudo o que tivesse vontade, que já tínhamos idade para trabalhar, concluí que obedeceria a seu desejo e que o meu era seguir o ofício das armas, servindo assim a Deus e a meu rei. O segundo irmão fez a mesma proposta e escolheu ir para as Índias, investindo a parte que lhe tocasse. O mais novo e, penso eu, o mais inteligente, disse que queria entrar para a Igreja ou ir completar seus estudos na Universidade de Salamanca.

"Mal acabamos a combinação e a escolha de nossas profissões, meu pai nos abraçou a todos e executou a promessa com a mesma rapidez com que havia falado, dando a cada um de nós sua parte, que, pelo que me lembro, era de três mil ducados em dinheiro vivo, porque um tio nosso comprou toda a propriedade e pagou à vista, para que ela continuasse na família. Nós três nos despedimos num mesmo dia de nosso bom pai, mas, parecendo-me desumano deixar meu pai velho e com tão poucas posses, fiz com que aceitasse dois de meus três mil ducados, pois me bastava o resto para providenciar o que era necessário para um soldado. Meus dois irmãos, movidos por meu exemplo, deram cada um mil ducados; de modo que meu pai ficou com quatro mil em dinheiro e mais três que parece que era o que valia a parte dele, que não quis vender, mas manter em terras e outros bens imóveis. Enfim, despedimo-nos dele e daquele tio de que falei, não sem muito sentimento e lágrimas de todos, nem sem prometer mandar notícias de nossas aventuras, favoráveis ou não, todas as vezes que fosse possível. Então, depois das promessas, dos abraços e de sua bênção, um se foi para Salamanca, o outro para Sevilha e eu para Alicante, onde me disseram que havia um navio genovês que carregava lã para Gênova.

"Neste ano faz vinte e dois que saí da casa de meu pai e, em todos eles, apesar de ter escrito algumas cartas, não soube nada dele nem de meus irmãos. Quanto ao que passei nesse meio-tempo, contarei em poucas palavras. Embarquei em Alicante, fiz boa viagem até Gênova, de lá fui para Milão, onde me muni de armas e de roupas de soldado, e fui sentar praça no Piemonte. Mas, a caminho de Alexandria da Palha, tive notícias de que o grande duque de Alba marchava para Flandres.[1] Mudei meus planos: parti com ele e servi nas campanhas que fez.

Presenciei a morte dos condes de Eguemón e de Hornos,[2] cheguei a ser alferes de um famoso capitão de Guadalajara, chamado Diego de Urbina,[3] e, depois de algum tempo que cheguei em Flandres, tivemos notícia da aliança que Sua Santidade, o papa Pio Quinto, de feliz memória, tinha feito com Veneza e com a Espanha contra o inimigo comum, que é o Turco, que naquela época havia conquistado com sua armada a famosa ilha de Chipre, que estava sob o domínio de venezianos. Foi uma perda lamentável e desastrosa.[4]

"Foi dado como certo que o general dessa aliança seria o sereníssimo dom Juan de Áustria, irmão natural de nosso bom rei dom Felipe; tornaram-se conhecidos os tremendos preparativos de guerra, o que me impressionou e incitou minha coragem e desejo de me ver na campanha que se esperava; e, embora eu tivesse esperanças ou quase certeza de que na primeira oportunidade que aparecesse seria promovido a capitão, resolvi largar tudo e ir para a Itália, como efetivamente fui. Por sorte, o senhor dom Juan de Áustria acabava de chegar a Gênova, a caminho de Nápoles, para se juntar com a armada de Veneza, como fez depois em Messina.[5] Enfim, digo que estive naquela campanha[6] gloriosa, já como capitão de infantaria, a cujo honroso posto me elevou minha boa estrela, mais que meus méritos. Naquele dia tão feliz para a cristandade, porque o mundo e todas as nações descobriram o erro em que estavam acreditando que os turcos eram invencíveis no mar, digo, naquele dia em que o orgulho e a soberba otomanos foram dobrados, entre tantos homens felizes (porque mais sorte tiveram os cristãos que morreram ali do que os que saíram vivos e vencedores) apenas eu fui o desgraçado, pois, em vez de receber uma coroa de louros, como poderia esperar se fosse nos tempos dos romanos, eu me vi naquela noite que seguiu dia tão famoso com correntes nos pés e algemas nos punhos.

"Aconteceu assim: tendo Uchali,[7] rei de Argel, atrevido e próspero pirata, atacado e rendido a nau capitânia da esquadra de Malta, em que apenas três cavaleiros saíram com vida, mas mortalmente feridos, veio em socorro a nau capitânia de Juan Andrea,[8] em que eu estava com minha companhia. Fiz então o que devia em situação semelhante, saltei para a galera contrária, mas ela se desviou em sua investida, o que impediu que meus soldados me seguissem, daí que me encontrei sozinho entre meus inimigos, a quem não consegui resistir, por serem tantos: por fim me renderam cheio de ferimentos. E, como já deveis ter ouvido falar, senhores, Uchali se salvou com toda a sua esquadra, e eu fiquei prisioneiro em seu poder: fui o único homem triste entre tantos alegres e o escravo entre tantos livres, porque foram quinze mil cristãos os que naquele dia alcançaram a desejada liberdade, todos presos aos remos da armada turca. Levaram-me para Constantinopla, onde o grão-turco Selim deu o posto de general do mar ao meu captor, porque havia cumprido com seu dever na batalha: como demonstração de coragem, tinha levado o estandarte da Ordem de Malta.

"No segundo ano, que foi o de 72, achei-me em Navarino, navegando na nau capitânia com os três faróis de guia. Notei ali a oportunidade que se perdeu de prender a armada turca, porque todos os marinheiros e soldados que vinham nela tiveram certeza de que seriam atacados dentro do próprio porto e tinham preparado sua roupa e passamaques, como chamam seus calçados, para fugir logo por terra, sem esperar combater, tanto era o medo que nossa armada metia neles. Mas o céu ordenou de outra maneira, não por culpa nem descuido do general que comandava os nossos, mas pelos pecados da cristandade e porque Deus quer e permite que tenhamos sempre carrascos que nos castiguem. Na verdade, Uchali se refugiou em Modon, uma ilha perto de Navarino, onde desembarcou sua gente, fortificou a boca do porto e ficou até que o senhor dom Juan voltou. Nessa viagem se tomou a galera que se chamava *A Presa*, capitaneada por um filho daquele famoso pirata Barba Ruiva. Abordou-a a nau capitânia de Nápoles, chamada *A Loba*, comandada por aquele raio da guerra, pelo pai dos soldados, por aquele feliz e invencível capitão dom Álvaro de Bazán, marquês de Santa Cruz. E não quero deixar de dizer o que aconteceu na captura da *Presa*. O filho do Barba Ruiva era tão cruel e tratava tão mal seus cativos que, mal os remadores viram que a galera *Loba* se aproximava e que ia alcançá-los, soltaram os remos todos ao mesmo tempo e agarraram seu capitão, que estava na popa gritando que remassem depressa, e, passando-o de banco em banco até a proa, lhe deram tantas mordidas que logo depois de passar pelo mastro maior sua alma já havia chegado ao inferno: tal era, como se disse, a crueldade com que tratava a todos e o ódio que eles lhe tinham.

"Voltamos a Constantinopla, e no ano seguinte, que foi o de 73, soube-se por lá como o senhor dom Juan havia conquistado Túnis, tirando aquele reino dos turcos e dando posse a Mulei Hamet, cortando as esperanças que tinha de voltar a reinar Mulei Hamida, o mouro mais cruel e mais valente que o mundo conheceu.[9] O grão-turco sentiu muito essa perda e, usando da sagacidade própria dos de sua casa, fez as pazes com os venezianos, que as desejavam muito mais que ele, e no ano seguinte, 74, atacou a Goleta e o forte perto de Túnis que o senhor dom Juan havia deixado meio construído. Em todos esses acontecimentos, eu estava ao remo, sem esperança de liberdade alguma; pelo menos, não esperava tê-la por um resgate, porque tinha decidido não mandar notícias de minha desgraça a meu pai.

"Enfim, caiu a Goleta, caiu o forte, praças atacadas por setenta e cinco mil soldados turcos regulares e por mais de quatrocentos mil mouros e árabes de toda a

África, todos esses guerreiros com tanta munição, apetrechos de guerra e sapadores que só com as mãos e punhados de terra poderiam cobrir a Goleta e o forte. Primeiro caiu a Goleta, tida até então como inexpugnável, e não caiu por culpa de seus defensores, que fizeram em sua defesa tudo aquilo que deviam e podiam, mas porque a experiência mostrou a facilidade com que se podiam levantar trincheiras naquele areal deserto, pois, embora a dois palmos se achasse água, os turcos não a acharam nem a dois metros: levantaram trincheiras com muitos sacos de areia, tão altas que sobrepujaram as muralhas da fortaleza. Assim, atirando de cima, ninguém podia pará-los nem ajudar na defesa.

"Foi opinião comum que os nossos não deviam se encerrar na Goleta e sim esperar no porto em campo aberto, mas os que diziam isso falavam de longe e com pouca experiência de casos semelhantes, porque, se na Goleta e no forte mal havia sete mil soldados, como tão poucos podiam, por mais valentes que fossem, sair em campo aberto e permanecer na fortaleza, contra tantos inimigos? E como é possível deixar de cair uma fortaleza que não é socorrida, e mais ainda quando a cercam inimigos inumeráveis e teimosos, e em sua própria terra? Mas a muitos pareceu, como também a mim, que foi uma graça e mercê particular que o céu concedeu à Espanha ao permitir que se assolasse aquela sementeira e antro de maldades, e aquele papão ou esponja ou cupim de dinheiro que ali se gastava sem proveito, que só servia para conservar a memória feliz de tê-la conquistado o invicto Carlos Quinto, como se fossem necessárias aquelas pedras que a sustentam para torná-la eterna, como é e será.

"Também caiu o forte, mas os turcos tiveram de conquistá-lo palmo a palmo, porque os soldados que o defendiam lutaram enérgica e corajosamente, tanto que mataram mais de vinte e cinco mil inimigos nos vinte e dois ataques gerais feitos. Não capturaram nenhum sem feridas entre os trezentos que ficaram vivos, sinal certo e claro de seu esforço e coragem, e de como haviam se defendido bem e guardado suas praças. Capitulou, depois de aceitar suas condições, um pequeno forte ou torre que estava na metade da foz, a cargo de dom Juan Zanoguera, cavaleiro valenciano e soldado famoso. Prenderam dom Pedro Puertocarrero, general da Goleta, que fez todo o possível para defender sua fortaleza e sentiu tanto tê-la perdido que morreu de tristeza a caminho de Constantinopla, onde o levavam como escravo. Também prenderam o general do forte, que se chamava Gabrio Cervellón, cavaleiro milanês, grande engenheiro e soldado muito valente. Morreram nessas duas fortalezas muitas pessoas importantes; uma delas foi Pagán de Oria, cavaleiro da Ordem de São João, de temperamento generoso, como o demonstra a extrema liberalidade que usou com seu irmão, o famoso Juan Andrea de Oria. Mas o que tornou mais penosa a morte dele foi ter sido nas mãos de uns árabes em quem confiou, vendo o forte já perdido. Eles se ofereceram para levá-lo vestido de mouro para Tabarca, que é um portinho ou casa que têm naquela região uns genoveses que se dedicam à pesca do coral, e lhe cortaram a cabeça e a levaram ao general de terra da armada turca, que aplicou neles nosso ditado castelhano: 'A traição deleita, mas ao traidor se rejeita'. Dizem que então o general mandou enforcar os que lhe trouxeram o presente, porque não o tinham trazido vivo.

"Entre os cristãos capturados no forte, houve um chamado dom Pedro de Aguilar, natural não sei de que lugar da Andaluzia, que havia sido alferes, soldado de prestígio e rara inteligência; era especialmente dotado para o que chamam poesia. Digo isso porque o destino o trouxe à minha galera e ao meu banco para ser escravo do mesmo amo, e antes que partíssemos daquele porto esse cavaleiro compôs dois sonetos à maneira de epitáfios, um à Goleta e o outro ao forte. Na verdade, gostaria de recitá-los, porque os sei de cor e acho que antes causarão prazer que tristeza."

No instante em que o cativo falou o nome de dom Pedro de Aguilar, dom Fernando olhou seus companheiros e todos os três sorriram; e, quando falou dos sonetos, um deles disse:

— Antes que vossa mercê continue, suplico que me diga o que foi feito desse dom Pedro de Aguilar.

— O que sei — respondeu o cativo — é que, ao cabo de dois anos em Constantinopla, fugiu vestido de albanês com um espião grego. Não sei se ficou em liberdade, mesmo que ache que sim, porque dali a um ano eu vi o grego em Constantinopla mas não pude lhe perguntar pelo desenlace daquela viagem.

— Foi bom — respondeu o cavaleiro —, porque esse dom Pedro é meu irmão e agora está em nossa aldeia, salvo e rico, casado e com três filhos.

— Graças a Deus — disse o cativo —, que tantas mercês lhe concedeu, pois, em minha opinião, não há na terra alegria igual à de alcançar a liberdade perdida.

— Eu também sei os sonetos que meu irmão fez — replicou o cavaleiro.

— Recite-os então, senhor — disse o cativo —, pois deve recitar melhor que eu.

— Será um prazer — respondeu o cavaleiro.

E o da Goleta dizia assim:

XL

ONDE CONTINUA A HISTÓRIA DO CATIVO

SONETO

Almas felizes, que do mortal véu
livres e isentas, pelo bem que fizestes,
desde a terra baixa vos elevastes
ao mais alto e ao melhor do céu,

e, ardendo em ira e honroso zelo,
dos corpos a força exercitastes,
que com sangue próprio e alheio coloristes
o mar próximo e o chão arenoso:

antes que a coragem, faltou a vida
nos braços cansados, que, morrendo,
ao ser vencidos, levam a vitória;

e esta vossa mortal, triste queda
entre o muro e o ferro, vos vai dando
*no mundo a fama e no céu, glória.**

* *Almas dichosas, que del mortal velo/ libres y exentas, por el bien que obrastes,/ desde la baja tierra os levantastes/ a lo más alto y lo mejor del cielo;// y, ardiendo en ira y en honroso celo,/ de los cuerpos la fuerza ejercitastes,/ que en propia y sangre ajena colorastes/ el mar vecino y arenoso suelo:// primero que el valor faltó la vida/ en los cansados brazos, que, muriendo,/ con ser vencidos, llevan la victoria;// y esta vues-*

— É assim mesmo que sei — disse o cativo.
— E o do forte, se não me lembro mal — disse o cavaleiro —, diz assim:

SONETO

Do meio desta terra estéril, arrasada,
destes destroços jogados pelo chão,
as almas santas de três mil soldados
subiram vivas a melhor morada,

tendo antes em vão exercitada
a força de seus braços esforçados,
até que no fim, aos poucos e cansados,
deram a vida ao fio da espada.

E este chão sempre tem sido
repleto de mil memórias lamentáveis
desde os dias passados até os presentes.

Mas não haverão almas mais justas
subido ao claro céu de seu duro seio,
nem ele amparou corpos tão valentes.*

---

tra mortal, triste caída,/ entre el muro y el hierro, os va adquiriendo/ fama que el mundo da, y el cielo gloria.
* De entre esta tierra estéril, derribada,/ de estos terrones por el suelo echados,/ las almas santas de tres mil soldados/ subieron vivas a mejor morada,// siendo primero en vano ejercitada/ la fuerza de sus brazos esforzados,/ hasta que al fin, de pocos y cansados,/ dieron la vida al filo de la espada.// Y éste es el suelo que continuo ha sido/ de mil memorias lamentables lleno/ en los pasados siglos y presentes.// Mas no más justas de su duro seno/ habrán al claro cielo almas subido,/ ni aun él sostuvo cuerpos tan valientes.

Não acharam maus os sonetos, e o cativo se alegrou com as notícias que lhe deram de seu companheiro e, continuando sua história, disse:

— Então, com a Goleta e o forte rendidos, os turcos deram ordem de desmantelar a Goleta, porque o forte ficou num estado que não havia mais o que derrubar. Para fazer tudo rapidamente e com menos trabalho, eles a minaram em três pontos, mas com nenhum se pôde explodir o que parecia menos resistente, que eram as muralhas velhas, e tudo aquilo que havia ficado de pé da fortificação nova feita pelo Fradinho,[1] com muita facilidade veio por terra. Em suma, a armada voltou a Constantinopla exultante e vitoriosa. Dali a poucos meses morreu meu amo Uchali, que chamavam de Uchali Fartax, que quer dizer na língua deles Renegado Tinhoso, porque era e é costume entre os turcos adotarem nomes de algum defeito que tenham ou de alguma virtude, e isso porque não há entre eles mais que quatro sobrenomes de família, que descendem da casa otomana, e os demais, como disse, adotam nome e sobrenome ou de defeitos físicos ou das virtudes de caráter. E este Tinhoso remou por catorze anos, como escravo do grande senhor, mas aí pelos trinta e quatro anos de idade se tornou renegado: ressentido por levar um bofetão de um turco, estando ao remo, abandonou sua fé para poder se vingar dele. E foi tão hábil que, sem ascender pelos meios e caminhos indecentes dos favoritos do grão-turco, veio a ser rei de Argel e depois almirante de esquadra, que é o terceiro cargo que há naqueles domínios. Era de nacionalidade calabresa, e moralmente foi homem de bem, tratava com muita humanidade seus escravos, uns três mil, que depois de sua morte foram divididos, como ele ordenou em seu testamento, entre o grande senhor (que também é herdeiro de todos os que morrem e faz parte dos demais filhos que o defunto deixa) e entre seus renegados. Eu fiquei com um renegado veneziano, que, sendo grumete de um navio, foi capturado por Uchali, que gostou muito dele, tanto que foi um de seus criados favoritos, e ele veio a ser o renegado mais cruel que jamais se viu. Chamava-se Assan Agá, e acabou muito rico e rei de Argel. Saí com ele de Constantinopla, mais ou menos alegre porque ia ficar perto da Espanha, não porque pensasse escrever a ninguém sobre minha aventura miserável. Esperava que a sorte me fosse mais favorável em Argel que em Constantinopla, onde já havia tentado mil maneiras de fugir, mas sem sucesso, e pensava buscar outros meios de conseguir o que desejava, pois jamais me desamparou a esperança de ficar livre, e, quando a execução dos planos que eu maquinava não correspondia ao que sonhara, sem desanimar eu disfarçava e procurava outra esperança que me sustentasse, mesmo que fosse pequena e frágil.

"Assim eu gastava meu tempo, encerrado numa prisão ou pátio grande que os turcos chamam 'banho', onde botam os cativos cristãos, tanto os que são do rei como alguns de particulares, e os que chamam 'do armazém', que é como dizer cativos do alcaide, que servem à cidade nas obras públicas e em outras atividades. Para esses escravos a liberdade é muito difícil, pois, como são propriedade pública e não têm um dono particular, não há com quem tratar o resgate, mesmo que o possam pagar. Alguns proprietários da aldeia costumam levar seus cativos para esses banhos, como disse, principalmente quando são negociáveis, porque lá ficam descansados e em segurança até que seu resgate chegue. Também os cativos do rei que podem ser resgatados não vão para o trabalho com o resto do grupo, a não ser quando seu resgate demora, pois então, para que escrevam pedindo-o com mais afinco, botam-nos no trabalho, como ir cortar lenha com os demais, coisa que não é nada fácil.

"Eu era um dos cativos para resgate; não adiantou nada falar que não tinha posses nem renda, pois souberam que eu era capitão e me incluíram na lista das pessoas influentes. Puseram-me um grilhão, mais como sinal de minha condição que por segurança, e assim eu passava a vida naquele pátio, com muitos outros cavaleiros e pessoas importantes, considerados e marcados como de resgate. Mesmo que a fome e a nudez pudessem nos afligir às vezes, ou quase sempre, nenhuma coisa nos afligia tanto como ouvir e ver a todo instante as mais incríveis crueldades que meu dono usava com os cristãos. Todo dia enforcava um, empalava este, cortava as orelhas daquele, tudo isso por qualquer motivo ou sem motivo nenhum, tanto que os turcos achavam que agia assim por agir, porque era sua condição natural ser um assassino em grande escala. O único que se deu bem com ele foi um soldado espanhol, um tal de Saavedra; por ter feito coisas que ficarão na memória daquela gente por muitos anos, e todas para alcançar a liberdade, ele jamais o espancou, nem mandou que espancassem, nem lhe disse um palavrão. E pela menor coisa das muitas que fez temíamos que fosse empalado, e ele mesmo teve medo mais de uma vez; e, se não fosse porque o tempo é curto, eu contaria agora um pouco do que fez esse soldado, o que iria diverti-los e espantá-los muito mais que a narração de minha história.

"Enfim, davam para o pátio de nossa prisão as janelas da casa de um mouro rico e importante. Como é comum entre os mouros, eram mais buracos que janelas, e ainda se cobriam com gelosias muito grossas e de vãos estreitos. Um dia em que todos os demais cristãos haviam saído para trabalhar, eu estava num terraço de nossa prisão com outros três companheiros, tentando saltar com os grilhões, para matar o tempo, e aconteceu que por acaso levantei os olhos e vi que aparecia uma vara com um lenço amarrado na ponta entre as gelosias de uma das janelinhas de que falei. A vara se movia e balançava, quase como se fizesse sinais para que nos aproximássemos para pegá-la. Reparamos nisso, e um dos que estava comigo foi ficar embaixo da vara, para ver se a soltavam ou que fariam; mas, mal ele chegou, levantaram a vara e a moveram para os dois lados, como se dissessem não com a cabeça. Meu companheiro voltou, e baixaram de novo a vara e fizeram os mesmos movimentos de antes. Foi outro companheiro, e aconteceu a mesma coisa. Finalmente, foi o terceiro, e repetiu-se com ele o que acontecera com o primeiro e o segundo. Ao ver isso, não quis deixar de tentar a sorte, e, mal me posicionei embaixo da vara, deixaram-na cair, e veio parar a meus pés. Tratei logo de desamarrar o lenço, em que vi um nó, e dentro dele vinham dez *cianiis*, que são umas moedas de ouro baixo que os mouros usam, cada uma valendo dez reais dos nossos. Nem preciso dizer o que aconteceu: fiquei tão feliz como espantado de pensar de onde podia vir aquele presente, especialmente para mim, pois o fato de a pessoa não ter querido soltar a vara para os outros dizia com clareza que eu era o escolhido. Guardei meu bom dinheiro, quebrei a vara, voltei para o terraço, olhei a janela e lá vi uma mão muito branca que se abria e se fechava rapidamente. Por isso pensamos que alguma mulher que vivia naquela casa devia ter nos dado o presente, e em sinal de agradecimento fizemos reverências ao modo dos mouros, inclinando a cabeça, dobrando o corpo e pondo os braços sobre o peito. Dali a pouco mostraram pela mesma janela uma pequena cruz feita de varas, que logo recolheram. Isso nos confirmou que alguma cristã devia ser cativa naquela casa, e era ela que havia dado as moedas; mas a brancura das mãos e os braceletes que usava nos desmentiram, pois imaginamos que devia ser cristã renegada, que os próprios donos costumam tomar como esposas legítimas, e elas consideram isso uma sorte, porque eles gostam mais delas que das de sua nação.

"Em todas essas nossas suposições sobre o caso fomos parar longe da verdade; enquanto isso, nosso passatempo dali por diante era olhar a janela onde tinha aparecido a vara como a estrela guia, mas se passaram uns bons quinze dias sem que a víssemos, nem a mão tampouco, nem qualquer outro sinal. Nesse tempo procuramos com todo empenho saber quem vivia naquela casa, se havia nela alguma cristã renegada, mas jamais alguém nos disse nada fora que ali vivia um mouro importante e rico chamado Agi Morato, que tinha sido alcaide da fortaleza da Pata,[2] ofício de grande distinção entre eles. Então, quando menos esperávamos que chovesse mais *cianiis*, de repente vimos aparecer a vara com outro lenço na ponta, com um nó mais volumoso, e o pátio estava vazio como da outra vez. Fizemos a prova costumeira, indo todos um por um antes de mim, pois éramos os mesmos três. Mas a vara não se rendeu a nenhum deles, apenas a mim: aproximei-me e a deixaram cair. Desatei o nó e achei quarenta escudos espanhóis de ouro e um bilhete escrito em árabe, com uma grande cruz no fim. Beijei a cruz, peguei os escudos e voltei ao terraço; todos nós fizemos nossas reverências; de novo apareceu a mão, fiz sinais de que ia ler o bilhete, fecharam a janela. Ficamos todos confusos e alegres com o que acontecera, e, como nenhum de nós entendia árabe, era grande o desejo que tínhamos de saber o que continha o bilhete, e maior a dificuldade de encontrar quem o lesse.

"Por fim resolvi confiar num renegado, natural de Múrcia, que se considerava grande amigo meu e me dera tantas provas de que podia confiar nele que o obrigavam a manter o segredo que ia lhe revelar. Alguns renegados, quando têm a intenção de voltar para terras cristãs, costumam trazer consigo algumas cartas de prisioneiros importantes que garantem, do jeito que podem, que o sujeito é homem honesto, que sempre tratou bem os cristãos e que tem esperança de fugir na primeira oportunidade que aparecer. Alguns procuram esses testemunhos com boas intenções; outros se servem deles de propósito, na eventualidade de virem roubar em terras cristãs: se por acaso forem presos ou escravizados, mostram suas cartas e dizem que por elas se verá que vieram para ficar com os cristãos, por isso estavam numa expedição pirata com outros turcos. Assim escapam da primeira enrascada e se reconciliam com a Igreja, sem que ninguém os machuque; agora, se têm alguma chance, voltam à Berbéria[3] para ser o que eram antes. Mas há sim os que procuram essas cartas e as usam com boas intenções, para ficar na terra dos cristãos, como esse amigo de que falei, que tinha cartas de todos os nossos companheiros, em que o elogiávamos o quanto era possível. Se os mouros o encontrassem com essas cartas, seria queimado vivo. Descobri que sabia muito bem o árabe, não apenas falar como escrever, mas, antes de me abrir completamente com ele, disse que me lesse aquele papel, que por acaso tinha achado num buraco em minha cabana. Ele o abriu e levou um bom tempo olhando-o e decifrando-o, murmurando entre os dentes. Perguntei se entendia; ele disse que muito bem e que, se eu queria que traduzisse palavra por palavra, lhe desse uma pena e tinta, para que o fizesse melhor. Demos logo o que pedia; ele foi traduzindo pouco a pouco e disse, no fim: 'Tudo o que está aqui em espanhol, sem faltar uma letra, é o que contém este papel mouro, e veja que onde diz Lela Marién quer dizer Nossa Senhora Virgem Maria'.

"Lemos o papel, que dizia:

Quando eu era menina, meu pai tinha uma escrava que me ensinou as orações cristãs e me contou muitas coisas de Lela Marién. A escrava morreu, mas eu sei que não foi para o fogo, que está com Alá, porque depois a vi duas vezes: ela me disse para ir embora para a terra dos cristãos ver Lela Marién, que me queria muito. Não sei como fazer. Vi muitos cristãos por esta janela, mas nenhum me pareceu cavaleiro, exceto tu. Sou muito moça

e formosa, e tenho muito dinheiro para levar comigo.
Vê se podes dar um jeito de fugirmos, e lá serás meu
marido, se quiseres; se não quiseres, não haverá problema, pois Lela Marién arrumará com quem me casar.
Olhe bem a quem vais dar para ler isto que escrevo;
não confies em nenhum mouro, porque são todos traiçoeiros. Isso me aflige muito: gostaria que não falasses
com ninguém, porque se meu pai ficar sabendo me jogará num poço e me cobrirá de pedras. Vou prender um
cordão na ponta da vara: amarra ali a resposta, mas, se
não tens quem te escreva em árabe, diz-me por sinais,
que Lela Marién fará com que te entenda. Ela e Alá te
protejam, e essa cruz que eu beijo muitas vezes, como
me mandou a escrava.

"Considerai, senhores, se essas palavras não eram
para nos alegrar e espantar; assim, por uma coisa e
outra, o renegado entendeu que o papel não tinha sido
achado por acaso, mas que fora escrito para um de nós,
e então ele nos implorou que, se era verdade o que suspeitava, confiássemos nele e lhe disséssemos, pois ele
arriscaria a vida por nossa liberdade. Dizendo isso, tirou do peito um crucifixo de metal: embora fosse mau e
pecador, acreditava nele firme e fielmente, e jurou com
muitas lágrimas, pelo Deus que aquela imagem representava, ser leal e guardar o segredo de tudo o que quiséssemos lhe revelar, porque lhe parecia e quase adivinhava
que por meio da mulher que havia escrito o bilhete todos
nós alcançaríamos a liberdade e ele conseguiria o que
tanto desejava, voltar ao seio da santa madre Igreja, de
quem, como membro podre, estava separado e distante,
devido a sua ignorância e a seus pecados. Meu amigo
disse isso com tantas lágrimas e com tantas mostras de
arrependimento que todos nós, de comum acordo, resolvemos contar a verdade a ele, e assim fizemos, sem esconder um detalhe do caso. Mostramos a janelinha por

onde aparecia a vara, e ele, marcando bem a casa, ficou de se informar com todo o cuidado sobre quem vivia ali. Achamos também que seria bom responder o bilhete da moura; e, como tínhamos quem poderia fazer isso, logo depois o renegado escreveu as palavras que fui ditando. Vou repeti-las tintim por tintim, porque nenhum dos pontos essenciais dessa aventura que me aconteceu se perderam da memória, nem se perderão enquanto eu viver. Na verdade, o que se respondeu à moura foi isto:

> Que o verdadeiro Alá te proteja, minha senhora, e aquela bendita Marién, que é a verdadeira mãe de Deus e foi quem, por te amar, pôs em teu coração o desejo de ir para a terra dos cristãos. Roga a ela que consinta em te mostrar como poderás executar o que te ordena, pois, como é muito boa, certamente ela o fará. Comprometo-me — por mim e por todos esses cristãos que estão comigo — fazer por ti tudo o que pudermos, inclusive morrer. Não deixes de me escrever e de me avisar o que pensares fazer, que eu te responderei sempre, pois Alá nos deu um cativo cristão que sabe falar e escrever tua língua tão bem como verás por este bilhete. De modo que, sem ter medo, podes nos falar tudo o que quiseres. Quanto ao que dizes sobre ser minha mulher, se fores para a terra dos cristãos, eu te prometo como bom cristão que assim será; e sabes que os cristãos cumprem o que prometem melhor que os mouros. Que Alá e Marién, sua mãe, te protejam, minha senhora.

"Escrito e fechado esse bilhete, esperei dois dias até que estivesse sozinho no pátio como das outras vezes, e logo fui para o lugar de sempre no terraço, para ver se a vara aparecia, o que não demorou muito. Mal a vi, embora não pudesse ver quem a segurava, mostrei o papel, dando a entender que podiam jogar o cordão, mas, como já vinha pendurado na vara, amarrei nele o papel.

Dali a pouco apareceu de novo nossa estrela guia, com a bandeira branca da paz do pacotinho. Deixaram-na cair, e eu a peguei e achei no lenço, em todo tipo de moedas de prata e de ouro, mais de cinquenta escudos, que multiplicaram por mais de cinquenta nossa alegria e confirmaram a esperança de alcançar a liberdade.

"Na mesma noite, nosso renegado voltou e nos disse que soubera que naquela casa vivia realmente o mouro de que faláramos, conhecido como Agi Morato, rico ao extremo, que tinha apenas uma filha, herdeira de tudo, e que era opinião corrente em toda a cidade ser a mulher mais bela da Berbéria; e que muitos dos vice-reis que vinham ali a tinham pedido em casamento, mas que ela nunca quis se casar, e soube também que teve uma escrava cristã, que já havia morrido. Tudo isso se ajustava ao que vinha no bilhete. Discutimos então com o renegado como faríamos para pegar a moura e virmos todos à terra dos cristãos, e por fim se combinou que esperaríamos o segundo aviso de Zoraida, que assim se chamava a que agora quer se chamar Maria, porque vimos muito bem que apenas ela e mais ninguém haveria de dar um jeito em todas aquelas dificuldades. Depois de concordar com isso, o renegado disse que não nos preocupássemos, pois ele perderia a vida ou nos poria em liberdade.

"Por quatro dias o pátio esteve cheio de gente, o que fez com que o lenço demorasse quatro dias, mas então, na costumeira solidão, surgiu o lenço tão prenhe que prometia um parto muito feliz. A vara e o lenço se inclinaram para mim; achei nele outro bilhete e cem escudos de ouro, sem nenhum outro tipo de moeda. Fomos para nossa cabana com o renegado e lhe passamos o bilhete, que dizia:

> Eu não sei, meu senhor, como arranjar as coisas para irmos à Espanha, nem Lela Marién me disse, embora eu tenha lhe perguntado. O que posso fazer é te dar por essa janela muitas moedas de ouro: paga vosso resgate

com elas e os de vossos amigos; depois, que um deles vá à terra dos cristãos comprar uma barca e venha buscar os outros; irão me encontrar na casa de campo de meu pai, que fica na porta de Bab Azoun, perto da praia, onde tenho de passar todo este verão com meu pai e meus criados. Dali, à noite, poderás me tirar sem medo e me levar para a barca; e vê bem que deves ser meu marido, porque, se não, pedirei a Marién que te castigue. Se não confias em ninguém para ir comprar a barca, paga teu resgate e vai, porque é mais provável que tu voltes do que qualquer outro, pois és cavaleiro e cristão. Procura saber onde é a casa de campo, e quando passeares por lá saberei que o pátio está vazio e te darei muito dinheiro. Alá te proteja, meu senhor.

"Era o que dizia o segundo bilhete. Depois de ouvi-lo, cada um se ofereceu para ser resgatado e prometeu ir e voltar sem demora, inclusive eu, mas o renegado se opôs, dizendo que de jeito nenhum consentiria que alguém saísse em liberdade até que fossem todos juntos, porque a experiência havia lhe mostrado como os libertos cumpriam mal as palavras empenhadas no cativeiro, porque muitas vezes cativos importantes haviam usado daquele expediente: resgatavam um homem para ir a Valência ou Maiorca com dinheiro para equipar uma embarcação e voltar para buscá-los, mas não voltavam nunca mais, pois o prazer da liberdade alcançada e o medo de perdê-la de novo lhes apagava da memória todas as obrigações do mundo. E, para confirmar a verdade do que nos dizia, contou rapidamente um caso que havia acontecido fazia pouco com uns cavaleiros cristãos, o mais estranho que aconteceu naquelas plagas, onde a todo momento acontecem coisas incríveis e assustadoras.

"Por fim, ele disse que o que se podia e devia fazer era dar a ele o dinheiro do resgate de um cristão para comprar uma barca ali mesmo em Argel, com o pretexto de se tornar mercador e comerciar em Tetuã e ao longo da costa; sendo ele o dono da barca, facilmente daria um jeito de nos tirar da prisão e nos embarcar todos. Mais ainda se a moura desse dinheiro para nos resgatar, como tinha prometido, pois, quando estivéssemos livres, seria muito fácil nos embarcar ao meio-dia. A maior dificuldade era que os mouros não consentem que renegado algum compre nem tenha uma barca, a não ser um batel grande para pirataria, porque temem que o sujeito não a queira a não ser para fugir para terra de cristãos, principalmente se for espanhol. Mas ele contornaria esse problema dando sociedade a um mouro tagarino, tanto na barca como no lucro das mercadorias, e com essa fachada ele seria o dono da barca, com o que dava todo o negócio por encerrado.

"Mesmo que a mim e a meus companheiros parecesse melhor enviar alguém a Maiorca em busca da barca, como a moura dizia, não ousamos contradizê-lo, temerosos de que, se não fizéssemos como ele queria, pusesse nossas vidas em perigo, denunciando nosso trato com Zoraida, por cuja vida todos nós daríamos a nossa. Assim, resolvemos nos entregar às mãos de Deus e às do renegado e no mesmo instante respondemos a Zoraida, dizendo que faríamos tudo o que nos aconselhava, pois pensara tudo tão bem como se a própria Lela Marién lhe tivesse soprado, e que apenas dela dependia adiar aquele negócio ou executá-lo em seguida, e me ofereci de novo para ser seu esposo. Depois disso, acontecendo outro dia de o pátio estar vazio, várias vezes, com a vara e o lenço, ela nos deu dois mil escudos de ouro e um bilhete em que dizia que no primeiro *jumá*, que é sexta-feira, dia sagrado deles, ia para a casa de campo de seu pai, mas antes de ir nos daria mais dinheiro, e que avisássemos se não bastava, que nos daria quanto lhe pedíssemos, pois seu pai tinha tanto que não daria falta, quanto mais que ela tinha as chaves de tudo.

"Demos logo quinhentos escudos ao renegado para comprar a barca; com oitocentos tratei de meu resgate, dando o dinheiro a um mercador veneziano que se achava em Argel naqueles dias: ele me resgatou do rei, empenhando sua palavra de que quando aportasse o primeiro batel vindo de Veneza entregaria o dinheiro, pois, se o desse logo, faria o rei suspeitar que havia muitos dias que meu resgate estava em Argel e que o mercador se calara em benefício próprio. Depois, meu dono era tão capcioso que de modo algum me atrevi a desembolsar o dinheiro. Na quinta-feira, a bela Zoraida nos deu outros mil escudos e nos avisou de sua partida no dia seguinte para a casa de campo, rogando-me que, se eu fosse resgatado, me informasse logo de onde ficava a tal casa e arranjasse um meio de ir lá vê-la. Em poucas palavras respondi que assim faria e que tivesse o cuidado de nos encomendar à Lela Marién com todas as orações que a escrava havia lhe ensinado. Feito isso, tratamos do resgate dos outros três companheiros, para facilitar a saída do pátio e para que não ficassem preocupados, havendo dinheiro e estando eu livre e eles não: vá que o diabo os persuadisse a fazer alguma coisa que prejudicasse Zoraida. Sendo eles quem eram, eu podia me poupar esse receio; mesmo assim não quis arriscar e então mandei que os resgatassem do mesmo modo usado comigo, entregando todo o dinheiro ao mercador para que com segurança pudesse dar a garantia, mas sem jamais revelar a ele o segredo de nosso trato, por ser perigoso demais."

XLI

ONDE O CATIVO AINDA CONTINUA
CONTANDO SUA AVENTURA

"Em menos de quinze dias, nosso renegado já comprara uma barca muito boa, com capacidade para mais de trinta pessoas; por segurança, resolveu dar uns ares de verdade ao negócio: fazer uma viagem a um lugar chamado Sargel, que está a trinta léguas de Argel para os lados de Orã, onde se comercia muita passa de figo. Fez duas ou três vezes essa viagem em companhia do tagarino de que havia falado.

"Na Berbéria, chamam de tagarinos os mouros de Aragão e de mudéjares os de Granada, e no reino de Fez chamam os mudéjares de elches, que são as pessoas de quem aquele rei mais se serve na guerra.

"Bem, cada vez que o renegado passava com sua barca, ancorava numa pequena baía que estava a menos de dois tiros de balestra da casa de campo onde Zoraida esperava; deliberadamente ele ficava por ali, com os mourozinhos do remo, fazendo suas orações ou ensaiando de brincadeira o que pretendia fazer a sério: ia à casa de Zoraida e pedia fruta; o pai dela lhe dava sem saber quem ele era. Embora quisesse falar com Zoraida, como me contou depois, para dizer que era ele que ia levá-la à terra dos cristãos por ordem minha, que ficasse firme e alegre, nunca o conseguiu, porque as mouras não se deixam ver por nenhum mouro nem turco, a não ser que seu marido ou seu pai mande. Mas convivem e se comunicam com cativos cristãos mais do que seria razoável.

"Para mim teria sido uma preocupação que ele tivesse falado com ela, pois talvez a deixasse aflita, vendo que seu segredo andava na boca de renegados. Mas Deus, que dispunha as coisas de outra maneira, não deu oportunidade ao bom desejo do nosso renegado, que, vendo como ia e vinha de Sargel com segurança e que ancorava quando, como e onde queria, e que seu companheiro tagarino não tinha mais vontade que a dele, e que eu já fora resgatado, e que só faltava buscar alguns cristãos para botar nos remos, me disse que visse quais queria trazer comigo, além dos resgatados, e que os tivesse prevenidos para a primeira sexta-feira, no lugar onde tinha decidido que seria nossa partida. Falei então com doze espanhóis, todos valentes remadores e que podiam sair da cidade mais livremente. Mas não foi fácil achar tantos naquela circunstância, porque vinte batéis estavam em expedições piratas e haviam levado todo o pessoal do remo, e não teria encontrado esses se o dono deles não tivesse ficado aquele verão para terminar os consertos de uma galeota que tinha no estaleiro. Disse a eles apenas que saíssem disfarçadamente pela tarde, um por um, na primeira sexta-feira, e pegassem o caminho da casa de campo de Agi Morato e que me esperassem lá. Dei esse aviso a cada um, com ordens para que, mesmo que vissem outros cristãos por perto, não falassem nada além de que eu os tinha mandado esperar naquele lugar.

"Depois disso, faltava-me fazer outra coisa, a mais importante para mim: avisar Zoraida sobre o ponto em que estavam os preparativos para nossa fuga, para que estivesse prevenida e à espera, e que não se assustasse se de repente aparecêssemos antes do tempo que ela podia imaginar para a volta da barca dos cristãos. Assim, decidi ir à casa de campo e ver se conseguia falar com ela. Poucos dias antes da partida, com a desculpa de colher algumas verduras, fui lá, e a primeira pessoa que encontrei foi seu pai, que me perguntou o que eu queria em sua propriedade e quem era meu dono, na língua usada pelos cativos e mouros em toda a Berbéria e até em Constantinopla, que nem é moura nem castelhana nem de qualquer nação, mas uma mistura de todas as línguas, com que todos nos entendemos. Respondi que era escravo de Arnaute Mami[1] (porque eu sabia com certeza que era um grande amigo dele) e que procurava verduras para fazer uma salada. Perguntou-me, então, se era homem de resgate ou não e quanto meu dono pedia por mim. Estávamos nessa conversa, quando saiu da casa a bela Zoraida, que tinha me visto fazia muito; e como as mouras não têm melindres para aparecer diante de cristãos, nem tampouco se esquivam, como já disse, sem hesitação veio aonde seu pai estava comigo; na verdade, quando seu pai a viu andando, e bem devagar, chamou-a e mandou que se aproximasse.

"Agora seria demais falar da graça e formosura ou do rico e elegante traje com que minha querida Zoraida se mostrou aos meus olhos: direi apenas que mais pérolas pendiam de seu belíssimo pescoço, orelhas e cabelos que cabelos de sua cabeça. Nos tornozelos nus, como é costume lá, trazia dois *carcasses* (chamam assim, em mourisco, as manilhas ou argolas para as pernas) do ouro mais puro, com tantos diamantes engastados que ela me disse depois que seu pai os avaliava em dez mil dobrões, e os que trazia nos pulsos valiam outro tanto. As pérolas eram em grande quantidade e muito boas, porque o maior luxo e ostentação das mouras é se adornarem de lindas pérolas e aljôfares, tanto que há mais pérolas e aljôfares entre os mouros do que em todas as demais nações. E o pai de Zoraida tinha fama de ter não só muitas como as melhores que havia em Argel e ter, ainda, mais de duzentos mil escudos espanhóis; e de tudo isso era dona esta senhora que agora é minha. Se devia estar formosa ou não com todos esses adornos, naqueles dias prósperos, pode-se calcular agora pelas joias que lhe sobraram depois de tantas dificuldades que passou, pois se sabe que a beleza de algumas mulheres tem seus dias e estações, diminuindo ou aumentando conforme as circunstâncias. É natural então que as paixões cresçam ou diminuam, conforme essas circunstâncias, se bem que na maioria das vezes as destroem. Em resumo, digo que Zoraida chegou adornada e formosa ao extremo, ou pelo menos a mim pareceu a mais adorável entre todas as que eu já vira; e assim, considerando as obrigações que havia assumido com ela, parecia-me que tinha diante de mim uma deidade do céu, vinda à terra para minha alegria e salvação.

"Quando chegou, seu pai disse na língua deles que eu era escravo de seu amigo Arnaute Mami e que tinha vindo pegar verduras para a salada. Adiantando-se, ela me perguntou, naquela língua estranha de que falei, se eu era cavaleiro e por que não me resgatavam. Eu respondi que já fora resgatado e que podia ver o valor que meu dono me atribuía pelo preço pago: mil e quinhentos sultanis.[2] A isso, ela respondeu: 'Na verdade, se tu fosses de meu pai, eu não deixaria que te entregasse nem por duas vezes mais, porque os cristãos sempre mentem em tudo o que dizem e se fazem de pobres para enganar os mouros'.

"'Realmente poderia ser isso, senhora', respondi-lhe, 'mas eu fui sincero com meu dono e assim sou e serei com quantas pessoas houver.'

"'E quando vai embora?', disse Zoraida.

"'Acho que amanhã', disse, 'porque está aqui um batel da França que levanta velas amanhã. Penso ir nele.'

"'Não é melhor', replicou Zoraida, 'esperar que venham batéis da Espanha e ir neles, não nos da França, que não são teus amigos?'

"'Não', respondi eu. 'Se fosse verdade, como dizem, que está para chegar um batel da Espanha, talvez eu esperasse, mas o mais certo é partir amanhã, porque a saudade que tenho de minha terra e das pessoas que amo é tanta que não me deixará esperar outra oportunidade, se demorar, por melhor que seja.'

"'Com certeza deves ser casado em tua terra', disse Zoraida, 'por isso desejas ir ter com tua mulher.'

"'Não sou casado', respondi, 'mas dei minha palavra de casar logo que chegue lá.'

"'E a dama a quem deste a palavra é formosa?', disse Zoraida.

"'É tão formosa, respondi, 'que, para enobrecê-la e falar a verdade, se parece muito contigo.'

"Seu pai riu muito disso, e falou: 'Por Alá, cristão, realmente deve ser muito formosa se parece com minha filha, que é a mais formosa de todo este reino. Se duvida, olha bem para ela e verás como digo a verdade'.

"O pai de Zoraida nos servia de intérprete na maior parte dessa conversa, por ser mais fluente, pois, embora ela falasse a língua bastarda que se usa ali, como disse, declarava mais suas intenções por gestos que por palavras. Então chegou um mouro correndo e disse aos gritos que quatro turcos tinham saltado a cerca ou muro da chácara e andavam colhendo frutas, embora não estivessem maduras. O velho se assustou, e Zoraida também, porque é comum e quase natural o medo que os mouros têm dos turcos, especialmente dos soldados, pois são tão insolentes e têm tanta autoridade sobre os mouros que estão sob seu domínio que os tratam pior que aos seus escravos. Por isso o pai de Zoraida disse: 'Filha, vai para casa e tranca a porta, enquanto eu vou falar com esses cachorros; e tu, cristão, pega tuas verduras e vai em paz, e que Alá te leve são e salvo a tua terra'.

"Eu me inclinei e ele se foi em busca dos turcos, deixando-me sozinho com Zoraida, que começou a dar mostras de obedecer as ordens do pai. Mas, apenas ele desapareceu entre as árvores, ela se virou para mim, os olhos cheios de lágrimas, e me disse: '*Ámexi*, cristão, *ámexi*?' (Que quer dizer: 'Tu vais, cristão, tu vais?').

"Eu respondi: 'Sim, minha senhora, mas de jeito nenhum sem ti: espera-me no primeiro *jumá* e não te preocupes quando nos vires, que sem dúvida iremos à terra dos cristãos'.

"Eu disse isso de maneira que ela entendeu muito bem todas as palavras que trocamos. Então me passou um braço pelo pescoço e começou a caminhar com passos indolentes para a casa. E quis a sorte, que poderia ser muito má se o céu assim o quisesse, que o pai de Zoraida, já de volta do entrevero com os turcos, nos visse andando abraçados. Mas nós vimos que ele havia nos visto, e Zoraida, precavida e ladina, não tirou o braço de meu pescoço; pelo contrário, aproximou-se mais de mim e pôs a cabeça em meu peito, dobrando um pouco os joelhos, dando sinais claros de que desmaiara, e eu também dei a entender que a segurava contra minha vontade. Seu pai chegou correndo onde estávamos e, vendo a filha daquele jeito, perguntou o que tinha, mas, como ela não respondesse, ele disse: 'Sem dúvida desmaiou de medo com a entrada desses cachorros'.

"E, tirando-a de mim, atraiu-a para seu peito; ela, com um suspiro e os olhos ainda molhados, disse de novo: '*Ámexi*, cristão, *ámexi*'. ('Vai, cristão, vai.')

"Ao que seu pai respondeu: 'Não precisa mandar o cristão embora, minha filha, pois não te fez mal algum. Calma, os turcos já foram embora, e não há mais nada que possa te preocupar. Como já disse, a meu pedido os turcos se foram por onde entraram'.

"'Como o senhor disse, eles a assustaram', disse eu a seu pai, 'mas, já que ela pediu que eu me fosse, não quero preocupá-la: fica em paz e, com tua licença, voltarei para pegar as verduras, caso seja necessário. Conforme diz meu amo, não há melhores para saladas que as daqui.'

"'Podes voltar e colher quantas quiseres', respondeu Agi Morato, 'pois minha filha não se queixou de ter sido incomodada por ti nem por cristão algum. Na verdade, em vez de dizer que os turcos se fossem, disse que fosses tu, ou talvez porque já era hora de colheres tuas verduras.'

"Com isso me despedi rapidamente de ambos, e ela se foi com seu pai, como se lhe arrancassem a alma do corpo, e eu, com a desculpa de colher as verduras, percorri todo o terreno muito à vontade: olhei bem as entradas e saídas, a segurança da casa e as vantagens que podia oferecer para facilitar nosso plano. Depois fui embora e contei ao renegado e a meus companheiros tudo o que havia acontecido; já não via a hora de desfrutar sem sobressaltos a felicidade que a sorte me oferecia com a bela e adorável Zoraida.

"Finalmente, o tempo passou e chegou o dia marcado que tanto desejávamos; e todos nós, seguindo à risca o plano que armamos depois de longas conversas e de muitas considerações precavidas, fomos bem-sucedidos no que esperávamos, porque na sexta-feira que se seguiu ao dia em que falei com Zoraida na casa de campo, nosso renegado ancorou a barca ao anoitecer quase em frente onde a belíssima Zoraida estava.

"Avisados, os cristãos que iriam remar já estavam escondidos em diversos lugares pelos arredores. Todos me esperavam alegres e nervosos, prontos para atacar o batel que tinham diante dos olhos: como eles não sabiam da combinação com o renegado, pensavam que teriam de ganhar a liberdade com a força de seus braços, matando os mouros embarcados. Aconteceu então que, mal apareci com meus companheiros, todos os demais nos viram, saíram de seus esconderijos e se aproximaram. Isso foi numa hora em que a cidade já estava fechada e nenhuma pessoa passava por todo aquele campo. Logo que nos reunimos, hesitamos se seria melhor pegar Zoraida primeiro ou render os mouros marinheiros que estavam ao remo da barca; estávamos nessa discussão, quando chegou nosso renegado querendo saber o que nos detinha, pois já era hora, todos os mouros estavam despreocupados e a maioria deles dormindo. Contamos o que discutíamos, e ele disse que o mais importante era render o batel primeiro, o que podia ser feito com muita facilidade e sem perigo algum, e que depois podíamos ir buscar Zoraida. Todos nós achamos que estava certo o que dizia e assim, sem nos determos mais, com ele de guia, fomos para o batel: ele saltou primeiro a bordo e, sacando um alfanje, disse em árabe: 'Ninguém se mova, se não quiser perder a vida'.

"Nesse meio-tempo, quase todos os cristãos já estavam na barca. Os mouros, que não eram muito corajosos, vendo seu capitão falar daquela maneira, ficaram espantados, e, sem que nenhum deles levasse a mão às armas (por sinal, tinham poucas ou nenhuma), sem uma palavra se deixaram manietar pelos cristãos, que fizeram isso com muita rapidez, ameaçando passar à espada os que gritassem. Feito isso, metade dos nossos ficou de guarda deles e os restantes, ainda com o renegado à frente, fomos à casa de campo de Agi Morato. Quis a boa sorte que, chegando ao portão, ele se abriu com tanta facilidade como se não estivesse fechado; assim, com muita calma e silêncio, chegamos à casa sem ser percebidos por ninguém.

"A belíssima Zoraida estava nos esperando numa janela e, assim que nos pressentiu, perguntou em voz baixa se éramos *nizarani*, como se dissesse se éramos cristãos. Eu respondi que sim e que descesse. Quando ela me reconheceu, não esperou um instante: desceu sem dizer nada, abriu a porta e se mostrou a todos tão formosa e ricamente vestida que não sei como louvá-la o bastante. Logo que a vi, peguei-lhe uma das mãos e comecei a beijá-la; o renegado e meus dois camaradas fizeram a mesma coisa; e os demais, que nada sabiam do caso, fizeram o que nos viram fazer, pois parecia apenas que agradecíamos a ela, reconhecendo-a como dona de nossa liberdade. O renegado perguntou a ela em árabe se seu pai estava na casa. Ela respondeu que sim e que dormia.

"'Temos de acordá-lo', replicou o renegado, 'e levá-lo conosco, e tudo aquilo que tem valor nesta casa.'

"'Não', disse ela, 'não vão tocar em meu pai de jeito nenhum, e nesta casa não há nada além do que eu trago, que é suficiente para que fiqueis todos ricos e contentes. Esperai um pouco e vereis.'

"Entrou de novo, então, dizendo que voltaria logo e que ficássemos quietos, sem fazer barulho algum. Perguntei ao renegado o que ela havia dito; ele me contou, e eu disse que não se devia fazer nada que Zoraida não quisesse. Ela já voltava com um cofrezinho cheio de escudos de ouro, tão pesado que ela mal conseguia carregar. Quis a má sorte que seu pai acordasse nesse meio-tempo e ouvisse o ruído que fazíamos e, assomando-se à janela, num instante percebeu que todos éramos cristãos. Com berros encolerizados, começou a dizer em árabe: 'Cristãos, cristãos! Ladrões, ladrões!'.

"Com esses gritos, vimo-nos numa grande e medrosa confusão, mas o renegado, vendo o perigo em que estávamos e como era importante encerrar aquela aventura sem dar na vista, com tremenda rapidez subiu onde estava Agi Morato, e junto com ele foram alguns dos nossos. Eu, porém, não ousei desamparar Zoraida, que caíra como que desmaiada em meus braços. Enfim, os que subiram agiram tão bem que num instante voltaram com Agi Morato com as mãos amarradas e um lenço na boca, que não lhe deixava dizer uma palavra, e ameaçavam que dizê-la havia de lhe custar a vida. Quando sua filha o viu, cobriu os olhos, e seu pai ficou espantado, ignorando que por sua livre e espontânea vontade estava em nossas mãos. Mas como então os pés eram mais necessários, com urgência fomos para a barca, onde os que tinham ficado nos esperavam, temerosos de algum contratempo.

"Mal teriam se passado duas horas desde o começo da noite, quando, com todos nós a bordo, foram tiradas as cordas das mãos e o lenço da boca do pai de Zoraida. Mas o renegado lhe disse de novo que não falasse uma palavra, se não o matariam. Ele, assim que viu a filha ali, começou a suspirar muito emocionado, mais ainda quando notou que eu a abraçava com força, e que ela estava quieta, sem se defender ou se queixar nem se esquivar. Mas, apesar disso tudo, ele se calava, para que o renegado não cumprisse as muitas ameaças que fazia.

"Zoraida, vendo-se na barca com o pai e os outros mouros presos, e que estávamos para pôr os remos na água, falou ao renegado que me pedisse o favor de soltar os mouros e o pai, porque preferia se atirar ao mar a ter de ver, por sua causa, levarem escravo o pai que ela tanto amava. O renegado me disse e eu respondi que o faria com prazer, mas ele respondeu que não era conveniente, pois, se os deixássemos ali, gritariam por socorro, alvoroçariam a cidade e fariam com que nos perseguissem com algumas fragatas ligeiras, ocupando terra e mar, de modo que não pudéssemos escapar. O que se poderia fazer era libertá-los quando chegássemos ao primeiro território cristão. Com isso concordamos todos, e Zoraida, que foi informada, das causas que nos moviam a não fazer logo o que queria, também ficou satisfeita.

"Então, num silêncio prazeroso e urgência alegre, cada um de nossos valentes remadores pegou seu remo, e começamos, encomendando-nos a Deus de todo o coração, a navegar de volta para as ilhas de Maiorca, que é a mais próxima terra de cristãos. Mas, como soprava um pouco o vento norte e o mar estava meio agitado, não foi possível seguir a rota de Maiorca e fomos forçados a costear em direção a Orã, não sem muita aflição nossa, para não ser vistos de Sargel, que naquela costa fica a quase sessenta milhas de Argel. Também temíamos cruzar naquela região com alguma galeota dessas que comumente vêm com mercadoria de Tetuã, embora todos nós imaginássemos que, se encontrássemos uma galeota mercante, desde que não fosse de piratas, não só não nos perderíamos como tomaríamos um batel mais seguro para terminar nossa viagem.

"Zoraida, enquanto navegávamos, ia com a cabeça entre as mãos para não ver o pai, e eu percebia que estava pedindo a Lela Marién que nos ajudasse.

"Quando amanheceu, devíamos ter navegado umas boas trinta milhas e estávamos a três tiros de arcabuz de terra, que estava deserta, sem que ninguém nos visse; mas mesmo assim, à força de braço, nos afastamos mais um pouco, pois o mar já havia acalmado um pouco. Depois de quase duas léguas, ordenou-se que se remasse por turnos enquanto comíamos alguma coisa, pois a barca ia bem provida, mas os remadores disseram que não era hora para descanso algum: que os que não remavam lhes dessem de comer, pois não queriam largar os remos de jeito nenhum. Assim se fez, e nisso começou a soprar um forte vento contrário, que nos obrigou a desfraldar as velas e deixar os remos, e direcionar a proa para Orã, por não ser possível tomar outra rota. Tudo foi feito com rapidez e assim, à vela, navegamos por mais de oito milhas por hora, sem outro medo exceto o de encontrar um batel pirata. Demos de comer aos mouros marinheiros, e o renegado os consolou dizendo que não iam como escravos, que na primeira oportunidade seriam libertados. A mesma coisa foi dita ao pai de Zoraida, que respondeu: 'Eu poderia esperar qualquer outra coisa de vossa generosidade e cortesia, cristãos, mas a liberdade? Não pensai que sou tão bobo quanto imaginais, pois nunca correríeis o perigo de tirá-la de mim para restituí-la tão generosamente, ainda mais sabendo quem sou e o lucro que podeis ter em troca dela. Por falar nisso, se quereis estabelecer o resgate, aqui mesmo ofereço tudo aquilo que quiserdes por mim e pela infeliz da minha filha, ou, se não, por ela apenas, que é a maior e a melhor parte de minha alma'.

"Ao dizer isso, desatou a chorar tão amargamente que nos compadeceu a todos e forçou Zoraida, que estava sentada a meus pés, a olhá-lo. Ao vê-lo chorar, ela se emocionou tanto que se levantou e foi abraçá-lo, colando seu rosto ao dele, e os dois começaram um pranto tão sentido que muitos de nós acabamos chorando também. Mas, quando seu pai a viu vestida para festa e com tantas joias, disse a ela em sua língua: 'O que é isso, minha filha? Ontem ao anoitecer, antes que nos acontecesse essa terrível desgraça, te vi com tuas vestes comuns e caseiras, mas agora, sem que tenhas tido tempo para te vestires e sem receberes uma notícia alegre para celebrar com enfeites e embelezamentos, te vejo trajada com o que de melhor pude te dar quando a sorte nos foi favorável. Responde-me, pois isso me deixa mais surpreso e preocupado que a própria desgraça em que me encontro'.

"Tudo o que o mouro dizia para a filha nos traduzia o renegado, e ela não respondia uma palavra. Mas, quando ele viu a um lado da barca o cofrezinho onde ela costumava ter suas joias, que ele sabia muito bem que deixara em Argel, que não levara para a casa de campo, ficou mais confuso e perguntou a ela como aquele cofre havia vindo parar em nossas mãos e o que ele continha. A isso, o renegado, sem esperar por Zoraida, respondeu: 'Não te canses, senhor, em perguntar tantas coisas a tua filha Zoraida, porque com uma que eu te responda te responderei a todas: quero que saibas, então, que ela é cristã e foi a lima de nossos grilhões, a liberdade de nossa escravidão; ela está aqui por sua própria vontade, tão alegre, pelo que imagino, de se ver neste estado como aquele que sai das trevas para a luz, da morte para a vida e da tristeza para a glória'.

"'É verdade o que ele diz, filha?', disse o mouro.

"'É, sim', respondeu Zoraida.

"'Tu és realmente cristã', replicou o velho, 'e pôs teu próprio pai em poder de seus inimigos?'

"Ao que Zoraida respondeu: 'Eu sou cristã, sim, mas

não te pus nessa situação; nunca desejei te deixar nem te fazer mal, apenas fazer bem a mim mesma'.

"'E que bem te fizeste, filha?'

"'Isso', respondeu ela, 'deves perguntar a Lela Marién, pois ela saberá te responder melhor que eu.'

"Apenas ouviu isso, com incrível agilidade o mouro se atirou de cabeça no mar, onde sem dúvida se afogaria se não tivesse ficado à tona um pouco por causa de suas roupas, longas e enredadas. Zoraida gritou que o salvassem; todos nós corremos em socorro e, agarrando-o pela túnica, o puxamos meio afogado e sem sentidos. Zoraida, muito aflita, derramou sobre ele lágrimas ternas e dolorosas, como se já estivesse morto. Nós o viramos de bruços: ele devolveu muita água e voltou a si depois de duas horas. Enquanto isso, havendo mudado o vento, achamos conveniente voltar para terra, tendo de fazer força nos remos para não encalhar nela. Mas quis nossa boa sorte que chegássemos a uma baía que se forma ao lado de um pequeno promontório ou cabo que os mouros chamam de Cava Rumía, que em nossa língua quer dizer 'a mulher cristã má'. É tradição entre os mouros que naquele lugar está enterrada a Cava, por quem se perdeu a Espanha,[3] pois *cava* na língua deles quer dizer 'mulher má', e *rumía*, 'cristã'. Eles também acham de mau agouro ancorar ali quando a necessidade os força, porque nunca o fazem sem ela. Mas para nós não foi abrigo de mulher má e sim o porto seguro de nossa salvação, pois o mar andava agitado.

"Pusemos nossas sentinelas em terra e não afastamos jamais as mãos dos remos; comemos o que o renegado havia trazido e rogamos a Deus e a Nossa Senhora, de todo coração, que nos ajudassem e favorecessem para que com felicidade déssemos fim a princípio tão promissor. Atendendo às súplicas de Zoraida, decidimos deixar em terra seu pai e todos os outros mouros, porque ela não tinha coragem suficiente nem o coração tão duro para ter diante dos olhos o pai amarrado e aqueles conterrâneos prisioneiros. Prometemos a ela fazer isso na hora da partida, pois não corríamos perigo deixando-os naquele lugar deserto.

"Não foram tão vãs nossas orações que não fossem ouvidas pelo céu, pois logo o vento virou a nosso favor e o mar se acalmou, convidando-nos a que voltássemos a prosseguir nossa viagem. Vendo isso, desatamos os mouros e os levamos para terra, um por um, o que muito os espantou. Mas, quando desembarcamos o pai de Zoraida, que já estava de acordo com tudo, ele disse: 'Por que pensais, cristãos, que esta fêmea desgraçada se alegra de que me deis liberdade? Pensais que é pela piedade que tem por mim? Não, claro que não. Faz isso pelo embaraço que sentirá com minha presença quando quiser executar seus desejos infames. Nem penseis que resolveu mudar de religião por achar que a vossa leva vantagem sobre a nossa, mas por saber que em vossa terra a indecência é mais livre que aqui'.

"E, virando-se para Zoraida, seguro pelos braços por mim e outro cristão, para que não cometesse algum desatino, disse a ela: 'Oh, criatura infame, menina imprudente! Aonde vais, cega e desvairada, em poder desses cachorros, nossos inimigos naturais?! Maldita seja a hora em que te gerei e malditos sejam os presentes e prazeres em que te criei!'.

"Mas, vendo que levava jeito de não se calar tão cedo, me apressei em levá-lo para terra, e de lá ele prosseguiu aos gritos com suas pragas e lamentos, rogando a Maomé que intercedesse com Alá para nos confundir, perder e aniquilar. Quando não ouvimos mais suas palavras, por termos desfraldado as velas e partido, vimos seus atos: arrancar as barbas e os cabelos e se arrastar pelo chão. Mas uma vez elevou tanto a voz que pudemos entender que dizia: 'Volta, filha querida, volta para a terra, que te perdoo tudo! Entrega a esses homens esse dinheiro, que já é deles, e volta para consolar teu triste pai, que nesta areia deserta deixará a vida, se tu o deixares'.

"Zoraida escutava tudo e tudo sentia e chorava, mas não soube dizer nem responder nada, apenas: 'Reza a Alá, meu pai, para que Lela Marién, por quem me tornei cristã, te console em tua tristeza. Alá sabe bem que não pude fazer outra coisa além da que fiz. Ele sabe que estes cristãos não têm culpa de minha decisão, pois, embora eu quisesse ficar em minha casa e não vir com eles, foi impossível, porque minha alma tinha pressa de executar isso que me parece tão bom quanto tu julgas mau, meu pai querido'.

"Quando ela disse isso, o pai não podia mais ouvi-la, nem nós o víamos; assim, eu consolei Zoraida, e todos tratamos de nossa viagem, facilitada pelo vento favorável, de tal modo que tivemos certeza de que no outro dia ao amanhecer nos veríamos na costa da Espanha. Mas, como poucas vezes ou nunca vem o bem puro e simples, sem ser acompanhado ou seguido de algum mal que o embarace ou atemorize, quis nosso destino (ou talvez as pragas que o mouro tinha rogado à filha, pois sempre devem ser temidas não importa de que pai sejam) que, estando já em alto-mar e passando quase três horas desde o anoitecer, indo com todas as velas desfraldadas, com os remos recolhidos porque o vento favorável nos poupava o trabalho, com o luar que resplandecia em toda a sua claridade, víssemos próximo de nós um batel de velas quadradas a todo o pano, girando o timão na direção do vento: cruzava diante de nós e tão perto que fomos obrigados a recolher parte das velas para não bater nele. Os marinheiros do batel também viraram o timão contra o vento para nos dar espaço para passar e, da amurada, nos perguntaram quem éramos, para onde navegávamos e de onde vínhamos, mas, por nos perguntar isso em francês, nosso renegado disse: 'Não respondam nada, porque sem dúvida são piratas franceses, que depenam todo mundo'.

"Com essa advertência, ninguém respondeu, e já tínhamos avançado um pouco, deixando o batel a sotavento, quando de repente dois canhões dispararam, pelo visto planquetas,[4] porque com o primeiro tiro cortaram nosso mastro principal pelo meio e derrubaram a vela no mar, e o outro, um instante depois, acertou no meio de nossa barca, de modo que a abriu toda, sem causar outro estrago. Mas, como nos vimos afundando, começamos todos a gritar por socorro e a implorar aos do batel que nos recolhessem, porque naufragávamos. Então arriaram as velas e, lançando o esquife ou bote ao mar, embarcaram uns doze franceses bem armados, com seus arcabuzes com os pavios prontos para acender, e assim se aproximaram de nós. Vendo como éramos poucos e como a barca afundava, recolheram-nos, dizendo que por termos sido descorteses ao não responder havia nos acontecido aquilo. Nosso renegado pegou o cofre das joias de Zoraida e o atirou ao mar, sem que ninguém visse.

"Em resumo, fomos todos com os franceses, que, depois de terem se informado de tudo aquilo que queriam saber de nós, como se fossem nossos inimigos capitais, nos despojaram de tudo quanto tínhamos, e de Zoraida tiraram até as argolas que trazia nos tornozelos. Agora, isso me afligia menos que o temor de que, depois que lhe houvessem tirado as ricas e preciosas joias, resolvessem tirar de Zoraida a joia mais valiosa e que ela mais estimava. Mas os desejos daquela gente não vão além do dinheiro, e dele jamais se farta sua cobiça, que era tanta que roubariam até mesmo nossas roupas de escravos se fossem de algum proveito. E resolveram nos jogar a todos no mar enrolados numa vela, porque tinham intenção de negociar em alguns portos da Espanha se dizendo bretões e seriam castigados quando descobrissem seu furto se nos levassem vivos. Mas o capitão, que era quem havia despojado minha querida Zoraida, disse que se contentava com a presa que tinha e que não queria aparecer em porto nenhum da Espanha, e sim passar pelo estreito de Gibraltar à noite, ou como pudesse, e ir para La Rochelle, de onde tinha saído; assim, concordaram em nos dar o esquife de seu navio e tudo o que era necessário para a curta navegação que nos restava, como foi feito no outro dia, já à vista da terra espanhola, com o que esquecemos todas as nossas aflições e misérias num instante, como se não tivessem acontecido conosco: tal é o prazer de alcançar a liberdade perdida.

"Devia ser perto do meio-dia quando nos botaram no esquife, dando-nos dois barris de água e uns biscoitos; e o capitão, movido não sei por que compaixão, ao embarcar a belíssima Zoraida, deu a ela quarenta escudos de ouro e não consentiu que seus soldados tirassem as roupas que usa agora. No esquife, agradecemos a eles o bem que nos faziam, mostrando-nos mais gratos que queixosos; eles se afastaram do litoral, seguindo em direção ao estreito; nós, sem olhar outro norte que a terra que víamos em frente, nos apressamos tanto a remar que ao pôr do sol estávamos tão perto que, em nossa opinião, poderíamos chegar antes que fosse noite avançada. Mas como naquela noite não apareceu a lua e o céu se mostrasse escuro, e por ignorar a região em que estávamos, não nos pareceu coisa segura atracar em terra. Alguns de nós, porém, pensavam que sim, afirmando que devíamos desembarcar logo, mesmo que fosse nuns rochedos e longe de algum povoado, porque assim estaríamos mais protegidos do temor que com razão se devia ter de que por ali andassem batéis de piratas de Tetuã, que anoitecem na Berbéria e amanhecem nas costas da Espanha, e comumente atacam e voltam a dormir em suas casas. Mas entre as opiniões contrárias a que prevaleceu foi que nos aproximássemos pouco a pouco, e que, se a calma do mar permitisse, desembarcaríamos onde fosse possível. Assim se fez, e devia ser um pouco antes da meia-noite quando chegamos ao pé de um monte muito alto e irregular, não tão perto do mar que não houvesse um pouco de espaço para se desembarcar com facilidade. Atracamos na areia, saímos para a terra, beijamos o chão e, com lágrimas de grande alegria, todos nós demos graças a Deus Nosso Senhor pelo bem incomparável que nos tinha feito. Pegamos as provisões, puxamos o esquife para a praia e subimos um grande trecho do monte, porque, mesmo estando ali, não podíamos sossegar o coração nem conseguíamos acreditar que era terra de cristãos a que pisávamos.

"Demorou a amanhecer mais do que gostaríamos, pareceu-me. Subimos até o topo do monte, para ver se descobríamos alguma aldeia ou algumas cabanas de pastores; mas, por mais que tenhamos aguçado a vista, não percebemos nem povoado, nem pessoa, nem trilha ou estrada. Mesmo assim resolvemos avançar terra adentro, pois no mínimo logo encontraríamos quem nos desse notícia dela. Mas o que mais me afligia era ver Zoraida andar a pé por aquele terreno áspero, pois, apesar de algumas vezes a carregar em meus ombros, meu cansaço mais a cansava que a repousava seu repouso, de modo que não quis mais que eu me desse a esse trabalho. Com muita paciência e mostras de alegria, eu sempre a levando pela mão, devíamos ter andado um pouco menos de um quarto de légua quando nos chegou aos ouvidos o som de um cincerro, sinal claro de que por ali havia gado. Todos nós olhamos com atenção para ver se aparecia alguém e vimos ao pé de uma corticeira um pastor jovem que estava desbastando um pedaço de pau com uma faca, na maior calma e despreocupação. Gritamos. Ele ergueu a cabeça e se levantou apressadamente; pelo que soubemos depois, os primeiros que viu foram o renegado e Zoraida. Como eles estavam com roupas mouras, o pastor pensou que a população inteira da Berbéria caía sobre ele e se meteu no mato com invulgar rapidez, dando os maiores gritos do mundo: 'Mouros, mouros! Os mouros chegaram! Mouros, mouros! Às armas, às armas!'.

"Ficamos confusos com esses gritos, sem saber o que fazer; mas, considerando que os gritos iriam alarmar as pessoas do lugar e que a cavalaria que fazia a segurança da costa logo viria ver o que se passava, decidimos que o renegado tirasse a roupa de turco e vestisse um jaleco ou casaca de cativo que um dos nossos lhe deu em seguida, embora tenha ficado só com a camisa. E assim, encomendando-nos a Deus, fomos pelo mesmo caminho que vimos o pastor pegar, sempre à espera de que a cavalaria caísse sobre nós; e não nos enganamos, porque nem tinham se passado duas horas quando, já tendo saído daquele matagal para uma planície, vimos uns cinquenta cavaleiros que com grande rapidez, num galope a meia-rédea, vinham em nossa direção, e assim ficamos quietos, esperando-os. Mas como eles chegaram e viram, em vez dos mouros que procuravam, uns pobres cristãos, ficaram confusos, e um deles nos perguntou se por acaso era por nossa causa que o pastor havia dado o alarme.

"'Sim', eu disse.

"Antes que eu começasse a contar minha aventura, de onde vínhamos e quem éramos, um dos cristãos que estavam conosco reconheceu o cavaleiro que havia feito a pergunta e disse, sem me deixar dizer mais nada: 'Graças a Deus, senhores, que nos trouxe a esta boa terra! Porque, se eu não me engano, o chão que pisamos é de Vélez Málaga; e, se os anos de cativeiro não me apagaram da memória vossa lembrança, senhor, sois Pedro de Bustamante, meu tio'.

"Mal o cativo cristão disse isso, o cavaleiro desmontou e veio abraçá-lo, dizendo: 'Sobrinho de minha alma e de minha vida, já te reconheço! Já chorei tua morte, eu e tua mãe, minha irmã, e todos os teus, que ainda vivem, graças a Deus, para terem o prazer de te ver. Já sabíamos que estavas em Argel, e, pelo estado de tuas roupas e das de teus companheiros, entendo que foi um milagre tua liberdade'.

"'Foi mesmo', respondeu o moço, 'e não nos faltará tempo para contar tudo.'

"Logo que os cavaleiros entenderam que éramos cristãos cativos, apearam, e cada um nos convidava para nos levar em seu cavalo à cidade de Vélez Málaga, que ficava a duas léguas e meia dali. Alguns deles, depois que dissemos onde havíamos deixado o esquife, voltaram para levá-lo à cidade; outros nos montaram na garupa, e Zoraida na do cavalo do tio do cristão. As pessoas todas vieram nos receber, porque já sabiam de nossa chegada por um dos guardas que havia ido na frente. Não se admiravam de ver cativos em liberdade nem mouros cativos, porque todo mundo naquela costa está acostumado a ver uns e outros; mas se admiravam com a formosura de Zoraida, que naquele momento chegara ao auge, porque o cansaço da viagem e a alegria de se ver enfim em terra de cristãos, sem medo de se perder, haviam posto no rosto dela tais cores que, se é que o amor não me enganava, ousarei dizer que a tornaram a criatura mais bela do mundo, pelo menos que eu tenha visto.

"Fomos direto à igreja agradecer a Deus pela mercê recebida, e Zoraida, apenas entrou, disse que havia rostos que se pareciam com o de Lela Marién. Dissemos a ela que eram imagens suas; e o renegado explicou da melhor forma que pôde o que significavam, para que ela adorasse cada uma como se fosse a própria Lela Marién que havia lhe falado. Zoraida, que é inteligente e de temperamento fácil e claro, entendeu logo tudo o que se disse sobre as imagens. Dali nos levaram e nos distribuíram por diferentes casas da vila; mas o renegado, Zoraida e eu fomos com o cristão que veio conosco, e na casa de seus pais, que eram medianamente ricos no que toca aos bens materiais, nos receberam com tanto amor como a seu próprio filho.

"Ficamos seis dias em Vélez, até que o renegado, reunidos e confirmados os documentos necessários, foi para a cidade de Granada se apresentar ao tribunal da Santa Inquisição, para poder voltar ao seio da santíssima Igreja. Os outros cristãos libertos foram cada um para onde bem entenderam. Ficamos apenas Zoraida e eu, apenas com os escudos que a cortesia do francês deu a Zoraida, e com eles comprei esse animal em que ela veio. Servindo-a até agora de pai e escudeiro, não de marido, vamos com intenção de ver se meu pai ainda vive, ou se algum de meus irmãos teve mais sorte que eu, porque, como o céu me fez companheiro de Zoraida, me parece que nenhuma outra sorte pode me conceder, por melhor que seja, que eu possa apreciar mais. A paciência com que Zoraida suporta os incômodos que a pobreza traz consigo e o desejo que mostra de logo se tornar cristã são tamanhos que me espanta e me incita a servi-la pelo resto de minha vida; apesar do prazer que tenho de ser seu e de que ela seja minha, perturba-me e me abate não saber se acharei em minha terra algum canto onde abrigá-la e se o tempo e a morte terão mudado tanto a fortuna e a vida de meu pai e irmãos, que eu mal encontre quem me conheça, se eles faltarem.

"Não tenho mais nada a vos contar de minha história, senhores. Se ela é curiosa e divertida, com vosso bom discernimento podeis julgar; sei apenas que gostaria de tê-la contado mais brevemente, apesar de que o receio de aborrecê-los me fez calar um punhado de coisas."

XLII

QUE TRATA DO QUE MAIS ACONTECEU
NA ESTALAGEM E DE MUITAS OUTRAS COISAS
DIGNAS DE SE SABER

O cativo se calou, e dom Fernando disse:
— Sem dúvida, senhor capitão, o modo como haveis contado essa estranha aventura se iguala à novidade e estranheza do próprio caso: tudo é curioso e excepcional, cheio de acidentes que maravilham e deixam em suspenso os ouvintes. Foi tanto o prazer que sentimos ao escutá-lo que, mesmo que o dia de amanhã nos encontrasse entretidos com a mesma história, nos alegraríamos que a contasse de novo.

Então dom Fernando, Cardênio e todos os demais se ofereceram para ajudar em tudo o que lhes fosse possível, com palavras tão afetuosas e sinceras que o capitão ficou muito satisfeito. Especialmente dom Fernando se pôs a sua disposição, dizendo que, se quisesse voltar com ele, faria com que o marquês seu irmão fosse o padrinho de batismo de Zoraida, e que ele, por sua vez, daria um jeito para que pudesse voltar a sua terra com a autoridade e a dignidade que se devia a sua pessoa. O cativo agradeceu tudo com cortesia, mas não quis aceitar nenhuma de suas generosas ofertas.

Entardecia, e quando a noite se fechou de todo, chegaram à estalagem uma carruagem e uns homens a cavalo. Pediram pousada; a estalajadeira respondeu que não havia um palmo desocupado em toda a casa.

— Mesmo assim — disse um dos cavaleiros que haviam entrado — não há de faltar para o senhor ouvidor, que vem aqui.

Diante daquela palavra, a estalajadeira se perturbou e disse:

— Senhor, o que acontece é que não tenho camas: se sua mercê, o senhor ouvidor, traz a dele, como deve trazer,[1] seja bem-vindo, que eu e meu marido sairemos de nosso quarto para acomodar sua mercê.

— Muito bem — disse o escudeiro.

Mas, nesse meio-tempo, já havia desembarcado da carruagem um homem que pelas roupas mostrava seu ofício e posição, porque a toga longa com as mangas cheias presas no cotovelo era de ouvidor, como seu criado havia dito. Trazia pela mão uma donzela, pelo visto de uns dezesseis anos, vestida para viagem, tão elegante, tão linda e graciosa que todos se admiraram ao vê-la. Se não tivessem visto Doroteia, Lucinda e Zoraida, que estavam na estalagem, pensariam que dificilmente poderia se encontrar outra formosura como a dessa moça.

Achando-se presente dom Quixote, mal viu entrarem o ouvidor e a donzela, disse:

— Com toda segurança vossa mercê pode entrar e descansar neste castelo, pois, embora seja estreito e desconfortável, não há estreiteza nem desconforto no mundo que não dê guarida às armas e às letras, e mais ainda se as armas e as letras trazem a formosura como guia e líder, como trazem as letras de vossa mercê nesta linda donzela, a quem devem não só se abrir as portas dos castelos e curvar-se os castelãos, como devem se afastar os penhascos e aplanar as montanhas para lhe dar passagem. Entre vossa mercê, digo eu, neste paraíso, que aqui encontrará estrelas e sóis que acompanhem o céu que vossa mercê traz consigo: encontrará as armas em seu zênite e a formosura em seu auge.

O ouvidor ficou muito surpreso com o discurso de dom Quixote, a quem se pôs a olhar com atenção, e não se surpreendeu menos com sua figura que com suas palavras; e, sem achar nenhuma com que lhe responder, se surpreendeu de novo ao ver Lucinda, Doroteia e Zoraida diante de si, porque elas, com a notícia de novos hóspedes e o que a estalajadeira havia dito da formosura da donzela, tinham vindo vê-la e recebê-la. Mas dom Fernando, Cardênio e o padre lhe fizeram cortesias mais simples e francas. Na verdade, o senhor ouvidor entrou confuso, tanto pelo que via como pelo que escutava; e as formosas da estalagem deram as boas-vindas à formosa donzela.

Em suma, o ouvidor pôde ver muito bem que eram pessoas importantes todas as que estavam ali, mas a aparência, as expressões e a postura de dom Quixote o desorientavam. E tendo todos feito suas cortesias, e examinado as acomodações da estalagem, se estabeleceu o que estava combinado antes: que todas as mulheres fossem para o sótão já referido e os homens ficassem do lado de fora, como de guarda. E assim o ouvidor ficou contente de ver que sua filha, que era donzela, fosse com aquelas senhoras, o que ela fez de muito boa vontade. E, com parte da cama estreita do estalajadeiro e com a metade da que o ouvidor trazia, se acomodaram naquela noite melhor do que esperavam.

O cativo, que desde o momento em que viu o ouvidor sentiu o coração bater com a suspeita de que aquele era seu irmão, perguntou a um dos criados que vinham com ele como se chamava e se sabia de que lugar era. O criado respondeu que o licenciado se chamava Juan Pérez de Viedma e que ouvira dizer que era de uma aldeia nas montanhas de León. Com essa revelação e com o que ele havia visto, acabou de confirmar que realmente se tratava de seu irmão, o que havia seguido a carreira das letras, por conselho de seu pai. Agitado e alegre, chamou à parte dom Fernando, Cardênio e o padre para contar a eles o que se passava, assegurando que aquele ouvidor era seu irmão. O criado tinha dito também que

ele fora designado para as Índias, na Suprema Corte do México. Soube ainda que a donzela era sua filha, que a mãe dela morrera no parto e que ele havia ficado muito rico com o dote que a menina herdara. O cativo pediu conselho sobre como deveria se apresentar a seu irmão, ou se deveria primeiro descobrir se ele, ao vê-lo pobre, ficaria envergonhado ou o receberia com carinho.
— Deixai que eu descubra isso — disse o padre. — Mas deveis pensar apenas que sereis muito bem recebido, senhor capitão, porque a determinação e a sensatez que seu irmão aparenta não dão mostra de que seja arrogante nem mal-agradecido, nem de não entender os vaivéns da sorte.
— Mesmo assim — disse o capitão —, eu não gostaria de me apresentar de repente, mas de mansinho.
— Já vos disse — respondeu o padre — que darei um jeito para que todos fiquemos satisfeitos.
Nisso, o jantar já estava preparado, e todos se sentaram à mesa, exceto o escravo e as senhoras, que comeram em seu quarto. Pela metade do jantar, o padre disse:
— Com o mesmo sobrenome de vossa mercê, senhor ouvidor, eu tive um companheiro em Constantinopla, onde fui cativo por alguns anos; esse companheiro era um dos capitães mais valentes entre os soldados de toda a infantaria espanhola, mas, o que tinha de destemido e valoroso, tinha de desgraçado.
— E como se chamava esse capitão, meu senhor? — perguntou o ouvidor.
— Chamava-se Ruy Pérez de Viedma — respondeu o padre — e era natural de uma aldeia nas montanhas de León. Ele me contou um caso que aconteceu com ele, seu pai e seus irmãos, que, se não fosse ele um homem tão honesto, eu pensaria que era uma dessas histórias que as velhas contam no inverno ao redor do fogo. Pois me disse que seu pai dividira seus bens entre os três filhos e dera certos conselhos melhores que os de Catão. Enfim, ele es-

colheu ir para a guerra e foi tão bem-sucedido que em poucos anos, por sua coragem e determinação, sem outro padrinho que sua grande virtude, ascendeu ao posto de capitão de infantaria e em breve seria nomeado mestre de campo. Mas a sorte foi contrária, pois, onde ela deveria ser boa, foi onde a perdeu, ao perder a liberdade na feliz aventura onde tantos a recobraram, que foi a batalha de Lepanto. Eu a perdi na Goleta, e depois, devido a diversas peripécias, nos encontramos em Constantinopla. De lá foi para Argel, onde sei que aconteceu com ele um dos mais estranhos casos que se possa imaginar.

Daí prosseguiu o padre, contando de modo sucinto o que havia acontecido com Zoraida e seu irmão. O ouvidor estava tão atento a tudo que nunca antes havia sido tão bom ouvinte. O padre chegou apenas até o ponto em que os franceses despojaram os cristãos que vinham na barca e à pobreza e necessidade em que seu companheiro e a formosa moura haviam ficado — disse que não soubera mais nada deles, se tinham chegado à Espanha ou se os piratas os tinham levado à França.

Um pouco afastado dali, o capitão escutava tudo o que o padre dizia e notava todas as reações de seu irmão, que, vendo que o padre chegara ao fim da história, deu um grande suspiro e disse, com os olhos cheios de água:

— Oh, senhor, se compreendêsseis as notícias que me contastes e como me tocam tão intimamente que sou obrigado a dar mostras disso com estas lágrimas que contra toda a minha discrição e recato me fogem dos olhos! Esse capitão tão valente de que me falais é meu irmão mais velho, que, mais forte e de pensamentos mais elevados que eu e meu outro irmão, escolheu o honroso e digno ofício da guerra, que foi um dos três caminhos que nosso pai nos propôs, conforme disse vosso camarada no que vos pareceu um conto fabuloso.

"Eu segui o das letras, onde Deus e meus esforços me puseram no ponto em que me vedes. Meu irmão mais novo está no Peru, tão rico que com o que enviou a meu pai e a mim ultrapassou em muito a parte que recebeu, pondo ainda nas mãos de meu pai o suficiente para saciar sua natural prodigalidade; e eu também pude, com a ajuda dele, me dedicar a meus estudos com mais decência e empenho e chegar ao posto em que me vejo. Meu pai vive ainda, morrendo de desejo de saber do filho mais velho, e pede a Deus com orações contínuas que a morte não feche seus olhos até que ele veja com vida os do filho.

"Agora, sendo ele tão sensato, espanta-me que em meio a tantas dificuldades e aflições, ou negócios prósperos, tenha se descuidado de dar notícias a seu pai, pois se o pai soubesse, ou algum de nós, não teria tido necessidade de esperar o milagre da moça na janela para conseguir seu resgate. Mas o que temo agora é pensar se aqueles franceses o terão libertado ou o terão matado para encobrir o furto. Depois disso, não vou prosseguir viagem com aquela alegria com que a comecei, mas com toda a melancolia e tristeza.

"Oh, meu bom irmão, quem me dera saber onde estás agora: eu iria te buscar e te livrar de tuas dificuldades, mesmo que fosse à custa das minhas! Oh, se alguém levasse notícias a nosso velho pai de que ainda vives, mesmo que estejas nas masmorras mais inacessíveis da Berbéria, que de lá te tirariam suas riquezas, as de meu irmão e as minhas! Oh, bela e generosa Zoraida, quem poderia pagar o bem que fizeste a meu irmão?! Quem me dera estar presente ao renascimento de tua alma e ao casamento que tanto prazer a todos nos dariam!"

Essas e outras palavras semelhantes dizia o ouvidor, cheio de tanta compaixão com as notícias que haviam lhe dado de seu irmão que todos os que o escutavam deram mostras do sentimento que tinham por sua aflição.

O padre, vendo que se saíra muito bem ao provocar a reação que o capitão tanto desejava, não quis deixar a todos tristes por mais tempo: levantou-se da mesa e, entrando no quarto onde estava Zoraida, tomou-a pela mão e depois fez o mesmo com o capitão, que estava à espera observando o que ele faria. Assim, entre ambos e seguido por Lucinda, Doroteia e a donzela, o padre foi até onde estavam o ouvidor e os outros cavalheiros, e disse:

— Cessem vossas lágrimas, senhor ouvidor, e que vossa mercê desfrute de todo o bem que puder desejar, pois tendes aqui vosso bom irmão e vossa boa cunhada. Este é o capitão Viedma, e esta, a formosa moura que tanto o ajudou. Aqueles franceses os puseram no aperto que vedes, para que mostreis a generosidade de vosso bom coração.

O capitão correu para abraçar seu irmão, e ele lhe pôs ambas as mãos no peito, para poder olhá-lo um pouco mais afastado; mas, quando o reconheceu, abraçou-o tão fortemente, derramando tantas lágrimas ternas de alegria, que os demais presentes acabaram por acompanhá-las. Mal podem se pensar as palavras que disseram entre eles e os sentimentos que mostraram, quanto mais descrevê-los. Ali, de modo sucinto, se informaram de suas aventuras, ali mostraram até que ponto pode ser boa a amizade de dois irmãos, ali o ouvidor abraçou Zoraida, ali lhe ofereceu sua fortuna, ali fez com que a abraçasse sua filha, ali a linda cristã e a lindíssima moura renovaram as lágrimas de todos.

E ali estava dom Quixote observando esses acontecimentos estranhos, atento, sem falar nada, atribuindo-os todos a quimeras da cavalaria andante.

Combinou-se que Zoraida e o capitão iriam com seu irmão para Sevilha e que avisariam seu pai do encontro e libertação, para que viesse para o casamento e o batismo de Zoraida, assim que pudesse, porque o ouvidor não podia mudar de plano, pois tinha notícias de que dali a um mês a frota de Sevilha partia para o México e seria um grande transtorno perder a viagem.

Enfim, todos ficaram contentes e alegres com a boa sorte do cativo. E, como a noite já avançava na madrugada, combinaram de se recolher e descansar o que restava dela. Dom Quixote se ofereceu para fazer a guarda do castelo, para não serem atacados por algum gigante ou um patife covarde, cobiçoso do grande tesouro de formosura que aquele castelo encerrava. Agradeceram os que o conheciam, e informaram o ouvidor do estranho capricho de dom Quixote, com o que ele muito se divertiu.

Apenas Sancho Pança se desesperava com a demora para se recolher, e foi ele quem melhor se acomodou, atirando-se sobre os arreios de seu jumento, que lhe custaram tão caro como se contará mais adiante.

Com as damas recolhidas ao quarto, e os demais acomodados o menos mal que puderam, dom Quixote saiu da estalagem para montar guarda ao castelo, como havia prometido.

Aconteceu que, faltando pouco para a manhã, chegou aos ouvidos das damas uma voz tão afinada e tão bonita que obrigou a todas a prestar atenção, especialmente Doroteia, que estava acordada, ao lado de dona Clara Viedma, que assim se chamava a filha do ouvidor. Ninguém podia imaginar quem era a pessoa que cantava tão bem, e era apenas a voz, sem instrumento algum que a acompanhasse. Às vezes parecia que cantava no pátio, às vezes na estrebaria; estavam nessa dúvida, muito atentas, quando Cardênio se aproximou da porta do quarto e disse:

— Quem não dorme, ouça a voz de um dos moços das mulas, que de tal maneira canta, que encanta.

— Estamos ouvindo, senhor — respondeu Doroteia.

Com isso Cardênio se foi, e Doroteia, prestando toda atenção possível, entendeu que o que se cantava era isto:

XLIII

ONDE SE CONTA A AGRADÁVEL HISTÓRIA DO MOÇO DAS MULAS, COM OUTRAS COISAS ESTRANHAS ACONTECIDAS NA ESTALAGEM

*— Sou marinheiro de amor
e em seu mar profundo
navego sem esperança
de chegar a porto algum.*

*Vou seguindo uma estrela
que de longe vislumbro,
mais bela e resplandecente
do que quantas viu Polinuro.*

*Eu não sei aonde me guia
e, assim, navego confuso,
a alma atenta a olhá-la,
amando-a esquecida de si.*

*Recatos impertinentes,
honestidade fora de uso,
são nuvens que a encobrem
quando mais procuro vê-la.*

*Oh, clara e brilhante estrela
em cuja luz me consumo!*

*No instante em que te apagares,
o instante será de minha morte.**

Nesse ponto da canção, Doroteia achou que seria injusto que Clara deixasse de ouvir voz tão bela e então, tocando-a, acordou-a e disse:

— Perdoai-me, menina, mas vos acordo para que tenhais o prazer de ouvir a melhor voz que talvez ouvireis na vida.

Clara despertou toda sonolenta — no começo não entendeu o que Doroteia dizia e perguntou o que se passava. Quando Doroteia falou de novo, Clara ficou atenta, mas, mal ouviu dois dos versos que o moço continuava cantando, foi tomada de um tremor tão estranho como se tivesse um grave acesso de febre. Abraçando-se fortemente a Doroteia, disse:

— Ai, senhora de minha alma e de minha vida! Por que me acordastes? O maior bem que o destino podia me dar agora seria me fechar os olhos e os ouvidos, para eu não ver nem ouvir esse músico infeliz.

— Que dizeis, menina? Olhai que me falaram que o cantor é um dos moços das mulas.

— Não é, não: é senhor de vassalos — respondeu Clara —, e meu coração é tão vassalo dele que, se o quiser, com certeza lhe será fiel eternamente.

Doroteia ficou admirada com as palavras emociona-

---

* — *Marinero soy de amor/ y en su piélago profundo/ navego sin esperanza/ de llegar a puerto alguno.// Siguiendo voy a una estrella/ que desde lejos descubro,/ más bella y resplandeciente/ que cuantas vio Palinuro.// Yo no sé adónde me guía/ e, así, navego confuso,/ el alma a mirarla atenta,/ cuidadosa y con descuido.// Recatos impertinentes,/ honestidad contra el uso,/ son nubes que me la encubren/ cuando más verla procuro.// ¡Oh clara y luciente estrella/ en cuya lumbre me apuro!/ Al punto que te me encubras,/ será de mi muerte el punto.*

das da moça, parecendo-lhe que ultrapassavam em muito o discernimento que seus poucos anos prometiam, e então lhe disse:

— Falais de um modo, senhora Clara, que não posso vos entender. Vamos, explicai-me melhor o que é isso que dissestes sobre coração e vassalos e sobre esse músico cuja voz vos aflige tanto... Mas não digais nada por ora, porque não quero, por vos prestar atenção, perder o prazer de ouvir o cantor, que me parece que volta a seu canto com novos versos e nova melodia.

— Assim seja, senhora — respondeu Clara.

E, para não escutar, tapou os ouvidos com ambas as mãos; isso também surpreendeu Doroteia, mas que, atenta ao que se cantava, viu que se prosseguia desta maneira:

*— Doce esperança minha,
que rompendo impossíveis e brenhas
segues firme o caminho
que tu mesma inventas e adornas:
não esmoreças ao te ver
a cada passo mais perto da morte.*

*Preguiçosos não alcançam
honrados triunfos nem vitória alguma,
nem podem ser felizes
os que, não desafiando a sorte,
entregam desvalidos
ao ócio manso todos os sentidos.*

*Que o amor venda caro suas glórias,
tem toda razão e é trato justo,
pois não há prenda mais rica
que a medida por seu gosto,
e é coisa sabida
que não agrada o que pouco custa.*

*Persistências amorosas
talvez alcancem coisas impossíveis;
e, assim, com as minhas persigo
do amor as mais difíceis,
mas nem por isso receio
não ter o céu aqui da terra.**

Aqui a voz parou e aqui começaram os novos soluços de Clara; canto tão suave e choro tão triste acendiam a curiosidade de Doroteia, que, desejando saber a causa deles, perguntou mais uma vez o que Clara tentara dizer antes. Então, com medo de que Lucinda a escutasse, abraçou Doroteia fortemente, pôs a boca perto de seu ouvido e disse, certa de que não seria ouvida por mais ninguém:

— Este que canta, minha senhora, é filho de um cavaleiro natural do reino de Aragão, senhor de dois domínios, que morava em frente à casa de meu pai na corte. Embora meu pai mantivesse as janelas com cortinas enceradas no inverno e gelosias no verão, não sei como esse cavaleiro, que andava estudando, me viu; talvez tenha sido na igreja ou em outra parte. Mas, enfim, ele se apaixonou por mim e me comunicou isso das janelas de sua casa com tantos sinais e tantas lágrimas que fui

---

* — *Dulce esperanza mía,/ que rompiendo imposibles y malezas/ sigues firme la vía/ que tú misma te finges y aderezas:/ no te desmaye el verte/ a cada paso junto al de tu muerte.// No alcanzan perezosos/ honrados triunfos ni victoria alguna,/ ni pueden ser dichosos/ los que, no contrastando a la fortuna,/ entregan desvalidos/ al ocio blando todos los sentidos.// Que amor sus glorias venda/ caras, es gran razón y es trato justo,/ pues no hay más rica prenda/ que la que se quilata por su gusto,/ y es cosa manifiesta/ que no es de estima lo que poco cuesta.// Amorosas porfías/ tal vez alcanzan imposibles cosas;/ y, así, aunque con las mías/ sigo de amor las más dificultosas,/ no por eso recelo/ de no alcanzar desde la tierra el cielo.*

obrigada a acreditar e, mais ainda, a amá-lo, sem saber o que queria de mim. Entre os sinais que me fazia, um era juntar as mãos, dando a entender que se casaria comigo, e, embora eu me alegrasse muito com a ideia, sozinha, sem mãe, não sabia a quem falar; então deixei as coisas assim, sem lhe conceder favor algum, a não ser, quando nossos pais não estavam em casa, levantar um pouco a cortina ou a gelosia para que me visse toda, o que o entusiasmava tanto que parecia ficar louco.

"Nisso chegou o tempo da partida de meu pai; ele ficou sabendo, mas não por mim, pois nunca pude lhe dizer. Caiu doente, acho que de tristeza, e assim, no dia em que fomos embora, não pude vê-lo para me despedir nem mesmo com os olhos; mas, depois de dois dias de viagem, ao entrar numa pousada, numa aldeia a uma jornada daqui, eu o vi à porta, vestido de moço das mulas, tão autêntico que, se eu não o trouxesse gravado em minha alma, seria impossível reconhecê-lo. Eu o reconheci, surpreendi-me e me alegrei; ele me olhou às escondidas de meu pai, de quem sempre se oculta quando cruza por mim pelos caminhos e pousadas em que chegamos; e como sei quem é e penso que por me amar vem a pé, com tanta dificuldade, morro de aflição, e onde ele põe os pés, eu ponho os olhos. Não sei com que intenção vem nem como pôde fugir de seu pai, que o ama extraordinariamente, porque não tem outro herdeiro e porque ele o merece, como vereis vossa mercê quando o conhecer. E vos digo mais: tudo aquilo que canta, tira da própria cabeça, pois ouvi dizer que é um estudante muito bom e poeta. Mais ainda: cada vez que o vejo ou o escuto cantar, tremo toda e me assusto, medrosa de que meu pai o reconheça e descubra nossos desejos. Nunca lhe disse uma palavra, mas mesmo assim o amo de um modo que não poderei viver sem ele. É tudo o que vos posso dizer desse músico, minha senhora, cuja voz vos agradou tanto: com certeza apenas por ela podeis ver que não é um criado, como dissestes, mas senhor de corações e domínios, como eu vos disse.

— Não digais mais nada, senhora Clara — disse Doroteia nesse ponto, beijando-a mil vezes —, não digais mais nada, insisto, e esperai que chegue o novo dia, pois, com a graça de Deus, espero encaminhar vossos negócios de maneira que tenham o desfecho feliz que começo tão virtuoso merece.

— Ai, senhora! — disse dona Clara. — Que desfecho se pode esperar, se o pai dele é tão importante e tão rico que pensará que eu não sirvo nem de criada para seu filho, quanto mais para esposa? E me casar às escondidas de meu pai? Não farei isso por nada. Eu gostaria apenas que esse moço fosse embora e me esquecesse: não o vendo e com a grande distância que haverá entre nós, talvez se abrande a tristeza que sinto agora. Mas sei que essa solução que imagino não será de grande proveito. Não sei que diabos foi isso, nem por onde penetrou o amor que sinto, nós sendo tão moços; na verdade, acho que somos da mesma idade, e eu nem tenho dezesseis anos: vou fazê-los no próximo dia de São Miguel, foi o que disse meu pai.

Doroteia não pôde deixar de rir ouvindo dona Clara falar como uma menina e disse:

— Vamos descansar, senhora, o pouco que resta da noite; com a graça de Deus, amanhã tudo correrá bem, se eu não meter os pés pelas mãos.

Depois disso, elas se aquietaram, e havia um grande silêncio em toda a estalagem. Apenas a filha do estalajadeiro e Maritornes, sua criada, não dormiam, pois, como conheciam os caprichos de que pecava dom Quixote e como sabiam que estava lá fora montando guarda, de armadura e a cavalo, resolveram aprontar alguma brincadeira, ou pelo menos passar o tempo escutando seus disparates.

O caso é que não havia uma janela em toda a estalagem que desse para o campo, apenas um buraco na parede de um palheiro, por onde jogavam a palha fora.

Diante desse buraco se puseram as duas semidonzelas, que viram que dom Quixote estava a cavalo, recostado em seu chuço, dando de quando em quando suspiros tão profundos e sentidos que parecia que arrancava a alma com cada um deles; e também ouviram que dizia com voz branda, delicada e amorosa:

— Oh, minha senhora Dulcineia del Toboso, perfeição de toda formosura, apogeu e meta da inteligência, tesouro da mais fina graça, depósito da virtude e, ainda, modelo de tudo que é benéfico, honesto e prazeroso em todo o mundo! E o que estarás fazendo agora, minha senhora? Por acaso pensarás em teu cativo cavaleiro, que, só para te servir, a tantos perigos se expôs? Dá-me notícias dela, oh, astro das três faces! Talvez, com inveja da sua, estejas agora olhando-a passear por alguma galeria de seus palácios suntuosos ou debruçada em alguma sacada, considerando como, ressalvada sua virtude e grandeza, deve amansar a tormenta que por ela este meu pobre coração padece, que glória deve proporcionar às minhas penas, que sossego dar às minhas aflições e, finalmente, que vida a minha morte e que prêmio aos meus serviços. E tu, sol, que já deves estar selando teus cavalos para bem cedo ires ver minha senhora: logo que a avistares, eu te suplico que a saúdes por mim; mas cuidado: ao vê-la e saudá-la, não a beijes no rosto com tua luz, que terei mais ciúmes de ti do que tu tiveste daquela ágil ingrata que te fez suar e correr pelas planícies da Tessália ou pelas margens do Peneu, pois não me lembro bem por onde correste, ciumento e apaixonado.

Nesse ponto do queixoso discurso de dom Quixote, a filha do estalajadeiro começou a dizer:

— Psiu, meu senhor! Venha cá vossa mercê, por favor.

A esses chamados, dom Quixote virou a cabeça e viu à luz da lua, que então brilhava com toda intensidade, o buraco que lhe pareceu uma janela, e com grades douradas ainda por cima, como convém às janelas de castelos tão ricos como ele pensava que era aquela estalagem. Como da outra vez, no mesmo instante representou o quadro em sua imaginação desatinada: a linda donzela, filha da senhora daquele castelo, vencida por seu amor, vinha provocá-lo de novo, e com esse pensamento, para não se mostrar descortês e mal-agradecido, virou as rédeas de Rocinante e se aproximou do palheiro. Mal viu as duas moças, disse:

— Sinto muito, formosa senhora, que tenhais dirigido vossos amorosos pensamentos a quem não pode corresponder conforme merece vosso grande mérito e graça, pelo que não deveis culpar este miserável cavaleiro andante, a quem o amor tem impossibilitado de poder entregar sua vontade a outra que não àquela que no instante em que seus olhos a viram a fez senhora absoluta de sua alma. Perdoai-me, boa senhora: recolhei-vos a vosso aposento e não queirais, demonstrando mais vossos desejos, que eu me mostre mais mal-agradecido; e se, com o amor que me tendes, achais em mim outra coisa que possa vos satisfazer desde que não seja o próprio amor, pedi, que eu vos juro por aquela ausente e doce inimiga minha que vos darei imediatamente, mesmo que me pedísseis uma mecha dos cabelos da Medusa, que eram todos cobras, ou até os raios do sol encerrados numa redoma.

— Minha senhora não precisa de nada disso, senhor cavaleiro — disse Maritornes, nesse ponto.

— Então, sábia dama, o que necessita vossa senhora? — respondeu dom Quixote.

— Apenas uma de vossas formosas mãos — disse Maritornes —, para poder aliviar com ela o grande desejo que a trouxe a este buraco, com tanto perigo para sua honra, que, se a ouvisse, seu pai faria tal picadinho dela que o maior pedaço a sobrar seria a orelha.

— Essa eu gostaria de ver! — respondeu dom Quixote. — Mas ele não fará nada disso, se não quiser encontrar o mais desastrado fim que um pai encontrou no mundo, por ter posto as mãos nos delicados membros de sua filha apaixonada.

Maritornes achou que sem dúvida dom Quixote daria a mão que elas pediam e, tendo na cabeça o que iria fazer, saiu do buraco e desceu à estrebaria, onde pegou o cabresto do jumento de Sancho Pança e voltou com rapidez, a tempo de ver que dom Quixote havia ficado de pé sobre a sela de Rocinante para alcançar a janela de grades douradas onde imaginava estar a donzela ferida. Ao dar a mão, ele disse:

— Tomai esta mão, senhora, ou, digamos melhor, este carrasco dos malfeitores do mundo. Tomai esta mão, repito, que não foi tocada por mão de mulher nenhuma, nem mesmo pela mão daquela que tem posse completa de todo o meu corpo. Não vos dou esta mão para que a beijeis, mas para que olheis a contextura de seus nervos, a conexão de seus músculos, a espessura e o comprimento de suas veias: por tudo isso deduzireis qual deve ser a força do braço que possui tal mão.

— Já veremos — disse Maritornes.

Fazendo um nó corrediço no cabresto, prendeu a munheca de dom Quixote e, descendo de novo, amarrou muito fortemente a outra ponta no ferrolho da porta do palheiro. Dom Quixote, que sentiu a aspereza da corda no pulso, disse:

— Vede bem, senhora, que mais parecem sevícias que carícias: não a trateis tão mal, pois ela não tem culpa do mal que meu coração vos causa, nem fica bem que vingueis em parte tão pequena o todo de vossa ira. Olhai que quem quer bem não se vinga tão mal.

Mas ninguém mais escutava essas palavras de dom Quixote, porque, logo que Maritornes o amarrou, ela e a outra foram embora, morrendo de rir, deixando-o preso de modo que lhe foi impossível se soltar.

Como se disse, ele estava de pé sobre Rocinante, o braço todo metido no buraco e amarrado pelo pulso ao ferrolho da porta, cheio de medo que Rocinante se afastasse para lá ou para cá, pois então ficaria pendurado; assim, não ousava fazer movimento algum, mesmo que da paciência e mansidão de Rocinante bem poderia se esperar que ficasse sem se mexer por um século inteiro.

Enfim, vendo-se preso e abandonado pelas damas, dom Quixote começou a imaginar que tudo aquilo eram obras de magia, como da outra vez, quando naquele mesmo castelo fora moído a pau pelo mouro encantado do tropeiro; e amaldiçoava entre dentes sua falta de sensatez e compreensão, pois, tendo se saído tão mal na primeira vez naquele castelo, havia se arriscado a entrar nele a segunda, sendo norma de cavaleiros andantes que, quando entraram numa aventura e não se saíram bem, é sinal de que ela não está reservada para eles, mas para outros — assim, não têm necessidade de tentar uma segunda vez. Enquanto isso, puxava o braço, para ver se podia se soltar, mas ele estava bem seguro, tanto que todas as suas tentativas foram em vão. É bem verdade que puxava com cuidado, para que Rocinante não se mexesse; e, embora ele quisesse se sentar na sela, só podia permanecer de pé ou arrancar a mão.

Então começou a desejar a espada de Amadis: contra ela não tinha força encantamento algum; então começou a amaldiçoar sua sorte; então começou a exagerar a falta que faria no mundo sua presença durante o tempo em que estivesse encantado, pois sem dúvida acreditava que o estava; então começou a se lembrar de novo de sua querida Dulcineia del Toboso; então começou a chamar seu bom escudeiro Sancho Pança, que, sepultado no sono e estendido sobre a albarda de seu jumento, naquele instante não se lembrava nem da mãe que o havia parido; então começou a chamar os magos Lirgandeu e Alquife para que o ajudassem;[1] então começou a invocar sua boa amiga Urganda para que o socorresse; então, finalmente, ali a manhã o encontrou tão desesperado e confuso que bramava como um touro, porque não esperava que com o dia se resolvesse sua desventura, pois, como estava encantado, a considerava eterna: prova disso era que Rocinante não se mexia nem pouco nem muito. Pensava que daquele jeito, sem comer nem beber nem dormir, ficariam ele e seu cavalo até que aquela influência maligna das estrelas passasse ou até que outro mago mais poderoso o desencantasse.

Mas se enganava redondamente, porque, mal começou a amanhecer, chegaram à estalagem quatro homens a cavalo, bem vestidos e equipados, com suas espingardas sobre os arções. Bateram com força na porta da estalagem, que ainda estava fechada; sem deixar de montar guarda mesmo onde estava, dom Quixote viu tudo e disse, em voz alta e arrogante:

— Cavaleiros ou escudeiros, ou quem quer que sejais, não tendes por que bater às portas deste castelo, pois é evidente que a essas horas os que estão aí dentro dormem ou não têm o costume de abrir a fortaleza até que o sol se estenda por todo o chão. Afastai-vos e esperai que o dia clareie, e então veremos se será justo ou não que vos recebam.

— Que diabo de fortaleza ou castelo é este — disse um —, para nos obrigar a cumprir essas cerimônias? Se sois o estalajadeiro, ordenai que nos abram, pois somos viajantes e só queremos dar cevada a nossos animais e seguir em frente, porque temos pressa.

— Ora, cavaleiros, pareço ter cara de estalajadeiro? — respondeu dom Quixote.

— Não sei do que tendes cara — respondeu o outro —, mas sei que dizeis um absurdo ao chamar esta estalagem de castelo.

— É castelo — replicou dom Quixote —, e um dos melhores de toda esta província, e aí dentro há gente que teve cetro na mão e coroa na cabeça.

— Seria melhor se fosse o contrário: o cetro na cabeça e a coroa na mão — disse o viajante. — E assim deve ser, se por acaso estiver aí uma companhia de atores, que muitas vezes usam coroas e cetros como dizeis; porque não acredito que se alojem pessoas dignas de coroa e cetro numa estalagem tão pequena e tão silenciosa como esta.

— Sabeis pouco do mundo — replicou dom Quixote —, pois ignorais os casos que costumam acontecer na cavalaria andante.

Cansaram-se os companheiros da conversa que o perguntador mantinha com dom Quixote e então trataram de bater na porta com grande fúria; foi assim que o estalajadeiro acordou — e mais todos os que estavam ali — e se levantou para perguntar quem chamava. Aconteceu, nesse meio-tempo, que um dos cavalos dos quatro que batiam se aproximou para cheirar Rocinante, que, melancólico e triste, com as orelhas caídas, sem se mexer, sustentava seu empertigado senhor; mas como enfim era de carne e osso, embora parecesse de pau, fraquejou e se virou para cheirar aquele que chegava para lhe fazer carícias, e assim, mal se moveu um pouco, escaparam os pés de dom Quixote, que, resvalando na sela, dariam com ele no chão se não ficasse pendurado pela munheca, coisa que lhe causou tanta dor que pensou que lhe cortavam o pulso ou lhe arrancavam o braço. Porque ele ficou tão perto do chão que com as pontas dos pés beijava a terra, o que era pior, pois, como sentia que faltava pouco para se firmar, se esforçava e se esticava o quanto podia, exatamente como os que são torturados na polia, quando, pendurados, ficam pertinho do chão, no "toca, não toca": eles mesmos são a causa do aumento da dor, no esforço de se esticar, enganados pela ilusão de que tocariam o chão caso se esticassem um pouco mais.

XLIV

ONDE PROSSEGUEM OS ACONTECIMENTOS
INAUDITOS DA ESTALAGEM

Foram tantos os gritos que dom Quixote deu que, abrindo as portas da estalagem às pressas, o estalajadeiro saiu espavorido para ver quem berrava e os que tinham chegado, que não berravam menos. Maritornes, que também tinha acordado com os mesmos gritos, imaginando muito bem o que devia ser, foi ao palheiro e, sem que ninguém visse, desatou o cabresto que prendia dom Quixote, e ele logo foi parar no chão, à vista do estalajadeiro e dos viajantes, que, aproximando-se dele, perguntaram o que tinha que berrava daquele jeito. Ele, sem responder uma palavra, tirou a corda do pulso e, erguendo-se, montou em Rocinante, enfiou o braço na adarga, botou o chuço em riste, tomou uma boa distância no campo e voltou a meio-galope, dizendo:

— Se alguém disser que fui encantado por motivos justos, logo que minha senhora a princesa Micomicona me der licença para isso, eu o desminto, desafio e enfrento em combate singular.

Os viajantes ficaram surpresos com essas palavras, mas o estalajadeiro os tirou daquela surpresa dizendo que aquele era dom Quixote e que não deviam fazer caso dele, porque tinha perdido o juízo.

Perguntaram ao estalajadeiro se por acaso chegara àquela estalagem um rapaz de uns quinze anos, que vinha vestido como moço de mulas, que era assim e assim, dando as características do apaixonado por dona Clara. O estalajadeiro respondeu que havia tanta gente na estalagem que não tinha reparado nesse por quem perguntavam. Mas, tendo um deles visto a carruagem em que vinha o ouvidor, disse:

— Deve estar aqui, sem dúvida, porque essa é a carruagem que dizem que ele segue. Um de nós fica na porta e os outros entram para procurá-lo; e seria bom que um também rodeasse toda a estalagem, para que ele não fugisse pela cerca do pátio.

— Então vamos lá — respondeu um deles.

E dois deles entraram, um ficou à porta e o outro foi dar a volta à estalagem, sob o olhar do estalajadeiro, que não atinava por que faziam aquelas manobras, embora tivesse entendido muito bem que procuravam o rapaz que haviam descrito.

A essas alturas o dia clareava, e tanto por isso como pelo barulho que dom Quixote tinha feito, estavam todos acordados e se levantavam, sendo as primeiras dona Clara e Doroteia, que haviam dormido muito mal aquela noite, uma preocupada por ter o apaixonado tão perto e a outra ansiosa para conhecê-lo. Dom Quixote, ao ver que nenhum dos quatro viajantes ligava para ele nem aceitava seu desafio, morria de raiva e despeito; e, se ele encontrasse nos estatutos de sua cavalaria que o cavaleiro andante podia licitamente se meter em outra aventura tendo empenhado sua palavra de não aceitar nenhuma até ter cumprido a promessa, atacaria a todos e os faria responder contra a vontade. Mas, por não lhe parecer conveniente nem ficar bem começar uma nova aventura até pôr Micomicona em seu trono, teve de calar e ficar quieto, esperando para ver no que iam dar as manobras daqueles viajantes. Nisso, um deles encontrou o rapaz que procurava dormindo ao lado de um moço das mulas, sem preocupações de que alguém o procurasse e muito menos de que o achasse. O homem o agarrou pelo braço e disse:

— Sem dúvida, senhor dom Luís, o traje que usais é bem adequando a quem sois, e a cama onde vos acho está de acordo com os mimos com que vossa mãe vos criou.

O rapaz esfregou os olhos sonolentos e olhou demoradamente para o homem que o tinha segurado, mas em seguida reconheceu o criado de seu pai — ficou tão assustado que não atinou ou não pôde falar palavra nenhuma por um bom tempo. O criado prosseguiu:

— Não há mais o que fazer aqui, senhor dom Luís, além de aguentar firme e partir para casa, se é que vossa mercê não deseja que seu pai e meu senhor parta para o outro mundo, pois não se pode esperar outra coisa da tristeza com que ficou por vosso sumiço.

— Mas como meu pai soube — disse dom Luís — que eu seguia este caminho e com esta roupa?

— Um estudante — respondeu o criado — a quem confiastes vossos segredos foi quem contou, de dó de ver o sofrimento de vosso pai quando deu por vossa falta. Então vosso pai despachou a nós quatro para encontrá-lo, e todos estamos aqui a vosso serviço, mais alegres do que se pode imaginar, pelas boas notícias com que voltaremos, levando-vos aos olhos que tanto vos querem.

— Isso vai ser como eu quiser ou o céu ordenar — respondeu dom Luís.

— Que haveis de querer ou o que o céu poderá ordenar, exceto consentir que volteis? Porque outra coisa não será possível.

Todas essas palavras trocadas pelos dois foram ouvidas pelo moço das mulas que estava junto com dom Luís. Então, levantando-se, foi contar o que acontecia a dom Fernando, a Cardênio e aos outros, que já haviam se vestido: o que falavam, como aquele homem chamava o rapaz de "dom" e insistia em levá-lo para a casa de seu pai, e como ele se negava. Por isso e pelo que sabiam dele pela bela voz que o céu lhe concedera, ficaram muito curiosos para saber quem era realmente e dispostos a ajudá-lo se quisessem forçá-lo a fazer alguma coisa, e assim foram para onde ainda estava falando e teimando com seu criado.

Nisso, Doroteia saiu do quarto, e atrás dela dona Clara toda preocupada. Doroteia chamou Cardênio à parte e contou a ele em poucas palavras a história do músico e de dona Clara; Cardênio também contou o que se passava com a chegada dos criados do pai para levar o rapaz, mas não falou tão baixo que Clara deixasse de ouvir, ficando tão fora de si que teria caído no chão, se Doroteia não a segurasse. Cardênio disse a Doroteia que voltassem para o quarto, que ele procuraria dar um jeito em tudo, e elas assim fizeram.

Todos os quatro criados que tinham vindo buscar dom Luís estavam na estalagem em volta dele, tratando de persuadi-lo a que voltasse logo sem se deter, para consolar seu pai. Ele respondia que de maneira nenhuma podia fazer isso até terminar um negócio em que empenhara a vida, a honra e a alma. Então os criados o encurralaram, dizendo que não voltariam sem ele e que o levariam quisesse ou não quisesse.

— Só fareis isso se me levardes morto — replicou dom Luís. — Na verdade, de qualquer modo que me levardes, ireis me levar sem vida.

Nessas alturas da discussão, haviam aparecido quase todos os que estavam na estalagem, isto é, Cardênio, dom Fernando e seus companheiros, o ouvidor, o padre, o barbeiro e dom Quixote, que tinha pensado que não havia mais necessidade de montar guarda ao castelo. Cardênio, que já conhecia a história do rapaz, perguntou aos criados por que queriam levá-lo contra a vontade.

— Porque queremos salvar a vida do pai dele — respondeu um dos quatro —, pois, com a ausência deste cavaleiro, corre o risco de perdê-la.

A isso dom Luís disse:

— Não há motivo para que se discutam aqui minhas

coisas: eu sou livre e só voltarei se tiver vontade, do contrário nenhum de vós me forçará a fazê-lo.

— A razão vos forçará a fazê-lo — respondeu o homem —, e, se ela não for suficiente, nós seremos suficientes para o que viemos e somos obrigados a fazer.

— Vejamos essa história desde o começo — disse o ouvidor nesse ponto.

Mas o homem, que o reconheceu como o vizinho de sua casa, respondeu:

— Vossa mercê, senhor ouvidor, não reconhece este cavaleiro? É o filho de seu vizinho, que fugiu da casa do pai com essa roupa tão indecente para sua posição, como vossa mercê bem pode ver.

O ouvidor olhou-o mais atentamente e, reconhecendo-o, abraçou-o e disse:

— Que criancices ou que causas tão poderosas, dom Luís, o levaram a vir dessa maneira, e nesse traje, que cai tão mal com vossa posição?

As lágrimas vieram aos olhos do rapaz, que não pôde responder uma palavra. O ouvidor disse aos quatro que se acalmassem, que tudo acabaria bem; e, pegando dom Luís pela mão, puxou-o para um lado e perguntou por que fugira daquele jeito.

Enquanto o ouvidor fazia essa e outras perguntas, ouviram uma gritaria à porta da estalagem, por causa de dois hóspedes que haviam passado a noite ali: vendo aquela gente toda ocupada em saber o que os quatro homens queriam, haviam tentado ir embora sem pagar o que deviam; mas o estalajadeiro, que cuidava mais de seus negócios que dos alheios, pegou-os ao cruzarem a porta, pediu seu pagamento e insultou as más intenções deles com tais palavras que os levou a responderem com os punhos, dando tantos murros no estalajadeiro que o coitado precisou gritar pedindo socorro. A estalajadeira e sua filha não viram outro mais desocupado para poder socorrê-lo que dom Quixote, a quem a moça disse:

— Socorrei meu pobre pai, senhor cavaleiro, pela graça que Deus vos deu, pois dois homens maus estão batendo o pó dele como se fosse um tapete.

A isso dom Quixote respondeu sem pressa mas com muita pachorra:

— Formosa donzela, por ora não posso atender a vossa súplica, porque estou impedido de me meter em outra aventura enquanto não concluir uma em que empenhei minha palavra. Mas o que poderei fazer para vos servir é o que vos direi agora: correi e dizei a vosso pai que trave essa batalha da melhor forma que puder e que não se deixe vencer de jeito nenhum, enquanto eu peço licença à princesa Micomicona para poder socorrê-lo em seu infortúnio, pois, se ela nos for favorável, tende certeza de que eu o tirarei dele.

— Com os diabos! — disse então Maritornes, que estava por perto. — Antes que vossa mercê consiga essa licença, meu senhor já estará no outro mundo.

— Deixai-me pedir a licença, senhora — respondeu dom Quixote —, porque, logo que a tiver, tanto faz que ele esteja no outro mundo, pois dali o tirarei mesmo que a própria natureza se oponha, ou pelo menos vos vingarei de tal maneira dos que o enviaram para lá que ficareis mais que razoavelmente satisfeita.

E sem dizer mais nada foi se ajoelhar diante de Doroteia, pedindo-lhe com palavras cavaleirescas e andantescas que, por favor, sua grandeza lhe concedesse licença de ir socorrer o senhor daquele castelo, que estava em graves dificuldades. A princesa a deu de bom grado, e ele, metendo o braço em sua adarga e empunhando sua espada, correu para a porta da estalagem, onde os dois hóspedes ainda traziam o estalajadeiro num cortado; mas, mal chegou, ficou pasmo e quieto, embora Maritornes e a estalajadeira perguntassem por que se detinha, que socorresse seu senhor e marido.

— Detenho-me — disse dom Quixote — porque não

me é lícito levantar a espada contra pajens; mas chamai aqui meu escudeiro Sancho, que cabe a ele esta defesa e vingança.

Isso acontecia à porta da estalagem, onde os murros e bofetões chegavam ao auge, tudo em prejuízo do estalajadeiro e raiva de sua mulher, sua filha e Maritornes, que se desesperavam ao ver a covardia de dom Quixote e o mau pedaço que passava seu marido, pai e amo.

Mas deixemos o estalajadeiro, que não faltará quem o socorra ou, se não, que sofra e cale quem se atreve a mais do que suas forças permitem, e voltemos atrás cinquenta passos para ver o que foi que dom Luís respondeu ao ouvidor, que deixamos de lado, perguntando a causa de sua vinda a pé e com roupas tão desprezíveis; a isso o rapaz disse, segurando-lhe as mãos fortemente como se uma grande dor lhe apertasse o coração e derramando lágrimas em abundância:

— Meu senhor, não sei o que vos dizer além de que, desde o instante em que quis o céu e nossa vizinhança facilitou que eu visse vossa filha, dona Clara é senhora de minha vontade, e, se a vossa não se opuser, meu senhor e verdadeiro pai, neste mesmo dia ela deve ser minha esposa. Por dona Clara deixei a casa de meu pai, por ela botei essas roupas, para segui-la onde quer que fosse, como a seta ao alvo ou como o marinheiro ao norte. Ela não sabe de meus desejos mais do que pôde entender pelas lágrimas que viu de longe algumas vezes meus olhos chorarem. Já conheceis, senhor, a fortuna e a nobreza de meus pais, e que sou seu único herdeiro: se vos parece que essas condições são suficientes para que vos aventureis a me fazer em tudo venturoso, recebei-me logo como vosso filho, pois se meu pai, levado por outros desígnios, não aprovar a felicidade que eu soube encontrar, mais força tem o tempo para desfazer e mudar as coisas que as vontades humanas.

Então o rapaz apaixonado se calou, e o ouvidor ficou surpreso, confuso e admirado ao ouvi-lo, tanto pelo modo e pela inteligência com que dom Luís lhe revelara seu pensamento como por não saber que decisão tomar em negócio tão repentino e inesperado. Por isso, respondeu apenas que se acalmasse e convencesse seus criados a não levá-lo naquele dia, para ter tempo de avaliar o que seria melhor para todos. Dom Luís beijou as mãos dele à força e ainda as banhou com lágrimas, coisa que poderia amolecer um coração de mármore, não só o do ouvidor, que, como homem perspicaz, já havia entendido como seria bom aquele casamento para sua filha. Mas, se fosse possível, gostaria de realizá-lo com o consentimento do pai de dom Luís, de quem sabia que pretendia dar um título de nobreza ao filho.

Nessas alturas os hóspedes estavam em paz com o estalajadeiro, pois dom Quixote, mais com bons argumentos que com ameaças, os tinha persuadido a pagar tudo o que ele pedia, e os criados de dom Luís esperavam o fim da conversa do ouvidor e a decisão de seu amo, quando o demônio, que não dorme, ordenou que exatamente naquele ponto chegasse à estalagem o barbeiro de quem dom Quixote havia tirado o elmo de Mambrino, e Sancho Pança, os arreios do burro, que trocara pelos seus. O tal barbeiro, levando seu jumento à estrebaria, topou com Sancho Pança, que estava arrumando não sei quê da albarda, e o reconheceu no mesmo instante em que o viu e se atreveu a atacar Sancho, dizendo:

— Ah, dom ladrão, agora vos peguei! Passai para cá minha bacia e minha albarda, com todos os apetrechos que me roubastes.

Sancho, que se viu atacado tão repentinamente e ouviu os insultos que lhe dizia, com uma das mãos segurou a albarda e com a outra deu um bofetão no barbeiro, que lhe banhou os dentes em sangue. Mas nem por isso o barbeiro largou a presa, isto é, a albarda; pelo contrário, levantou a voz de tal maneira que todos os que estavam na estalagem correram para ver a balbúrdia ou briga. Ele dizia:

— Socorro, meu rei! Justiça, por favor! Além de roubar minhas coisas este ladrão quer me matar! Salteador de estrada!

— Mentis! — respondeu Sancho. — Não sou salteador de estrada coisa nenhuma: estes despojos meu senhor dom Quixote ganhou em boa guerra.

Dom Quixote correu lá, muito contente de ver como seu escudeiro se defendia bem e contra-atacava. Dali por diante o considerou um homem de verdade e decidiu, no fundo de seu coração, armá-lo cavaleiro na primeira oportunidade que surgisse, por lhe parecer que seria bem empregada nele a ordem da cavalaria.

Entre outras coisas que o barbeiro dizia em meio à briga, veio a dizer esta:

— Senhores, esta albarda é minha como as contas que tenho de prestar a Deus e a conheço como se a tivesse parido! E aí está meu burro no estábulo, que não vai me deixar mentir: se duvidam, experimentem-na nele e, se não lhe servir como uma luva, eu passarei por velhaco. E tem mais: no mesmo dia em que a roubaram, roubaram-me também uma bacia novinha de latão, que valia um escudo e eu nem tinha estreado.

Aqui dom Quixote não pôde conter uma resposta e, pondo-se entre os dois e apartando-os, depositou a albarda no chão, como em juízo até que a verdade fosse esclarecida:

— Para que vejam vossas mercês com clareza indiscutível o erro em que está este bom escudeiro, pois chama de bacia ao que foi, é e será o elmo de Mambrino, que tirei dele em leal combate, tornando-me assim legítima e licitamente seu dono! No negócio da albarda não me meto, mas o que posso dizer é que meu escudeiro Sancho me pediu licença para pegar os jaezes do cavalo deste covarde derrotado e com eles adornar o seu; eu a dei, e ele os pegou, mas como os jaezes se transformaram em albarda só pode se explicar pela razão mais comum: essas transformações acontecem nas aventuras de cavalaria. Para confirmar isso, corre, Sancho, meu filho, e traz aqui o elmo que este bom homem diz ser bacia.

— Por Deus, senhor — disse Sancho —, se não temos outra prova de nossas intenções além dessa que o senhor diz, o elmo do Malino é tão bacia como o jaez desse bom homem é albarda!

— Faz o que te mando — replicou dom Quixote. — Nem todas as coisas neste castelo devem ser obra de encantamentos.

Sancho foi buscar a bacia; e, mal dom Quixote a viu, tomou-a nas mãos e disse:

— Vejam vossas mercês com que cara pode este escudeiro dizer que isto é uma bacia e não o elmo de que falei. Juro pela ordem de cavalaria que professo que este elmo é o mesmo que eu peguei, sem ter acrescentado nem tirado coisa alguma dele.

— Disso não há dúvida — disse Sancho nessa altura —, porque desde que o senhor o ganhou até agora só travou uma batalha com ele, quando libertou aqueles infelizes acorrentados; e, se não fosse por esse bacielmo, não teria se saído muito bem, porque houve um bocado de pedradas naquela aventura.

XLV

ONDE, COM TODA A VERDADE, ACABA DE SE TIRAR A DÚVIDA SOBRE O ELMO DE MAMBRINO E A ALBARDA, E ACONTECEM OUTRAS AVENTURAS

— Senhores — disse o barbeiro —, que achais do que estes fidalgos afirmam, pois ainda teimam que esta não é uma bacia, mas um elmo?

— Se for cavaleiro quem disser o contrário — disse dom Quixote —, eu mostrarei que mente; se for escudeiro, que mente mil vezes.

Nosso barbeiro — que estava presente —, como conhecia muito bem os caprichos de dom Quixote, quis atiçar seu desatino e levar em frente a brincadeira, para que todos rissem, e disse ao outro barbeiro:

— Senhor barbeiro, ou seja lá quem sois, sabei que eu também sou de vosso ofício: tenho meu diploma há mais de vinte anos e conheço muito bem todos os instrumentos da barbearia, sem que falte um. Como fui soldado por uns tempos em minha juventude, também sei o que é elmo, o que é morrião, o que é uma celada e outras coisas militares, digo, que se referem às armas e armaduras dos soldados. Por isso afirmo, salvo uma opinião mais abalizada, que esta peça que está aí nas mãos deste bom senhor não só não é bacia de barbeiro, como está tão longe de ser como está longe o branco do preto e a verdade da mentira; também afirmo que este, embora seja um elmo, não é um elmo inteiro.

— Não, é claro — disse dom Quixote —, porque falta a metade dele, a babeira.

— É verdade — disse o padre, que já havia entendido a intenção de seu amigo barbeiro.

A mesma coisa disseram Cardênio, dom Fernando e seus companheiros; e até o ouvidor, se não estivesse tão pensativo com a história de dom Luís, teria ajudado na brincadeira, mas a seriedade do assunto o mantinha tão alheado que prestava pouca atenção ou nenhuma àqueles gracejos.

— Deus me ajude! — disse nesse ponto o barbeiro enganado. — Como é possível que tanta gente honrada diga que esta bacia é um elmo? Uma coisa dessas pode espantar uma universidade toda, por mais inteligente que seja. Basta. Se esta bacia é um elmo, esta albarda também deve ser jaez de cavalo, como este senhor disse.

— Acho que é albarda — disse dom Quixote —, mas já disse que nesse caso não me meto.

— Se é albarda ou jaez — disse o padre —, basta uma palavra do senhor dom Quixote, porque nessas coisas de cavalaria todos nós reconhecemos a superioridade dele.

— Por Deus, meus senhores — disse dom Quixote —, são tantas e tão estranhas as coisas que me aconteceram neste castelo, nas duas vezes em que me alojei aqui, que não me atrevo a afirmar categoricamente nada sobre o que ele contém, pois imagino que tudo são obras de encantamento. Na primeira vez, atormentou-me muito um mouro encantado que há nele, e Sancho não se saiu muito melhor com outros sequazes seus; e hoje à noite estive pendurado por este braço por quase duas horas, sem saber como nem por que caí naquela desgraça. Assim, começar agora a dar minha opinião sobre coisa tão confusa seria cair num julgamento temerário. Quanto ao que dizem sobre esta ser bacia e não elmo, eu já respondi; mas quanto a declarar se é albarda ou jaez, não me atrevo a dar uma sentença definitiva: deixo o assunto ao bom julgamento de vossas mercês. Talvez, por não terem sido armados cavaleiros como eu, os encantamentos deste lugar não atinjam vossas mercês, e terão o raciocínio livre e poderão julgar as coisas desse castelo como elas são real e verdadeiramente, e não como se mostram a mim.

— Sem dúvida — respondeu dom Fernando —, como disse muito bem o senhor dom Quixote, cabe a nós a decisão desse caso; e, para que haja maior lisura, vou recolher em segredo os votos destes senhores, e, seja qual for o resultado, direi tudo com a maior clareza.

Para aqueles que conheciam a loucura de dom Quixote, isso tudo era matéria para muito riso, mas para os que a ignoravam parecia o maior disparate do mundo, especialmente aos criados de dom Luís, ao próprio dom Luís e a outros três viajantes que por acaso haviam chegado à estalagem — tinham jeito de quadrilheiros da Santa Irmandade, o que realmente eram. O que mais se desesperava, porém, era o barbeiro, cuja bacia, diante de seus olhos, havia se transformado no elmo de Mambrino, e cuja albarda sem dúvida pensava que ia virar um belo jaez de cavalo. Mas todos riam ao ver como dom Fernando andava recolhendo os votos um depois do outro, falando ao ouvido para que declarassem se era albarda ou jaez aquela joia que causara tanta disputa; e, depois que recolheu os votos daqueles que conheciam dom Quixote, disse em voz alta:

— Olhai, bom homem, o certo é que já me cansei de ouvir tantas opiniões, porque todos me responderam que é um absurdo dizer que esta seja albarda de jumento, quando é evidente que é jaez de cavalo, e de cavalo puro-sangue. Então, tende paciência, porque, embora isso vos desagrade e ao vosso burro, este é jaez e não albarda; e vós argumentastes e provastes muito mal vosso caso.

— Que eu não me saia melhor no céu — disse o mencionado barbeiro — se todos os senhores não se enganam, e que minha alma pareça a Deus como a albarda não me parece jaez; mas é melhor nem falar, os poderosos fazem as leis. A verdade é que não estou bêbado, pois estou em jejum, menos de pecados.

Não causaram menos risos as tolices que o barbeiro dizia que os disparates de dom Quixote, que nesse ponto disse:

— Não há mais o que fazer aqui além de cada um pegar suas coisas, e que são Pedro abençoe o que foi dado por Deus.

Um dos quatro criados de dom Luís disse:

— Se isso não é uma brincadeira premeditada, não posso acreditar que homens de bom senso como são ou parecem ser todos os presentes se atrevam a dizer e atestar que isto não é bacia e aquilo albarda; mas, como vejo que todos dizem e atestam, desconfio de algum mistério que os leva a teimar numa coisa tão contrária ao que mostra a própria experiência; quero ver minha mãe m...
— e lançou a blasfêmia, letra por letra — se alguém me convencer de que isto não seja uma bacia de barbeiro e isso, uma albarda de burro.

— Poderia ser de uma burrinha — disse o padre.

— Tanto faz — disse o criado —, pois o caso não consiste nisso, mas em se é ou não é albarda, como vossas mercês dizem.

Ao ouvir isso, um dos quadrilheiros, que tinha visto a briga e a discussão, disse cheio de raiva e indignação:

— É tão albarda como meu pai é meu pai, e quem disse ou disser outra coisa deve estar muito bêbado.

— Mentis como um patife ordinário! — respondeu dom Quixote.

E, levantando o chuço, que nunca largava, desfechou-lhe tamanho golpe na cabeça que teria deixado o quadrilheiro estendido ali, se ele não se desviasse a tempo. O chuço se despedaçou no chão, e os outros quadrilheiros, que viram o trato que o companheiro recebera, gritaram por socorro à Santa Irmandade.

O estalajadeiro, que era da Irmandade, entrou às pressas para pegar a espada e a vara, insígnia de sua autoridade, e se postou ao lado de seus companheiros; os criados de dom Luís rodearam-no, para que não fugisse no meio da confusão; o barbeiro, vendo a casa agitada, agarrou de novo a albarda, e Sancho fez a mesma coisa; dom Quixote empunhou a espada e atacou os quadrilheiros; dom Luís dava ordens aos criados para que o deixassem e ajudassem dom Quixote, Cardênio e dom Fernando, que também ajudavam o cavaleiro. O padre gritava, a estalajadeira berrava, sua filha se afligia, Maritornes chorava, Doroteia estava confusa, Lucinda, surpresa, e dona Clara, desmaiada. O barbeiro esmurrava Sancho, Sancho batia no barbeiro; dom Luís, a quem um criado se atreveu a segurar pelo braço para que não interviesse, lhe deu um soco que lhe banhou os dentes de sangue; o ouvidor o defendia; dom Fernando tinha um quadrilheiro no chão, medindo-o a pontapés com todo o prazer; o estalajadeiro voltou a engrossar a voz, pedindo socorro à Santa Irmandade... De modo que toda a estalagem era choros, gritos, berros, confusões, medos, sustos, desgraças, espadadas, sopapos, pauladas, pontapés e derramamento de sangue. E, no meio desse caos, labirinto e pandemônio, dom Quixote se viu em sua imaginação metido até o pescoço no tumulto do campo de Agramante[1] e por isso disse, com voz que estremecia a estalagem:

— Detenham-se todos, todos embainhem as espadas, fiquem todos quietos, ouçam-me todos, se todos quiserem continuar vivos!

Depois desse brado, todos pararam, e ele continuou, dizendo:

— Eu não vos disse, senhores, que este castelo era encantado e que uma legião de demônios deve morar nele? Para confirmar isso, quero que vejais com vossos próprios olhos como se transferiu para cá e aconteceu entre nós o tumulto do campo de Agramante. Olhai como ali se luta pela espada, aqui pelo cavalo, lá pela águia, cá pelo elmo, e todos lutamos e todos não nos entendemos.

Venha, pois, vossa mercê, senhor ouvidor, e vossa mercê, senhor padre, e que um sirva de rei Agramante e o outro de rei Sobrino, e façamos as pazes. Por Deus Todo-Poderoso, é uma grande velhacaria que tanta gente distinta como nós se mate por causas tão levianas.

Os quadrilheiros, que não entendiam o fraseado de dom Quixote e se viam estropiados por dom Fernando, Cardênio e seus companheiros, não queriam se acalmar; o barbeiro sim, porque durante a briga teve as barbas e a albarda desfeitas; Sancho, à primeira palavra de seu amo, obedeceu, como bom criado; os quatro criados de dom Luís também ficaram quietos, vendo que do contrário lucrariam pouco. Apenas o estalajadeiro teimava em que se deviam castigar as insolências daquele louco, que a todo momento arrumava confusão na estalagem. Finalmente, o tumulto se apaziguou, e até o dia do juízo a albarda continuou jaez, a bacia elmo e a estalagem castelo na imaginação de dom Quixote.

Então, com todos acalmados e feitos amigos pela lábia do ouvidor e do padre, na mesma hora os criados de dom Luís insistiram de novo para que ele se fosse com eles. Enquanto os cinco discutiam, o ouvidor falou com dom Fernando, Cardênio e o padre sobre o que devia fazer, contando-lhes o caso com as palavras com que dom Luís o tinha relatado. Por fim combinaram que dom Fernando dissesse aos criados de dom Luís quem era e que gostaria que dom Luís fosse com ele até a Andaluzia, onde seu irmão, o marquês, o receberia como sua importância merecia; porque, pelo que acontecera, sabiam que dom Luís por ora não se deixaria ver pelos olhos do pai, mesmo que fizessem picadinho dele. Os criados, entendendo a posição de dom Fernando e a intenção de dom Luís, resolveram que três voltariam para contar a seu pai o que se passava e que o outro ficaria para servir dom Luís, sem deixá-lo até que voltassem para buscá-lo ou para fazer o que o pai lhes ordenasse.

Dessa maneira se apaziguou aquela pilha de encrencas, pela autoridade de Agramante e a prudência do rei Sobrino; mas, vendo-se o inimigo da concórdia e adversário da paz menosprezado e enganado, e vendo o pouco que colhera ao ter posto todos em labirinto tão confuso, resolveu tentar de novo, ressuscitando novos conflitos e perturbações.

A verdade é que os quadrilheiros se acalmaram porque pescaram alguma coisa sobre a posição dos homens que tinham combatido e se retiraram por acharem que, acontecesse o que acontecesse, iam levar a pior na batalha. Mas um deles, que tinha sido desancado a pontapés por dom Fernando, lembrou que, entre algumas ordens de prisão que trazia para delinquentes, havia uma contra dom Quixote, que a Santa Irmandade mandara prender por ter libertado os condenados às galés, como Sancho havia temido com toda razão.

Pensando nisso, quis se certificar de que a descrição que tinha coincidia com dom Quixote e, tirando do peito um pergaminho, logo topou com o que procurava. Começou a ler devagar, porque não era bom leitor — a cada palavra, botava os olhos em dom Quixote, comparando os dados da ordem de prisão com o rosto do cavaleiro, e achou que ele sem dúvida era o homem que a ordem descrevia. Mal teve certeza disso, enrolou o pergaminho, segurando-o com a mão esquerda, e com a direita agarrou fortemente dom Quixote pelo colarinho, o que não o deixava respirar, e em grandes brados disse:

— Acudam a Santa Irmandade! E, para que se veja que falo sério, leia-se isto aqui, a ordem de prisão deste salteador de estradas!

O padre pegou a ordem e viu que era verdade tudo o que o quadrilheiro dizia, como as descrições coincidiam com dom Quixote, que, vendo-se maltratado por aquele patife vagabundo, no auge da raiva e com os ossos rangendo, do melhor jeito que pôde agarrou o adversário com ambas as mãos pela garganta. Se os companheiros não viessem em socorro, ali mesmo o quadrilheiro deixaria a vida antes que dom Quixote a presa. O estalajadeiro, que por força devia favorecer os de seu ofício, correu para ajudar. A estalajadeira, que viu de novo seu marido metido numa briga, berrou de novo, acompanhada em seguida por sua filha e Maritornes, pedindo que o céu e os presentes intercedessem. Sancho, vendo o que acontecia, disse:

— Santo Deus, é verdade tudo o que meu amo disse do encantamento deste castelo, pois não é possível viver uma hora sossegada nele!

Dom Fernando separou o quadrilheiro e dom Quixote, e desprendeu as mãos deles da gola do saio de um e da garganta do outro, para alívio dos dois. Mas nem por isso os quadrilheiros paravam de exigir seu preso e que ajudassem a entregá-lo amarrado e submisso, porque assim convinha ao serviço do rei e da Santa Irmandade, em nome de quem pediam de novo auxílio para prender aquele ladrão e salteador de estradas e caminhos. Dom Quixote ria ao ouvir essas palavras e, com muita calma, disse:

— Vinde cá, gente bruta e ordinária: salteador de estrada chamais a quem dá liberdade aos acorrentados, solta os presos, socorre os miseráveis, levanta os caídos, ajuda os necessitados? Ah, gente infame, digna pelo mais baixo e desprezível discernimento que o céu não vos comunique o valor que se encerra na cavalaria andante, nem vos dê a entender o pecado e a ignorância em que estais em não reverenciar a sombra, quanto mais a assistência de qualquer cavaleiro andante! Vinde cá, quadrilha de ladrões, não de quadrilheiros, salteadores de estrada com licença da Santa Irmandade, dizei-me: quem foi o ignorante que assinou a ordem de prisão contra um cavaleiro de meu porte? Quem não sabe que os cavaleiros andantes estão livres de todos os foros judiciais e que a lei deles é a espada, seus foros sua coragem, seus decretos sua vontade? Quem foi o mentecapto, repito, que não sabe que não há patente de fidalguia com tantos privilégios nem isenções como a que um cavaleiro andante adquire no dia em que se arma cavaleiro e se entrega ao duro exercício da cavalaria? Que cavaleiro andante pagou qualquer tipo de imposto: peitas, alcavalas, subsídios reais, taxa de vassalagem e pedágios? Que alfaiate lhe cobrou pela roupa que fez? Que castelão que o acolheu exigiu que pagasse a hospedagem? Que rei não o recebeu em sua mesa? Que donzela não se apaixonou por ele e se entregou rendida a seus desejos e vontade? E, por fim, que cavaleiro andante houve, há ou haverá que não tenha brio para dar sozinho quatrocentas pauladas em quatrocentos quadrilheiros que lhe apareçam pela frente?

XLVI

DA NOTÁVEL AVENTURA DOS QUADRILHEIROS E DA GRANDE FEROCIDADE DE NOSSO BOM CAVALEIRO DOM QUIXOTE

Enquanto dom Quixote dizia isso, o padre tentava persuadir os quadrilheiros da falta de juízo dele, como podiam ver por suas ações e palavras, e de que não tinham por que levar adiante aquele negócio, pois, mesmo que o prendessem e levassem, logo teriam de soltá-lo por ser louco. O da ordem de prisão respondeu que não cabia a ele julgar a loucura de dom Quixote, mas fazer o que seu superior tinha ordenado e, desde que o prendesse, para ele dava na mesma que o soltassem trezentas vezes.

— Mas desta vez — disse o padre — não ireis levá-lo, nem ele se deixará levar, pelo que vejo.

Realmente, tão bem o padre soube falar e tantas loucuras dom Quixote soube cometer que os quadrilheiros seriam mais loucos ainda se não notassem os desatinos dele. Assim, acabaram se acalmando por bem e servindo ainda de mediadores para selar a paz entre o barbeiro e Sancho Pança, que continuavam brigando com grande rancor. Por fim, como membros da justiça, eles arbitraram a causa de modo que ambas as partes ficaram mais ou menos descontentes e mais ou menos satisfeitas, porque trocaram as albardas, mas não as cinchas e os cabrestos. E, quanto ao elmo de Mambrino, o padre, às escondidas, sem que dom Quixote percebesse, deu oito reais por ele, e o barbeiro lhe passou um recibo em que se comprometia a não reclamar nunca mais a bacia, para todo o sempre, amém.

Resolvidas então essas duas pendências, que eram as mais importantes e sérias, faltava que os criados de dom Luís aceitassem a volta de três e que um ficasse para acompanhá-lo aonde dom Fernando o queria levar. Mas, como a boa sorte havia começado a quebrar lanças e a resolver as dificuldades em favor dos amantes e dos valentes da estalagem, quis acabar o serviço e dar a tudo um desfecho feliz, porque os criados se resignaram ao que dom Luís desejava, coisa que alegrou tanto dona Clara que ninguém que olhasse o rosto dela naquele momento deixaria de perceber o regozijo de sua alma.

Zoraida, embora não entendesse bem todos os acontecimentos que havia presenciado, se entristecia e se alegrava ao sabor do momento, conforme via e notava os rostos de cada um, especialmente de seu espanhol, de quem não despregava os olhos e tinha a alma pendente. O estalajadeiro, a quem não passara em branco a recompensa que o padre havia dado ao barbeiro, incluiu na despesa de dom Quixote o estrago nos odres e a perda do vinho, jurando que não deixaria Rocinante sair da estalagem, nem o jumento de Sancho, sem que antes se pagasse tudo até o último tostão. O padre o acalmou e dom Fernando o pagou, mesmo que o ouvidor, de muito boa vontade, também houvesse se oferecido para pagar. Assim, de tal maneira todos ficaram em paz e harmonia que a estalagem já não parecia o tumulto do campo de Agramante, como dom Quixote dissera, mas a própria paz e quietude da época de Otaviano[1] — por tudo isso, foi opinião geral que se deviam agradecer as boas intenções e a grande eloquência do senhor padre e a incomparável prodigalidade de dom Fernando.

Dom Quixote, vendo-se livre e desembaraçado de tantas pendências, tanto suas como de seu escudeiro, achou por bem continuar a viagem começada e terminar aquela grande aventura a que tinha sido chamado e escolhido. Assim, com resoluta determinação, foi se ajoelhar diante de Doroteia, que não lhe consentiu que falasse uma palavra até que se levantasse, e ele, para obedecê-la, se levantou e disse:

— Diz um provérbio conhecido, formosa senhora, que a diligência é a mãe da boa sorte, e em muitas e graves coisas a experiência mostrou que a solicitude do negociante leva a desfecho feliz um litígio duvidoso; mas em coisa nenhuma essa verdade se mostra melhor que nas coisas da guerra, onde a celeridade e a presteza previnem os movimentos do inimigo e alcançam a vitória antes que ele fique na defensiva. Digo isso tudo, nobre e preciosa senhora, porque me parece que nossa estadia neste castelo já não tem serventia e até poderia nos ser muito prejudicial, como talvez vejamos algum dia, pois quem sabe se através de espiões ocultos e diligentes nosso inimigo, o gigante, já não foi informado de que eu vou destruí-lo e, se o tempo for suficiente, poderá se abrigar em algum castelo inexpugnável ou fortaleza, onde valessem pouco meus empenhos e a força de meu braço incansável? Então, minha senhora, como já disse, antecipemo-nos aos desígnios dele com nossa diligência, e partamos logo para a boa ventura, que vossa grandeza não demorará mais em tê-la como deseja do que eu demorarei em me bater com vosso adversário.

Dom Quixote se calou e nada mais disse — esperou com muita calma a resposta da formosa infanta, que, com maneira senhoril e ajustada ao estilo de dom Quixote, respondeu assim:

— Eu vos agradeço, senhor cavaleiro, o desejo que mostrais possuir de me socorrer em minha grande aflição, como bom cavaleiro a quem cabe e concerne socorrer os órfãos e desvalidos, e queira o céu que o vosso e o meu desejo se cumpram, para que vejais que há mulheres agradecidas no mundo. Quanto a minha partida, que seja logo, pois não tenho mais vontade que a vossa: disponde de mim como vos aprouver, que aquela que uma vez vos entregou a defesa de sua pessoa e pôs em vossas mãos a restauração de seus domínios não deve querer ir contra o que vossa prudência ordenar.

— Com a graça de Deus — disse dom Quixote. — Como vossa senhoria se humilha diante de mim, não quero perder a oportunidade de levantá-la e pô-la no trono que herdou. Que a partida seja imediata, porque, como se costuma dizer que na demora está o perigo, me esporeia o desejo de me pôr a caminho. E, como o céu não criou nem o inferno viu ninguém que me espante nem acovarde, encilha o Roncinante, Sancho, e prepara teu jumento e o palafrém da rainha. E agora digamos adeus ao castelão e a esses senhores e vamos embora de uma vez.

Sancho, que presenciara tudo, meneou a cabeça de um lado para outro e disse:

— Ai, ai, ai, ai, senhor, há mais mal na vilinha do que diz a vizinha, diga-se com perdão das honradas... cortesãs.

— Que mal pode haver em qualquer vila, ou em todas as cidades, que possa ser dito contra mim, seu desgraçado?

— Se vossa mercê se aborrece — respondeu Sancho —, vou me calar: não direi o que sou obrigado como bom escudeiro e como deve um bom criado dizer a seu amo.

— Diz o que quiseres — replicou dom Quixote —, porque tuas palavras não me metem medo: se tens medo, ages como quem és; se eu não tenho, ajo como quem sou.

— Não é nada disso, pelo amor de Deus! — respondeu Sancho. — É que eu tenho por certo e comprovado que essa senhora que se diz do grande reino Micomicão não é mais rainha que minha mãe, porque se fosse não andaria pelos cantos se beijocando com um dos presentes.

Doroteia ficou vermelha ao ouvir as palavras de Sancho, porque era verdade que seu esposo dom Fernando, algumas vezes, às escondidas de outros olhos havia colhido com os lábios parte do prêmio que mereciam seus desejos, o que Sancho tinha visto e achado que aquela faceirice era mais própria de dama cortesã que de rainha de um reino tão grande. Então Doroteia não pôde nem quis responder o que Sancho havia dito, deixando-o continuar aquela conversa, e ele foi dizendo:

— Digo isso, senhor, porque se depois de ter batido muitas estradas e caminhos, ter passado noites ruins e dias piores ainda, o fruto de nossos trabalhos será colhido por quem está se divertindo aqui na estalagem, não há por que ter pressa de encilhar Rocinante, preparar o jumento e aprontar o palafrém, pois será melhor ficarmos quietos, e que cada puta trate de sua vida, e vamos comer em paz.

Oh, valha-me Deus! Com que fúria dom Quixote ouviu as palavras insolentes de seu escudeiro! Digo que foi tanta que, gago e confuso, lançando fogo vivo pelos olhos, disse:

— Oh, canalha miserável, seu merda, indecente, ignorante, bruto, linguarudo, abusado, caluniador e mexeriqueiro! Tens a ousadia de dizer essas palavras em minha presença e na destas ínclitas senhoras? Tens a ousadia de meter em tua mente confusa essas injúrias e indecências? Some de minha presença, aborto da natureza, depósito de mentiras, fosso de embustes, celeiro de velhacarias, inventor de maldades, divulgador de tolices, inimigo do decoro que se deve às pessoas reais! Vai-te, e nunca mais me apareças, sob pena de provocar minha ira!

E, dizendo isso, arqueou as sobrancelhas, inchou as bochechas, olhou para todos os lados e deu com o pé direito uma grande pancada no chão — sinais da fúria que lhe queimava as entranhas. A essas palavras e atitudes furibundas, Sancho ficou tão encolhido e medroso que seria um alívio se naquele instante a terra se abrisse debaixo de seus pés e o tragasse, e não soube o que fazer, exceto dar as costas e sumir da presença raivosa de seu amo. Mas a atilada Doroteia, que compreendia muito bem o gênio de dom Quixote, disse, para acalmá-lo:

— Não vos indigneis, senhor Cavaleiro da Triste Figura, com as tolices que vosso bom escudeiro disse, pois talvez não as diga sem motivo. Nem de seu bom discernimento e consciência cristã pode se suspeitar que levante falso testemunho contra ninguém; pelo contrário, devemos acreditar sem dúvida nenhuma, porque como neste castelo, segundo dizeis, senhor cavaleiro, todas as coisas correm e ocorrem por obra de encantamentos, Sancho poderia muito bem ter visto por esse ângulo diabólico o que ele diz ter presenciado, que é tão ofensivo a minha virtude.

— Juro pelo Deus onipotente que vossa grandeza acertou o alvo — disse nessas alturas dom Quixote —, e que alguma visão nefasta cortou mesmo o caminho de nosso pecador Sancho e o fez ver o que seria impossível exceto por encantamentos, pois conheço bem a bondade e a inocência desse desgraçado que não sabe levantar falso testemunho contra ninguém.

— É isso mesmo — disse dom Fernando. — Então vossa mercê, dom Quixote, deve perdoá-lo e trazê-lo de volta ao seio de vossa indulgência, *sicut erat in principio*,[2] antes que as visões o façam perder o juízo.

Dom Quixote respondeu que o perdoava, e o padre foi buscar Sancho, que veio muito humilde e, ajoelhando-se, pediu a mão de seu amo. Ele a deu e, depois de tê-la deixado beijar, deu a bênção ao escudeiro, dizendo:

— Agora enfim tu compreendes, Sancho, meu filho, que é verdade tudo o que te disse outras vezes sobre as coisas deste castelo serem obras de encantamento.

— É o que eu acho — disse Sancho —, exceto pelo negócio da manta, que certamente foi obra da realidade.

— Não acredite nisso — respondeu dom Quixote —, pois, se fosse assim, eu teria te vingado então, ou vingaria agora mesmo. Mas nem então nem agora vi em quem vingar teu ultraje.

Todos quiseram saber que negócio era esse da manta, e o estalajadeiro lhes contou tintim por tintim as acrobacias aéreas de Sancho Pança, de que não se riram pouco, e de que não menos se envergonharia Sancho se seu amo não lhe garantisse de novo que era tudo encantamento, embora a estupidez de Sancho não chegasse ao ponto de não acreditar que a verdade pura e simples, sem dose nenhuma de engano, era que tinha sido jogado com a manta por pessoas de carne e osso, não por fantasmas sonhados ou imaginados, como seu senhor pensava e afirmava.

Fazia dois dias que aquele grupo ilustre estava na estalagem; e, parecendo a todos que já era tempo de partir, buscaram uma maneira para que o padre e o barbeiro pudessem levar dom Quixote como desejavam até sua terra e lá tentar curá-lo de sua loucura, sem que Doroteia e dom Fernando se dessem ao trabalho de acompanhá-lo, com a mentira da liberdade da rainha Micomicona. E o que fizeram foi combinar com o dono de um carro de bois, que por acaso passava por ali, para que o levasse numa espécie de jaula que tinham construído, com grades de pau, onde dom Quixote podia caber folgadamente. Depois dom Fernando e seus companheiros, com os criados de dom Luís, os quadrilheiros e mais o estalajadeiro — todos sob as ordens e orientação do padre — se disfarçaram cada um de um jeito, com os rostos cobertos, para que dom Quixote não pensasse que se tratava das pessoas que tinha visto no castelo.

Então, em grande silêncio, entraram onde ele descansava das refregas passadas. Aproximando-se dele, que dormia livre e despreocupado com aqueles acontecimentos, agarraram-no à força, amarrando muito bem as mãos e os pés, de modo que quando ele acordou assustado não pôde se mexer nem fazer outra coisa que ficar pasmo ao ver diante de si caras tão estranhas. Mas logo estava às voltas com o que sua incessante e desvairada imaginação criava: pensou que todas aquelas figuras eram fantasmas do castelo e que sem dúvida nenhuma já estava encantado, pois não podia se mexer nem se defender — exatamente como o padre, o maquinador daquela tramoia, pensara que aconteceria. Apenas Sancho, de todos os presentes, estava em seu próprio juízo e com sua própria estampa. Mas ele, embora estivesse perto de sofrer da mesma doença do amo, não deixou de reconhecer quem eram todas aquelas pessoas disfarçadas. Não ousou, porém, abrir o bico, até ver em que ia dar aquele ataque e prisão de seu senhor, que também não dizia uma palavra, à espera do desfecho de sua desgraça — que foi meterem-no na jaula, quando a trouxeram e pregaram as grades tão fortemente que não poderiam ser arrancadas nem com mil puxões.

Em seguida carregaram a jaula nos ombros, e, quando saíam do aposento, se ouviu uma voz tenebrosa — tanto quanto o conseguiu o barbeiro, não o da albarda, mas o outro — que dizia:

— Oh, Cavaleiro da Triste Figura! Não te mortifique a prisão em que vais, pois assim convém ao término mais célere da aventura em que tua grande valentia te pôs. Ela acabará quando o furibundo leão manchado e a pomba branca tobosina se tornarem um, depois de humilhadas as nobres cervizes ao brando jugo matrimonial, de cujo inaudito consórcio sairão à luz do orbe os bravos filhotes que imitarão as garras rompantes do pai valoroso; e isto ocorrerá antes que o perseguidor da ninfa fugitiva visite por duas vezes as imagens brilhantes em seu curso rápido e natural.

"E tu, o mais nobre e obediente escudeiro que teve espada na cintura, barbas no rosto e olfato nas ventas, não te desanime nem te descontente ver assim diante de teus próprios olhos a flor da cavalaria andante, pois logo, se for desejo de quem moldou o mundo, te verás tão nobre e louvado que nem te reconhecerás, e não serão frustradas as promessas que te fez teu bom senhor; e te garanto, de parte da maga Mentironiana, que teu salário será pago conforme teu trabalho, como verás; e segue as pegadas do cavaleiro valente e encantado, pois convém ires até o fim da jornada. E, como não me é lícito dizer mais nada, fica com Deus, que eu sei para onde volto."

E, ao fim da profecia, elevou o tom da voz e depois a diminuiu tão docemente que até mesmo os que conheciam a farsa estiveram a ponto de acreditar que era verdade o que ouviam.

Dom Quixote se sentiu consolado com a profecia, porque rapidamente compreendeu todo o significado dela: prometiam que se veria unido em santo e devido matrimônio com sua querida Dulcineia del Toboso, de cujo feliz ventre sairiam os filhotes, que eram seus filhos, para a glória perpétua da Mancha; e, acreditando piamente nisso, deu um grande suspiro e disse, levantando a voz:

— Oh, tu, quem quer que sejas, que tanto bem me profetizaste! Rogo-te que peças de minha parte ao mago que se encarrega de minhas coisas que não me deixe perecer nesta prisão onde agora me levam, até ver cumpridas promessas tão alegres e incomparáveis como as que aqui me fizeram. Pois, se assim for, terei por glória as aflições de meu cárcere, por alívio estas correntes que me cingem e não por duro campo de batalha este catre em que me deitam, mas por cama macia ou tálamo feliz. E, quanto ao consolo de Sancho Pança, meu escudeiro, eu confio em sua generosidade e bom comportamento: ele não me deixará nem durante a boa nem a má sorte, porque, se devido à dele ou à minha pouca sorte, eu não puder lhe dar a ilha ou outra coisa equivalente que prometi, pelo menos seu salário não poderá se perder, pois em meu testamento, que já está feito, deixo registrado o que se deve dar a ele, não conforme seus muitos e bons serviços, mas conforme minhas possibilidades.

Sancho Pança se inclinou com muita compostura e lhe beijou ambas as mãos — uma só não poderia, pois estavam amarradas.

Em seguida aqueles fantasmas levaram a jaula nos ombros e acomodaram-na no carro de bois.

XLVII

DO MODO ESTRANHO COM QUE
DOM QUIXOTE DE LA MANCHA FOI ENCANTADO,
COM OUTROS ACONTECIMENTOS FAMOSOS

Quando dom Quixote se viu enjaulado daquela maneira e em cima do carro, disse:

— Li muitas e graves histórias de cavaleiros andantes, mas jamais li, nem vi, nem ouvi que levassem os cavaleiros encantados desta maneira e com a demora que prometem esses animais lerdos e preguiçosos, pois costumam sempre levá-los pelos ares com singular rapidez, presos em alguma nuvem parda e escura ou em algum carro de fogo, ou mesmo montados num hipogrifo ou em outro monstro semelhante. Mas que me levem agora num carro de bois, minha nossa! Deixam-me confuso! Quem sabe a cavalaria e os encantamentos de nossa época sigam um caminho diferente do que seguiram os antigos. E poderia ser ainda que, como eu sou cavaleiro novo no mundo e o primeiro que ressuscitou o já esquecido exercício da cavalaria aventureira, também tenham se inventado outros tipos de encantamentos e outros modos de levar os encantados. Que achas disso, Sancho, meu filho?

— Eu não sei, não — respondeu Sancho —, por não ser tão lido como vossa mercê nas escrituras andantes; mas, mesmo assim, ousaria afirmar e jurar que essas assombrações que andam por aqui não são das mais católicas.

— Católicas?! Minha nossa! — respondeu dom Quixote. — Como vão ser católicas se são todos demônios que tomaram corpos fantásticos para vir fazer isso e me pôr neste estado? E, se quiseres comprovar a verdade, toca neles e apalpa-os: verás que têm corpo de ar e consistem apenas de aparência.

— Por Deus, senhor — replicou Sancho —, já toquei neles! Este diabo que anda aqui todo solícito é gordinho e tem outra propriedade muito diferente da que eu ouvi que os demônios têm, porque, pelo que se diz, todos cheiram a enxofre e a outras coisas fedorentas, mas este cheira a âmbar de longe.

Sancho dizia isso por causa de dom Fernando, que, como nobre, devia cheirar mesmo a âmbar.

— Não te admires disso, meu amigo Sancho — respondeu dom Quixote —, porque, eu te garanto, os diabos sabem muito e, mesmo que exalem alguns cheiros, eles não cheiram a nada, porque são espíritos, e, se cheiram, não podem cheirar a coisas boas, só a coisas ruins e hediondas. A razão é que, como eles trazem consigo o inferno onde quer que estejam e não podem ter nenhum tipo de alívio em seus tormentos, e como o cheiro bom é coisa que deleita e alegra, não é possível que eles tenham bons cheiros. E se a ti parece que esse demônio aí cheira a âmbar, ou tu te enganas ou ele quer te enganar fazendo-te pensar que não é demônio.

Com toda essa conversa entre o amo e o criado, dom Fernando e Cardênio temeram que Sancho se desse conta da tramoia, pois já andava a um passo dela, e resolveram abreviar a partida. Chamando o estalajadeiro à parte, ordenaram que encilhasse Rocinante e o jumento de Sancho, o que ele fez com muita presteza.

Nessas alturas o padre já havia combinado com os quadrilheiros para que os acompanhassem até sua aldeia, pagando-lhes um tanto por dia. Cardênio pendurou a adarga num lado do arção da sela de Rocinante e, no outro, a bacia, e por sinais mandou que Sancho montasse no burro e pegasse as rédeas de Rocinante, e pôs dos dois lados do carro os dois quadrilheiros com suas espingardas. Mas, antes que o carro se movesse, a estalajadeira, sua filha e Maritornes saíram para se despedir de dom Quixote, fingindo que choravam de dor pela infelicidade dele. Dom Quixote disse a elas:

— Não choreis, minhas boas senhoras, pois todas essas desgraças acompanham os que professam o que eu professo, e, se essas calamidades não me acontecessem, eu não me consideraria um cavaleiro andante de fama, porque aos cavaleiros de pouco renome nunca acontecem casos semelhantes, pois não há no mundo quem se lembre deles: aos valentes sim, que a virtude e a coragem deles causam inveja a muitos príncipes e a muitos outros cavaleiros, que procuram destruí-los por meios indignos. Mas mesmo assim a virtude é tão poderosa que por si só, apesar de toda a necromancia que seu inventor Zoroastro[1] soube, sairá vencedora de toda aflição e dará de si luz ao mundo como a do sol no céu. Perdoai-me, formosas damas, se por descuido cometi algum inconveniente, pois jamais os cometi por gosto ou de propósito, e rogai a Deus que me tirem estas amarras com que me prendeu algum mago mal-intencionado: porque, se delas me vir livre, não se apagarão em minha memória as mercês que me haveis feito neste castelo, para agradecê-las, retribuí-las e recompensá-las como mereceis.

Enquanto isso acontecia entre as damas do castelo e dom Quixote, o padre e o barbeiro se despediam de dom Fernando e seus companheiros, do capitão, de seu irmão e de todas aquelas senhoras alegres, especialmente de Doroteia e Lucinda. Todos se abraçaram e ficaram de dar notícia, dom Fernando dizendo ao padre para onde devia escrever para avisá-lo do fim da história de dom Quixote, garantindo que não haveria coisa que lhe desse mais prazer que sabê-lo, e que ele também avisaria sobre tudo aquilo que visse que poderia contentá-lo, tanto de seu casamento como do batismo de Zoraida, do caso de dom Luís e da volta de Lucinda para casa. O padre se comprometeu a fazer exatamente o que lhe pedia. Abraçaram-se de novo e de novo se comprometeram a fazer o que tinham combinado.

O estalajadeiro se aproximou do padre e lhe deu uns papéis, dizendo que os havia achado num compartimento da maleta onde estava a *História do curioso impertinente*, e, como o dono dela não voltara mais, que os levasse todos, pois ele não os queria porque não sabia ler. O padre agradeceu e, abrindo-os logo, viu que no começo do texto dizia: *História de Rinconete e Cortadillo*.[2] Assim compreendeu que era algum conto e deduziu que, como o do *Curioso impertinente* havia sido bom, aquele também devia ser, pois talvez fosse do mesmo autor; e então a guardou, pensando em lê-la quando tivesse tempo.

Montaram a cavalo, ele e seu amigo barbeiro, com suas máscaras, para não serem reconhecidos de imediato por dom Quixote, e seguiram atrás do carro. E a ordem do cortejo era esta: primeiro ia o carro, guiado pelo dono; nos dois lados iam os quadrilheiros, como se disse, com suas espingardas; depois vinha Sancho Pança em seu burro, levando Roncinante pelas rédeas. Atrás de todos cavalgavam o padre e o barbeiro em suas mulas possantes, os rostos cobertos como se disse, numa atitude calma e séria, não andando mais do que permitiam os passos lerdos dos bois. Dom Quixote ia sentado na jaula, encostado às grades, as mãos amarradas, os pés estendidos, tão silencioso e paciente como se não fosse homem de carne e osso, mas estátua de pedra.

Assim, com aquela lentidão e silêncio andaram umas duas léguas, até chegarem a um vale, que ao carreteiro pareceu um lugar apropriado para descansar e com boa pastagem para os bois, como disse ao padre. Mas o barbeiro foi de opinião que andassem um pouco ainda, porque ele sabia que perto dali, atrás de uma encosta, havia um vale muito melhor que aquele, com mais capim. Concordaram com o barbeiro e, então, retomaram o caminho.

Nisso, o padre virou o rosto e viu que às suas costas vinham uns seis ou sete homens a cavalo, bem vestidos e equipados, que logo os alcançaram, porque não andavam com a pachorra e calma dos bois, mas como se montassem mulas de cônego e com vontade de chegar em seguida para sestear na estalagem que se achava a menos de duas léguas dali. Os apressados alcançaram os vagarosos, e se cumprimentaram com cortesia. Um dos que chegara, que realmente era cônego de Toledo e amo dos outros que o acompanhavam, vendo a bem organizada comitiva que seguia o carro, quadrilheiros, Sancho, Rocinante, padre e barbeiro, além de dom Quixote enjaulado e amarrado, não pôde deixar de perguntar o que significava esse negócio de levar um homem dessa maneira, embora já suspeitasse, vendo as insígnias dos quadrilheiros, que devia ser algum salteador perverso ou outro delinquente cujo castigo coubesse à Santa Irmandade. Um dos quadrilheiros, a quem fora feita a pergunta, respondeu assim:

— O que significa este cavaleiro ir dessa maneira? Ele que o diga, senhor, porque nós não sabemos.

Dom Quixote ouviu a conversa e disse:

— Por acaso vossas mercês, senhores cavaleiros, são versados e peritos em matéria de cavalaria andante? Porque, se o forem, vos comunicarei minhas desgraças; se não, não há por que me cansar em contá-las.

Nesse meio-tempo, o padre e o barbeiro haviam se aproximado, vendo que os caminhantes conversavam com dom Quixote de la Mancha, para responder de modo que não fosse descoberto seu estratagema.

O cônego, ao ouvir dom Quixote, disse:

— Na verdade, meu irmão, sei mais de livros de cavalaria que das *Súmulas* de Villalpando.[3] De modo que, se o problema era só esse, com certeza podeis me comunicar o que quiserdes.

— Graças a Deus — replicou dom Quixote. — Bem, meu caro senhor, se é assim, quero que saibais que vou encantado nesta jaula por inveja e fraude de magos perversos, pois a virtude é mais perseguida pelos maus que amada pelos bons. Sou cavaleiro andante, não desses de cujo nome a fama jamais se lembrou para eternizá-los em sua memória, mas daqueles que, a despeito e apesar da própria inveja, e de todos os magos que a Pérsia engendrou, de todos os brâmanes da Índia e gimnosofistas da Etiópia,[4] haverá de pôr seu nome no templo da imortalidade, para que sirva de exemplo e modelo nos séculos futuros, para que os cavaleiros andantes vejam os passos que devem seguir, se quiserem chegar ao topo da honrosa nobreza das armas.

— O senhor dom Quixote de la Mancha diz a verdade — disse o padre nessa altura. — Ele vai mesmo encantado nesta carreta, não por suas culpas e pecados, mas pela má intenção daqueles a quem a virtude incomoda e a valentia aborrece. Este, senhor, é o Cavaleiro da Triste Figura, se por acaso já não ouvistes falar dele, cujas ousadas proezas e grandes feitos serão escritos em bronzes duros e mármores eternos, por mais que a inveja se canse em obscurecê-los e a malícia em ocultá-los.

Quando o cônego ouviu o preso e o livre falar em semelhante estilo, esteve para fazer o sinal da cruz de espanto, sem saber o que diabos estava acontecendo, e no mesmo espanto caíram todos os que vinham com ele. Nisso Sancho Pança, que havia se aproximado ao ouvir a conversa, para encerrar com fecho de ouro, disse:

— Agora, senhores, queiram-me bem ou mal pelo que direi, a verdade é que meu senhor dom Quixote vai aí tão encantado como minha mãe: ele vai em seu perfeito juízo, ele come e bebe e faz suas necessidades como os outros homens e como as fazia ontem, antes que o enjaulassem. Assim sendo, como querem me fazer acreditar que está encantado? Pois ouvi muitas pessoas dizerem que os encantados não comem, nem dormem, nem falam, e meu amo, se não lhe fecharem a matraca, fala mais que trinta procuradores.

E, virando-se para olhar o padre, continuou falando:
— Ah, senhor padre, senhor padre! Vossa mercê achava que eu não o reconheci? Pensava que não sondei e adivinhei aonde vão parar esses novos encantamentos? Pois saiba que o reconheci, por mais que esconda o rosto, e saiba que entendi tudo, por mais que dissimule seus embustes. Enfim, onde reina a inveja não pode viver a virtude, nem onde há escassez, a liberalidade. Que o diabo o carregue! Se não fosse por sua reverência, nessas alturas meu senhor estaria casado com a infanta Micomicona e eu seria conde pelo menos, pois não se podia esperar outra coisa, tanto da bondade de meu senhor da Triste Figura como da grandeza de meus serviços! Mas já vejo que é verdade o que se diz por aí: que a roda da fortuna gira mais rápido que uma roda de moinho e que os que ontem estavam por cima hoje estão por baixo. Tenho pena de meus filhos e de minha mulher, pois quando podiam e deviam esperar ver seu pai entrar pela porta feito governador ou vice-rei de alguma ilha ou reino, irão vê-lo entrar feito cavalariço. Tudo isso que eu disse, senhor padre, é só para que fique bem claro para sua paternidade: tenha consciência do tratamento miserável que dá a meu senhor e, preste atenção, que na outra vida Deus não lhe peça contas por esta prisão de meu amo e o responsabilize por todo bem e socorros que meu senhor dom Quixote deixa de fazer neste tempo que está enjaulado.

— Vamos pôr os pingos nos is — disse o barbeiro nesse ponto. — Também vós, Sancho, sois da confraria de vosso amo? Por Deus, vejo que ireis acompanhá-lo na jaula e que ficareis tão encantado como ele, pelo que compartilha de seu gênio e de sua cavalaria! Em mau lugar vos deixastes emprenhar com suas promessas e em má hora vos entrou na cachola a ilha que tanto desejais.

— Eu não estou prenhe de ninguém — respondeu Sancho —, nem sou homem que se deixaria emprenhar, mesmo que fosse pelo rei. Embora pobre, sou cristão-velho e não devo nada a ninguém; e, se desejo ilhas, outros desejam coisas piores, e cada um é filho das próprias obras; e pelo fato de ser homem posso vir a ser papa, quanto mais governador de uma ilha, e meu senhor pode ganhar tantas que lhe falte a quem dá-las. Olhe vossa mercê como fala, senhor barbeiro, pois há mais na vida que fazer barbas e nem dois ovos são iguais. Digo isso porque todos nos conhecemos, e não venham me fazer de bobo. Quanto ao encantamento de meu amo, Deus sabe a verdade, mas fiquemos por aqui, porque isso é como aquilo que, quanto mais se mexe, mais fede.

O barbeiro não quis responder a Sancho, para não revelar com suas tolices o que ele e o padre tanto procuravam ocultar. Por causa desse mesmo temor o padre havia dito ao cônego que caminhassem um pouco adiante, que ele lhe desvendaria o mistério do enjaulado, com outras coisas que o divertiriam. Assim fez o cônego, adiantando-se com seus criados, e ficou atento a tudo aquilo que o padre quis dizer sobre a condição, vida, loucura e costumes de dom Quixote, contando-lhe rapidamente o princípio e a causa de seu desvario e todo o curso de suas aventuras, até tê-lo posto naquela jaula, e a intenção que tinham de levá-lo a sua terra, para ver se de algum modo poderiam tratar de sua loucura. Os criados e o cônego se admiraram de novo com a estranha história de dom Quixote e, quando o padre terminou, o cônego disse:

— Em minha opinião, senhor padre, esses livros que chamam de cavalaria realmente são prejudiciais à república. Embora eu tenha lido, levado pela ociosidade e por um gosto duvidoso, o começo de quase todos os que foram impressos, jamais consegui ler nenhum até o fim, porque me parece que todos eles são mais ou menos a mesma coisa, e este não tem mais que aquele, nem este outro que aquele outro. Pelo que entendo, esse gênero de literatura se alinha com aquele das fábulas que chamam *milésias*, que são histórias disparatadas, que só pretendem divertir, não ensinar, ao contrário do que fazem as fábulas apologéticas, que divertem e ensinam ao mesmo tempo.[5] E, como a intenção principal desse tipo de livros é divertir, não sei como podem consegui-lo, estando tão cheios de absurdos colossais: pois o prazer que nasce na alma deve vir da beleza e harmonia que ela vê ou contempla nas coisas que a vista ou a imaginação lhe apresenta, e toda coisa que tem em si fealdade e desarmonia não pode nos causar contentamento algum. Dizei-me, que beleza pode haver, ou que proporção de partes com o todo e do todo com as partes, num livro ou fábula onde um rapaz de dezesseis anos dá uma espadada num gigante alto como uma torre e o divide em dois, como se fosse de manteiga? E quando quer pintar uma batalha, então? Depois de dizer que do lado dos inimigos há um milhão de combatentes, somos forçados a acreditar, por mais que nos pese, já que o protagonista do livro é adversário deles, que o tal cavaleiro obteve a vitória apenas pelo valor de seu braço forte. E o que diremos da facilidade com que uma rainha ou imperatriz herdeira cai nos braços de um cavaleiro andante desconhecido? Que mente, se não for de todo bárbara e inculta, poderá se alegrar lendo que uma grande torre cheia de cavaleiros vai mar afora, como um navio com vento favorável, e anoitece hoje na Lombardia e pela manhã está nas terras do Preste João das Índias, ou em outras que nem Ptomoleu descreveu nem Marco Polo viu?

"E se me respondessem que os autores desses livros os escrevem como quem conta mentiras e que, assim, não estão obrigados a se ater a escrúpulos nem verdades, eu responderia que a mentira é muito melhor quanto mais parece verdadeira e agrada muito mais quanto mais tem de ambíguo e possível. As histórias mentirosas devem casar com a inteligência dos que as lerem: tem-se de escrevê-las de forma que, tornando crível o impossível, nivelando os exageros, cativando as almas, surpreendam, encantem, entusiasmem e divirtam, de modo que andem juntas num mesmo passo a alegria e a admiração. E não poderá fazer todas essas coisas quem fugir da verossimilhança e da imitação, porque a perfeição do que se escreve reside nelas.

"Não vi nenhum livro de cavalaria com uma história de corpo inteiro, com todos os seus membros, de maneira que o meio encaixe com o começo, o fim com o começo e com o meio; pelo contrário, são escritos com tantos membros que mais parece que tinham a intenção de formar uma quimera ou um monstro do que fazer uma figura bem-proporcionada. Além disso, no estilo são duros; nas façanhas, inacreditáveis; nos amores, lascivos; nas cortesias, grosseiros; prolixos nas batalhas, estúpidos na argumentação, delirantes nas viagens e, por fim, alheios a todo artifício inteligente. Por isso, são dignos de desterro da república cristã, como gente inútil."

O padre esteve escutando o cônego com grande atenção, e achou que era um homem inteligente e que tinha razão em tudo o que dizia, por isso lhe disse que, por ser da mesma opinião e ter ojeriza aos livros de cavalaria, havia queimado todos os de dom Quixote, que eram muitos, e contou o escrutínio que havia feito neles: os que havia condenado ao fogo e os que havia deixado com vida. O cônego não riu pouco disso e afirmou que, apesar de ter falado muito mal desses livros, achava neles uma coisa boa, que era a matéria que ofereciam para que uma boa inteligência pudesse se manifestar neles, porque proporcionavam um vasto campo por onde podia se correr a pena sem restrições, descrevendo naufrágios, tempestades, confrontos e batalhas, pintando um capitão corajoso com todas as qualidades necessárias para isso, mostrando-o prudente ao adivinhar as astúcias de seus inimigos e orador eloquente ao persuadir ou dissuadir seus soldados, maduro no conselho, rápido nas decisões, tão valente na espera como no ataque; pintando ora um acontecimento lamentável e trágico, ora um alegre e incrível; ali uma dama lindíssima, virtuosa, inteligente e recatada; aqui um cavaleiro cristão, valente e comedido; lá um bárbaro desaforado e fanfarrão; cá um príncipe cortês, corajoso e educado; representando generosidade e lealdade de vassalos, grandezas e mercês de senhores. Ora pode se mostrar astrólogo, ora cosmógrafo excelente, ora músico, ora sagaz nos assuntos de Estado, e talvez tenha até oportunidade de se mostrar necromante, se quiser. Pode mostrar as astúcias de Ulisses, a piedade de Eneias, a valentia de Aquiles, as desgraças de Heitor, as traições de Sinon, a amizade de Euríalo, a prodigalidade de Alexandre, a determinação de César, a clemência e verdade de Trajano, a fidelidade de Zópiro,[6] a prudência de Catão e, por fim, todas aquelas ações que podem fazer um homem perfeito, às vezes pondo-as em um somente, às vezes dividindo-as entre muitos.

— E se for feito com estilo agradável e com inventividade engenhosa, ficando o mais perto possível da verdade, sem dúvida se tecerá uma teia com fios variados e belos, que, depois de acabada, irá mostrar tal perfeição e formosura que alcançará o grande fim que se pretende na literatura, que é ensinar e divertir ao mesmo tempo, como eu já disse. Porque a escrita livre e solta desses livros dá espaço para que o autor possa se mostrar épico, lírico, trágico, cômico, com todas aquelas qualidades que encerram em si as doces e deliciosas ciências da poesia e da oratória: pois a épica pode muito bem ser escrita tanto em prosa como em verso.

XLVIII

ONDE O CÔNEGO CONTINUA O ASSUNTO
DOS LIVROS DE CAVALARIA, COM OUTRAS
COISAS DIGNAS DE SEU ENGENHO

— É como vossa mercê diz, senhor cônego — disse o padre. — Por isso são mais dignos de censura os autores que até aqui escreveram semelhantes livros sem considerar o uso da razão nem a arte e as regras que poderiam guiá-los e torná-los famosos em prosa, como o são em verso os dois príncipes da poesia grega e latina.[1]

— Eu, pelo menos — replicou o cônego —, me vi tentado a escrever um livro de cavalaria, observando todos os pontos que levantei. E admito, se devo confessar a verdade, que tenho mais de cem páginas escritas e, para comprovar se correspondiam à minha avaliação, mostrei-as a homens apaixonados por essas leituras, cultos e inteligentes, e a outros ignorantes, que só se interessam pelo prazer de ouvir asneiras, e em todos encontrei uma agradável aprovação. Mas, apesar disso, não fui adiante, tanto por me parecer que faço uma coisa alheia a minha profissão como por ver que é maior o número dos simplórios que dos inteligentes. Depois, embora seja melhor ser louvado pelos poucos sábios que zombado pelos muitos estúpidos, não quero me sujeitar ao julgamento confuso do populacho presunçoso, que é quem lê esses livros em sua maior parte. Mas o que mais me tirou das mãos e até do pensamento a vontade de acabá-lo foi um argumento que apresentei a mim mesmo, inspirado pelas comédias representadas hoje em dia:

"Se todas essas peças em voga agora, ou a maior parte delas, tanto as de tema fictício como de tema histórico, são um monte de asneiras e coisas sem pé nem cabeça, mas o populacho as ouve com prazer, aplaude e considera boas, estando tão longe de sê-lo; se os autores que as compõem e os atores que as representam dizem que devem ser assim porque é assim que o público quer, e não de outra maneira; se as peças que têm estrutura e desenvolvem a trama como a arte pede não servem para mais de quatro homens inteligentes que as entendem, e todos os demais se queixam de ficar no escuro com suas sutilezas; se para autores e atores é melhor ganhar o sustento agradando a muitos que ganhar prestígio agradando a poucos, se vê muito bem o que acontecerá com meu livro, depois de eu ter queimado as pestanas para seguir as regras mencionadas, e eu terei jogado pérolas aos porcos.

"Algumas vezes tentei convencer os agenciadores de que estão enganados, de que iriam atrair mais gente e ganhariam mais fama apresentando comédias que sigam a arte, não os disparates, mas eles são tão teimosos e convictos de sua opinião que não há argumento nem evidência que os faça mudar de ideia. Lembro-me de que um dia disse a um desses obstinados: 'Dizei-me, não vos lembrais que há poucos anos se apresentaram na Espanha três tragédias escritas por um famoso poeta destes reinos, que causaram admiração, alegraram e deliciaram a todos quantos as ouviram, tanto simplórios como ponderados, tanto do populacho como da nata da sociedade, e apenas as três deram mais dinheiro ao teatro que trinta das melhores peças feitas aqui depois?'.

"'Sem dúvida', respondeu o sujeito de que falei, 'vossa mercê se refere a *La Isabela*, *La Filis* e *La Alejandra*.'[2]

"'Essas mesmas', repliquei, 'e olhai se não obedeciam bem às regras da arte, e se por obedecer deixaram de parecer o que eram e de agradar a todo mundo. De modo que a culpa não é do povo, que pede tolices, mas daqueles que não sabem apresentar outra coisa. Sim, pois não se achou tolice em *La ingratitud vengada*, nem em *La Numancia*, nem no *Mercader amante*, muito menos em *La enemiga favorable*,[3] nem em outras que foram compostas por poetas entendidos no assunto, para fama e renome deles e para lucro dos que as apresentaram.'

"E disse outras coisas além dessas, que o deixaram meio confuso, parece-me, mas não convencido nem disposto a abandonar seu pensamento errado."

— Vossa mercê tocou num assunto, senhor cônego — disse o padre nessa altura —, que me despertou um rancor antigo que tenho contra as comédias hoje em voga, um rancor que iguala ao que tenho pelos livros de cavalaria; porque, segundo Túlio, tendo a comédia de ser um espelho da vida humana, exemplo dos costumes e imagem da verdade, as que se apresentam agora são espelhos de absurdos, exemplos de tolices e imagens de lascívia. Pois que maior absurdo pode haver, no tema que tratamos, do que mostrar uma criança de fraldas na primeira cena do primeiro ato e na segunda aparecer como um homem barbado? Ou do que nos apresentar um velho valente e um rapaz covarde, um lacaio grande orador, um pajem conselheiro, um rei serviçal e uma princesa faxineira? E o que direi, então, da forma como observam os tempos em que podem ou poderiam acontecer as ações que representam? Vi comédias em que o primeiro ato começa na Europa, o segundo na Ásia e o terceiro termina na África, quer dizer, se fossem quatro atos, o último terminaria na América, e assim se percorreria neles os quatro cantos do mundo. E, se a imitação é a principal coisa que a comédia deve ter, como é possível que satisfaça uma inteligência mediana que, fingindo uma ação que se passa no tempo do rei Pepino e Carlos Magno, o protagonista seja o imperador Heráclito, que entrou em Jerusalém com a Cruz e conquistou o Santo Sepulcro, como Godofredo de Bolonha, havendo inúmeros anos entre um e outro? Como é possível ainda, se a comédia se baseia em ações fictícias, atribuir verdades históricas a ela e misturar pedaços de acontecimentos que envolvem pessoas e épocas diferentes, e nada disso de um modo verossímil, mas com erros óbvios, indesculpáveis de qualquer ponto de vista? E o pior é que há ignorantes que dizem que isso é que é a perfeição e o resto, perfumaria.

"E as comédias com temas religiosos, então? Quantos milagres falsos se inventam nelas, quantas coisas apócrifas e mal compreendidas, atribuindo a um santo os milagres de outro! E até nas profanas se atrevem a fazer milagres, sem mais respeito nem consideração que acharem que ali fica bem o tal milagre ou truque, como chamam, para que gente ignorante se admire e venha assistir. E tudo isso em prejuízo da verdade e do desprezo pela história, e até em descrédito dos talentos espanhóis, porque os estrangeiros, que com toda meticulosidade observam as leis da comédia, nos consideram bárbaros e ignorantes, vendo os absurdos e as tolices que fazemos com elas.

"E não seria desculpa suficiente para isso dizer que a principal intenção que as repúblicas bem organizadas têm, permitindo que se apresentem comédias, é entreter o povo com alguma recreação honesta e distraí-lo às vezes dos baixos instintos que a ociosidade costuma atiçar, pois, se isso se consegue com qualquer comédia, boa ou ruim, não há por que estabelecer leis, nem obrigar os que as escrevem e representam a fazê-las conforme deviam, porque, como disse, com qualquer uma delas se consegue o que se pretende. Eu responderia a isso que com certeza alcançaríamos esse fim muito mais facilmente com as comédias boas que com as ruins, porque depois de ouvir uma comédia bem estruturada, feita com habilidade, o ouvinte sairia alegre com os gracejos e instruído com as verdades, surpreso com a ação, atilado com as argumentações, cauteloso com os embustes, sagaz com os exemplos, precavido contra o vício e apaixonado pela virtude: pois a boa comédia deve provocar todas essas reações no ânimo de quem a escutar, por mais bronco e obtuso que seja. E é certamente impossível que a comédia que tiver todas essas qualidades deixe de alegrar e entreter, entusiasmar e satisfazer muito mais que as que carecerem delas, como carece a maior parte dessas que comumente se apresentam hoje em dia.

"Mas não têm culpa disso os poetas que as escrevem, porque alguns deles conhecem muito bem em que erram e sabem exatamente o que devem fazer; agora, como as comédias se tornaram mercadoria vendável, dizem, e dizem a verdade, os agenciadores não as comprariam se não fossem daquele tipo; assim o poeta procura se ajustar ao que pede o agenciador que vai pagar a obra. Veja-se, como prova dessa verdade, as inumeráveis comédias que escreveu um felicíssimo gênio destes reinos com tanto ímpeto, com tanta graça, com verso tão elegante, com tanto discernimento, com sentenças tão profundas e, enfim, num estilo tão nobre e eloquente que sua fama ganhou o mundo; e, por querer se ajustar ao gosto dos agenciadores, nem todas as suas peças chegaram, como algumas, ao ponto da perfeição que requerem.[4] Outros as escrevem sem nem olhar o que fazem, tanto que depois de representadas os atores precisam fugir, com medo de ser castigados, como muitas vezes foram, por ter apresentado cenas que insultavam reis e desonravam algumas linhagens.

"Veja, todos esses inconvenientes acabariam e até muitos outros que nem menciono, se houvesse na corte uma pessoa inteligente e sensata que examinasse todas as comédias antes que fossem apresentadas (não só as feitas na corte, mas todas as que se desejasse representar na Espanha). Assim, sem a aprovação, selo e assinatura dessa pessoa, nenhuma autoridade local deixaria representar comédia alguma, e dessa maneira os comediantes teriam o cuidado de enviar as comédias à corte, podendo representá-las com segurança, e aqueles que as escrevem encarariam com mais atenção e seriedade seu trabalho, temerosos de ter de passar suas obras pelo rigoroso exame de um entendido. Assim se fariam boas comédias e se conseguiria esplendidamente o que nelas se pretende: tanto o entretenimento do povo como a aprovação das melhores inteligências da Espanha, o lucro e a segurança dos atores, evitando-se ainda o trabalho de castigá-los.

"E, caso se encarregasse outra pessoa, ou essa mesma, de examinar os livros de cavalaria publicados pela primeira vez, sem dúvida poderiam sair alguns com a perfeição que vossa mercê mencionou, enriquecendo nossa língua com o tesouro agradável e precioso da eloquência, eclipsando-se os livros antigos diante da luz dos novos que saíssem para honesto passatempo, não somente dos ociosos, como dos mais ocupados, pois não é possível estar sempre com o arco retesado, nem a condição e debilidade humana pode se sustentar sem alguma lícita recreação."

Nessas alturas da conversa do cônego e do padre, o barbeiro se aproximou e disse ao padre:

— É aqui, senhor licenciado, o lugar de que falei. Aqui podemos dormir uma boa sesta e os bois pastar à vontade.

— É o que me parece — disse o padre.

E falou ao cônego o que pensava fazer, e este decidiu ficar também, atraído pela paisagem do lindo vale que se oferecia à vista deles. E assim, para desfrutar tanto do local como da conversa com o padre, com quem já simpatizara, e para conhecer em detalhes as façanhas de dom Quixote, mandou alguns de seus criados até a estalagem, que não ficava longe dali, trazerem o que houvesse para comer, para todos, porque ele resolvera sestear no vale aquela tarde. Um de seus criados respondeu que a mula de carga, que já devia estar na estalagem, levava provisões suficientes para não precisarem comprar mais que cevada.

— Então — disse o cônego —, levai para lá todos os animais e mandai a mula de volta.

Enquanto isso, Sancho, vendo que podia falar com seu amo sem a presença contínua do padre e do barbeiro, que considerava suspeitos, aproximou-se da jaula e disse:

— Senhor, para descargo de minha consciência, quero dizer o que acontece sobre seu encantamento: é que esses dois mascarados são o padre e o barbeiro de nossa vila, e penso que tramaram levá-lo dessa maneira de pura inveja, porque vossa mercê os ultrapassa em feitos heroicos. Se eu estiver certo, então se conclui que não vai encantado, mas iludido como um tolo. Para tirar a teima, quero lhe perguntar uma coisa; se me responder como acho que vai me responder, porá o dedo na ferida e verá que não vai encantado, mas sem um pingo de juízo.

— Pergunta o que quiseres, Sancho, meu filho — respondeu dom Quixote —, que eu responderei tudo, conforme desejas. Quanto àqueles ali que vão e vêm conosco serem o padre e o barbeiro, nossos conterrâneos e conhecidos, realmente pode parecer que são; mas que sejam mesmo, de verdade, não acredites de jeito nenhum. Tens de acreditar e entender que, se se parecem com eles, como dizes, deve ser porque os que me encantaram tomaram essa aparência e semelhança, pois é fácil para os magos incorporar a figura que lhes dá na telha, e incorporaram as desses nossos amigos para te levar a pensar o que pensas e te meter num labirinto de fantasias, de modo que não acharias a saída dele ainda que tivesses o cordão de Teseu. Também devem ter feito isso para confundir minha inteligência, não me deixando atinar de onde vem esse ataque. Porque se, por um lado, tu me dizes que me acompanham o barbeiro e o padre de nossa vila e, por outro, eu me vejo enjaulado, sabendo que forças somente humanas, sem nada de sobrenaturais, não são capazes de me prender, que queres que eu diga ou pense exceto que a maneira de meu encantamento excede a quantas li em todas as histórias que tratam de cavaleiros andantes que foram enfeitiçados? Assim, meu caro, acalma-te e deixa para lá essa tua crença, porque eles são quem dizes tanto quanto eu sou turco. E, quanto ao que querias perguntar, pergunta, que eu te responderei, mesmo que me interrogues até de manhã.

— Que Nossa Senhora me ajude! — respondeu Sancho em altos brados. — Será possível que vossa mercê tenha a cabeça tão dura e tão oca que não consegue ver que falo a pura verdade, e que nesta prisão e desgraça tem mais parte a malícia que a magia? Então, se é assim, quero provar a vossa mercê que não vai encantado. Se não, diga-me, e que Deus o tire dessa enrascada, e o senhor se veja nos braços de minha senhora Dulcineia quando menos esperar...

— Acaba com esse sermão — disse dom Quixote — e pergunta o que quiseres, pois já te disse que responderei com toda exatidão.

— É o que peço — replicou Sancho. — Bem, o que quero que me diga, sem tirar nem pôr, mas apenas a verdade, como se espera que devem dizer e a dizem todos os que professam as armas, como vossa mercê professa, sob o título de cavaleiros andantes...

— Garanto que não mentirei em coisa alguma — respondeu dom Quixote. — Pergunta logo, que na verdade me cansas com tantas ressalvas, súplicas e rodeios, Sancho.

— Digo que tenho certeza de que meu amo é bom e honesto; assim, como tem a ver com nossa situação, pergunto, com todo o respeito, se por acaso depois que vossa mercê foi enjaulado e, em sua opinião, encantado nesta jaula, teve vontade de fazer águas, como se diz, da grossa e da fina?

— Não entendo esse negócio de "fazer águas", Sancho; fala claro, se quiseres que eu responda direito.

— Como é possível que vossa mercê não entenda o que é fazer águas da grossa e da fina, se na escola desmamam os meninos com essas lições? Quero saber se teve vontade de fazer o que não se pode deixar de fazer e mais ninguém pode fazer por vossa mercê.

— Agora te entendi, Sancho! Sim, claro, muitas vezes, como neste exato momento! Vamos, Sancho, tira-me logo deste aperto, que a coisa está feia!

XLIX

QUE TRATA DA SAGAZ
CONVERSA QUE SANCHO PANÇA TEVE
COM SEU SENHOR DOM QUIXOTE

— Ah, peguei vossa mercê! — disse Sancho. — Era isso que eu queria saber, no fundo de minha alma. Venha cá, senhor: poderia negar o que comumente se diz por aí quando uma pessoa está indisposta: "Não sei o que tem fulano, que não come, nem bebe, nem dorme, nem responde coisa com coisa o que lhe perguntam, que até parece que está encantado?". Do que se deduz que os tais que não comem, nem bebem, nem dormem, nem fazem aquelas obras naturais que mencionei, estão encantados, mas não aqueles que têm a vontade que vossa mercê tem, e que bebe e come quando lhe dão o que beber e comer, e responde a tudo que lhe perguntam.

— É verdade, Sancho — respondeu dom Quixote —, mas já te disse que há muitos tipos de encantamentos, e poderia ser que tenham mudado com o tempo e que agora esteja em voga que os encantados façam tudo o que eu faço, mesmo que não fizessem antes. De modo que contra os costumes da época não devemos argumentar nem tirar conclusões. Tenho certeza de que estou encantado e isso basta para acalmar minha consciência, que ficaria muito pesada se eu pensasse que não e me deixasse estar nesta jaula, preguiçoso e covarde, malogrando o socorro que poderia proporcionar a muitos desvalidos e afrontados que neste exato instante devem sentir extrema necessidade de minha ajuda e amparo.

— Mesmo assim — replicou Sancho —, digo que, para maior prosperidade e satisfação de todos, seria uma boa ideia que vossa mercê experimentasse sair desta prisão. E eu me obrigo a ajudá-lo e até a tirá-lo dela, com todas as minhas forças, para que tente montar de novo em Rocinante, que também parece que vai encantado, pois está triste e melancólico. Então, feito isso, seria bom que tentássemos outra vez a sorte na busca de aventuras; e, se não nos saíssemos bem, não faltaria tempo para voltarmos à jaula, na qual prometo, pela lei que rege o bom e leal escudeiro, me encerrar juntamente com vossa mercê, se por acaso fosse vossa mercê tão desgraçado ou eu tão burro que não consiga sair como lhe digo.

— Fico feliz de fazer o que dizes, meu caro Sancho — replicou dom Quixote. — Quando vires oportunidade de me pôr em liberdade, eu te obedecerei em tudo e por tudo; mas verás, Sancho, como te enganas no conhecimento de minha desgraça.

Nessas conversas se entretiveram o cavaleiro andante e o mal-andante escudeiro, até que chegaram aonde o padre, o cônego e o barbeiro esperavam, já apeados. O carreteiro desatrelou logo os bois da carreta e os deixou andar à vontade por aquele vale verde e agradável, cujo frescor era convidativo, não para pessoas encantadas como dom Quixote, mas para manhosos e sabidos como seu escudeiro, que rogou ao padre que permitisse que seu senhor saísse por um momento da jaula, porque do contrário aquela prisão não iria tão limpa como requeria a decência de um cavaleiro do porte de seu amo. O padre entendeu, mas disse que faria de boa vontade o que lhe pedia se não temesse que seu senhor, vendo-se em liberdade, haveria de fazer das suas e ir-se para onde ninguém jamais o visse.

— Eu garanto que não fugirá — respondeu Sancho.

— Eu também — disse o cônego —, e mais ainda se ele me der a palavra como cavaleiro de não se afastar de nós enquanto não quisermos.

— Dou sim — respondeu dom Quixote, que escutava tudo. — Sem falar que aquele que está encantado, como eu, não tem liberdade para fazer de sua pessoa o que quiser, porque quem o encantou pode fazer com que ele não se mexa de um lugar por três séculos e, se houver fugido, o trará de volta voando.

Assim sendo, podiam muito bem soltá-lo, ainda mais que seria vantajoso para todos, pois, se não o soltassem, com certeza não poderia deixar de castigar-lhes o olfato, se não se afastassem dali.

O cônego achou que estavam em boas mãos, apesar de amarradas, e então, sob promessa e palavra de dom Quixote, soltaram-no da jaula, o que o alegrou infinitamente; e a primeira coisa que fez foi esticar todo o corpo, depois andou até onde estava Rocinante e, dando-lhe duas palmadas nas ancas, disse:

— Por Deus e por sua bendita Mãe, espero, flor e espelho dos cavalos, que logo nos veremos como desejamos: tu, com teu senhor no lombo; e eu, montado em ti, exercitando o ofício para o qual Deus me pôs no mundo.

E, dizendo isso, dom Quixote se afastou com Sancho para bem longe, de onde veio mais aliviado e com mais ganas de fazer o que seu escudeiro ordenasse.

O cônego o olhava, espantado com a esquisitice de sua grande loucura e de que, quando falava e respondia, mostrava ter muito bom senso: só perdia as estribeiras, como se disse outras vezes, ao tratar de cavalaria. E assim, movido pela compaixão, depois que todos tinham se sentado na grama verde para esperar as provisões, ele lhe disse:

— Como é possível, senhor fidalgo, que a leitura amarga e ociosa dos livros de cavalaria tenha tido tanto poder sobre vossa mercê, que lhe tenha virado o juízo de modo que veio a acreditar que está encantado, com outras coisas desse tipo, tão longe de ser verdadeiras como a própria mentira está da verdade? E como é possível que haja mente humana capaz de aceitar que houve no mundo aquela infinidade de Amadises e aquela multidão de cavaleiros famosos, tanto imperador de Trebizonda, tanto Felixmarte de Hircânia, tanto palafrém, tanta donzela andante, tantas serpentes, tantos dragões, tantos gigantes, tantas aventuras inauditas, tantos tipos de encantamentos, tantas batalhas, tantos combates furiosos, tantas vestes elegantes, tantas princesas apaixonadas, tantos escudeiros condes, tantos anões graciosos, tantas cartinhas, tanto galanteio, tantas mulheres valentes e, por fim, tantos casos totalmente absurdos como os que os livros de cavalaria contam? Sei que me dão algum prazer quando os leio, se não parar para pensar que são mentiras e leviandades; mas, quando caio em mim, atiro o melhor deles na parede e até o atiraria no fogo, se houvesse um por perto, como a merecedores dessa pena, por ser falsos e embusteiros, distante do tratamento que a natureza comum pede, e como a inventores de novas doutrinas e de modo novo de vida, e como a quem leva o populacho ignorante a acreditar e a considerar verdadeiras tantas asneiras como as que eles contêm. E são tão descarados que se atrevem a perturbar a mente de fidalgos inteligentes e bem-nascidos, como se vê muito bem pelo que fizeram com vossa mercê, pois o levaram a tais extremos que foi forçoso trancá-lo numa jaula e trazê-lo num carro de bois, como quem traz ou leva algum leão ou algum tigre de povoado em povoado, para que paguem para vê-lo.

"Eia, senhor dom Quixote, tenha pena de si mesmo, volte à guarida do bom senso e saiba usar o grande discernimento que o céu lhe concedeu, empregando o feliz talento de sua mente em outra leitura que beneficie sua consciência e aumente sua honra! E se mesmo assim, levado por sua natural inclinação, quiser ler livros de façanhas e de cavalaria, leia o Livro dos Juízes nas Sagradas Escrituras, que ali achará verdades grandiosas e feitos tão verdadeiros como corajosos. A Lusitânia teve um Viriato; Roma, um César; Cartago, um Aníbal; a Grécia, um Alexandre; Castela, um conde Fernán González; Valência, um Cid; a Andaluzia, um Gonzalo Fernández; a Estremadura, um Diego García de Paredes; Xerez, um Garci Pérez de Vargas; Toledo, um Garcilaso; Sevilha, um dom Manuel de León,[1] cuja lição de seus valorosos feitos pode entreter, ensinar, divertir e espantar as mais agudas mentes que os lerem. Esta sim será leitura digna da grande inteligência de vossa mercê, meu caro dom Quixote: sairá dela erudito em história, apaixonado pela virtude, instruído na bondade, melhor em seus hábitos, valente sem temeridade, ousado sem covardia, e tudo isso para glória de Deus, proveito seu e fama da Mancha, onde nasceu e de onde vem, pelo que fiquei sabendo.

Dom Quixote esteve muito atento escutando as palavras do cônego e, quando viu que havia terminado, disse, depois de ficar um bom tempo olhando para ele:

— Parece-me, senhor fidalgo, que a conversa de vossa mercê visava a me dar a entender que não houve cavaleiros andantes e que todos os livros de cavalaria são falsos, mentirosos, prejudiciais e inúteis para a república, e que eu fiz mal em lê-los e, pior ainda, em acreditar neles, e muito mais em imitá-los, consagrando-me à duríssima profissão da cavalaria andante que eles ensinam, negando-me que tenha existido no mundo Amadises, nem de Gaula nem da Grécia, nem todos os outros cavaleiros de que os textos estão cheios.

— Sim, tudo ao pé da letra como vossa mercê diz — disse o cônego nessas alturas.

Ao que dom Quixote respondeu:

— Vossa mercê acrescentou também que esses livros haviam me prejudicado muito, pois teriam me virado a cabeça e me metido numa jaula, e que seria melhor eu me corrigir e mudar de leitura, lendo outras coisas mais verdadeiras, que ensinam e divertem mais.

— Isso mesmo — disse o cônego.

— Bem — replicou dom Quixote —, em minha opinião o sem juízo e o encantado é vossa mercê, pois começou a dizer tantas blasfêmias contra uma coisa tão bem aceita e considerada verdadeira que aquele que a negasse, como vossa mercê a nega, mereceria a mesma pena que vossa mercê diz que aplica aos livros quando os lê e o aborrecem. Porque querer convencer alguém de que Amadis não existiu, nem todos os outros cavaleiros aventureiros de que as histórias estão repletas, é querer persuadir de que o sol não ilumina, nem o gelo esfria, nem a terra nos sustenta. Que mente pode ser capaz de persuadir outra de que não foi verdade o caso da infanta Floripes e Guy de Borgonha, e o de Ferrabrás com a ponte de Mantible, que aconteceu no tempo de Carlos Magno,[2] que juro por Deus que é tão verdadeiro como agora é dia? E, se for mentira, também não deve ter existido Heitor, nem Aquiles, nem a guerra de Troia, nem os Doze Pares de França, nem o rei Artur da Inglaterra, que até hoje anda transformado em corvo, e o esperam dia após dia em seu reino. E também se atreve a dizer que é mentirosa a história de Guarino Mesquinho[3] e a busca pelo Santo Graal, e que são apócrifos os amores de dom Tristão e da rainha Isolda, como os de Guinevere e Lancelot, havendo pessoas que quase se lembram de ter visto dona Quintañona,[4] que foi quem melhor servia vinho na Grã-Bretanha? Isso tudo é exatamente assim, tanto que me lembro de que minha avó por parte de pai dizia, quando via alguma dona, viúva digna de respeito: "Aquela, meu neto, se parece com dona Quintañona"; então concluo que ela deve tê-la conhecido, ou pelo menos deve ter visto algum retrato seu. Pois quem poderá negar ser verdadeira a história de Pierres e da linda Magalona, se hoje em dia ainda se vê no arsenal dos reis a cravelha com que se conduzia o cavalo de madeira que o valente Pierres montava pelos ares,[5] que é um pouco maior que um varal de carreta? E perto da cravelha está a sela de Babieca, e em Roncesvalles está a trompa de

Roland, grande como uma viga. Disso se infere que existiram Doze Pares, que existiram Pierres, que existiram Cides e outros cavaleiros semelhantes,

*destes que dizem as pessoas
que a suas aventuras vão.*

Se não, diga-me também que não é verdade que foi cavaleiro andante o valente português João de Merlo,[6] que foi à Borgonha e combateu na cidade de Ras com o famoso senhor de Charny, chamado monsenhor Pierres, e depois, na cidade de Basileia, com monsenhor Henrique de Remestan, saindo vencedor de ambas as empresas e cheio de fama e honra; e as aventuras e desafios vividos na Borgonha pelos valentes espanhóis Pedro Barba e Gutierre Quijada[7] (de cuja estirpe descendo em linha direta pelo lado masculino), vencendo os filhos do conde de Saint-Pol. Negue-me ainda que dom Fernando de Guevara não saiu em busca de aventuras na Alemanha, onde combateu com monsenhor Jorge, cavaleiro da casa do duque da Áustria; diga que foram uma fraude as justas de Suero de Quiñones, do Passo Honroso,[8] ou as aventuras do monsenhor Luís de Falces contra dom Gonzalo de Guzmán,[9] cavaleiro castelhano, e outras façanhas de cavaleiros cristãos, deste e de reinos estrangeiros, tão autênticas e verdadeiras que repito: aquele que as negar carece de toda razão e bom senso.

O cônego ficou admirado ao ouvir a mistura que dom Quixote fazia de verdades e mentiras, de ver o conhecimento que tinha de todas aquelas coisas relacionadas com os feitos de sua cavalaria andante, e respondeu assim:

— Não posso negar, senhor dom Quixote, que alguma coisa do que vossa mercê disse seja verdade, especialmente o que se refere aos cavaleiros andantes espanhóis, e quero admitir também que existiram os Doze Pares de França, mas não posso acreditar que fizeram todas aquelas coisas que o arcebispo de Turpin[10] escreve sobre eles, porque a verdade é que foram cavaleiros escolhidos pelos reis da França, a quem chamaram *pares* por serem todos iguais em posição, audácia e valentia: pelo menos, se não eram, havia razão para que fossem, e era como uma ordem militar dessas que estão em voga agora em Santiago ou em Calatrava; supõe-se que os que a professam são ou devem ser cavaleiros audaciosos, valentes e bem-nascidos; e como dizem agora "cavaleiros de São João" ou "de Alcântara", diziam naquele tempo "cavaleiro dos Doze Pares", porque foram doze iguais os escolhidos para essa ordem militar. Quanto a ter existido o Cid não há dúvida, muito menos Bernardo del Carpio; mas que tenham feito as façanhas que contam vai uma grande diferença. E quanto àquilo da cravelha que vossa mercê diz do conde Pierres, e que está perto da sela de Babieca no arsenal dos reis, confesso meu pecado, sou tão ignorante ou tão curto de vista que, embora tenha enxergado a sela, não consegui ver a cravelha, mesmo sendo ela tão grande como vossa mercê disse.

— Claro que está lá — replicou dom Quixote. — Dizem, além do mais, que foi metida num estojo de pele de vitela para não mofar.

— É, tudo é possível — respondeu o cônego —, mas juro pelo sacramento que recebi que não me lembro de tê-la visto. Agora, mesmo que eu concorde que ela está lá, não sou obrigado a acreditar nas histórias de tantos Amadises, nem nas dessa multidão de cavaleiros que se contam por aí, nem é razão para que um homem como vossa mercê, tão honrado, com tantas qualidades, dotado de tão bom discernimento, pense que sejam verdadeiras tantas loucuras esquisitas como as que estão escritas nesses livros disparatados de cavalaria.

L

DA SAGAZ DISCUSSÃO QUE DOM QUIXOTE
E O CÔNEGO TIVERAM,
COM OUTROS ACONTECIMENTOS

— Essa é boa! — respondeu dom Quixote. — Seriam mentirosos os livros que foram impressos com a licença dos reis e com a aprovação daqueles a quem foram submetidos, e que com prazer geral são lidos e celebrados pelos grandes e pelas crianças, pelos pobres e pelos ricos, pelos letrados e pelos ignorantes, pelos plebeus e cavaleiros... enfim, por todo tipo de gente de qualquer estado e condição que seja? Seriam mentirosos mesmo tendo toda a aparência de verdade? Pois veja, eles nos falam do pai, da mãe, da pátria, dos parentes, da idade e descrevem o lugar e contam tintim por tintim, dia após dia, as façanhas que o tal cavaleiro fez, ou tais cavaleiros fizeram. Cale-se vossa mercê, não diga uma blasfêmia dessas, e acredite que o conselho que lhe dou é o único possível para uma pessoa sensata: leia-os e verá o prazer que sentirá com sua leitura. Se não, diga-me: há maior alegria que ver aqui, digamos assim, surgir agora diante de nós um grande lago de piche fervendo aos borbotões, com muitas serpentes, cobras e lagartos e muitos outros tipos de animais ferozes e espantosos nadando ou andando? E aí, do meio dele, sai uma voz tristíssima que diz:

"'Tu, cavaleiro, quem quer que sejas, que estás olhando este lago ameaçador, se queres alcançar o bem que se esconde sob estas águas negras, mostra o valor de teu peito forte e te atira no meio de seu líquido ardente, porque, se não fizeres isso, não serás digno de ver as imensas maravilhas que se encerram nos sete castelos das sete fadas que jazem embaixo desta negrura.'

"E o cavaleiro, mal tendo acabado de ouvir a voz terrível (sem pensar em si mesmo, sem tratar de considerar o perigo a que se expõe e até sem se despojar do peso de sua armadura), encomendando-se a Deus e a sua senhora, atira-se no meio do lago borbulhante e, quando não tem nem ideia de onde vai parar, se encontra nuns campos floridos, que não podem ser comparados nem mesmo com os Campos Elíseos. Lá parece a ele que o céu é mais transparente e que o sol brilha com uma luz mais vital; seus olhos se alegram com uma floresta deliciosa, com árvores muito verdes e frondosas; seus ouvidos se entregam ao doce e desconhecido canto dos pequenos, inúmeros e coloridos pássaros que cruzam pelos ramos intrincados. Aqui descobre um regato, cujas águas frescas correm como cristais líquidos sobre areia fina e pedrinhas brancas, que parecem ouro em pó e pérolas perfeitas; ali vê uma fonte construída engenhosamente com mármore liso e jaspe matizado; mais adiante, vê outra feita como uma gruta, adornada com pequenas conchas de amêijoas e cascas brancas, amarelas e retorcidas dos caracóis dispostas com ordem irregular, com pedaços de cristal brilhante e de esmeraldas falsas misturadas entre elas, formando uma composição variada, de maneira que a arte, imitando a natureza, parece que ali a vence. Então, de repente, depara-se com um castelo imponente ou uma fortaleza maravilhosa, cujas muralhas são de ouro maciço, as ameias de diamantes, as portas de jacintos. Enfim, é de arquitetura tão admirável que, mesmo que o material com que é feito seja nada menos que diamantes, granadas, rubis, pérolas, ouro e esmeraldas, sua construção é mais valiosa.

"E que há mais para se ver, depois de ter visto isso, do que ver sair pela porta do castelo um bom número de donzelas, cujos galantes e vistosos trajes, se eu me pusesse agora a descrevê-los como nas histórias, seria um nunca acabar? E ver a que parecia a mais distinta de todas pegar pela mão o cavaleiro audacioso que se atirou no lago fervente e levá-lo, sem lhe dizer uma palavra, para dentro da fortaleza suntuosa ou castelo, e fazê-lo se despir até ficar como sua mãe o pariu, e banhá-lo em águas tépidas, e depois untá-lo todo com unguentos aromáticos e lhe vestir uma camisa de seda finíssima, toda cheirosa e perfumada, e aparecer então outra donzela que lhe lança um manto cerimonial sobre os ombros, que vale uma cidade, pelo que dizem, ou mais ainda? E não é magnífico quando nos contam que depois disso tudo o levam para outra sala, onde encontra as mesas postas com tanta elegância que fica surpreso e admirado? E que lava as mãos em essência de âmbar e flores perfumadas? E que o sentam numa cadeira de marfim? E que todas as donzelas o servem, mantendo um silêncio maravilhoso? E que trazem tantos manjares diferentes, preparados saborosamente, que seu apetite não sabe qual deve provar? E que ouve, enquanto come, uma música que não sabe de onde vem nem quem é o cantor? E que, finda a refeição e tiradas as mesas, o cavaleiro fica recostado na cadeira, talvez palitando os dentes, como é costume, quando de repente entra pela porta da sala outra donzela mais formosa que as primeiras, senta ao lado do cavaleiro e começa a lhe contar que castelo é aquele e como está encantada nele, com outras coisas que surpreendem o cavaleiro e deixam os leitores de sua história admirados?

"Não quero me alongar mais no assunto, porque do que falei pode se deduzir que qualquer parte que se leia de qualquer história de cavaleiro andante deve causar prazer e arrebatar qualquer leitor. E, como já disse a vossa mercê, acredite em mim: leia esses livros e verá como lhe afugentam a melancolia e o deixam animado, se por acaso andar indisposto.

"Agora, falando em meu caso, sei que depois que me tornei cavaleiro andante tenho sido valente, comedido, generoso, educado, magnânimo, cortês, audaz, gentil, paciente, mas passei trabalho, sofri prisões e encantamentos. Embora há pouco tenha me visto trancado numa jaula como louco, pretendo (com o valor de meu braço, e me amparando o céu e não sendo o destino contrário) em poucos dias ser rei de algum domínio, onde possa mostrar a gratidão e a generosidade que meu peito encerra. Pois lhe garanto, meu senhor, o pobre está impossibilitado de mostrar a qualquer um a virtude da generosidade, mesmo que a possua em alto grau, e a gratidão que consiste apenas de desejo é coisa morta, como é morta a fé sem ações. Por isso gostaria que o destino me oferecesse logo uma oportunidade de me tornar imperador, para mostrar meu coração fazendo o bem a meus amigos, especialmente a esse pobre Sancho Pança, meu escudeiro, que é o melhor homem do mundo, e gostaria de lhe dar um condado que lhe prometi há muitos dias, embora eu tema que não deve ter habilidade para governar seu Estado."

Sancho ouviu quase que apenas estas últimas palavras de seu amo, a quem disse:

— Trabalhe, senhor dom Quixote, para me dar esse condado tão prometido por vossa mercê como esperado por mim, que eu lhe garanto que não me faltará habilidade para governá-lo; e, se me faltar... ouvi dizer que há homens que arrendam os Estados dos senhores, pagam um tanto por ano e cuidam do governo, enquanto o senhor fica de papo para o ar, gozando da renda que recebe, sem se preocupar com coisa alguma. Assim farei eu, não regatearei nada, largarei tudo de mão e desfrutarei de minha renda como um duque, e eles lá que se arranjem.

— Isso sobre a renda pode ser, irmão Sancho — disse o cônego —, mas o senhor de Estado deve cuidar da administração da justiça, e aqui entram a habilidade e o bom senso, e principalmente a vontade de acertar, porque, se ela falta no princípio, sempre estarão errados o meio e o fim. E dessa forma Deus costuma ajudar as boas intenções do simplório e desfavorecer as más do arguto.

— Nada sei dessas filosofias — respondeu Sancho —, mas sei que saberia governar esse condado tão logo botasse as mãos nele, pois tenho tanta alma como qualquer um e tanto corpo como os maiores, e eu seria tão rei de meu Estado como cada um é do seu: sendo rei, faria o que bem entendesse; fazendo o que bem entendesse, faria minha vontade; fazendo minha vontade, ficaria alegre; e quando a gente está alegre, não tem mais o que desejar; não tendo mais o que desejar, pronto, acabou-se, e que venha o Estado, e que Deus me ajude, e até a vista, como disse um cego ao outro.

— Não são más filosofias essas, como dizes, Sancho, mas mesmo assim há muito que dizer sobre esse assunto de condados.

Então dom Quixote interveio:

— Não sei mais o que há para dizer: eu me guio apenas pelo exemplo que me dá o grande Amadis de Gaula, que fez seu escudeiro conde da Ilha Firme. Assim, sem pesos na consciência posso fazer Sancho Pança conde, pois é um dos melhores escudeiros que um cavaleiro andante jamais teve.

O cônego se admirou com os afinados disparates que dom Quixote havia dito, com o modo como pintara a aventura do Cavaleiro do Lago, com a impressão que haviam causado nele as mentiras premeditadas dos livros que tinha lido e, por fim, com a espantosa tolice de Sancho, que com tanta ânsia desejava ganhar o condado que seu amo havia prometido.

Nesse momento, voltavam os criados do cônego que tinham ido à estalagem buscar a mula das provisões; e, improvisando uma mesa com um tapete e a grama verde do campo, sentaram à sombra de umas árvores e comeram, para que o carreteiro não perdesse as vantagens daquele lugar, como foi dito. Então ouviram de repente um estrondo tremendo e as badaladas de cincerro no meio de umas sarças e do mato fechado que havia ali perto, e no mesmo instante viram sair daquele matagal uma bela cabra, a pele toda malhada de preto, branco e pardo. Atrás dela vinha o pastor aos gritos e dizendo as palavras costumeiras para que ela parasse ou voltasse ao rebanho. A cabra fugitiva, medrosa e descontrolada correu para as pessoas, como em busca de proteção, e ali se deteve. O pastor chegou e, agarrando-a pelos chifres, como se fosse capaz de discernimento e expressão, disse:

— Ah, sua fujona, fujona, Malhada, Malhada, como andas arisca esses dias! Os lobos te assustaram, filhinha? Foi ou não foi, minha linda? Não, não foi nada disso: és fêmea e não podes ficar sossegada! Que condição miserável a tua e a de todas essas que imitas! Volta, volta, minha amiga: se não ficares alegre, pelo menos ficarás segura no curral ou com tuas companheiras. Pois se tu, que é a guia e deve encaminhá-las, anda tão sem rumo e desencaminhada, onde elas irão parar?

As palavras do pastor divertiram a todos, especialmente ao cônego, que disse a ele:

— Por favor, meu irmão, acalmai-vos um pouco, não tenhais pressa de levar a cabra de volta ao rebanho, pois se ela é fêmea, como dizeis, deve seguir seu instinto natural, por mais que teimeis em atrapalhá-lo. Comei um pouco e tomai um trago, para assentar a raiva, e enquanto isso a cabra descansará.

Disse isso dando o lombo de um coelho frio na ponta da faca. O pastor pegou-o e agradeceu; depois bebeu, acalmou-se e disse:

— Não gostaria que vossas mercês me tomassem por tolo, por ter falado sério assim com esse bicho, pois na verdade minhas palavras não carecem de mistério. Sou ignorante, mas não tanto que não saiba como deve se tratar aos homens e aos animais.

— Acredito piamente — disse o padre —, pois sei por experiência que as montanhas criam letrados e as cabanas dos pastores abrigam filósofos.

— Pelo menos, senhor, acolhem homens escaldados — replicou o pastor. — Para que possais comprovar a verdade disso, como se a tivésseis embaixo do nariz, embora pareça que me apresento sem ser convidado, vos contarei uma história que também confirma o que esse senhor disse — apontou para o padre —, se não vos aborrecer e quiserdes me prestar ouvidos por alguns instantes.

Então dom Quixote respondeu:

— Como sinto nesse caso uma sombra de aventura de cavalaria, eu, de minha parte, vos ouvirei de boa vontade, irmão, e penso que o mesmo farão todos esses senhores, porque são muito inteligentes e amigos de novidades curiosas que surpreendam, alegrem e distraiam os sentidos, como sem dúvida deve ser vossa história. Começai, então, meu amigo, que todos escutaremos.

— Eu passo — disse Sancho. — Prefiro ir até aquele regato com esta empada, onde penso me fartar por três dias, pois ouvi meu senhor dom Quixote dizer que o escudeiro de cavaleiro andante deve comer quando tem chance, até não poder mais, porque às vezes se metem numa selva tão fechada que não conseguem sair dela em seis dias, e se o homem não vai de barriga cheia, ou com os alforjes bem abastecidos, poderá ficar ali, como muitas vezes fica, magro como carne de múmia.

— Tens toda razão, Sancho — disse dom Quixote. — Vai aonde quiseres e come o que puderes, que eu já estou satisfeito. Só me falta alimentar a alma, o que farei agora ouvindo a história desse bom homem.

— É o que todos faremos com as nossas — disse o cônego.

E depois pediu ao pastor que começasse o que prometera. O pastor deu duas palmadas sobre o lombo da cabra, que segurava pelos chifres, dizendo-lhe:

— Deita ao meu lado, Malhada, pois temos tempo para voltar ao nosso curral.

Parece que a cabra entendeu, pois, quando seu dono se sentou, ela se deitou perto dele muito calmamente e, olhando-o no rosto, dava a impressão de estar atenta ao que o pastor ia contando. Ele começou sua história desta maneira:

LI

QUE TRATA DO QUE O PASTOR
CONTOU A TODOS OS QUE LEVAVAM
O VALENTE DOM QUIXOTE

— A três léguas deste vale fica uma aldeia que, embora pequena, é das mais ricas destas bandas, onde havia um camponês muito estimado, mas o era mais pela virtude que tinha que pela riqueza que possuía, embora ser rico e ser estimado sejam coisas que andam juntas. Agora, o que o fazia mais feliz, segundo ele dizia, era ter uma filha de enorme formosura, rara inteligência, graça e virtude, tanto que os que a conheciam e a olhavam se surpreendiam com as extraordinárias qualidades com que o céu e a natureza a dotaram. Foi formosa desde menina, e sua beleza foi aumentando sempre, e quando fez dezesseis anos estava lindíssima. A fama de sua beleza começou a se espalhar por todas as aldeias vizinhas. Que digo eu?! Não só pelas aldeias vizinhas, chegou às mais distantes cidades e até entrou pelos salões dos reis e pelos ouvidos de todo tipo de gente, que vinha vê-la de tudo quanto era canto, como uma coisa rara ou como uma imagem milagrosa. Seu pai a guardava e ela mesma se guardava, pois não há cadeados, guardas nem fechaduras que protejam melhor uma donzela que as do próprio recato.

"A riqueza do pai e a formosura da filha levaram muitos homens, tanto da aldeia como forasteiros, a pedi-la em casamento; mas ele, que dispunha de tão rica joia, andava confuso, sem conseguir se decidir a quem dos inumeráveis pretendentes que o importunavam a entregaria.

Eu fui um, entre os muitos que tiveram essas boas intenções, mas me deram muitas e grandes esperanças de êxito saber que o pai me conhecia, ser natural do mesmo povoado, ter sangue cristão, estar na flor da idade, ser rico de posses e não menos destituído de inteligência. Outro homem do mesmo povoado, com essas mesmas qualidades, também pediu a mão dela, o que surpreendeu o pai e o fez vacilar: ele achava que com qualquer um de nós sua filha estaria bem arranjada; e, para sair da confusão, resolveu falar com Leandra (que assim se chama a rica dama que me levou à miséria), compreendendo ser melhor, como nós dois éramos iguais, deixar a escolha à vontade de sua querida filha, coisas digna de ser imitada por todos os pais que querem casar seus filhos: não digo que os deixem escolher entre coisas ruins e más, mas que lhes proponham coisas boas para que, entre elas, escolham a seu gosto. Não sei qual foi a escolha de Leandra, só sei que o pai desconversou a ambos com a pouca idade de sua filha e um palavrório que nem o obrigava nem nos desobrigava tampouco. Meu rival se chama Anselmo, e eu Eugênio, para que saibais os nomes das pessoas que fazem parte dessa tragédia, cujo fim ainda está pendente, mas pelo que se percebe vai ser desastrado.

"Por esse tempo apareceu em nossa aldeia um tal Vicente de la Roca, filho de um camponês pobre dali mesmo, que vinha das Itálias e de diversos outros lugares onde serviu como soldado. Levou-o de nossa terra, quando tinha uns doze anos, um capitão que por acaso passou com sua companhia. Doze anos depois, o rapaz voltou vestido à moda militar, roupas de mil cores,[1] cheio de mil penduricalhos de vidro e correntinhas de aço. Hoje punha um enfeite, amanhã outro, mas todos ínfimos, falsos, de pouco peso e valor. As pessoas do campo, que são maliciosas por natureza e que são a própria malícia se tiverem tempo de sobra, repararam nele e contaram, uma por uma, suas roupas e berloques, e concluíram que as roupas eram três, de cores diferentes, com suas ligas e meias, mas ele fazia tantos arranjos e invenções com elas, que se não tivessem sido contadas alguém juraria que ele havia exibido mais de dez pares de roupas e mais de vinte penachos. E não pareça impertinência e exagero isso que estou contando das roupas, porque elas têm um papel importante nesta história.

"Sentava-se num banco de pedra embaixo de um grande álamo que está em nossa praça e ali nos deixava a todos de boca aberta, pendente das façanhas que nos ia contando. Não havia lugar em todo o mundo que não tivesse visto, nem batalha em que não houvesse participado; matara mais mouros do que há no Marrocos e em Túnis, e entrara em mais duelos, conforme contava, que Gante e Luna, Diego García de Paredes e outros mil que citava, e de todos havia saído vitorioso, sem que lhe derramassem uma só gota de sangue. Por outro lado, mostrava cicatrizes de ferimentos que, embora não se visse direito, insinuava que eram de tiros de arcabuz que levara em diferentes combates e entreveros. Por fim, com uma incrível arrogância chamava de vós a seus iguais e aos próprios conhecidos,[2] e dizia que seu pai era seu braço; sua linhagem, suas ações; e que não devia nada nem ao rei, por ser soldado. Além dessas fanfarronices, era metido a músico e a se acompanhar com um violão, de modo que alguns diziam que o fazia falar; mas seus talentos não paravam por aqui, pois também era poeta, e assim, de cada ninharia que acontecia na vila, compunha uma balada de légua e meia de escrita.

"Esse soldado que descrevi, esse Vicente de la Roca, esse bravo, esse galã, esse músico, esse poeta, foi muitas vezes visto e observado por Leandra da janela de sua casa que dava para a praça. Ela se apaixonou pelo ouropel de suas roupas vistosas; ela se encantou com suas baladas, que de cada uma que compunha fazia vinte cópias para distribuir; e chegaram a seus ouvidos as façanhas que ele contara sobre si mesmo: então, pois assim o diabo devia ter planejado, ela acabou se apaixonando por ele, antes que nascesse nele a pretensão de cortejá-la. E, como nos casos de amor não há nenhum que se realize mais facilmente que aquele em que faça parte o desejo da dama, Leandra e Vicente se acertaram com rapidez, tanto que, antes que alguns de seus muitos pretendentes se dessem conta de seu desejo, ela já o tinha realizado: foi embora da casa de seu querido e amado pai, pois mãe não tem, e fugiu da aldeia com o soldado, que saiu mais triunfante dessa façanha que de todas as outras que se atribuía.

"O acontecimento surpreendeu toda a aldeia e todos os que tiveram notícia dele. Eu fiquei surpreso, Anselmo perplexo, o pai triste, seus parentes humilhados, a justiça comunicada, os quadrilheiros alertas: patrulharam as estradas, esquadrinharam as matas e tudo mais, e ao fim de três dias acharam a caprichosa Leandra numa caverna de uma montanha, só de camisa, sem o bom dinheiro e as joias preciosas que levara. Devolveram-na à presença do pai mortificado e lhe perguntaram sobre sua desgraça: confessou sem constrangimento que Vicente de la Roca a tinha enganado, que a convencera a ir embora da casa de seu pai prometendo se casar com ela e levá-la à mais rica e luxuosa cidade que havia em todo o mundo conhecido, que era Nápoles. E ela, mal prevenida e bem enganada, disse que havia acreditado nele e, roubando seu pai, entregara tudo na mesma noite da fuga, e que ele a levara a uma montanha escarpada, trancando-a naquela caverna onde a encontraram. Contou também como o soldado roubara tudo o que tinha, exceto a honra dela, e a tinha deixado na caverna e sumido, coisa que de novo pasmou a todos. Foi duro para nós acreditar na castidade do rapaz, mas ela insistiu tantas vezes nisso que foi suficiente para que o pai desconsolado se consolasse, sem se importar com as riquezas roubadas, pois haviam deixado sua filha com a joia que jamais se tem esperança de recuperar, se for perdida.

"No mesmo dia em que Leandra apareceu, o pai a desapareceu de nossos olhos: levou-a para um mosteiro de uma vila aqui perto, onde a encerrou, à espera de que o tempo gastasse um pouco da má fama que sua filha granjeou. Os poucos anos de Leandra serviram de desculpa para sua culpa, pelo menos àqueles que não tinham algum interesse pessoal em que ela fosse uma boa menina ou não; mas os que conheciam sua sagacidade e inteligência não atribuíram seu pecado à ignorância, mas a seu atrevimento e à natural inclinação das mulheres, que costumam ser quase sempre irresponsáveis e sem compostura.

"Com Leandra presa, os olhos de Anselmo ficaram cegos, ou ao menos sem ter alguma coisa para olhar que os alegrasse; os meus, em trevas: nenhuma luz me guiava a nada agradável. Com a ausência de Leandra crescia nossa tristeza, minguava nossa paciência, amaldiçoávamos os trajes do soldado e detestávamos a falta de cautela do pai de Leandra. Por fim, Anselmo e eu combinamos deixar a aldeia e vir para este vale, onde (apascentando nossos grandes rebanhos, o dele de ovelhas, o meu de cabras) passamos a vida entre árvores, desafogando nossas paixões ou cantando juntos elogios ou insultos à formosa Leandra, ou suspirando sozinhos ou sozinhos nos queixando ao céu.

"Imitando-nos, muitos outros pretendentes de Leandra vieram para estas montanhas escarpadas, exercendo a mesma profissão, e são tantos, meus senhores, que este lugar parece ter se transformado na Arcádia pastoral,[3] pois transborda de pastores e currais, e não há um canto em que não se ouça o nome da formosa Leandra. Este a amaldiçoa e a chama de caprichosa, volúvel e desonesta; aquele a acusa de fácil e leviana; alguém a absolve e perdoa, ou a julga e condena; um celebra sua beleza, outro execra sua situação, enfim, todos caluniam e todos adoram Leandra, e a loucura de todos vai tão longe que há quem se queixe de desdém sem jamais ter falado com ela, e há até quem se lamente e sinta a doença raivosa dos ciúmes, que ela nunca causou a ninguém porque, como já disse, se soube de seu pecado antes de seu desejo. Não há buraco entre as pedras, nem margem de riacho, nem sombra de árvore que não esteja ocupado por algum pastor que conte sua infelicidade aos ares; o eco repete o nome de Leandra onde quer que se vá: 'Leandra' ressoam as montanhas, 'Leandra' murmuram as fontes, e Leandra nos mantém a todos aturdidos e encantados, esperando sem esperança e temendo sem saber o que tememos.

"Entre esses desatinados, o que mostra menos e ao mesmo tempo mais juízo é meu rival Anselmo, que, tendo tantas outras coisas de que se queixar, só se queixa de sua ausência; ao som de um arrabil, que toca admiravelmente, canta suas penas com versos que provam sua grande inteligência. Eu sigo outro caminho mais fácil, acho que mais acertado, que é falar mal da insensatez das mulheres, da inconstância delas, da duplicidade, das promessas mortas, das juras quebradas e, por fim, da falta de discernimento no emprego dos pensamentos e desejos que têm. Aí está o motivo, meus senhores, das palavras que eu disse a esta cabra quando cheguei aqui: como é fêmea, não tenho muito respeito por ela, embora seja a melhor de todo o meu rebanho.

"Esta é a história que prometi vos contar. Se me alonguei ao contá-la, serei rápido em vos servir: tenho uma cabana perto daqui, com leite fresco, queijos saborosos e muitas frutas maduras, não menos agradáveis à vista que ao paladar."

LII

DA BRIGA QUE DOM QUIXOTE TEVE COM O PASTOR, COM A ESTRANHA AVENTURA DOS PENITENTES, A QUE ELE DEU UM DESFECHO FELIZ À CUSTA DE SEU SUOR

A história do pastor agradou a todos os que a ouviram, especialmente o cônego, que notou com singular curiosidade a maneira com que ele a tinha contado, tão longe de parecer um pastor ignorante quanto perto de se mostrar um cortesão esclarecido, e por isso disse que o padre havia falado muito bem ao dizer que as montanhas criavam letrados. Todos ofereceram seus serviços a Eugênio, mas quem se mostrou mais generoso foi dom Quixote, que lhe disse:

— Com certeza, meu caro pastor, se não me achasse impossibilitado de começar uma nova aventura, agora mesmo eu me poria a caminho para que a vossa acabasse bem: eu tiraria Leandra do mosteiro (onde sem dúvida deve estar contra a vontade), apesar da abadessa e de quantos quisessem impedi-lo, e a poria em vossas mãos, para que fizésseis dela o que bem entendêsseis, observando, porém, as leis da cavalaria, que ordenam que não se cause nenhum mal a donzela alguma. Mas espero, com a graça de Deus Nosso Senhor, que a força de um mago capcioso não possa chegar a tanto que vença a de outro mais bem-intencionado, e aí, em melhor situação, vos prometo meu socorro e amparo, como me obriga minha profissão, que não é outra que defender os desvalidos e necessitados.

O pastor olhou para dom Quixote e, vendo a triste e carrancuda figura, se surpreendeu e perguntou ao barbeiro, que estava perto dele:

— Quem é este homem, senhor, com esse jeito todo e esse modo de falar?

— Ora, quem poderia ser além do famoso dom Quixote de la Mancha — respondeu o barbeiro —, o reparador de agravos, o consertador de ofensas, o protetor das donzelas, o terror dos gigantes e o vencedor das batalhas?

— Isso — respondeu o pastor — me parece aquelas coisas que se lê nos livros de cavaleiros andantes, que faziam tudo isso que vossa mercê diz desse homem, mas em minha opinião vossa mercê está brincando ou este gentil-homem tem vazios os aposentos da cabeça.

— Patife miserável! — disse dom Quixote nessas alturas. — Vazio e covarde sois vós, pois eu estou mais cheio do que jamais esteve a puta de merda que vos pariu.

E dito e feito: agarrou um pão que estava perto e deu com ele na cara do pastor, com tanta fúria que lhe achatou o nariz; mas o pastor, que não estava para brincadeiras, vendo com que seriedade era surrado, sem respeito pelo tapete, nem pela toalha, nem por todos aqueles que estavam comendo, saltou sobre dom Quixote e, agarrando-lhe o pescoço com ambas as mãos, não teria hesitado em esganá-lo, se Sancho Pança não chegasse naquele instante e o pegasse pelas costas e o derrubasse sobre a mesa, quebrando pratos, despedaçando xícaras e derramando e espalhando tudo o que havia nela. Mal se viu livre, dom Quixote tratou de montar no pastor, que, cheio de sangue no rosto, moído a pontapés por Sancho, andava de gatinhas em busca de uma faca na mesa para uma boa e sangrenta vingança, mas foi impedido pelo cônego e pelo padre. No entanto, o barbeiro deu um jeito para que o pastor prendesse dom Quixote embaixo de si e lhe aplicasse uma profusão de murros, que do rosto do pobre cavaleiro chovia tanto sangue como de seu adversário.

O cônego e o padre arrebentavam de tanto rir, os quadrilheiros pulavam de prazer e uns atiçavam os outros, como se faz com os cachorros metidos numa briga.

Apenas Sancho Pança se desesperava, porque não conseguia se soltar de um criado do cônego, que o impedia de ajudar seu amo.

Enfim, estavam todos na maior alegria e festança, menos os dois que se esmurravam, quando ouviram uma trombeta tão triste que os fez virar o rosto para onde lhes pareceu que soava. Mas quem mais se alvoroçou ao ouvi-la foi dom Quixote, que, mesmo estando embaixo do pastor, muito a contragosto e mais que moderadamente espancado, lhe disse:

— Rogo-te, meu caro demônio (pois não podes deixar de sê-lo, já que tiveste coragem e forças para submeter as minhas), façamos uma trégua por uma hora, mais ou menos, porque acho que o som doloroso daquela trombeta me chama para uma nova aventura.

O pastor, que já estava cansado de surrar e de ser surrado, deixou-o em seguida, e dom Quixote se levantou, também virando o rosto para onde soava a trombeta, e de repente viu que desciam por uma encosta muitos homens vestidos de branco, à maneira dos penitentes.

O caso é que naquele ano as nuvens haviam negado suas águas à terra e por todas as aldeias daquela região se faziam procissões, preces e penitências, pedindo a Deus que abrisse as mãos de sua misericórdia e lhes mandasse chuva; e para isso as pessoas de uma aldeia que ficava perto dali vinham em procissão a uma ermida devota que havia numa encosta daquele vale.

Dom Quixote viu os trajes estranhos dos penitentes, sem que lhe passasse pela cabeça as muitas vezes que devia tê-los visto, e imaginou que estava no meio de uma aventura e que apenas a ele cabia acometê-la, como cavaleiro andante, e mais lhe confirmou essa crença pensar que uma imagem que traziam coberta de luto fosse alguma distinta senhora que aqueles bandidos grosseiros e covardes levavam à força. Então, mal essa ideia lhe caiu na mente, com grande rapidez correu para Rocinante, que andava pastando, pegou no arção o freio e a adarga, num instante enfreou o cavalo e, pedindo a Sancho a espada, montou em Rocinante, enfiou o braço na adarga e disse em voz alta a todos os presentes:

— Agora, valorosa companhia, vereis a importância de que existam cavaleiros que professam a ordem da cavalaria andante; agora vereis, na liberdade daquela boa senhora que ali vai cativa, se não se deve apreciar os cavaleiros andantes.

E, dizendo isso, cutucou Rocinante com os calcanhares, porque estava sem as esporas, e a trote — pois jamais se menciona nesta história verídica que Rocinante galopasse à rédea solta — foi ao encontro dos penitentes. O padre, o cônego e o barbeiro correram para detê-lo, mas foi impossível, e menos ainda o detiveram os gritos de Sancho, que dizia:

— Aonde vai, senhor dom Quixote? Que demônios leva no peito que o incitam a ir contra nossa fé católica? Ai de mim, não vê que é uma procissão de penitentes e que aquela senhora no andor é a imagem bendita da Virgem Imaculada?! Olhe bem o que faz, senhor, porque desta vez tenho certeza de que não é o que o senhor está pensando.

Sancho se cansou em vão, porque dom Quixote ia tão determinado em alcançar os encapuzados e libertar a senhora enlutada que não ouviu uma palavra, mas, mesmo que ouvisse, não voltaria nem que o rei lhe ordenasse. Alcançou, portanto, a procissão e parou Rocinante, que já tinha vontade de descansar um pouco, e disse com voz rouca e embargada:

— Vós, que talvez escondeis os rostos por não serdes bons, prestai atenção ao que quero vos dizer.

Os primeiros que se detiveram foram os que carregavam a imagem; e um dos quatro clérigos que cantavam as ladainhas, vendo a figura estranha de dom Quixote, a magreza de Rocinante e outros detalhes risíveis que percebeu no cavaleiro, lhe respondeu, dizendo:

— Caro senhor, se tem algo a nos dizer, fale logo, porque estes irmãos penitentes vão flagelando o corpo, e não podemos nem devemos parar para ouvir coisa alguma, se não for em duas palavras.

— Direi em uma — replicou dom Quixote —, e é esta: deixeis livre agora mesmo essa formosa senhora, cujas lágrimas e semblante triste são sinais claros de que a levais contra a vontade e que alguma notória ofensa fizestes a ela; e eu, que vim ao mundo para desfazer semelhantes agravos, não consinto que deis um só passo adiante sem lhe dar a desejada liberdade que merece.

Com essas palavras, todos se deram conta de que o homem devia ser louco e caíram na risada, o que foi botar pólvora na cólera de dom Quixote: sem dizer mais nada, sacando a espada, atacou o andor. Um dos que o carregavam, deixando a carga para os companheiros, investiu contra dom Quixote, brandindo uma forquilha ou cajado com que sustentava o andor quando descansava, mas ela se partiu ao meio ao aparar uma grande espadada desferida por dom Quixote; então, com o pedaço que lhe restou na mão, acertou um belo golpe por cima do ombro do cavaleiro, do mesmo lado da espada — como a adarga nada pôde contra a força camponesa, o pobre dom Quixote se esborrachou no chão.

Sancho Pança, que ia ofegante em seu encalço, ao vê-lo caído, gritou para seu adversário que não lhe desse outra paulada, porque era um pobre cavaleiro encantado, que nunca havia feito mal a ninguém em todos os dias de sua vida. Agora, o que deteve o camponês não foram os gritos de Sancho, mas ver que dom Quixote não mexia nem pé nem mão; assim, pensando que o tinha matado, com rapidez levantou a túnica até a cintura e desatou a correr campo afora como um gamo.

Nisso se aproximaram os companheiros de dom Quixote; mas os da procissão, que os viram chegar correndo, e com eles os quadrilheiros com suas balestras, temeram algum desastre e se amontoaram em torno da imagem. Os penitentes tiraram os capuzes e empunharam os açoites, os clérigos os ciriais, decididos a se defender do ataque e até a contra-atacar os adversários se pudessem. Mas a coisa correu melhor que o esperado, pois Sancho não fez nada além de se atirar sobre o corpo de seu senhor, entregue ao mais doloroso e risível pranto do mundo, achando que estava morto.

O padre foi reconhecido por outro padre que vinha na procissão, o que acalmou o medo criado entre os dois grupos. O primeiro padre explicou ao segundo, em duas palavras, quem era dom Quixote, e assim ele e toda a turba de penitentes foram ver se o pobre cavaleiro estava morto e ouviram que Sancho Pança dizia em lágrimas:

— Oh, flor da cavalaria, que com uma só bordoada acabaste a carreira de teus anos tão bem vividos! Oh, honra de tua linhagem, orgulho e glória de toda a Mancha, ou do resto do mundo até, que com tua ausência ficará cheio de facínoras sem medo de ser castigados por suas malfeitorias! Oh, tu, mais generoso que todos os Alexandres, pois em apenas oito meses de serviços havias me dado a melhor ilha que o mar abraça e rodeia! Oh, humilde com os arrogantes e arrogante com os humildes, que enfrentas perigos e sofres humilhações! Oh, apaixonado sem causa, imitador dos bons, açoite dos maus, inimigo dos perversos, enfim, cavaleiro andante, que é tudo o que se pode dizer!

Com os gritos e gemidos de Sancho, dom Quixote ressuscitou e a primeira palavra que disse foi:

— Este que vive distante de vós, oh, dulcíssima Dulcineia, a maiores misérias que essas está sujeito. Ajuda-me, Sancho, meu amigo: leva-me para a carreta encantada, que não estou em condições de sobrecarregar a sela de Rocinante, pois tenho todo este ombro em pedaços.

— Farei isso de boa vontade, meu senhor — respondeu Sancho —, e voltemos a minha aldeia na companhia desses senhores que desejam seu bem, e lá daremos um jeito de sair de novo em busca de aventuras que nos deem mais fama e lucro.

— Tens toda razão, Sancho — respondeu dom Quixote —, e será mais prudente deixar passar a influência maligna das estrelas que nos atinge agora.

O cônego, o padre e o barbeiro disseram que seria muito bom que agisse assim; e então, depois de se divertirem a valer com as tolices de Sancho, meteram dom Quixote de volta na carreta, como antes. A procissão se organizou de novo e prosseguiu seu caminho; o pastor se despediu de todos; os quadrilheiros não quiseram continuar, e o padre pagou o que lhes devia; o cônego pediu ao padre que lhe avisasse sobre dom Quixote, se sua loucura sarava ou se persistia, e com isso pediu licença para continuar sua viagem. Enfim, todos se separaram e se foram, ficando apenas o padre e o barbeiro, dom Quixote e Sancho Pança, e o bom Rocinante, que apesar de tudo o que tinha visto estava tão calmo como seu dono.

O carreteiro atrelou os bois, acomodou dom Quixote sobre um feixe de feno e, com sua costumeira pachorra, seguiu o caminho que o padre indicou. Seis dias depois chegaram à aldeia de dom Quixote, ao meio-dia; por acaso era domingo, e o povo todo estava na praça, por onde atravessou a carreta de dom Quixote. Todos se aproximaram para ver quem vinha nela e, quando reconheceram seu conterrâneo, ficaram abismados, e um rapaz saiu correndo para avisar a sobrinha e a criada que seu tio e seu amo chegava magro, amarelo e estendido sobre um montão de feno num carro de bois. Coisa de dar pena foi ouvir os gritos das duas boas senhoras, as bofetadas que se deram, as pragas que rogaram aos malditos livros de cavalaria, coisa que recomeçou quando viram dom Quixote entrar por suas portas.

Com as notícias da chegada de dom Quixote, apareceu a mulher de Sancho Pança, que sabia que ele tinha ido como escudeiro. A primeira coisa que perguntou, mal viu Sancho, foi se o burro estava bem. Sancho respondeu que estava melhor que seu amo.

— Louvado seja Deus pelas graças que tem me concedido — replicou ela. — Mas agora me contai, meu caro, o que lucrastes com vossas escuderias? Que vestido me trazeis? E que sapatinhos para vossos filhos?

— Não trago nada disso, mulher — disse Sancho —, mas trago outras coisas de mais importância e consideração.

— É um prazer ouvir isso — respondeu a mulher. — Mostrai-me essas coisas de mais importância e consideração, meu caro, que as quero ver, para alegrar este coração, que tão triste e descontente esteve durante os séculos de vossa ausência.

— Vou mostrá-las em casa, mulher — disse Pança. — Ficai contente por ora, pois, se Deus quiser, sairemos outra vez de viagem em busca de aventuras, e logo me vereis conde, ou governador de uma ilha, mas não uma dessas que andam por aí e sim a melhor que se possa encontrar.

— Queira o céu que assim seja, meu marido, pois bem que andamos necessitados. Mas dizei-me que negócio é esse de ilhas, que não entendi direito.

— O mel não foi feito para a boca do burro — respondeu Sancho. — Verás, mulher, quando chegar a hora, e até ficarás admirada ao ser chamada de senhoria por todos os teus vassalos.

— Que é isso de senhorias, ilhas e vassalos, Sancho? — respondeu Joana Pança, que assim se chamava a mulher de Sancho, embora não fossem parentes, mas porque na Mancha é costume as mulheres usarem o sobrenome de seus maridos.

— Não te afobes, Joana, em saber tudo no atropelo: basta saberes que falo a verdade, e cala a boca. Assim, de passagem, só posso dizer que não há nada melhor no mundo que ser um homem honrado e escudeiro de um cavaleiro andante que busca aventuras. É bem verdade que a maioria das com que se topa não acontece do modo que o homem esperava, porque, de cem que se vive, noventa e nove saem pela culatra. Eu sei por experiência, pois de umas saí manteado e de outras, moído; mas, apesar de tudo, é coisa linda esperar as aventuras atravessando montanhas, explorando florestas, escalando rochedos, visitando castelos e se hospedando nas estalagens à vontade, sem pagar um puto tostão.

Toda essa conversa entre Sancho Pança e Joana Pança, sua mulher, aconteceu enquanto a empregada e a sobrinha de dom Quixote o receberam, despiram-no e o deitaram em sua cama antiga. Ele as olhava com olhos atravessados e não conseguia saber em que lugar estava. O padre recomendou à sobrinha que tratasse muito bem do tio e que ficasse alerta para que ele não escapasse outra vez, contando-lhe o que fora necessário para trazê-lo para casa. Aqui de novo as duas clamaram ao céu, rogaram outras pragas contra os livros de cavalaria e imploraram a Deus que lançasse nos quintos dos infernos os autores de tantas mentiras e disparates. No fim, elas ficaram confusas e amedrontadas ao perceber que poderiam se ver sem seu amo e tio no instante em que ele tivesse alguma melhora, e foi exatamente isso o que aconteceu.

Mas o autor desta história, embora tenha procurado com curiosidade e empenho as façanhas de dom Quixote em sua terceira saída, não encontrou notícias delas, pelo menos em escritos autenticados: apenas a tradição guardou, nas memórias da Mancha, que na terceira vez que dom Quixote saiu de sua casa, foi a Zaragoza, onde foi parar numas famosas justas que se realizaram naquela cidade, e ali lhe aconteceram coisas dignas de sua bravura e inteligência. Nem de seu fim poderia saber coisa alguma, se a boa sorte não lhe deparasse um velho médico que tinha em seu poder uma caixa de chumbo que, segundo ele disse, fora achada nos alicerces de uma antiga ermida em reformas. Havia nessa caixa uns pergaminhos escritos com letras góticas, mas em versos castelhanos, que continham muitas de suas façanhas e davam notícia da formosura de Dulcineia del Toboso, da figura de Rocinante, da fidelidade de Sancho Pança e da sepultura do próprio dom Quixote, com diferentes epitáfios e elogios a sua vida e costumes.

E os que puderam ser lidos e tirados a limpo são os que o fidedigno autor desta original e jamais vista história transcreve aqui. Ele só pede aos leitores, em prêmio pelo imenso trabalho que lhe custou remexer e inquirir todos os arquivos da Mancha para trazê-los à luz, que lhe deem o mesmo crédito que as pessoas inteligentes costumam dar aos livros de cavalaria, que tão festejados andam no mundo, que com isso se dará por bem pago e satisfeito, e se animará a procurar e publicar outras histórias, talvez não tão verdadeiras, mas pelo menos tão engenhosas e divertidas.

As primeiras palavras que estavam escritas no pergaminho que se achou na caixa de chumbo eram estas:

OS ACADÊMICOS DA ARGAMASILLA, ALDEIA
DA MANCHA, SOBRE A VIDA E A MORTE
DE DOM QUIXOTE DE LA MANCHA, *HOC SCRIPSERUNT*[1]

O MONICONGO,[2] ACADÊMICO DE ARGAMASILLA,
À SEPULTURA DE DOM QUIXOTE

EPITÁFIO

O cabeça oca que adornou a Mancha
com mais despojos que Jasão tirou de Creta;
o juízo que teve a biruta
aguda onde seria melhor rombuda;

o braço que sua força tanto abarca,
que chegou de Catai até Gaeta;

a musa mais horrenda e mais esperta
que gravou versos em brônzea prancha;

aquele que deixou os Amadises para trás
e fez pouco dos Galaores,
estribado em seu amor e fidalguia;

aquele que fez calar os Belianises,
aquele que em Rocinante andou vagando,
jaz debaixo desta lousa fria.*

> DO APANIGUADO, ACADÊMICO
> DE ARGAMASILLA, IN LAUDEM
> DULCINEAE DEL TOBOSO[3]

SONETO

Esta que vedes de rosto encaroçado,
peitos a pino e porte altivo,
é Dulcineia, rainha de El Toboso,
por quem o grande Quixote foi apaixonado.

Por ela pisou um e outro lado
da grande Serra Negra e o famoso
campo de Montiel, até a gramada
planície de Aranjuez, a pé e cansado

---

* El calvatrueno que adornó a la Mancha/ de más despojos que Jasón de Creta;/ el jüicio que tuvo la veleta/ aguda donde fuera mejor ancha;// el brazo que su fuerza tanto ensancha,/ que llegó del Catay hasta Gaeta;/ la musa más horrenda y más discreta/ que grabó versos en broncínea plancha;// el que a cola dejó los Amadises/ y en muy poquito a Galaores tuvo;/ estribando en su amor y bizarría;// el que hizo callar los Belianises,/ aquel que en Rocinante errando anduvo,/ yace debajo de esta losa fría.

(por culpa de Rocinante). Oh, dura estrela!,
desta dama manchega e deste invicto
cavaleiro andante. Em verdes anos,

morrendo, ela deixou de ser bela,
e ele, embora permaneça escrito em mármores,
não escapou ao amor, iras e enganos.*

DO CAPRICHOSO, ARGUTÍSSIMO
ACADÊMICO DE ARGAMASILLA,
EM LOUVOR A ROCINANTE, CAVALO
DE DOM QUIXOTE DE LA MANCHA

SONETO

No soberbo trono diamantino
que com pés sangrentos pisa Marte,
frenético o Manchego seu estandarte
hasteia com brio peregrino,

descansa a armadura e o aço fino
com que destroça, assola, racha e parte...
Novas proezas!, mas inventa a arte
um novo estilo para o novo paladino.

---

* Esta que veis de rostro amondongado,/ alta de pechos y ademán brioso,/ es Dulcinea, reina del Toboso,/ de quien fue el gran Quijote aficionado.// Pisó por ella el uno y otro lado/ de la gran Sierra Negra y el famoso/ campo de Montïel, hasta el herboso/ llano de Aranjüez, a pie y cansado// (culpa de Rocinante). ¡Oh dura estrella!,/ que esta manchega dama y este invito/ andante caballero, en tiernos años,// ella dejó, muriendo, de ser bella,/ y él, aunque queda en mármores escrito,/ no pudo huir de amor, iras y engaños.

E se Gaula se orgulha de seu Amadis,
se a Grécia, com seus bravos descendentes,
triunfou mil vezes e a fama alcança,

hoje Quixote é coroado na corte
onde Belona preside, e dele se orgulha,
mais que a Grécia ou Gaula, a nobre Mancha.

O esquecimento nunca suas glórias mancha,
pois até Rocinante, em ser galhardo,
excede a Brilhadouro e a Baiardo.*

DO VELHACO, ACADÊMICO DE ARGAMASILLA, A SANCHO PANÇA

SONETO

Este é Sancho Pança: em corpo nanico,
mas grande em coragem (milagre estranho!),
o escudeiro mais simples e sem engano
que o mundo teve, vos juro e certifico.

---

* En el soberbio trono diamantino/ que con sangrientas plantas huella Marte,/ frenético el Manchego su estandarte/ tremola con esfuerzo peregrino,// cuelga las armas y el acero fino/ con que destroza, asuela, raja y parte.../ ¡Nuevas proezas!, pero inventa el arte/ un nuevo estilo al nuevo paladino.// Y si de su Amadís se precia Gaula,/ por cuyos bravos descendientes Grecia/ triunfó mil veces y su fama ensancha,// hoy a Quijote le corona el aula/ do Belona preside, y de él se precia,/ más que Grecia ni Gaula, la alta Mancha.// Nunca sus glorias el olvido mancha,/ pues hasta Rocinante, en ser gallardo,/ excede a Brilladoro y a Bayardo.

Para ser conde faltou um tantico,
se não conspirassem em seu prejuízo
insolências e agravos do malvado
século, pois ainda não perdoam um burrico.

Sobre ele andou (com perdão se mente)
este manso escudeiro, atrás do manso
cavalo Rocinante e atrás de seu dono.

Oh, vãs esperanças tem a gente,
como pensais prometer descanso
se no fim vos tornais sombra, fumaça, um sonho?!*

DO CAPETA, ACADÊMICO DE ARGAMASILLA, NA SEPULTURA DE DOM QUIXOTE

EPITÁFIO

Aqui jaz o cavaleiro
bem moído e mal-andante
a quem levou Rocinante
por um ou outro sendeiro.

Sancho Pança, o grosseiro,
também jaz perto dele,

---

* *Sancho Panza es aquéste, en cuerpo chico,/ pero grande en valor, ¡milagro extraño!,/ escudero el más simple y sin engaño/ que tuvo el mundo, os juro y certifico.// De ser conde no estuvo en un tantico,/ si no se conjuraran en su daño/ insolencias y agravios del tacaño/ siglo, que aun no perdonan a un borrico.// Sobre él anduvo (con perdón se miente)/ este manso escudero, tras el manso/ caballo Rocinante y tras su dueño.// ¡Oh vanas esperanzas de la gente,/ cómo pasáis con prometer descanso/ y al fin paráis en sombra, en humo, en sueño!*

*escudeiro o mais fiel
que viu o ofício de escudeiro.**

DO TIQUE-TAQUE, ACADÊMICO DE ARGAMASILLA,
NA SEPULTURA DE DULCINEIA DEL TOBOSO

EPITÁFIO

*Aqui repousa Dulcineia,
e, embora de corpo roliça,
tornou-a pó e cinza
a morte espantosa e feia.*

*Foi castiça plebeia,
e teve assomos de dama;
do grande Quixote foi chama
e foi glória de sua aldeia.***

Estes foram os versos que puderam ser lidos; os demais, como estavam muito danificados, foram entregues a um acadêmico para que os decifrasse por deduções. Há notícias de que o fez, à custa de muitas vigílias e muito trabalho, e que tem intenção de publicá-los, com a promessa da terceira saída de dom Quixote.

Forse altro canterà con miglior plectro.[4]

---

* *Aquí yace el caballero/ bien molido y malandante/ a quien llevó Rocinante/ por uno y otro sendero.// Sancho Panza el majadero/ yace también junto a él,/ escudero el más fiel/ que vio el trato de escudero.*
** *Reposa aquí Dulcinea,/ y, aunque de carnes rolliza,/ la volvió en polvo y ceniza/ la muerte espantable y fea.// Fue de castiza ralea/ y tuvo asomos de dama;/ del gran Quijote fue llama/ y fue gloria de su aldea.*

FINIS

Notas

PRIMEIRA PARTE

PRÓLOGO [PP. 41-8]

1   Cervantes esteve preso duas vezes em Sevilha, em 1592 e 1597, por complicações em seu cargo de coletor de impostos.
2   Cervantes tinha 57 anos quando escreveu essas linhas e não publicava nada fazia vinte anos, desde *A Galateia* (1585).
3   "A liberdade não se compra com ouro." Esopo, *Fábulas*, III, 14.
4   "Que a pálida morte vá tanto à choça do pobre como ao palácio do rei." Horácio, *Carminum*, I, 4.
5   "E eu vos digo: amai aos vossos inimigos." Mateus, 5,44.
6   "Do coração procedem os maus pensamentos." Mateus, 15,19.
7   "Quando és feliz, tens muitos amigos. Em maus tempos, ficas só." A passagem está em Ovídio, *Tristia*, I, 9, 5-6, e não em Catão.
8   Saudação de despedida, em latim, que significa "conserva-te são".

VERSOS PRELIMINARES [PP. 49-60]

1   Maga protetora de Amadis de Gaula.
2   As décimas de *"cabo roto"* (final quebrado), isto é, em que se suprime a sílaba (ou sílabas) seguinte à última acentuada, eram próprias da poesia cômica.
3   A amada de Amadis de Gaula. O castelo de Miraflo-

res, mencionado a seguir, estava a duas léguas de Londres.
4 No original, lê-se "*poeta entreverado*", misturado, interpolado, mas como nem ele nem os versos parecem fazer parte do conjunto, pois Donoso não é personagem dos livros de cavalaria, como os restantes citados nesses versos preliminares, preferi "misturado". (N.T.)
5 *A Celestina* (1499), de Fernando de Rojas.
6 Refere-se ao episódio do primeiro tratado de *Vida de Lazarillo de Tormes y de sus fortunas y adversidades* (1554, de autor desconhecido), em que o pícaro Lázaro utiliza uma palha como canudo para beber vinho do copo de seu amo, que, por ser cego, não percebe a artimanha.
7 Protagonista de *Espejo de príncipes y caballeros* (1555), de Diego Ortúñez de Calahorra.

CAPÍTULO I [PP. 61-6]

1 Autor da *Segunda comedia de Celestina* e de vários livros de cavalaria, como *Lisuarte de Grecia*, *Amadís de Grecia*, *Florisel de Niqueia* e *Rogel de Grecia*.
2 Sigüenza e Osuna eram universidades menores, muito citadas nos clássicos espanhóis.
3 Amadis da Grécia, que tinha uma espada vermelha estampada no peito.
4 O cavalo de Gonela, bufão do duque de Ferrara, era famoso por sua fraqueza. "Era só pele e ossos", em latim, frase da comédia *Aulularia*, de Plauto.

CAPÍTULO II [PP. 67-73]

1 Armas brancas: as que não tinham nenhuma divisa ou insígnia, próprias de cavaleiro que ainda não realizou nenhuma façanha.
2 Nesta fala, como nas próximas, dom Quixote tenta imitar a linguagem medieval dos livros de cavalaria, com termos arcaicos e empolados.

3   Primeiros dois versos de um velho romance da época, cuja continuação o hospedeiro parafraseia em sua resposta.
4   Versos iniciais do romance de Lancelot, adaptado à ocasião.

CAPÍTULO III [PP. 74-80]

1   Todos bairros mal-afamados.

CAPÍTULO IV [PP. 81-8]

1   Desmentir alguém era considerado desrespeitoso a qualquer um que o presenciasse.

CAPÍTULO V [PP. 89-94]

1   Romance do marquês de Mântua, que conta a derrota em combate de Valdovinos (Baudoin), seu sobrinho, para Carloto (Charlot), filho de Carlos Magno.
2   O romance de *El abencerraje y la formosa jarifa* foi incluído em *La Diana* de Jorge de Montemayor a partir da edição de 1561. "Abencerraje" é o indivíduo de uma família do reino muçulmano de Granada.
3   Os Nove da Fama foram três judeus: Josué, Davi e Judas Macabeu; três pagãos: Alexandre, Heitor e Júlio César; e três cristãos: o rei Artur, Carlos Magno e Godofredo de Bolonha.
4   A sobrinha se engana: Alquife, marido de Urganda, a Desconhecida, assim chamada porque mudava de aparência. "Esquife", em gíria, significa "pilantra".

CAPÍTULO VI [PP. 95-102]

1   *Los cuatro libros del virtuoso caballero Amadís de Gaula*, de Garci Rodríguez de Montalvo. A primeira

edição conservada é de 1508, mas antes houve pelo menos outra, de 1496.
2   *Las sergas de Esplandián* (1510), de Garci Rodríguez de Montalvo, é a continuação de *Amadís de Gaula*.
3   Nono livro da série dos Amadises, escrito por Feliciano de Silva (1530).
4   *Historia del invencible caballero don Olivante de Laura, príncipe de Macedonia, que vino a ser emperador de Constantinopla* (1564), de Antonio de Torquemada.
5   O *Jardín de flores curiosas* (1579) é uma junção de notícias extraordinárias. Cervantes o aproveitou no *Persiles*.
6   Trata-se da *Primera parte de la grande historia del muy animoso y esforzado príncipe Felixmarte de Hircania y de su estraño nacimiento* (1556), de Melchor Ortega.
7   *Crónica del muy valiente y esforzado caballero Platir, hijo del emperador Primaleón* (1533), livro anônimo do ciclo dos Palmeirins.
8   Adaptação em prosa do *Orlando innamorato*, de Matteo Boiardo, feita por Pero López de Santamaría e Pedro de Reinosa (1586).
9   Um dos Doze Pares e conselheiro de Carlos Magno. Atribui-se a ele uma crônica novelesca intitulada *Historia Caroli magni et Rotholandi*, daí a ironia.
10 Poeta italiano (1441-94), autor de *Orlando innamorato* (1492).
11 Autor de *Orlando furioso* (1516-32).
12 Atribuído a Francisco Vázquez (1511), é o primeiro da série dos Palmeirins.
13 Obra do português Francisco Moraes (1545) traduzida para o espanhol por Luis de Hurtado com o título de *Libro del muy esforzado caballero Palmerín de Inglaterra, hijo del rey don Duardos* (1547).
14 *Don Belianís de Grecia* (1547-79), de Jerónimo Fernández, já foi citado num dos sonetos preliminares e no primeiro capítulo.
15 Livro de Joanot Martorell, de 1490. Cervantes devia conhecer a tradução anônima espanhola de 1511.
16 Este parágrafo é considerado a grande charada do livro. Ele começa e termina elogiando. Agora, no meio,

há a seguinte frase, considerada a mais obscura por
Diego Clemencín, um dos mais conhecidos editores de
Cervantes: "*Con todo eso, os digo que merecía el que le
compuso, pues no hizo tantas necedades de industria,
que le echaran a galeras por todos los años de su vida*".
Pensou-se que o autor tinha sido condenado às galés e
que faltasse um "não" antes de "merecia". Mas o autor
não foi condenado a nada. Daí, entre as muitas inter-
pretações, a de Martín de Riquer é considerada a mais
provável, já que parece haver um jogo de palavras entre
mandar para as galés, condenar ao remo e imprimir
um livro, porque a fôrma onde ia a composição também se chama galé. Parece? Acho gozada a dúvida dos
especialistas: Cervantes é cheio desses jogos de palavras. Enfim, o significado da passagem seria este: "O
Tirant é um livro divertido e diferente dos outros livros
de cavalaria, mas apesar disso Diego de Gumiel, já que
não *compôs* (ou seja, imprimiu) tantas *necedades* (ou
seja, episódios divertidos) de propósito, merecia passar
todos os dias de sua vida imprimindo".
Tudo muito bem, mas a metamorfose de *necedades*
(que vem de néscio, claro) não me convence. Então, jo-
gando com a frase de um lado para o outro, encontrei:
"Por tudo isso (as qualidades listadas anteriormente),
vos digo que quem o compôs merecia ser levado às galés (no sentido de imprimir) por todos os dias de sua
vida, pois não fez tantas tolices de propósito (como os
outros autores de livros de cavalaria)". Não me parece
que eu force a mão ou adivinhe mais do que De Riquer.
Mas espero fazer mais sentido.

17 *Segunda parte de La Diana* (1563), de Alonso Pérez,
médico de Salamanca.
18 *La Diana enamorada* (1564), considerada a melhor
continuação da obra de Montemayor.
19 Na verdade, de Alghero. O livro foi publicado em Barcelona em 1573.
20 Romances pastoris de Bernardo de la Vega (1591), Bernardo González de Bobadilla (1587) e Bartolomé López
de Enciso (1586), respectivamente.

21 De Luis Gálvez de Montalvo (1582).
22 Antologia de Pedro de Padilha, publicada em 1580 e reeditada em 1587.
23 Publicado em Madri em 1586, com dois poemas de Cervantes.
24 Publicado em 1585.
25 Poema épico em três partes sobre a conquista do Chile, publicadas em 1569 e 1589.
26 Epopeia de 1584 sobre as façanhas de Juan de Áustria, entre elas, a batalha de Lepanto.
27 Poema sobre a fundação do mosteiro de Montserrat, de 1587.
28 O título verdadeiro desse poema é *Primera parte de Angélica* (1586), de Luis Barahona de Soto. É a continuação do episódio de Angélica e Medoro do *Orlando furioso*.

CAPÍTULO VII [PP. 103-8]

1 Poema épico de Jerónimo Sempere (1560).
2 Obra de Pedro de la Vecilla Castellanos (1586) sobre a história da cidade de León.
3 Frestão é o mago e o suposto autor de *Belianís de Grecia*.
4 Escudo redondo, pequeno, de madeira.

CAPÍTULO VIII [PP. 109-17]

1 O bulbo da chicória, moído e fervido, era usado como sonífero.
2 No original se lê que o frade *"puso piernas al castillo de su buena mula"*, o que literalmente significa: "pôs pernas ao castelo de sua boa mula". Como a frase é esquisita, quase todos os tradutores trataram de contornar o castelo. Nas edições espanholas, há sempre uma nota explicando que se trata de uma mula enorme. É bem provável, se pensarmos em dezenas de outras saídas semelhantes no texto de Cervantes. Mas "no caste-

lo de sua boa mula"? Parece-me mais um erro de revisão: é fácil confundir *castillo* com *costilla*. (N.T.)

3   Personagem de *Amadís*, que ameaçava com essa frase ao entrar em combate.

SEGUNDA PARTE

CAPÍTULO IX [PP. 121-6]

1   Versos de Alvar Gómez de Ciudad Real em sua tradução de Petrarca.
2   *Sedero*, no original. Alguém que lida com seda. Como faz pouco sentido um mercador de seda comprar papéis velhos, fiquei com a opção de Almir de Andrade e Milton Amado, os primeiros tradutores brasileiros do *Quixote*. (N.T.)
3   Mourisco é o mouro batizado, que ficou na Espanha. Aljamiado é quem lê o texto espanhol escrito em caracteres árabes.

CAPÍTULO X [PP. 127-32]

1   O título se refere à aventura do basco, já terminada, e à dos galegos, que se passa no capítulo XV. Isso e outros detalhes no texto apoiam a tese de que os capítulos XI--XIV são uma interpolação de Cervantes de um episódio redigido depois do narrado nos capítulos X e XV.
2   Instituição armada que perseguia criminosos. Seus membros eram chamados quadrilheiros, como se verá em outros episódios.
3   Gigante sarraceno, personagem da *História de Carlos Magno*, preso e convertido ao cristianismo por Oliveiros, par de França. Roubou em Jerusalém dois barriletes desse remédio milagroso, feito com os restos dos perfumes usados para se embalsamar o corpo de Jesus Cristo.

4   Rei muçulmano derrotado por Reinaldos de Montalbán, quando tira o elmo dele no *Orlando innamorato* de Boiardo.
5   Foi Dardinel de Almonte que morreu ao tentar recuperar o precioso elmo no *Orlando furioso* de Ariosto, enquanto Sacripante lutou com Reinaldos por Angélica.
6   Reino imaginário de Galaor, irmão de Amadis.

CAPÍTULO XII [PP. 142-8]

1   Sara, mulher de Abraão, viveu 127 anos, tendo ainda batido um recorde: teve o filho Isaac aos noventa.

CAPÍTULO XIII [PP. 149-59]

1   Virgílio. Queria que se queimasse a *Eneida*, porque não teve tempo de corrigi-la.

TERCEIRA PARTE

CAPÍTULO XV [PP. 175-83]

1   Nome da célebre espada do Cid, que se tornou sinônimo de espada ou arma.
2   Sileno foi professor de Baco, sim, mas dom Quixote confunde Tebas de Beócia, onde nasceu o deus do riso, com Tebas do Egito, a Cidade das Cem Portas.

CAPÍTULO XVI [PP. 184-92]

1   *Crónica de los nobles caballeros Tablante de Ricamonte y Jofre, hijo de Donasón* (1513); Tomillas, personagem secundário da *Historia de Enrique, fi de Oliva* (1498).

2   Os chefes dos pelotões da Santa Irmandade levavam um bastão pequeno, de cor verde, chamado de meia vara, e um cilindro de metal com os documentos que confirmavam seu cargo e sua autoridade.

CAPÍTULO XVII [PP. 193-202]

1   "Bom homem" era tratamento depreciativo, reservado à gente de baixa condição.

CAPÍTULO XVIII [PP. 203-14]

1   Amadis da Grécia, bisneto de Amadis de Gaula.
2   Ceilão.
3   Povo do extremo sul da então chamada Líbia, que na tradição era considerada o lugar habitado mais meridional da Terra.
4   "Pierres Papín", no original. Nome de personagem folclórico relacionado aos jogos de carta. (N.T.)
5   Trata-se de *Pedacio Dioscórides Anazarbeo, acerca de la materia medicinal* (1555), traduzido para o espanhol, comentado e ilustrado pelo dr. Andrés Laguna.

CAPÍTULO XIX [PP. 215-23]

1   "*Muchos encamisados*", no original. "Encamisada" era um assalto noturno em que os soldados vestiam camisas brancas sobre as armaduras para se distinguirem dos inimigos. Ou "mascarada", uma diversão noturna, feita durante as festas públicas, com tochas. (N.T.)
2   Rodolfo Schevill sugere a interpolação para resolver o problema dessa fala, que seria absurdo atribuir a Sancho, resolvendo também a segunda saída do bacharel.
3   Frase da decisão do Concílio de Trento ("conforme o seguinte, 'Se alguém, persuadido pelo demônio'") que decreta a excomunhão de quem bate num clérigo.

CAPÍTULO XX [PP. 224-38]

1   Sancho confunde com "censorino": Catão, o Censor.
2   Máquina que comprime e bate o pano para torná-lo mais encorpado. É composto de maços de madeira movidos por uma roda-d'água. (N.T.)
3   À moda turca.

CAPÍTULO XXI [PP. 239-51]

1   "Aquilo" são os órgãos genitais, que contêm a substância medicinal que possui. Acreditava-se que o castor se castrava para sobreviver.
2   Troca de capas. Os cardeais e prelados, em cerimônia que assinala o fim da quaresma, trocavam as capas vermelhas por outras forradas de seda roxa.
3   "*Hidalgo de devengar quinientos sueldos*" refere-se à pena que se exigia de quem ofendesse gravemente um desses fidalgos.

CAPÍTULO XXII [PP. 252-64]

1   Alusão às quatro patas dos animais. Expressão também usada no Brasil, no Rio Grande do Sul e no Mato Grosso. (N.T.)
2   Relaciona-se esse personagem com um certo Jerónimo de Pasamonte, soldado que serviu em várias das mesmas campanhas em que Cervantes tomou parte, e autor, como Ginés, de uma autobiografia: *Vida y trabajos de Gerónimo de Pasamonte*.

CAPÍTULO XXIII [PP. 265-77]

1   Na edição *princeps*, não consta o roubo do burro de Sancho. A cena é intercalada aqui na segunda edição de 1605, e geralmente seguida pelas edições modernas.

Mas Sancho continua acompanhado de seu burro até o capítulo XXV, o que levou Hartzenbusch, em sua edição de 1863, a deslocar a passagem para lá.

CAPÍTULO XXIV [PP. 278-87]

1 Até o Concílio de Trento, uma mera promessa de casamento, enquanto os namorados se davam as mãos, era considerada tão válida como o juramento feito durante uma cerimônia religiosa. As trapaças produzidas à sombra de tal situação e as múltiplas contingências ligadas aos casamentos secretos ou clandestinos, que na prática subsistiram depois de Trento, foram fonte inesgotável para o teatro e o romance dos séculos XVI e XVII.

2 Refere-se ao 11º livro da série de *Amadís,* de Feliciano de Silva: *Crónica del muy excelente Príncipe don Florisel de Niqueia, en la qual trata de las grandes hazañas de los excelentisimos príncipes don Rogel de Grecia y el segundo Agesilao* (1535).

3 Agesilao e Arlanges, dois personagens do romance, adotam esses nomes quando se passam por mulheres.

4 Nenhuma das três Madásimas de *Amadís* foi rainha e nenhuma teve relações com o cirurgião Elisabat. Cardênio a confundiu — e dom Quixote também, mais à frente — com a infanta Gracinda.

CAPÍTULO XXV [PP. 288-307]

1 Alusão à figura alegórica da Ocasião, calva, com um topete na testa.

2 Desde Hartzenbusch (1863), em geral se intercala aqui o roubo do burro de Sancho, embora muitos editores continuem preferindo o capítulo XXIII. Não há dúvida da autenticidade da passagem. Dom Quixote aludiu ao burro antes de informar Sancho do projeto de sua

penitência e Sancho se refere a sua perda agora, ao voltar a falar.

3   Hipogrifo, cavalo alado do *Orlando furioso*. Frontino foi o cavalo que a donzela Bradamante, na mesma obra, deu a Rugero, que empreendeu uma série de aventuras que o mantiveram longe dela.

4   Pela primeira vez na edição *princeps* se menciona a "falta do burro", que, no entanto, Sancho esporeava ainda no começo deste capítulo.

5   A frase correta é: "*Quia in inferno nulla est redemptio*" (No inferno não há redenção). Segundo Sancho, no inferno não há *detenção*.

CAPÍTULO XXVI [PP. 308-17]

1   O episódio procede de Ariosto, mas não era Roland, e sim Ferragut quem protegia seu umbigo com sete pranchas de ferro, o único lugar em que podiam feri-lo.

2   Medoro era pajem de Dardinel de Almonte, não de Agramante.

3   Na segunda edição de 1605, substituiu-se desde "e se encomendar" até "um milhão de ave-marias" por "e assim farei eu. E lhe serviram de rosário dez grandes agalhas de um sobreiro, que ensartou". A correção sem dúvida é de Cervantes.

CAPÍTULO XXVII [PP. 318-36]

1   A lista inclui pagãos (Caio Mário, Lúcio Sérgio Catilina e Cornélio Sila, políticos romanos citados como corruptos), cristãos (Galalão, que traiu Roland; Vellido Dolfos, que assassinou Sancho II de Castela; e o conde dom Julián, que permitiu a invasão da Península pelos árabes) e um judeu (Judas, o apóstolo que traiu Jesus Cristo).

QUARTA PARTE

CAPÍTULO XXIX [PP. 355-67]

1   Zulema é um monte próximo de Alcalá de Henares (Compluto), na estrada de Loeches.
2   Nome dado ao golfo do mar Negro, na Cítia, região famosa por sua crueldade e barbárie.

CAPÍTULO XXX [PP. 368-79]

1   Tinácrio, o Mago, personagem da continuação de *El caballero del Febo*, de Pedro de la Sierra.
2   A passagem entre colchetes, que trata do achado do burro de Sacho, omitido na edição *princeps*, foi intercalada aqui na segunda edição.

CAPÍTULO XXXI [PP. 380-9]

1   Os ciganos pingavam umas gotas de mercúrio nos ouvidos dos animais que queriam vender, para parecerem mais animados.

CAPÍTULO XXXII [PP. 390-7]

1   *Los cuatro libros del valeroso caballero don Cirongilio de Tracia*, de Bernardo de Vargas (Sevilha, 1545).
2   A partir da edição de 1580, a *Crónica del Gran Capitán* ia acompanhada da biografia do soldado García de Paredes (1466-1530), famoso por sua força extraordinária.
3   Abrindo-se a parte superior de uma vagem de fava e tirando uma semente, fazia-se um bonequinho que parecia um frade.
4   Os estalajadeiros tinham fama de ser mouros.

CAPÍTULO XXXIII [PP. 398-419]

1   "Até o altar", "inferindo que o amigo deve fazer por seu amigo tudo aquilo que não for contra Deus" (Cervantes, no entremez *El viejo celoso*); era modismo clássico.
2   Luigi Tansillo (1510-68) é o autor de *Le lacrime de san Pietro* (1585), obra traduzida para o espanhol por Luis Gálvez de Montalvo em 1587.
3   No *Orlando* de Ariosto aparece uma taça encantada que derrama vinho sobre o marido que a mulher traiu; Reinaldos de Montalbán se recusou a se submeter à prova.

CAPÍTULO XXXV [PP. 442-51]

1   A batalha de Cerignola (1503), em que participou Odet de Foix, visconde de Lautrec.

CAPÍTULO XXXVI [PP. 452-62]

1   A batalha aconteceu no capítulo anterior. A incongruência tem a ver, mais uma vez, com as mudanças de última hora que Cervantes introduziu no original.
2   Era comum o uso de máscara para viagem como proteção contra a poeira.
3   Sela grande, com arção semicircular e o estribo do mesmo lado, em que cavalgavam as mulheres usando saia.

CAPÍTULO XXXVII [PP. 463-74]

1   "Lela" é fórmula de tratamento, equivalente a "senhora".
2   Lucas 2,13-14.
3   Citações dos Evangelhos (Mateus, 10,12 etc.).
4   Sirtes: bancos de areia, principalmente no golfo da Líbia; Cila e Caribdes: penhascos do estreito de Messina.

CAPÍTULO XXXIX [PP. 480-8]

1 O quartel-general do duque de Alba, enviado para reprimir a rebelião de Flandres, ficava em Alessandria della Paglia.
2 Trata-se dos condes de Egmont e Horne, acusados de rebelião contra a Espanha e executados em Bruxelas, em 5 de junho de 1568, por ordem do duque de Alba.
3 Assim se chamava o capitão de Cervantes em Lepanto.
4 No começo de setembro de 1570 os turcos controlavam quase toda a ilha de Chipre, enquanto a Santa Aliança, sob a inspiração de Pio V, foi formada em maio de 1571.
5 A frota espanhola chegou a Messina (Sicília) em 24 de agosto de 1571.
6 A batalha de Lepanto (7 de outubro de 1571).
7 Euch Ali, renegado calabrês, rei de Argel, Trípoli e Túnis, foi almirante da esquadra turca. Em Lepanto, enganou os genoveses e escapou com trinta galeras.
8 Juan Andrea Doria, almirante da esquadra genovesa.
9 Mulei: senhor absoluto. Dom Juan de Áustria impôs Mulei Hamet no trono de Túnis, em 1573, que tinha sido usurpado por Euch Ali ao depor o irmão de Hamet, Hamida, que por sua vez havia derrotado o próprio pai.

CAPÍTULO XL [PP. 489-502]

1 Giacomo Paleazzo, conhecido como Fratín ou Il Fratino, engenheiro italiano a serviço de Carlos V e Felipe II.
2 Ou Hadji Murad. Era filho de cristãos, mas tornou-se renegado e pessoa muito importante em Argel. A Pata, ou Al-Batha, era uma fortaleza em território argelino, a duas léguas de Orã.
3 Região do Magreb controlada pelos turcos; corresponde às atuais Líbia, Argélia e Túnis.

CAPÍTULO XLI [PP. 503-23]

1. Mami, o albanês, que capturou em 1575 a galera em que Cervantes voltava para a Espanha.
2. Antiga moeda de ouro turca que também circulava no Oriente.
3. Lembra a lenda dos amores do rei dom Rodrigo e a Cava, filha do conde dom Julián, que provocou a invasão árabe da Espanha visigoda.
4. Duas balas ligadas por correntes para cortar mastros.

CAPÍTULO XLII [PP. 524-31]

1. Era normal que os viajantes ricos levassem às estalagens inclusive sua própria cama.

CAPÍTULO XLIII [PP. 532-43]

1. Lirgandeu é o mago narrador das aventuras do Cavaleiro do Febo; Alquife, o marido de Urganda em *Amadís de Gaula*.

CAPÍTULO XLV [PP. 554-62]

1. Episódio do *Orlando furioso* em que Agramante e o rei Sobrino enfrentam Carlos Magno.

CAPÍTULO XLVI [PP. 563-71]

1. A *pax octaviana*, longo período de paz no Império Romano durante o governo de Otávio Augusto, depois das guerras civis.

2   "Como era no princípio", citação da oração *Gloria Patri*.

CAPÍTULO XLVII [PP. 572-82]

1   Zoroastes, Zoroastro ou Zaratustra era o rei persa a quem se atribuía a invenção da magia.
2   Cervantes a publicou em 1613 no volume *Novelas exemplares*, mas antes havia circulado em manuscrito numa primeira redação.
3   A *Summa Summularum* (1557) de Gaspar Cardillo de Villalpando, obra que resume e ao mesmo tempo renova a dialética escolástica tradicional; era livro-texto universitário.
4   Tipos de magos da Antiguidade: pensava-se que os *bracmanes* ou brâmanes eram seguidores de Pitágoras; os gimnosofistas eram uma espécie de filósofos ascetas.
5   As fábulas eram classificadas em três tipos: as mitológicas, as apologéticas e as milésias, que devem o nome aos livros obscenos de Aristides de Mileto.
6   Sinon: espião que convenceu os troianos a deixar entrar o cavalo de madeira; Euríalo era amigo inseparável de Niso (personagens da *Eneida*); Zópiro: governador da Babilônia, que se sacrificou pelo imperador Dario.

CAPÍTULO XLVIII [PP. 583-91]

1   Homero e Virgílio.
2   Dramas de Lupercio Leonardo de Argensola (1559--1613). O segundo se perdeu.
3   Respectivamente, comédia de Lope de Vega, escrita entre 1585 e 1595; tragédia de Cervantes, escrita em torno de 1583; comédia de Gaspar de Aguilar (1561-1623); e comédia de Francisco de Tárrega (1554-1602).
4   Refere-se a Lope de Vega, cujo *Arte nuevo de hacer comedias* (1609), na parte que tem de autocrítica, concorda essencialmente com as observações do padre.

CAPÍTULO XLIX [PP. 592-9]

1 Viriato: caudilho português que se rebelou contra Roma. Fernán González: o herói (930-70) da independência frente a León. Gonzalo Fernández de Córdoba (1453--1515), "o grande capitão" dos Reis Católicos e das guerras da Itália. Diego García de Paredes: soldado dos exércitos do grande capitão, mencionado no capítulo XXXII. Garci Pérez Vargas: cavaleiro do começo do século XIII, famoso por sua audácia contra os mouros. Garcilaso de La Vega, antepassado do poeta com quem não deve ser confundido, morreu em 1457 ou 1458 em Granada, em cujas portas pregou um papel com a ave-maria. Manuel de León: cavaleiro do final do século XV que entrou numa jaula de leões para recolher a luva de uma dama.

2 Todos episódios relatados em *La historia del emperador Carlomagno y los doce pares de Francia*. A moura Floripes, irmã do bom gigante Ferrabrás e mulher de Guy de Borgonha, protegeu os Doze Pares. A ponte de Mantible foi defendida pelo gigante Falafre, que fazia pagar caro pela passagem.

3 *Guerein Meschino* (Pádua, 1473), romance de Andrea da Barberino, traduzido na Espanha com o título de *Crónica del noble caballero Guarino Mesquino* (Sevilha, 1512).

4 Adição espanhola à lenda do rei Artur, em que essa senhora aparece como a intermediadora dos amores de Lancelot e Guinevere. Dom Quixote lembra os versos: "Essa dona Quitañona, essa que servia o vinho".

5 Confusão de dom Quixote: o cavalo voador aparece no romance *Clamades y Clarmonda* (Burgos, 1521), e não na *Historia de la linda Magalona, hija del rey de Nápoles, y de Pierres, hijo del conde de Provenza*.

6 João de Merlo, de ascendência portuguesa, foi alcaide de Alcalá, a Real. Combateu com Pierre de Beafremont, senhor de Charny, e com Henrique de Remestan.

7 Personagens históricos do século XV, com fama de valentes. Seus nomes e feitos são mencionados na *Crônica de dom João II*.

8   Em 1434, Suero de Quiñones defendeu o Passo Honroso na ponte do rio Órbigo (Astorga). Por amor de sua dama, ele lançou o seguinte desafio: quebrar trezentas lanças contra todos os cavaleiros que se apresentassem na ponte. As justas duraram trinta dias, com a participação de 68 cavaleiros vindos de vários reinos. Suero morreu anos depois em combate contra dom Gutierre de Quijada.
9   O desafio aconteceu em Valladolid, em 1428, nas "justas e torneios" que são lembrados nas *Coplas* de Jorge Manrique.
10 Atribuiu-se a Turpin, arcebispo de Reims em fins do século VIII, uma crônica novelesca que relaciona Carlos Magno e Roland com o caminho de Santiago.

CAPÍTULO LI [PP. 608-13]

1   Não existia uniforme militar propriamente dito, e os soldados usavam roupas coloridas e pomposas.
2   "Vós" era tratamento dispensado principalmente a pessoas de condição inferior ou aos mais próximos, como parentes.
3   Região do Peloponeso onde a tradição literária situa o lugar idílico por excelência. É cenário de *Arcádia*, de 1504 (e traduzida em 1547 na Espanha), de Jacopo Sannazaro (1458-1530), que no Renascimento foi o modelo principal da poesia e do romance pastoril, aqui reelaborados por Cervantes.

CAPÍTULO LII [PP. 614-28]

1   Escreveram isto.
2   Nome que se dava na época aos habitantes do Congo. Os membros das academias literárias costumavam adotar pseudônimos irônicos. Cervantes imagina as poesias lidas numa sessão em homenagem a dom Quixote, e o tom burlesco não desmente esse suposto meio, pois era frequente nas reuniões acadêmicas.

3   Em louvor a Dulcineia del Toboso.
4   "Talvez outro cante com melhor plectro", verso do *Orlando furioso*, xxx, 16 (com *altro* por *altri*).

LEIA MAIS PENGUIN-COMPANHIA
CLÁSSICOS

Homero

Odisseia

Tradução de
FREDERICO LOURENÇO

A narrativa do regresso de Ulisses a sua terra natal é uma obra de importância sem paralelos na tradição literária ocidental. Sua influência atravessa os séculos e se espalha por todas as formas de arte, dos primórdios do teatro e da ópera até a produção cinematográfica recente. Seus episódios e personagens — a esposa fiel Penélope, o filho virtuoso Telêmaco, a possessiva ninfa Calipso, as sedutoras e perigosas sereias — são parte integrante e indelével de nosso repertório cultural.

Em seu tratado conhecido como *Poética*, Aristóteles resume o livro assim: "Um homem encontra-se no estrangeiro há muitos anos; está sozinho e o deus Posêidon o mantém sob vigilância hostil. Em casa, os pretendentes à mão de sua mulher estão esgotando seus recursos e conspirando para matar seu filho. Então, após enfrentar tempestades e sofrer um naufrágio, ele volta para casa, dá-se a conhecer e ataca os pretendentes: ele sobrevive e os pretendentes são exterminados".

Esta edição de *Odisseia* traz uma excelente introdução de Bernard Knox, que enriquece o debate dos estudiosos, mas principalmente serve de guia para estudantes e leitores, curiosos por conhecer o mais famoso épico de nossa literatura.

WWW.PENGUINCOMPANHIA.COM.BR

LEIA MAIS PENGUIN-COMPANHIA
CLÁSSICOS

Ovídio

Amores & Arte de amar

Tradução de
CARLOS ASCENSO ANDRÉ

Para o poeta latino Ovídio, o amor é uma técnica que, como toda técnica, pode ser ensinada e aprendida. Isso, porém, não é simples: "São variados os corações das mulheres; mil corações, tens de apanhá-los de mil maneiras", ele diz. Essas "mil maneiras" são ensinadas em sua *Arte de amar*, uma espécie de manual do ofício da sedução, da infidelidade, do engano e da obtenção do máximo prazer sexual, elaborado a partir das experiências vividas pelo poeta e descritas em *Amores*.

Autoproclamado mestre do amor, Ovídio versa sobre as regras da procura e da escolha da "vítima", o código de beleza masculino, o desejo da mulher, o ciúme, o domínio da palavra escrita e falada, o poder do vinho como aliado na sedução, o fingimento, a lisonja, as promessas, os homens que devem ser evitados, a técnica da carícia e os caminhos do corpo feminino, entre outros temas.

A edição da Penguin-Companhia das Letras tem tradução e introdução de Carlos Ascenso André, professor de línguas e literaturas clássicas da Faculdade de Letras de Coimbra, e apresentação e notas do inglês Peter Green, escritor, tradutor e jornalista literário.

WWW.PENGUINCOMPANHIA.COM.BR

LEIA MAIS PENGUIN-COMPANHIA
CLÁSSICOS

James Joyce

Ulysses

Tradução de
CAETANO WALDRIGUES GALINDO
Introdução de
DECLAN KIBERD
Coordenação editorial de
PAULO HENRIQUES BRITTO

Um homem sai de casa pela manhã, cumpre com as tarefas do dia e, pela noite, retorna ao lar. Foi em torno deste esqueleto enganosamente simples, quase banal, que James Joyce elaborou o que veio a ser o grande romance do século xx.

Inspirado na *Odisseia* de Homero, *Ulysses* é ambientado em Dublin, e narra as aventuras de Leopold Bloom e seu amigo Stephen Dedalus ao longo do dia 16 de junho de 1904. Tal como o Ulisses homérico, Bloom precisa superar numerosos obstáculos e tentações até retornar ao apartamento na rua Eccles, onde sua mulher Molly o espera. Para criar esse personagem rico e vibrante, Joyce misturou numerosos estilos e referências culturais, num caleidoscópio de vozes que tem desafiado gerações de leitores e estudiosos ao redor do mundo.

O romance é um divisor de águas pelo êxito de Joyce em esticar e moldar a língua inglesa ao limite, a fim de retirar disso um retrato fiel, divertido e comovente do que se convencionou chamar de o "homem moderno". Na nova tradução, Caetano Galindo captou "a imensa gama de cores, registros, estilos, recursos e efeitos" de sua prosa revolucionária.

WWW.PENGUINCOMPANHIA.COM.BR

LEIA MAIS PENGUIN-COMPANHIA
CLÁSSICOS

Nicolau Maquiavel

O príncipe

Tradução de
MAURÍCIO SANTANA DIAS
Prefácio de
FERNANDO HENRIQUE CARDOSO

Àqueles que chegam desavisados ao texto límpido e elegante de Nicolau Maquiavel pode parecer que o autor escreveu, na Florença do século XVI, um manual abstrato para a conduta de um mandatário. Entretanto, esta obra clássica da filosofia moderna, fundadora da ciência política, é fruto da época em que foi concebida. Em 1513, depois da dissolução do governo republicano de Florença e do retorno da família Médici ao poder, Maquiavel é preso, acusado de conspiração. Perdoado pelo papa Leão X, ele se exila e passa a escrever suas grandes obras. *O príncipe*, publicado postumamente, em 1532, é uma esplêndida meditação sobre a conduta do governante e sobre o funcionamento do Estado, produzida num momento da história ocidental em que o direito ao poder já não depende apenas da hereditariedade e dos laços de sangue.

Mais que um tratado sobre as condições concretas do jogo político, *O príncipe* é um estudo sobre as oportunidades oferecidas pela fortuna, sobre as virtudes e os vícios intrínsecos ao comportamento dos governantes, com sugestões sobre moralidade, ética e organização urbana que, apesar da inspiração histórica, permanecem espantosamente atuais.

WWW.PENGUINCOMPANHIA.COM.BR

LEIA MAIS PENGUIN-COMPANHIA
CLÁSSICOS

Choderlos de Laclos

As relações perigosas

Tradução de
DOROTHEÉ DE BRUCHARD

Durante alguns meses, um grupo peculiar da nobreza francesa troca cartas secretamente. No centro da intriga está o libertino visconde de Valmont, que tenta conquistar a presidenta de Tourvel, e a dissimulada marquesa de Merteuil, suposta confidente da jovem Cécile, a quem ela tenta convencer a se entregar a outro homem antes de se casar.

Lançado com grande sucesso na época, *As relações perigosas* teve vinte edições esgotadas apenas no primeiro ano de sua publicação. O livro ficou ainda mais popular depois de várias adaptações para o cinema, protagonizadas por estrelas hollywoodianas como Jeanne Moreau, Glenn Close e John Malkovich. E, também, boa parte do sucesso do romance deve-se ao fato de a história explorar com muita inteligência os caminhos obscuros do desejo. Esta edição, com tradução de Dorotheé de Bruchard, traz uma introdução da editora inglesa Helen Constantine.

WWW.PENGUINCOMPANHIA.COM.BR

1ª EDIÇÃO [2012] 12 reimpressões

Esta obra foi composta em Sabon por warrakloureiro/ Alice Viggiani e impressa em ofsete pela Geográfica sobre papel Pólen da Suzano S.A. para a Editora Schwarcz em setembro de 2024

A marca FSC® é a garantia de que a madeira utilizada na fabricação do papel deste livro provém de florestas que foram gerenciadas de maneira ambientalmente correta, socialmente justa e economicamente viável, além de outras fontes de origem controlada.